LA MONTAGNE DE L'ÂME

La collection *l'Aube poche* est dirigée
par Marion Hennebert

Couverture : AVECC / Hervé Vincent
© Gao Xingjian, Encre de Chine

Titre original : *Lingshan*
Première publication en 1990

ISBN 2-87678-526-9

Gao Xingjian

La Montagne de l'Âme

Traduit du chinois
par Noël et Liliane Dutrait

éditions de l'aube

Du même auteur

Une canne à pêche pour mon grand-père, éditions de l'Aube, 1997

Au plus près du réel, dialogues avec Denis Bourgeois (1994-1997), éditions de l'Aube, 1997

Le Livre d'un homme seul, éditions de l'Aube, 2000

Pièces de théâtre :

La Fuite, Lansman, 1992

Au bord de la vie, Lansman, 1993

Dialoguer-Interloquer, M.E.E.T.,Arcane 17, 1994

Le Somnambule, Lansman, 1995

Quatre quatuors pour un week-end, Lansman, 1998

Préface

Quand une timide libéralisation politique a permis aux écrivains chinois, à la fin des années soixante-dix, de reprendre la plume non pas pour servir le Parti, mais tout simplement pour s'exprimer en tant qu'hommes, des dizaines de revues littéraires ont été créées et d'innombrables textes de nature et de longueur très diverses sont parus. Reportages, nouvelles, poèmes, romans, pièces de théâtre, scénarios de films, ont été utilisés pour pousser un même cri contre la tentative de destruction totale de l'homme et de la culture, que la Chine venait de connaître lors de sa « révolution » prétendument culturelle. Naturellement, nombre de ces écrivains sont remontés aux causes du désastre et leurs conclusions ont attiré sur eux les foudres des critiques officiels du Parti qui continuaient à surveiller de près tout ce qui se créait. Dans la masse des écrivains, des noms se sont détachés et ont acquis une certaine notoriété : A Cheng, Mo Yan, Can Xue, Lu Wenfu, Liu Binyan, Zhang Xinxin, Wang Meng, Han Shaogong, etc. sont devenus célèbres en Chine et sont connus des amateurs de littérature orientale hors de Chine.

La réflexion sur le fond devait inévitablement entraîner une réflexion sur la forme. La Chine était restée trop longtemps coupée du reste du monde, même dans le domaine de la création littéraire, pour que la découverte, à partir de la fin des années soixante-dix, des œuvres de Garcia Marquez, Sartre, Joyce, Kafka, Kundera, et bien d'autres, ne provoque pas un choc puissant chez les écrivains chinois. Le rôle des traducteurs a été primordial, mais lorsque ces traducteurs et chercheurs étaient aussi écrivains, leur contribution au débat littéraire a été encore plus grande. Ce fut le cas de Gao Xingjian, né en 1940 au Jiangxi, diplômé de français de l'Institut des langues étrangères de Pékin, grand amateur de théâtre depuis son plus jeune âge. Dès la fin de la « révolution culturelle », il a exprimé des conceptions novatrices, aussi bien dans le domaine de la dramaturgie que dans le domaine littéraire. Capable de lire dans leur langue Prévert, Beckett ou Ionesco dont il a traduit les œuvres pour les lecteurs chinois, il a présenté en toute connaissance de cause à ses contemporains les auteurs modernes occidentaux et leurs techniques de création dans son livre Premier Essai sur l'art du roman moderne. *La violente polémique sur le « modernisme » qui a suivi cette parution en 1981 a été d'une importance capitale. L'année 1985 est souvent considérée comme un sommet pour la création artistique chinoise. C'est exact, mais elle n'a pu être aussi décisive qu'en raison de la polémique sur le « modernisme » qui l'avait précédée.*

Ardent défenseur du « modernisme » en littérature, Gao Xingjian a poussé au développement des formes nouvelles : courant de conscience, abandon d'une intrigue bien déterminée, recours à une langue et un style dépouillés de l'influence de la politique... Après avoir dû détruire pendant la Révolution culturelle les manuscrits, pièces de théâtre, romans qu'il avait écrits précédemment, il a publié à partir de 1982 de nouvelles pièces de théâtre : Signal d'alarme, l'Arrêt d'autobus, l'Homme sauvage..., *dans lesquelles il a tenté de donner une place centrale à la langue et à la « théâtralité », conduisant à l'imaginaire. Les représentations de ses pièces au Théâtre d'art de Pékin ont été très tôt interdites ; il a préféré alors quitter la capitale pour effectuer un immense voyage vers les provinces du Sud et du Sud-Ouest, qui lui a permis de rechercher à la fois les traces d'une Chine pré-confucéenne et de découvrir des paysages à l'état de nature. Il a nourri ainsi, aussi bien sa recherche picturale et son travail littéraire, que ses recherches ethnologiques et historiques. En effet, Gao Xingjian est sans doute l'un des auteurs les plus éclectiques et féconds de notre temps. Traducteur, théoricien, dramaturge, romancier et poète, il est aussi peintre. Imprégné de la tradition picturale chinoise de l'encre, il manie le pinceau pour exprimer ses sentiments intérieurs au hasard du grain du papier, de la force de son geste et de l'écoulement de l'eau.*

Après avoir effectué plusieurs voyages à l'étranger, Gao Xingjian s'est installé en France à partir de 1988 et a mis en scène avec succès ses pièces de théâtre en Autriche et en Italie, dans une atmosphère de plus grande liberté qu'en Chine continentale, même s'il s'est trouvé alors confronté aux difficultés financières communes aux auteurs dramatiques d'Occident. Les événements de 1989 l'ont conduit à rompre définitivement avec le Parti et le régime en place en Chine. La même année, il a achevé la Montagne de l'Ame, *commencée en 1982 lors de son voyage dans la Chine profonde, et il a déclaré qu'il aurait, grâce à ce roman, « réglé ses comptes avec la nostalgie du pays natal ». L'exil ne constitue pas pour lui une souffrance ; au contraire, il lui permet d'être directement en contact avec ce monde culturel occidental dont il avait présenté en Chine les grands courants. Refusant d'attendre des jours meilleurs pour son pays, Gao Xingjian préconise la fuite active et continue son travail de création tous azimuts. Déjà traduit et apprécié en Suède, il a osé se lancer dans l'écriture directe en français, et sa pièce,* Au bord de la vie, *mise en scène par Alain Timar au Festival d'Avignon, a convaincu nombre d'initiés.*

La Montagne de l'Ame *constitue une œuvre unique dans le paysage littéraire contemporain. A la fois voyage intérieur, dialogue entre des personnages seulement définis par les pronoms personnels « je », « tu », « il» ou « elle » (le « nous » qui désigne la ou les masses est banni, il rappelle sans doute de trop mauvais souvenirs...), évocation des paysages et des forêts encore vierges de Chine, mise en scène des déchirements amoureux ou simple description d'une minute de plaisir dû à l'amitié ou la contemplation d'une rivière, conte classique picaresque et merveilleux, évocation de la réalité absurde ou kafkaïenne contemporaine, réflexion sur l'art romanesque, cette œuvre ne serait encore rien sans la langue qui la sous-tend : une langue moderne, musicale, sans affectation ni obscurité et qui « passe » parfaitement lorsqu'elle est lue à haute voix. L'expérience du théâtre est capitale dans l'écriture de Gao Xingjian : il crée systématiquement une distance entre le narrateur et le lecteur à l'aide d'un « elle dit... », répété à l'infini, que l'on retrouve aussi dans ses pièces de théâtre. Si « je » est un autre, chez Gao Xingjian, « je » devient « tu », sorte de voix intérieure pudique, distanciée et, partant, universelle. Quand « je » cherche à réaliser ses fantasmes, c'est « tu » qui relaie le narrateur.*

Cette Montagne de l'Ame, attestée par les écrits mythologiques chinois, toponyme incertain sur la carte de Chine, est-elle la quête de la beauté, la connaissance absolue, une confession autobiographique, ou le roman lui-même, roman impossible puisque hors normes aussi bien en Orient qu'en Occident ? La dernière phrase du roman : « En réalité, je ne comprends rien, strictement rien. C'est comme ça » montre bien que la réponse est loin d'être donnée.

Noël Dutrait

Le texte français de *la Montagne de l'Ame* a été relu par l'auteur et un fécond travail sur la langue a pu s'engager avec les traducteurs. Déjà publié en suédois, le roman doit prochainement paraître en anglais et en allemand.

1

Tu es monté dans un autobus long courrier. Et, depuis le matin, le vieux bus réformé pour la ville a cahoté douze heures d'affilée sur les routes de montagne, mal entretenues, pleines de bosses et de trous, avant d'arriver dans ce petit bourg du Sud.

Sac sur le dos, une sacoche à la main, tu balaies du regard le parking jonché de papiers de bâtonnets glacés et de déchets de canne à sucre.

Des hommes chargés de sacs de toutes tailles, des femmes, bébé dans les bras, descendent du bus ou traversent le parking tandis qu'une bande de jeunes, sans sacs ni paniers, sortent d'un sachet des graines de tournesol qu'ils s'envoient une à une dans la bouche et dont ils recrachent immédiatement la peau. Ils mangent avec élégance en émettant une sorte de sifflement, avec une distinction, un air dégagé typiques du style local. Ici, c'est leur pays natal, ils n'ont aucune raison de ne pas vivre en toute liberté, leurs racines se sont enfoncées dans ce sol de génération en génération. Inutile que tu viennes de loin y chercher des racines à leur place. Mais, pour ceux qui ont quitté ce lieu depuis longtemps, il n'existait évidemment pas encore cette gare routière et encore moins ces cars. Sur la rivière, il fallait prendre un bateau couvert de nattes de bambou et sur terre louer une brouette. Si l'on n'avait vraiment pas le sou, on ne pouvait compter que sur ses deux semelles. A présent, tous ceux qui sont encore en vie rentrent à qui mieux mieux, même depuis l'autre rive de l'océan Pacifique, soit en petite voiture particulière, soit en grosse voiture à air conditionné. Certains ont fait fortune, quelques-uns sont devenus célèbres, d'autres ne sont rien du tout, mais tous viennent là en raison de leur âge avancé. Parvenu au terme de sa vie, qui peut échapper à cette nostalgie ? Ceux qui n'ont jamais nourri la moindre envie de quitter ce lieu déambulent avec davantage de naturel, les bras ballants, riant et parlant à haute voix, sans aucune entrave. Leur intonation est douce et familière, presque émouvante. Quand deux connaissances se rencontrent, elles n'échangent pas comme en ville des paroles creuses de politesse en hochant la tête ou en se serrant la main. Tantôt elles s'interpellent par leurs noms, tantôt elles s'envoient une grande bourrade sur l'épaule, adorant se serrer mutuellement contre leur poitrine, non seulement les femmes entre elles, mais peut-être plus encore les hommes. Près du bassin en ciment pour le lavage des cars, se tiennent justement deux toutes jeunes femmes. Elles babillent sans fin, main dans la main. Le langage des femmes de ce pays a l'air tellement précieux que tu ne peux t'empêcher de leur jeter un coup d'œil. Vu de dos, leur turban confectionné dans un tissu bleu à motifs transmis de génération en génération, et la manière dont il est attaché, semblent d'une extraordinaire originalité. Tu t'approches involontairement. Le turban est noué sous le menton, en triangle, soulignant de jolis visages aux traits fins s'accordant à leurs gracieuses silhouettes. Tu passes tout près d'elles.

Leurs deux mains toujours liées ensemble sont de la même couleur rouge, aussi grossières, avec de fortes articulations. Ce sont sans doute de nouvelles mariées en visite chez des amis ou bien de retour chez leurs parents. Ici, pourtant, le terme de « jeune mariée » ne désigne que la femme de son propre fils. Si l'on utilisait ce terme à la manière des rustauds du Nord pour désigner n'importe quelle jeune femme venant de se mettre en ménage, on s'attirerait aussitôt une bordée d'injures. Une fois mariée, la jeune femme appelle l'époux « le vieux », aussi bien pour dire « mon mari » ou « ton mari ». Ici, les gens ont leur propre vocabulaire, bien qu'ils soient tous Chinois descendant des empereurs fondateurs, appartenant à la même ethnie et possédant la même culture.

Toi-même, tu ne sais pas clairement pourquoi tu es venu ici. C'est par hasard que dans le train tu as entendu quelqu'un parler d'un lieu nommé Lingshan, la Montagne de l'Ame Cet homme était assis en face de toi, ta tasse à thé était posée à côté de la sienne et les vibrations du train faisaient tinter l'un contre l'autre les couvercles de vos tasses. Les choses en seraient restées là s'ils avaient continué à tinter ou s'étaient arrêtés au bout d'un instant, mais le hasard a voulu qu'au moment où les deux couvercles se sont entrechoqués, tu as eu, en même temps que lui, l'intention de les déplacer et, qu'à cet instant-là, ils se sont tus. Mais, à peine aviez-vous détourné votre regard, qu'ils ont recommencé à résonner. Vous avez tendu le doigt ensemble et ils se sont arrêtés. Sans vous être donné le mot, vous avez ri. Vous avez alors simplement déplacé un peu les couvercles et entamé la conversation. Tu lui as demandé où il allait.

— A Lingshan.

— Quoi ?

— Lingshan, la Montagne de l'Ame.

Toi aussi, tu as parcouru la Chine du nord au sud et tu es allé dans de nombreuses montagnes réputées, pourtant, tu n'as jamais entendu parler de ce lieu.

En face de toi, ton compagnon a fermé un peu les yeux, il se repose. Animé d'une curiosité compréhensible, tu voudrais savoir quelle lacune subsiste dans ta connaissance des sites célèbres. Dans ta vanité, tu ne peux supporter qu'il existe encore un endroit dont tu n'as jamais entendu parler. Alors, tu lui demandes où se trouve Lingshan.

— A la source de la You, répond-il en ouvrant les yeux.

Où se trouve cette rivière You, tu n'en sais rien, mais tu n'oses le lui demander. Tu te contentes de hocher la tête, ce qui peut se comprendre de deux manières : « Oui, merci », ou bien : « Ah oui, je connais. » Ton amour-propre est satisfait, mais sûrement pas ta curiosité. Un moment plus tard, tu finis par lui demander comment on s'y rend et par où l'on pénètre dans cette montagne.

— On peut prendre le car jusqu'au petit bourg de Wuyi, puis remonter la You en barque.

— Qu'y a-t-il là-bas ? On peut voir des paysages, des temples ? Des vestiges ? demandes-tu en prenant un air indifférent.

— Tout est à l'état originel là-bas.

— Y a-t-il des forêts vierges ?

— Bien sûr, mais pas seulement ça.

— Des hommes sauvages aussi ? dis-tu en plaisantant.

Il rit, mais sans moquerie, ce qui t'excite encore plus. Tu dois savoir qui est cet ami assis en face de toi.

— Vous étudiez l'écologie ? Vous êtes biologiste ? Paléoanthropologue ? Archéologue ?

— Je m'intéresse davantage aux vivants, dit-il en faisant non de la tête à chacune de tes propositions.

— Vous faites des enquêtes sur les traditions populaires ? Vous êtes sociologue ? Spécialiste du folklore ? Ethnologue ? Ou alors journaliste ? Aventurier ?

— Je suis tout cela, en amateur.

Vous avez ri tous les deux.

— Ça n'empêche pas de s'amuser !

Vous avez ri encore plus franchement. Il a allumé une cigarette et a mis en route son moulin à paroles, racontant toutes sortes de merveilles sur Lingshan. Puis, sur ton invitation, il a déchiré un paquet de cigarettes vide et dessiné une carte indiquant la route à suivre pour s'y rendre.

Dans le Nord, c'est déjà le plein automne. Ici, les chaleurs d'été n'ont pas du tout faibli. Avant de disparaître derrière les montagnes, le soleil garde toute sa force et, quand il tape sur le corps, la sueur coule le long du dos. Tu sors de la gare routière, inspectes les environs. En face, il n'y a qu'une petite auberge à un étage, de style ancien, à la devanture en bois. Les planches grincent quand on marche à l'étage, mais le plus terrible, ce sont les oreillers et les nattes d'un noir graisseux. Pour se laver, il faut attendre la nuit pour ôter son pantalon et s'asperger d'eau avec une cuvette dans la petite cour exiguë et humide. C'est une halte pour ceux qui parcourent la campagne, commerçants et artisans.

Il est encore tôt avant la nuit, tu as tout le temps de trouver un hôtel plus propre. Tu erres dans les rues, sac au dos, pensant découvrir dans cette bourgade un signe, une enseigne, ne serait-ce qu'un nom composé des deux caractères de Lingshan qui te prouveraient que tu ne t'es pas trompé, que tu n'as pas fait ce long trajet pour rien. Tu as beau regarder partout, tu n'en trouves aucune trace. Parmi les gens qui sont descendus du car en même temps que toi, aucun n'a l'air d'un touriste. Toi non plus bien sûr, mais aucun n'a la même tenue que toi : une paire de légères mais solides chaussures de montagne, un sac à dos. Bien sûr, ici ce n'est pas le genre de site touristique célèbre où se rendent jeunes mariés et retraités, où tout est fait pour le tourisme, où partout sont stationnés des cars, où l'on peut acheter des plans touristiques à tous les coins de rues et où sont exposés dans toutes les boutiques casquettes, maillots de corps, tee-shirts, mouchoirs portant le nom du lieu, avec des hôtels où descendent les étrangers qui paient en devises, des centres d'accueil ou des centres de repos où l'on ne peut entrer que munis d'une lettre de recommandation, sans oublier les petits hôtels privés qui se disputent le client, portant tous comme enseigne ce nom sacré. Tu n'es pas venu dans ce genre d'endroit pour te distraire en groupe sur le sentier d'une colline où les gens s'observent, se bousculent, se pressent et jettent par terre peaux de pastèques, bouteilles d'eau gazeuse, boîtes de conserve, papiers sales et mégots. Ici aussi, un jour ou l'autre, il en sera de même. Tu croyais venir avant que de charmants pavillons, kiosques, terrasses ou tourelles ne soient construits, te presser devant l'épigraphe d'un homme célèbre ou l'appareil photo d'un journaliste. En toi-même, tu te réjouis tout en nourrissant certains doutes. Dans cette rue, pas le moindre signal pour attirer les touristes, as-tu été berné ? Tu ne t'es fié qu'à un itinéraire griffonné sur un paquet de cigarettes caché dans ta veste et à ce compagnon rencontré par hasard dans le train. Rien ne te prouve qu'il disait vrai. Tu n'as pas vu de récit de voyage authentique, et même le grand recueil des sites touristiques publié récemment ne comporte pas d'entrée à ce nom. Bien entendu, on trouve facilement des sites du nom de Lingtai, Lingqiu, Lingyan et même Lingshan, en feuilletant l'atlas de Chine par provinces

Tu n'ignores pas que dans les innombrables livres et textes historiques anciens, depuis le *Classique des mers et des montagnes*, ouvrage de divination et de magie antique, jusqu'au vieux traité de géographie intitulé *Annotations au Classique des rivières*, le site de Lingshan est bien mentionné. Le Bouddha y a même donné l'éveil au vénérable Mahakasyapa. Tu n'es pas stupide, tu dois faire appel à ton intelligence, rechercher d'abord ce petit bourg du nom de Wuyi mentionné sur le paquet de cigarettes et la voie qui pénètre dans Lingshan, la Montagne de l'Ame.

Tu retournes à la gare routière et tu entres dans la salle d'attente, l'endroit le plus animé de cette petite ville de montagne, qui est déjà complètement vide à cette heure. Les guichets de vente de billets et de consigne sont obstrués par une planche. Tu frappes, sans obtenir le moindre résultat. Il ne te reste qu'à lever la tête pour compter les noms des gares, plus jolis les uns que les autres, alignés au-dessus du guichet : le Village des Zhang, la Boutique de Sable, l'Usine de Ciment, le Vieux Four, Cheval d'Or, Bonne Année, Inondation, la Baie du Dragon, le Bassin des Fleurs de Pêcher... mais aucun ne correspond à l'endroit que tu cherches. Malgré la petite taille de ce bourg, les destinations et les autocars sont nombreux. Pour une seule journée, il y a jusqu'à cinq ou six cars, mais la destination pour l'Usine de Ciment n'est certainement pas touristique. La ligne la moins fréquentée n'est desservie que par un car quotidien. Ce doit être le lieu le plus perdu, mais Wuyi se trouve bien tout au bout. Elle n'attire pas le regard, semblable à tous les autres noms de localité, sans « âme » particulière. Mais toi, comme si tu avais enfin trouvé l'extrémité du fil d'un écheveau embrouillé que tu n'avais plus l'espoir de démêler, si tu n'es pas fou de joie, tu es au moins rassuré. Tu devras acheter ton billet une heure avant le départ du car. L'expérience te dit que sur ces lignes de montagne d'une seule desserte par jour, il faut se battre pour monter dans le car, et que, si tu ne t'y prépares pas à l'avance, tu devras faire la queue très tôt.

A ce moment, tu as du temps devant toi, mais le sac de voyage commence à peser sur tes épaules. Tu flânes et les camions chargés de bois te frôlent, klaxons hurlants. Tu remarques que sur la route étroite qui traverse la bourgade, les camions, de tous gabarits, ne cessent de faire hurler leurs avertisseurs. Dans les autocars, les receveurs gardent le bras sorti par la fenêtre et frappent sans cesse sur la carrosserie, augmentant le brouhaha qui règne dans la rue. Et c'est le seul moyen pour que les piétons finissent par s'écarter.

Les vieilles maisons situées de chaque côté de la rue présentent toutes des façades en bois. Au rez-de-chaussée on fait du commerce, et à l'étage on fait sécher les vêtements : des couches de bébés aux soutiens-gorge, des culottes rapiécées aux draps à fleurs, ils flottent dans la poussière et le bruit des voitures, comme autant de bannières des pays du monde entier. Au bord de la route, sur les poteaux en ciment, à hauteur des yeux, sont affichées toutes sortes de publicités. L'une d'elles, qui vante un produit contre les mauvaises odeurs des aisselles, retient particulièrement ton attention. Non pas que tu souffres de cette maladie, mais tu es attiré par l'originalité de son écriture. Après le terme « bromidrose », figure une explication entre crochets :

[La bromidrose (appelée aussi Odeur des immortels) est une maladie désagréable produisant une odeur nauséabonde. A cause d'elle, nombreux sont ceux qui ont dû retarder leur mariage ou qui ont eu des difficultés à se faire des amis. Souvent, des jeunes

gens et des jeunes filles, empêchés de trouver un travail ou d'entrer à l'armée, en ont terriblement souffert sans arriver à venir à bout de leurs tracas. A présent, grâce à un nouveau procédé synthétique, on peut totalement supprimer la mauvaise odeur. L'efficacité est de 97,5 %. Pour votre plaisir dans la vie et votre bonheur futur, venez vous faire soigner chez nous...]

Puis tu arrives à un pont de pierre. Aucune mauvaise odeur. Un vent frais souffle doucement, rafraîchissant et plaisant. Le pont de pierre enjambe une large rivière. Bien que la rue soit asphaltée, on distingue encore vaguement des lions sculptés sur les colonnes rainurées. Il doit sûrement être très ancien. Appuyé sur la balustrade en pierre renforcée par du béton, tu contemples les deux parties de cette bourgade reliées par le pont. De chaque côté, d'innombrables toits en tuiles noires disposés en rangs serrés s'étendent à perte de vue. Entre les montagnes s'ouvre une vallée dont les champs de riz jaune d'or sont incrustés de forêts de bambous verts. L'eau de la rivière d'un bleu pur s'écoule tranquillement entre les plages de sable de son lit, puis, arrivée sur les piles du pont en pierre taillée qui la partage, elle devient plus profonde et vire au vert sombre. Dès qu'elle a passé l'arche du pont, elle émet un grondement, et une écume blanche se forme au-dessus de ses violents tourbillons. L'eau a laissé sa marque à différents niveaux de la digue de pierre haute de plus de dix mètres. La plus récente, d'un jaune grisâtre, date de la dernière inondation de l'été. Est-ce la You ? Prend-elle sa source à Lingshan ?

Le soleil va se coucher. Sa demi-sphère ressemble à un couvercle de couleur orangée. Il reste brillant, mais n'éblouit plus. Tu portes ton regard vers l'endroit où les deux versants de la vallée se rejoignent, là où les cimes s'enchevêtrent dans la brume et les nuages. Ce tableau illusoire d'un noir bien vivant grignote peu à peu par le bas l'astre étincelant qui semble tourbillonner. Plus le soleil couchant se teinte de rouge, plus il est doux. Il lance des reflets d'or dans l'eau du fleuve. Le bleu sombre et les rayons dorés se mêlent dans les ondulations et les jaillissements de l'eau. La boule pourpre dégage plus encore de sérénité, mais, en descendant au creux du vallon, elle porte une certaine séduction dans sa gravité. Et puis il y a les sons. Tu en entends un, difficile à saisir, qui se met à résonner au fond de ton cœur et se répand progressivement, tressaille un peu, comme sur la pointe des pieds, s'échappe et disparaît dans le paysage noir de la montagne, emplissant les cieux de la brume du crépuscule. Le vent du soir siffle à tes oreilles ainsi que le son incessant des klaxons de voitures. En traversant le pont, tu découvres à son extrémité une plaque récemment gravée aux caractères rehaussés de rouge : *Pont Yongning, construit pendant la troisième année de l'ère Kaiyuan des Song, restauré en 1962. Plaque posée en 1983.* Voilà un signe annonçant l'arrivée du tourisme.

Au bout du pont se trouvent deux rangées de gargotes. Dans celle de gauche, tu manges un bol de fromage de soja en gelée, ce genre de fromage de soja tendre et délicieux, bien assaisonné, que l'on vendait à travers rues et venelles et qui, pendant un temps avait disparu, mais qui est aujourd'hui de nouveau fabriqué grâce à une recette transmise de père en fils. Puis, dans celle de droite, tu manges deux galettes au sésame et à l'oignon sortant de la poêle, chaudes et odorantes ; enfin, tu manges encore — où ? tu ne t'en souviens plus — des boulettes de riz glutineux fermenté, à peine plus grosses que des perles, sucrées à souhait. Bien sûr, tu n'as pas été aussi pédant que M. Ma le Deuxième voyageant au lac de l'Ouest, mais tu as un assez bon appétit. En dégustant ces mets de nos ancêtres, tu écoutes les conversations des clients et des patrons qui connaissent bien le lieu. Tu voudrais te rapprocher et te mêler à eux en utilisant leur doux langage à l'accent campagnard. Tu as vécu longtemps en ville et tu as besoin d'entretenir en toi une grande nostalgie du pays natal, tu voudrais qu'il te procure un peu de réconfort, pour que tu puisses retourner à l'époque de ton enfance et retrouver tes souvenirs perdus.

Tu finis par trouver un hôtel de ce côté du pont, dans une vieille rue dallée de pierres. Les planchers ont été à peu près lavés. Dans la chambre simple que tu as louée, est étendue une planche recouverte d'une natte de bambou et d'une couverture de coton gris dont on ne sait si elle est sale ou s'il s'agit de sa couleur d'origine. Tu la glisses sous la natte, écartes l'oreiller graisseux. Heureusement qu'il fait chaud, la literie est inutile. A ce moment, tu éprouves le besoin de poser ton sac à dos qui est devenu très lourd et de te débarrasser de toute la poussière et la transpiration qui collent à ton corps. Tu t'allonges torse nu sur le lit, jambes écartées. Dans la chambre à côté, on s'interpelle. On joue aux cartes. Tu entends distinctement le bruit des cartes que l'on abat sur la table. Seule une planche vous sépare et, par les fentes de la tapisserie déchirée, tu peux apercevoir vaguement quelques gaillards torse nu. Tu n'es pas fatigué au point de sombrer tout de suite dans le sommeil et tu frappes à la cloison. Un grondement s'élève à côté. Ce n'est pas contre toi, mais contre eux-mêmes qu'ils grondent. Il y a les gagnants et les perdants, et les perdants tardent à honorer leurs dettes. Dans cet hôtel on joue ouvertement de l'argent malgré l'avis de la police du district placardé dans les chambres, qui stipule l'interdiction du jeu et de la prostitution. Tu as vraiment envie d'aller voir si ce règlement est respecté. Tu t'habilles, sors dans le couloir et frappes à la porte entrouverte de la chambre. Le brouhaha continue, personne ne te prête attention. Tu entres carrément en poussant la porte. Les quatre gaillards assis autour d'un lit placé au milieu de la pièce se retournent pour te regarder. Ils ne sont pas du tout surpris, c'est toi le plus étonné. Quatre visages étranges avec des morceaux de papier collés sur les sourcils, sur les lèvres, sur le nez ou les joues. Ils sont aussi effrayants que comiques. Mais ils ne rient pas et se contentent de te regarder. Tu les as dérangés, manifestement ils sont en colère.

— Ah, vous jouez aux cartes... Tu ne peux que t'excuser.

Et ils continuent à abattre leurs cartes. Elles sont très allongées, avec des dessins rouges ou noirs, comme au mah-jong. Elles comportent aussi la porte céleste et la prison terrestre. Le perdant est puni par le gagnant qui lui colle un morceau de papier journal à un endroit déterminé. Est-ce seulement une mauvaise plaisanterie, une sorte de défoulement, ou bien un repère fixé par les parieurs permettant aux perdants ou aux gagnants de faire leurs comptes, impossible de le savoir de l'extérieur.

Tu sors à reculons et retournes dans ta chambre. Tu t'allonges à nouveau sur ton lit et contemples au plafond les taches serrées autour de l'ampoule électrique, qui sont en fait d'innombrables moustiques attendant que la lumière soit éteinte pour venir te piquer. En hâte, tu descends la moustiquaire. Fixée au plafond par une lanière de bambou formant un cercle, la gaze recouvre un espace cylindrique. Cela fait longtemps que tu n'as pas dormi sous ce genre de moustiquaire et tu as largement passé l'âge où tu te perdais dans tes rêveries, les yeux grands ouverts fixés sur le sommet de la gaze. Aujourd'hui, tu ne sais pas quelle impulsion t'animera demain, toi qui as bien appris tout ce qu'il te faut apprendre, que vas-tu encore rechercher ? Arrivé à l'âge mûr, ne devrais-tu pas vivre tranquillement, t'acquitter sans te presser de ta tâche à un poste ni trop bas ni trop élevé, jouer ton rôle de mari et de père, t'installer un nid douillet, garder à la banque un peu d'argent qui fructifierait au fil des mois et qui te laisserait un peu de bien une fois retirés les frais pour la retraite ?

2

A mi-chemin entre les hauts plateaux tibétains et le bassin du Sichuan, au pays de l'ethnie qiang, dans la partie médiane des monts Qionglai, j'ai vu l'adoration du feu et une survivance de la civilisation originelle de l'humanité. Les ancêtres de chaque ethnie ont vénéré le feu qui leur a apporté les débuts de la civilisation. C'est un dieu.

Assis devant le feu, il boit de l'alcool mais, avant d'y goûter, il trempe un doigt dans son bol et l'agite au-dessus des braises qui se mettent à siffler en crachant une fumée bleue. A cet instant, je réalise que j'existe vraiment.

— Je fais cette offrande au dieu du foyer parce que c'est grâce à lui que nous avons à boire et à manger.

La lumière du feu éclaire ses joues creuses, son long nez et ses pommettes saillantes. Il me dit qu'il appartient à l'ethnie qiang, qu'il est originaire du village de Gengda. Gêné de lui poser tout de suite des questions sur les dieux et les démons, je lui dis simplement que je suis venu étudier les chants populaires de ces montagnes et je lui demande si l'on y pratique encore la danse appelée *gezhuang*. Il déclare que lui-même en est capable, que jadis, hommes et femmes dansaient autour du feu jusqu'au petit matin, mais que, plus tard, ce fut interdit.

— Pourquoi ? Je connais parfaitement la réponse, mais pose quand même la question.

— A cause de la Révolution culturelle. On a dit que les paroles des chansons étaient malsaines et elles ont été remplacées par les citations de Mao.

— Et ensuite ? Je pose encore la question à dessein, ça devient une vieille habitude.

— Ensuite, plus personne ne les a chantées. A présent, on recommence à danser, mais rares sont les jeunes qui savent. Je les leur apprends.

Je le prie de faire une démonstration. Il se lève aussitôt et, sans hésitation, se met à danser en chantant. Sa voix est grave et forte, une belle voix naturelle. Je suis persuadé qu'il est de l'ethnie qiang, mais les policiers qui s'occupent de l'état civil en doutent. Ils pensent que tous ceux qui déclarent appartenir aux ethnies tibétaine ou qiang ne le font que pour échapper à la limitation des naissances et pouvoir mettre au monde plus d'enfants.

Il chante une chanson, puis une autre. Il me dit qu'il aime bien s'amuser, ce que je crois aussi. Il vient de se débarrasser de sa charge de chef de village et ressemble à nouveau à un montagnard, un vieux montagnard plein d'entrain. Malheureusement, il a passé l'âge des aventures amoureuses.

Il est aussi capable de réciter de nombreuses incantations, procédés magiques que les chasseurs utilisent au moment d'aller en montagne, appelés « méthode de la montagne noire » ou bien « sorcellerie ». Il ne nie pas ce fait. Il croit fermement que ces incantations peuvent pousser le gibier dans les fosses ou bien l'inciter à se faire prendre dans les pièges. La magie n'est pas seulement utilisée à l'encontre des animaux, mais aussi entre les hommes dans un but de vengeance. Si la « méthode de la montagne noire » est utilisée à l'encontre d'un homme, celui-ci est voué à ne plus pouvoir sortir de la montagne. Cela ressemble à une histoire que j'ai entendue quand j'étais enfant : le fantôme qui dresse un mur. Un homme chemine de nuit sur un sentier de montagne, il marche, marche, et soudain devant lui apparaît un mur, une muraille escarpée ou bien un fleuve profond qu'il lui est impossible de franchir. S'il ne parvient pas à briser le charme, il ne peut plus faire le moindre pas en avant et il revient sans cesse à son point de départ. Ainsi, quand le jour se lève, il s'aperçoit qu'il n'a fait que tourner sur place. Et il y a plus grave : la magie peut mener dans une impasse et c'est alors la mort.

Il récite incantation sur incantation. Elles ne sont pas tristes et paisibles comme les chansons, mais au contraire très précipitées, comme un halètement. Je ne peux comprendre tout ce qu'il dit, mais le charme de cette langue, le souffle imposant des monstres et démons qu'il invoque emplissent la pièce noircie par la fumée. Les flammes lèchent la marmite où mijote de la viande de mouton, faisant étinceler ses yeux : voilà une scène vraie.

Quand toi, tu es à la recherche du chemin qui mène à Lingshan, moi, en me promenant le long du Yangzi, je recherche la vérité. Je viens de connaître un événement grave. Les médecins ont diagnostiqué à tort un cancer du poumon. La mort m'a fait une plaisanterie et je suis finalement parvenu à franchir l'obstacle qu'elle m'a tendu. En moi-même, je me réjouis. La vie m'a redonné une immense fraîcheur. J'aurais dû depuis longtemps quitter mon environnement pollué et retourner dans la nature à la recherche d'une vie authentique.

Dans mon entourage, on m'enseignait que la vie était la source de la littérature et que la littérature devait être fidèle à la vie, fidèle à sa vérité. Et ma faute, c'était justement de m'être écarté de la vie, d'être allé à l'encontre de sa vérité. La vérité de la vie ne ressemble pas à son image extérieure. La vérité de la vie, c'est-à-dire la nature de la vie, doit être telle qu'elle est et non autrement. Si je me suis écarté de cette vérité, c'est parce que je n'ai exposé qu'une série de phénomènes de la vie qui ne peuvent pas, bien sûr, la refléter correctement. Le résultat est que je n'ai fait que m'engager sur une fausse route en déformant la réalité.

Je ne sais si, à présent, je marche vraiment sur la bonne voie ; en tout cas, je veux quitter le monde littéraire en pleine effervescence et m'enfuir de ma chambre toujours remplie de fumée de tabac. Les livres qui s'y entassent m'oppressent, au point de m'empêcher de respirer. Ils exposent toutes sortes de vérités, depuis la vérité historique jusqu'à la vérité du comportement humain, et je ne sais plus quelle utilité elles ont. Pourtant, elles m'entravent et je me débats dans leurs filets, vivant comme un insecte pris au piège d'une toile d'araignée. Heureusement, le médecin qui s'est trompé dans son diagnostic m'a sauvé la vie. C'était un homme sincère. Il m'a donné à comparer les deux radios de la poitrine qu'il avait prises. Sur le bord du poumon gauche, une ombre aux contours flous s'étendait jusqu'à la trachée. Même si l'on ôtait totalement le lobe du poumon gauche, cela ne servirait à rien. Cette conclusion apparaissait comme une évidence. Mon père était déjà mort d'un cancer du poumon, et trois mois seulement s'étaient écoulés entre la découverte de la maladie et son décès. C'était le même médecin qui avait fait le diagnostic. J'avais confiance en lui et il faisait confiance à la science. Les radios que j'avais fait faire dans deux hôpitaux différents étaient en tout point semblables, il ne pouvait y avoir d'erreur d'ordre technique. Le docteur m'avait aussi délivré une ordonnance pour me faire passer une fibroscopie quinze jours plus tard. Je n'étais pas pressé puisqu'elle confirmerait sans aucun doute le volume de cette tumeur. Avant la mort de mon père, on avait procédé de la même manière, je ne faisais que marcher sur ses traces, cela n'avait rien d'original. Et pourtant, je suis passé entre les doigts de la mort, je ne puis nier que j'ai eu de la chance. Je crois en la science, mais aussi au destin.

J'ai vu un morceau de bois, long de plus de treize centimètres, recueilli pendant les années trente par un ethnologue dans la région de l'ethnie qiang, sculpté d'un homme la tête en bas reposant sur ses deux mains, les traits du visage marqués de noir. Sur son corps étaient inscrits deux caractères : « longue vie ». On l'appelait le « *wuchang* tête en bas ». Il avait vraiment quelque chose de maléfique. Je demandai à ce chef de village à la retraite si l'on trouvait encore ce genre de dieux protecteurs. Il me dit qu'ils s'appelaient « *laogen* » : les « vieilles racines ». Cette figurine doit rester avec le nouveau-né tout au long de sa vie, jusqu'à la mort. Puis on l'emporte en même temps que le cadavre et, une fois qu'il est enterré, la figurine est déposée en pleine montagne pour aider l'âme du mort à retourner à la nature. Comme je lui demandais s'il pouvait m'en trouver une pour la porter sur moi, il me répondit en riant que c'étaient les chasseurs qui les glissaient dans leurs vêtements pour conjurer le sort, mais qu'elles n'avaient aucune utilité pour les gens comme moi.

— Pourrait-on trouver un vieux chasseur connaissant la sorcellerie, avec qui je pourrais aller chasser ?

— C'est le vieux père Shi qui a le plus de talent, répond-il après un temps de réflexion.

— On peut le trouver ?

— Il est dans la maison de pierre du père Shi[1].

— Et où se trouve-t-elle ?

— Si tu continues à monter dix lis à partir d'ici, tu arriveras au Ravin de la Mine d'Argent. Là, tu suivras jusqu'au bout le torrent qui passe dans le ravin et tu verras une maison en pierre.

— Est-ce un nom de lieu, ou bien vraiment la maison en pierre du père Shi ?

Il m'explique que c'est un nom de lieu, mais qu'il existe vraiment une maison en pierre où habitait le père Shi.

— Peux-tu m'y emmener ? demandé-je encore.

— Il est mort. Il est mort dans son sommeil, allongé sur son lit. Il était très vieux, plus de quatre-vingt-dix ans, et même plus de cent ans selon certains. En fait, personne ne savait très bien son âge.

Je ne peux m'empêcher de demander :

— Ses descendants sont-ils encore en vie ?

— Il était de la génération de mon grand-père... On m'a toujours dit qu'il a vécu seul.

— Il n'avait pas de femme ?

— Il vivait seul dans le Ravin de la Mine d'Argent, pas de famille, pas de foyer, une petite maison pour lui tout seul. Oh, chez lui, son fusil est resté accroché.

Je lui demande ce que signifient ses paroles.

Il m'explique que c'était un bon chasseur, très féru de magie, comme il n'en existe plus de nos jours. Tout le monde sait que son fusil est toujours accroché au mur chez lui, une arme qui n'a jamais manqué son coup, mais personne n'ose le prendre.

Je ne comprends pas pourquoi.

1. En chinois, le nom Shi signifie la pierre.

— Le chemin qui mène au Ravin de la Mine d'Argent est coupé.

— On ne peut plus y entrer ?

— Non. Autrefois quelqu'un avait ouvert une mine d'argent à cet endroit et une société de Chengdu avait engagé des ouvriers pour travailler là. Ensuite, elle a été pillée et les ouvriers sont partis. La passerelle qui menait à la mine par le ravin s'est écroulée par endroits ou bien a pourri.

— Cela date de quand ?

— Mon grand-père vivait encore, ça doit faire cinquante ans.

Rien d'étonnant qu'il soit en retraite maintenant. Il appartient à l'histoire, une histoire réelle.

— Et personne n'y est plus jamais entré ?

J'ai de plus en plus envie de connaître la clef du mystère.

— Ce n'est pas sûr, mais en tout cas, ce n'est pas facile d'y aller.

— Cette maison, elle est pourrie elle aussi ?

— Comment une maison en pierre pourrait-elle pourrir ?

— Je parlais des poutres.

— Ah oui, bien sûr.

A mon avis, il tente de m'intimider, car il n'a pas l'intention de m'y conduire ou de me présenter un chasseur.

— Mais comment sais-tu que le fusil est toujours accroché au mur ? demandé-je à nouveau.

— Ça se dit, quelqu'un a dû le voir. On a dit aussi que le vieux père Shi était très étrange. Son corps ne s'est pas décomposé et les bêtes sauvages n'ont pas osé y toucher. Il est allongé droit sur son lit, tout maigre, tout sec, son fusil est accroché au mur.

— C'est impossible, l'humidité est trop forte en montagne, le cadavre s'est sûrement décomposé et le fusil a dû se transformer en un tas de ferraille rouillée.

— Je ne sais pas, c'est ce qu'on dit depuis tellement longtemps.

Il continue à dire ce qu'il veut sans tenir compte de mon avis. Les flammes brillent dans ses yeux. Je les trouve remplis de malice.

Je reviens à la charge :

— Tu ne l'as pas vu, n'est-ce pas ?

— Certains l'ont vu. Il semblait dormir. Tout maigre, tout sec, son fusil pendu au mur, continue-t-il sur le même ton. Il connaissait la magie. Non seulement les hommes n'ont pas osé prendre son fusil, mais même les bêtes n'ont pas osé toucher à son corps.

Ce chasseur avait déjà été déifié. L'histoire et les rumeurs se mêlaient, une légende populaire était née. La vérité n'existe que dans l'expérience et encore seulement dans l'expérience de chacun, et même dans ce cas, dès qu'elle est rapportée, elle devient histoire. Il est impossible de démontrer la vérité des faits et il ne faut pas le faire. Laissons les habiles dialecticiens débattre sur la vérité de la vie. Ce qui est important, c'est la vie elle-même. Ce qui est réel, c'est que je suis assis à côté de ce feu, dans cette pièce noircie par la fumée de l'huile, que je vois ces flammes dansant dans ses yeux, ce qui est vrai, c'est moi-même, c'est la sensation fugitive que je viens d'éprouver, impossible à transmettre à autrui. Dehors, le brouillard est tombé, les montagnes sombres se sont estompées, le son de la rivière rapide résonne en toi et ça suffit.

3

Et te voilà arrivé au bourg de Wuyi, dans cette longue ruelle dallée de pierres profondément marquées par les roues des brouettes, d'un coup tu reviens à ton enfance, à ce petit village de montagne où tu as passé presque toute ta jeunesse. Mais tu ne vois plus de brouettes poussées à la main. Le tintement des sonnettes des bicyclettes remplace le grincement des moyeux en jujubier graissés à l'huile de soja. Ici, pour conduire une bicyclette, il faut avoir des talents d'équilibriste pour, un gros sac accroché sur la selle, se faufiler à travers les passants, les palanches, les charrettes à bras, les étals des magasins. Difficile d'éviter les jurons, mais dans ce charivari de rires, de cris des commerçants vantant leurs produits et des clients marchandant, ils paraissent pleins de vie. Tu respires les odeurs mêlées de légumes salés, de tripes de porc, de cuir frais, de térébenthine, de paille de riz, de chaux. Ton regard se porte de chaque côté de la rue, sur les boutiques de fruits séchés, de soja, d'huile, de riz, sur la pharmacie qui vend médicaments chinois et occidentaux, sur le magasin de tissus et de soieries, sur l'étal de chaussures, le marchand de thé, l'étal du boucher, le tailleur, le fourneau pour faire bouillir l'eau, les poteries et les cordes, les bazars d'encens et de monnaie funéraire de papier. Chaque échoppe touche l'autre, sans grand changement sans doute depuis les Qing. Le vieux restaurant *Prospérité authentique* où s'entrechoquent sans fin les marmites à fond plat remplies de raviolis frits a retrouvé son enseigne qui avait été cassée, et son drapeau annonçant un restaurant « première catégorie » flotte au vent. Le grand magasin géré par l'Etat est évidemment celui qui a le plus d'allure. Le bâtiment en ciment à deux étages a été rénové et une vitrine a remplacé l'ancienne devanture, mais la poussière qui la remplit semble bien n'être jamais ôtée. Les devantures des photographes sont aussi très voyantes. Elles sont pleines de photos de jeunes filles qui font les coquettes ou qui sont costumées et fardées. Ce sont des beautés locales qui semblent moins lointaines pour le public que les vedettes des affiches de cinéma. Et ce lieu a vraiment vu naître des beautés plus belles que le jade, les joues parfumées, les sourcils peints selon l'arrangement minutieux du photographe, avec des rouges trop rouges et des verts trop verts. On propose aussi des agrandissements couleur. Une annonce indique que l'on peut les obtenir en vingt jours, mais on passe sous silence le fait qu'il faut aller au chef-lieu de district pour les faire développer. Si tu n'avais pas eu de chance, tu serais peut-être né dans ce bourg, tu y aurais grandi, tu y aurais fondé une famille en épousant l'une de ces beautés qui t'aurait depuis longtemps donné garçons et filles. A cette pensée, tu ris et tu t'écartes en hâte pour éviter que l'on croie que tu t'intéresses à l'une d'elles et que l'on se berce d'illusions sans raison. Tu laisses vagabonder ton esprit en regardant les mansardes au-dessus des devantures. Des rideaux pendent aux fenêtres, des fleurs ou des bonsaïs sont installés sur les rebords. Tu ne peux t'empêcher de te demander comment vivent les gens qui y habitent. Il y a une haute tour à la porte cadenassée. Ses piliers penchés, ses extrémités de chevrons et sa balustrade de bois sculpté tout pourris définissent clairement le pouvoir dont jouissaient ses habitants autrefois : le destin du propriétaire de cette maison et de ses descendants laisse songeur. Dans la boutique d'à côté, en revanche, on vend des jeans et des chemises style Hong Kong ainsi que des bas de nylon. Des publicités montrant des femmes étrangères exposant leurs cuisses y sont collées. Sur la porte est installée une enseigne en caractères dorés : *Nouvelle société d'exploitation technologique*, sans que l'on sache de quelle technologie il s'agit. Un peu plus loin, une devanture remplie par un tas de chaux vive. C'est l'extrémité de la rue, et, plus loin, ce doit être une fabrique de vermicelles de riz. Un espace vide est planté de poteaux entre lesquels sont tendus des fils de fer où pendent les vermicelles. Tu tournes la tête et pénètres dans une ruelle qui s'ouvre à côté du marchand de thé. Tu te perds à nouveau dans tes souvenirs.

Derrière une entrée à moitié cachée, un petite cour humide. Un petit jardin en friche, désert Dans un coin, un tas de gravats. Tu te souviens de cette cour située près de chez toi et dont le mur d'enceinte s'était écroulé. Elle t'effrayait et t'attirait à la fois. Tu pensais que les renardes dont on parle dans les contes venaient de là. Après la classe, tu ne pouvais te retenir de t'y rendre seul, noué par l'angoisse. Tu n'y as jamais vu de renardes, mais ce sentiment de mystère a toujours accompagné tes souvenirs d'enfance. Là-bas se trouvait un banc en pierre cassé et un puits sans doute asséché. En plein automne, le vent soufflait sur le toit où poussaient des herbes jaune d'or et le soleil brillait de tout son éclat. Ces demeures dont la porte reste close ont leur histoire. Elle ressemble en tout point à une histoire ancienne. L'hiver, le vent sifflait dans les ruelles. Chaussé de nouvelles chaussures ouatées, tu venais avec d'autres enfants battre la semelle au coin de ce mur et, bien sûr, tu te souviens de cette comptine :

> Par la pleine lune, à cheval l'encens je brûle, Grande-Sœur Luo j'ai tué, demoiselle petit pois j'ai énervé, les petits pois elle a cueilli, mais la cosse était vide, avec le père Ji elle s'est mariée, le père Ji est trop petit, avec le crabe elle s'est mariée, le crabe a traversé le fossé, la limace a piétiné, la limace l'a dénoncé, près du moine plainte a porté, les soutras a récité, la Guanyin il a prié, la Guanyin elle a pissé, un petit diable elle a pissé, ça lui a fait mal à la panse, le saint de la Richesse j'ai appelé, en transe il est entré, c'est raté, deux cents pièces j'ai gaspillé.

Sur le toit, les herbes sèches ou vivantes, blanches ou vertes, se balancent doucement au vent. Cela fait combien d'années que tu n'as pas revu ces herbes sur les toits ? Pieds nus, tu fais claquer tes pas sur les dalles de pierre profondément marquées par les traces des roues des brouettes et tu émerges de ton enfance, tu émerges dans le présent. La plante de tes pieds nus et sales claque devant toi. Que tu aies vraiment claqué des pieds sur le sol n'est pas le plus important. Ce dont tu as besoin, c'est de cette image intérieure.

Tu finis par sortir de ce dédale de ruelles et tu arrives sur la grand-route ; là, le car en provenance du chef-lieu de district fait demi-tour et repart aussitôt. Au bord de la route, la gare routière. A l'intérieur, un guichet de vente de billets et de longs bancs. C'est là que tu es descendu du car tout à l'heure. Presque en face, une maison basse, un hôtel aux murs enduits de chaux avec une inscription : *Jolies chambres à l'intérieur*. Tu vas voir et cela te paraît propre. De toute manière, tu dois trouver un logement. Tu entres. Une serveuse d'un âge avancé est en train de balayer le couloir. Tu lui demandes s'il y a une chambre libre. Elle se contente de répondre « oui ». Tu lui demandes quelle distance te sépare encore de Lingshan. Elle te regarde de travers, ce qui signifie que tu es dans un hôtel public. Elle touche un salaire mensuel, elle n'a rien à ajouter.

— Numéro deux. Du manche de son balai, elle te désigne une porte ouverte.

Tu entres, ton sac à la main. A l'intérieur, deux lits. Sur l'un d'eux est étendu un homme, les jambes repliées, un livre entre les mains. Le titre, *Biographie non officielle de la renarde*, est inscrit sur le papier d'emballage qui protège la couverture. Manifestement, il s'agit d'un livre loué dans une boutique. Tu adresses un signe à cet homme. Il pose son livre et t'adresse à son tour un hochement de tête.

— Bonjour.

— Tu arrives ?

— Oui

— Tu fumes ? Et il te lance une cigarette.

— Merci. Tu t'assieds sur le lit en face du sien. Il a besoin de quelqu'un avec qui bavarder.

— Combien de temps vas-tu rester ?

— Une dizaine de jours. Il s'assied et allume sa cigarette.

— Tu viens faire des achats ? demandes-tu au hasard.

— Je m'occupe de bois.

— C'est facile par ici ?

— Connais-tu les normes ? réplique-t-il, très intéressé.

— Quelles normes ?

— Les normes du plan national.

— Non.

— Alors, c'est difficile. Il s'allonge de nouveau.

— Le bois fait aussi défaut dans ces régions forestières ?

— Du bois, il y en a, mais pour les prix, c'est différent. Il s'est aperçu que tu n'étais pas connaisseur et répond avec nonchalance.

— Tu attends des prix bas, c'est ça ?

— Hmm. Il acquiesce vaguement, puis reprend son livre.

Tu dois lui faire un ou deux compliments afin de pouvoir te renseigner auprès de lui :

— Vous en savez des choses, vous qui courez partout pour faire des achats de matériaux !

— Pas du tout, répond-il avec modestie.

— Comment fait-on pour aller à Lingshan ?

Pas de réponse. Tu ne peux que lui expliquer que tu es venu contempler le paysage et tu lui demandes où l'on trouve de beaux sites.

— Au bord de la rivière, il y a un pavillon. Quand on s'assied là pour contempler la montagne d'en face, ce n'est pas mal.

— Je te laisse te reposer, dis-tu sur un ton anodin.

Tu poses ton sac de voyage et vas t'inscrire auprès de la serveuse avant de sortir. A l'extrémité de la grand-route se trouve l'embarcadère. Des marches en pierre escarpées descendent sur plus de dix mètres. Là sont accostés des bateaux couverts de nattes noires, munis de longues gaffes de bambou. Le mince filet de la rivière coule dans un lit très large. Manifestement, ce n'est pas la saison des crues. Sur la rive d'en face se trouve un bac sur lequel on se bouscule. Les gens assis sur les marches de ton côté l'attendent tous.

Au-dessus du quai, sur la digue, se dresse effectivement un pavillon au toit recourbé. Tout autour, ce ne sont que des corbeilles de bambou tressé. A l'intérieur sont assis des paysans de l'autre rive qui ont fini de vendre leur marchandise. Dans leur bavardage, tu as l'impression de reconnaître la langue des contes des Song. Le pavillon a été fraîchement repeint. Sous l'avant-toit, des motifs de dragons et de phénix aux couleurs vives, et sur les deux colonnes de devant se font face deux sentences parallèles :

Assis, tu connais sans les dire les défauts d'autrui
En route, tu goûtes aux eaux pures des rivières merveilleuses.

Tu passes derrière ces colonnes. Deux autres sentences y sont inscrites :

Quand tu pars, n'oublie pas les souhaits que l'on dit à ton oreille
Retourne-toi et contemple le site du phénix dans la Montagne [de l'Ame.

Aussitôt, l'enthousiasme te transporte. Le bac a dû arriver : les hommes qui prenaient le frais sont partis, palanche à l'épaule. Seul un vieil homme est resté.

— Vieil homme, s'il vous plaît, cette paire de phrases...

— Tu veux parler de ces sentences ? rectifie aussitôt le vieillard.

— Oui, vieil homme, qui a tracé ces sentences, s'il vous plaît ? demandes-tu encore plus respectueusement.

— Le grand maître licencié Chen Xianning ! répond-il avec application, sur un ton de reproche manifeste. Il ouvre une bouche qui laisse voir quelques rares dents noirâtres.

— Je n'en ai jamais entendu parler. Tu ne peux que lui avouer franchement ton ignorance. Dans quelle université ce maître enseigne-t-il ?

— C'est normal que vous ne le connaissiez pas, il a vécu il y a plus de mille ans, répond-il sur un ton de dédain profond.

— Ne vous moquez pas de moi, vieil homme, dis-tu pour essayer de te justifier.

— Tu n'as pas tes lunettes ou quoi ? dit-il en désignant l'encorbellement de la poutre.

Tu lèves la tête vers une poutre horizontale qui n'a pas été repeinte. Effectivement, on peut y lire une inscription à l'encre vermillon : *Edifié le premier mois du printemps de l'année Gengjia, dixième année de l'ère Shaoxing des Song, restauré le vingt-neuf du troisième mois de l'année Jiaxu, dix-neuvième du règne de Qianlong des Qing.*

4

Je sors du centre d'accueil de la réserve naturelle et je retourne chez le chef de village retraité, de l'ethnie qiang. Sur la porte pend un gros cadenas. J'y suis déjà allé trois fois sans pouvoir le trouver. Je pense que cette porte qui pourrait m'ouvrir un monde mystérieux est close désormais.

Je pars en flânant sous une pluie fine. Je n'ai plus marché dans un tel paysage de pluie et de brume depuis des années. Je passe près du centre de soins cantonal de Wolong qui paraît abandonné ; dans la forêt, règne un calme parfait seulement interrompu dans le lointain par le chuintement d'un torrent. Je n'ai plus ressenti une telle insouciance depuis longtemps. Plus besoin de réfléchir, je laisse mon esprit vagabonder. Pas l'ombre d'un homme ou d'une voiture sur la grand-route, tout est vert, c'est le printemps.

Au bord de la route, une grande maison isolée et vide. Serait-ce le repaire du chef de bandits Song Guotai dont le commissaire politique de la réserve naturelle m'a parlé hier soir ? Il y a quarante ans, seul un sentier de montagne qu'empruntaient les caravanes passait par ici. Vers le nord, il franchissait les monts Balang à plus de cinq mille mètres d'altitude et pénétrait les régions d'ethnie tibétaine des hauts plateaux du Qinghai et du Tibet ; vers le sud, il suivait la Minjiang pour entrer dans le bassin du Sichuan. Les contrebandiers qui arrivaient du sud chargés d'opium et ceux qui venaient du nord chargés de sel devaient tous bien sagement acquitter ici leur tribut et considérer cela comme un honneur, car ceux qui se rebellaient se retrouvaient le visage lacéré. C'était alors le voyage sans retour chez le Roi des enfers.

C'est une vieille maison tout en bois ; les deux lourds battants de la porte sont grands ouverts sur une large cour en friche entourée de bâtiments, qui pouvait contenir toute une caravane de plusieurs dizaines de chevaux. Je pense qu'à l'époque, il suffisait que la grande porte soit fermée et que les bandits se tiennent armés de fusils sur les balcons de bois qui couraient tout au sommet des bâtiments pour que les caravanes qui y passaient la nuit se retrouvent prises au piège. Même en cas de fusillade, la cour ne comportait pas le moindre angle mort inaccessible aux balles.

Dans la cour, deux escaliers. Je monte, faisant grincer les marches. J'avance à pas lourds, pour signaler mon arrivée, mais l'étage aussi est désert. Je pousse les portes de pièces vides, les unes après les autres, ne découvrant que poussière et odeur de moisi. Seuls, un turban grisâtre suspendu à un fil de fer et une chaussure abîmée montrent qu'on a habité ici, plusieurs années auparavant sans doute. Depuis qu'on a créé une réserve naturelle, tous les organismes et le personnel qui occupaient cette grande bâtisse : la coopérative d'approvisionnement et de vente, la station d'achat de produits locaux, le magasin d'huiles et de céréales, le centre vétérinaire, ont été transférés dans la petite rue d'une centaine de mètres de long construite par le bureau de gestion. Quant à la centaine d'hommes qui se réunissaient au premier étage de cette bâtisse sous les ordres de Song Guotai, il en reste encore moins de trace, ni d'eux ni de leurs fusils. A l'époque, allongés sur des nattes en paille, ils fumaient l'opium en lutinant des femmes qu'ils avaient enlevées. Pendant la journée, elles devaient leur préparer les repas et, la nuit, coucher avec eux à tour de rôle. Parfois, pour un partage de butin peu équitable ou pour une jeune femme, une dispute éclatait, réglée à coups de feu. Je pense à l'animation qui devait régner sur ces planchers.

— Seul leur chef Song Guotai parvenait à les soumettre. Il était célèbre pour sa férocité et sa ruse.

L'homme qui dit cela, le commissaire politique, est très convaincant lorsqu'il prend la parole. Il dit qu'au cours des stages, il parvient à tirer des larmes aux étudiantes lors de ses exposés sur la protection des pandas ou même sur le patriotisme.

Il dit qu'une des femmes enlevées par les bandits vit encore, une combattante de l'Armée rouge. En 1936, lorsque la Longue Marche était passée dans la steppe de Mao'ergai, un régiment de l'Armée rouge était tombé dans une embuscade des bandits. Une dizaine de jeunes lavandières du Jiangxi avaient été enlevées et violées. La plus jeune avait dix-sept, dix-huit ans, et c'est la seule survivante. Elle est passée dans plusieurs mains avant d'être achetée par un vieux montagnard de l'ethnie qiang, qui en a fait sa femme. Elle vit à présent dans une vallée des environs. Elle est encore capable de décliner sa compagnie et son unité ainsi que le nom de son instructeur, devenu à présent haut fonctionnaire. Soupirant profondément, le commissaire ajoute que, bien sûr, il ne peut pas raconter cela aux étudiants, puis il revient au chef des bandits Song Guotai.

A l'origine, dit-il, Song Guotai n'était qu'un petit commis qui se livrait au trafic de l'opium avec un marchand. Le marchand avait été abattu par le chef des bandits installé ici et Song Guotai s'en était remis à ce nouveau maître. Après mille péripéties, il était devenu l'homme de confiance du chef et vivait dans une petite cour derrière la maison. Par la suite, la petite cour avait été détruite au mortier par l'Armée de libération, et elle était à présent envahie par les arbres. C'était à l'époque un véritable petit Chongqing[1]. Le vieux Chen, chef des bandits, se livrait jour et nuit à la débauche dans son antre rempli de concubines. Song Guotai était le seul homme autorisé à le servir à l'intérieur de la maison. Un beau jour, une caravane arriva de Ma'erkang, en réalité une troupe de bandits, qui jeta son dévolu sur ce repaire déjà aménagé. Les deux bandes se battirent deux jours durant, faisant morts et blessés des deux côtés sans que se distinguent un vainqueur et un vaincu. La réconciliation fut négociée et scellée en se frottant la bouche du sang d'un animal. On ouvrit alors la grande porte pour accueillir les adversaires. Partout dans la maison, les bandits se mêlèrent, buvant et jouant. En fait, c'était une ruse du vieux chef qui désirait enivrer ses ennemis. Il ordonna aussi à ses jeunes femmes de découvrir leurs seins et de voleter, tels des papillons, entre les tables. Qui aurait pu venir à bout de cette bande de brigands ? Tout le monde but jusqu'à l'ivresse totale. Seuls les deux chefs restaient assis à table. Sur un signe convenu avec le vieux Chen, Song Guotai servit à boire. Mais au moment où il versait, il se saisit du pistolet à barillet que le chef adverse avait posé à côté de lui, et, c'est plus long à raconter qu'à exécuter, il tira deux coups, tuant le vieux

1. Grande ville du Sichuan, synonyme de plaisir et de luxure à cette époque.

Chen et son ennemi, puis il demanda aux autres bandits : « Qui refuse de se soumettre ? » Les bandits se regardèrent sans oser souffler mot. Après ces événements, Song Guotai s'installa dans la petite cour du vieux Chen et toutes les femmes furent à lui.

Il me raconte cette histoire avec fougue. Il ne doit pas se vanter quand il prétend tirer des larmes aux étudiantes lors de ses exposés. Il dit ensuite qu'en 1950, les soldats de deux compagnies ont encerclé de nuit le bâtiment et la petite cour, et à l'aube, ils ont lancé un appel pour que les bandits posent leurs armes et reviennent dans le droit chemin. La grande porte était bloquée par le feu de plusieurs mitrailleuses et personne n'aurait pu s'enfuir. On aurait dit qu'il avait personnellement participé au combat.

— Et après ?

— Au début, ils ont résisté, bien sûr, et la petite cour a été détruite au mortier. Les survivants ont jeté leurs fusils et se sont rendus, mais pas Song Guotai. Les autres sont entrés fouiller la cour, mais il n'y ont trouvé que quelques femmes éplorées. On dit que dans sa chambre un passage secret conduisait à la montagne, mais personne ne l'a découvert et il a disparu. A présent, quarante ans ont passé. Certains disent qu'il est encore vivant, d'autres qu'il est mort, sans aucune preuve. Ce ne sont que des suppositions.

Il s'appuie sur une chaise en rotin et reprend en comptant sur ses doigts :

— Sur son sort, il y a trois hypothèses : l'une voudrait qu'il se soit enfui dans une autre province où il se serait fait oublier et se serait installé comme paysan. La deuxième serait qu'il est mort pendant le combat, mais que les bandits n'en ont rien dit. Ils ont leurs propres règles. Ils sont capables de se battre entre eux avec la pire violence, mais ils ne se confieront jamais à l'extérieur. Ils ont leur propre morale — l'esprit chevaleresque des hors-la-loi —, tout en gardant une cruauté extrême. Les bandits ont aussi une double personnalité. Quant aux femmes, bien qu'elles aient été enlevées, une fois tombées dans ce repaire, elles appartenaient à la bande et ne les trahissaient jamais, même si elles devaient subir leurs offenses.

Il hoche la tête, non pas par incompréhension, mais peut-être plutôt en pensant à la complexité des êtres humains.

— Bien sûr, on ne peut exclure la troisième possibilité : il se serait enfui dans la montagne, sans pouvoir en sortir, et serait mort de faim.

— Est-il déjà arrivé que quelqu'un se perde dans la montagne et y meure ?

— Et comment ! Non seulement des paysans venus d'autres régions pour y cueillir des plantes médicinales, mais aussi des chasseurs du pays qui y sont morts d'épuisement.

— Ah bon ? J'éprouve le plus vif intérêt à cette dernière affirmation.

— L'année dernière, l'un d'eux a passé plus de dix jours dans la montagne sans revenir. Ses parents ont prévenu la mairie du chef-lieu de canton qui s'est retournée vers nous. Nous sommes entrés en contact avec le bureau de police de la région forestière qui a lâché un chien policier à sa recherche. On lui a fait sentir les vêtements de l'homme et il l'a suivi à la trace. Finalement, on l'a retrouvé mort, coincé dans une fente de rocher.

— Comment est-ce possible ?

— Tout est possible. La panique, le braconnage… La chasse est formellement interdite dans la zone protégée. Il y a eu aussi un homme qui a tué son petit frère.

— Et pourquoi ?

— Il l'a pris pour un ours. Les deux frères posaient des pièges en montagne pour récolter du musc. Ça rapporte beaucoup. A présent, les pièges se sont modernisés. En dénouant les câbles des chantiers de déboisement, on obtient des fils d'acier qui permettent de poser dans la montagne en une seule journée plusieurs centaines de pièges. L'espace est si grand, nous ne pouvons pas tout surveiller et, devant leur cupidité, il n'y a rien à faire. Ces deux frères ont installé piège sur piège en montagne, puis se sont séparés. Si l'on se fie aux superstitions qui ont cours dans cette montagne, ils auraient été victimes d'un envoûtement. Ils contournaient un sommet et le hasard les a mis nez à nez. Dans le brouillard épais, le frère aîné a pris la silhouette du frère cadet pour un ours et l'a abattu. Il est rentré chez lui au milieu de la nuit en rapportant le fusil de son frère. Il a posé les deux fusils contre la porte de la clôture de l'enclos à cochons de sa maison pour que sa mère les voie lorsqu'elle viendrait nourrir les bêtes au petit matin. Sans même passer chez lui, il est retourné en montagne, a retrouvé l'endroit où son frère était mort et s'est tranché le cou.

Je descends du bâtiment vide et reste un instant dans cette cour qui pourrait contenir une caravane entière, puis me dirige vers la grand-route. Il n'y a toujours ni voitures, ni passants. Je contemple la montagne verte perdue dans la brume en face de moi. On distingue une descente de bois escarpée de couleur grisâtre. La couverture végétale est déjà totalement détruite. Autrefois, avant que la route ne parvienne jusqu'ici, les deux versants devaient être couverts de forêts épaisses. J'ai toujours eu envie d'aller dans la forêt primitive, sans pouvoir dire pourquoi cela m'attire autant.

La pluie fine ne cesse de tomber, de plus en plus serrée, formant un écran léger recouvrant les crêtes montagneuses, estompant les vallons et les ravins. Un tonnerre sourd et indistinct gronde derrière les sommets. Je réalise soudain que le bruit que j'entends le plus, c'est celui de la rivière en contrebas de la route. Il ne cesse jamais, rugissant toujours, avec le même débit violent. La rivière qui descend des montagnes enneigées pour se jeter dans la Minjiang coule avec une impétuosité pleine d'une énergie dangereuse et oppressante que les cours d'eau des plaines ne possèdent jamais.

5

Tu l'as rencontrée près de ce pavillon. C'était une attente diffuse, un espoir vague, une rencontre fortuite, inattendue. Au crépuscule, tu es retourné au bord de la rivière. Au bas des marches de pierre taillée, le son clair des battoirs à linge flotte à la surface des eaux. Elle est debout, à côté du pavillon. Comme toi, elle regarde les montagnes qui s'étendent à perte de vue sur l'autre rive et toi, tu ne peux t'empêcher de la regarder. Dans ce petit bourg de montagne, elle sort tellement de l'ordinaire : sa silhouette, son attitude, son air perdu ne peuvent appartenir à quelqu'un du pays. Tu t'éloignes, mais en toi-même tu penses à elle et, quand tu retournes devant le pavillon, elle a disparu. Il fait déjà sombre. Deux points rouges de cigarettes brillent par intermittence à l'intérieur, des gens parlent et rient doucement. Tu ne distingues pas leurs visages, mais tu peux reconnaître d'après le timbre de leurs voix qu'il s'agit de deux garçons et de deux filles. Ils ne semblent pas être du pays non plus. Leur ton est décidé et leurs voix sonores, que ce soit lorsqu'ils plaisantent ou lorsqu'ils se disputent. En prêtant l'oreille, tu entends que les deux couples s'expliquent quels trucs ils ont utilisés pour tromper leurs parents et leurs chefs au travail, quels prétextes ils ont trouvés pour filer en toute liberté. Très contents d'eux, ils ne cessent de pouffer de rire. Toi, tu as déjà passé cet âge, tu n'as plus à subir ce genre d'entrave, tu ne connais plus la même joie qu'eux. Peut-être viennent-ils d'arriver par un car de l'après-midi, mais tu te souviens qu'il n'y en a qu'un le matin, venant du chef-lieu de district. Ils ont donc dû arriver par leurs propres moyens. Elle n'est sans doute pas avec eux, car elle n'a pas l'air aussi joyeuse. Tu quittes le pavillon, longes la rivière, et descends droit devant toi. Tu connais déjà les lieux : parmi la dizaine d'entrées de maisons situées sur le bord de la rivière, seule la dernière est un magasin vendant alcool, cigarettes et papier hygiénique, puis la rue dallée tourne en direction du bourg. Ensuite, on longe les hauts murs entourant les cours des maisons, et, à droite, sous le lampadaire diffusant une lumière jaunâtre, une porte noire : l'entrée de la mairie du chef-lieu de canton. Ce doit être une ancienne demeure de riches, à en juger par la taille de la cour et la hauteur des bâtiments flanqués de tours de guet. Plus loin, un potager clos par un muret de briques cassées et, en face, l'hôpital. Séparée par une ruelle, une salle de spectacle construite récemment, où l'on passe un film de kung-fu. Tu as déjà parcouru ce bourg plusieurs fois sans t'en approcher et tu connais l'horaire de la séance de cinéma du soir. En prenant la ruelle qui longe l'hôpital, on peut déboucher directement dans la rue principale, juste en face de l'imposant grand magasin. Tout est clair dans ta tête, comme si tu étais un vieil habitant de ce bourg. Tu pourrais même faire office de guide si quelqu'un en avait besoin. Et tu ressens vraiment le besoin de communiquer.

Ce que tu n'as pas prévu, c'est que cette petite rue serait encore aussi animée le soir. Seul le grand magasin a son rideau de fer baissé, et les grilles des vitrines verrouillées. Les autres boutiques restent toutes ouvertes. Simplement, les étalages qu'elles exposent dans la journée devant leurs portes ont été rangés. Ils sont remplacés par des tables, des chaises ou des lits de bambou. On mange et on bavarde dans la rue, ou on regarde la télévision placée à l'intérieur des boutiques. A l'étage, se profilent les ombres mouvantes des habitants de la maison. Les uns jouent de la flûte, des enfants pleurent. C'est à qui fera le plus de bruit. Les magnétophones diffusent des chansons en vogue en ville plusieurs années auparavant. Chantées de manière molle et affectée, elles s'accordent quand même avec le rythme violent de la musique électronique. Assis sur le pas de sa porte, un homme discute avec son vis-à-vis. A ce moment, une femme mariée vêtue seulement d'un maillot de corps et d'un short, chaussée de sandales en plastique à moitié enfilées, sort en portant une cuvette d'eau sale qu'elle vide au milieu de la rue. Des gamins passent en bande. Main dans la main, épaule contre épaule, des jeunes filles flânent. Et toi, soudain, tu la revois, devant un étal de fruits. Tu accélères le pas. Elle achète des pamplemousses, des pamplemousses fraîchement arrivés sur le marché. Tu t'approches. Et tu demandes aussi leur prix. Elle tâte un beau pamplemousse bien rond, vert vif, puis elle s'en va. Tu dis aussi, c'est vrai, ils sont trop verts. Tu la rattrapes. Etes-vous en vacances ? Il te semble l'entendre dire un vague oui et elle hoche la tête en faisant bouger ses cheveux. Tu es un peu inquiet, craignant de te faire rabrouer. Tu ne pensais pas qu'elle répondrait avec autant de naturel. Aussitôt, tu te détends et tu te mets à son pas.

— Etes-vous venue aussi pour Lingshan ? Il te faut faire preuve d'un peu plus d'esprit. Elle a encore remué ses cheveux. Ainsi, vous avez un langage commun.

— Vous êtes seule ?

Elle ne répond pas. Devant une boutique de coiffeur équipée d'une lampe fluorescente, tu vois son visage, très jeune, mais marqué par la fatigue. Il n'en est que plus émouvant. Regardant une femme coiffée d'un casque électrique à friser, tu dis que la modernisation est vraiment rapide par ici. Ses yeux bougent un peu, puis elle rit. Tu l'imites. Ses cheveux d'un noir brillant tombent sur ses épaules. Tu as envie de lui dire que ses cheveux sont parfaits, puis tu penses que c'est un peu exagéré et tu ne le dis pas. Tu marches avec elle, sans plus ouvrir la bouche, non pas que tu n'aies pas envie de te rapprocher d'elle, mais soudain, tu ne trouves plus les mots. Un peu gêné, tu veux te tirer au plus vite de cette situation.

— Puis-je vous accompagner un peu ? Une phrase encore stupide.

— Quel drôle de type !

Il te semble l'entendre bredouiller : aussi bien une parole d'approbation que le contraire. Mais tu sens qu'elle se montre volontairement enjouée et tu te mets au rythme de son pas souple. En fait, ce n'est pas une enfant, et toi, tu n'es pas non plus un jeune homme. Tu as envie d'essayer de l'attirer.

— Je peux vous servir de guide, dis-tu. Voici une construction datant des Ming, vieille d'au moins cinq cents ans. Ce que tu désignes, c'est ce mur d'enceinte derrière la pharmacie traditionnelle, dont les avant-toits relevés, reposant sur des pignons, sont rehaussés dans l'obscurité par la clarté des étoiles. Ce soir, il n'y a pas de lune. Et, il y a cinq cents ans, à l'époque des Ming, non, il y a seulement quelques dizaines d'années, il fallait se munir d'une lanterne pour sortir de nuit dans cette rue. Si vous ne me croyez pas, vous n'avez qu'à quitter la rue et entrer dans les ruelles noires et isolées, et vous pourrez remonter le temps à quelques pas d'ici seulement.

En parlant, vous arrivez devant la maison de thé dite du « Suprême Parfum ». Devant sa porte et à l'angle du mur se pressent de nombreuses personnes, enfants et adultes. Quand vous regardez à l'intérieur, vous aussi, vous vous arrêtez. Dans la longue salle étroite, les tables ont été rangées. Les têtes s'alignent régulièrement au-dessus des bancs disposés dans la largeur, et une table ronde a été installée au milieu. Un tissu rouge bordé de broderies jaunes pend de la table, et derrière, sur un banc juché sur de hauts pieds, est assis un conteur vêtu d'une longue robe aux larges manches.

« A l'ouest le soleil se couche, de lourds nuages cachent la lune, à la tête des démons, Père et Mère serpents sont allés comme à l'accoutumée au grand temple de l'Immensité azurée. A la vue des petits garçons et des petites filles bien grasses à la peau toute fraîche, à la vue des porcs, des bœufs et des moutons exposés sur chaque côté, grande fut leur joie. Père serpent dit à Mère serpent : Grâce vous soit rendue, ô mon épouse, si aujourd'hui ces cadeaux d'anniversaire sont aussi abondants. Mère serpent répondit : Aujourd'hui, c'est l'anniversaire de Madame votre mère, nous devons veiller à ce que les instruments de musique ne manquent pas. » Pan ! Pour réveiller l'assistance, il frappe sur la table la claquette qu'il tient à la main : « C'est bien ! »

Posant sa claquette, il prend une baguette qu'il frappe continuellement sur un tambour à la peau peu tendue, produisant un son monotone et, de l'autre main, il s'empare d'un cercle de clochettes sur lequel sont enfilées des plaques métalliques. Il l'agite lentement, faisant tinter les clochettes, puis reprend de sa voix enrouée :

« Immédiatement, Père serpent donna des ordres et chacun s'affaira. En un instant le temple fut décoré et les instruments se mirent à jouer. » Il élève brutalement la voix : « Et la grenouille chantait à tue-tête, la chouette agitait sa baguette. » Il prend volontairement le ton déclamatoire des acteurs de télévision, provoquant un éclat de rire dans le public.

Tu la regardes et vous riez tous les deux. C'est ce sourire que tu attendais.

— On entre ? Tu as trouvé quelque chose à dire. Tu la conduis en contournant les tables, les bancs et les pieds des gens. Tu choisis un banc où il reste de la place et vous vous serrez pour vous asseoir. Vous constatez que le conteur a parfaitement enflammé la salle. Il se lève, frappe une nouvelle fois sa claquette sur la table dans un fracas assourdissant.

« L'anniversaire commence ! Les démons… » Poussant des aïe, aïe, aïe, des ouille, ouille, ouille, il se tourne vers la gauche en levant un poing couvert de son autre main en signe de félicitations, puis vers la droite en agitant les deux mains, en imitant un vieux démon : « Je vous en prie, je vous en prie ! »

— On dirait qu'il a raconté cette histoire pendant mille ans, lui glisses-tu à l'oreille.

— Et il peut encore continuer, répond-elle en écho.

— Encore mille ans ?

— Hmm, acquiesce-t-elle, la bouche pincée, comme un enfant malicieux. Tu te sens vraiment d'humeur joyeuse.

« Puis ce Chen Fatong a fait en trois jours le voyage qui dure normalement sept fois sept quarante neuf jours jusqu'au pied des monts Donggong. Il a rencontré là Wang le taoïste. Fatong s'est prosterné devant lui : Salut à vous, vénéré maître. Le taoïste a répliqué : Salut à toi, honoré visiteur. S'il vous plaît, où se trouve le temple de l'Immensité azurée ? Et pourquoi cela ? Là-bas sont apparus de féroces démons, ils sont terribles, qui oserait y aller ? Votre serviteur, le dénommé Chen, prénommé Fatong, est venu spécialement pour capturer ces démons. Le taoïste dit en poussant un soupir : Hélas, les jeunes garçons et filles sont partis là-bas aujourd'hui, qui sait s'ils n'ont pas déjà été dévorés ? A ces mots, Fatong s'est écrié : Aïe ! il faut se dépêcher d'aller les sauver ! »

Pan ! Le conteur prend dans la main droite la baguette de tambour et, de la gauche, il agite ses clochettes. Il roule des yeux blancs en marmonnant et tout son corps est agité de tremblements... Tu sens un parfum subtil qui perce au milieu des fortes odeurs de tabac et de transpiration. Il émane de ses cheveux, il émane d'elle. Et tu entends aussi les crépitements des graines de pastèques croquées par ton voisin qui ne quitte pas des yeux le conteur vêtu d'une robe de cérémonie. De la main droite, il se saisit du couteau sacré et, de la main gauche, de la corne de dragon. Il parle de plus en plus vite, comme s'il crachait de ses lèvres un chapelet de perles :

« Par trois fois, pan, pan, pan, il envoie trois ordres de marche pour rassembler les soldats et généraux divins des monts Lushan, Maoshan et Longhushan, oye-yo, haha ta, kulong tongtchiang, enya... ya... ya... wuhu... Seigneur céleste, Impératrice terrestre, je suis le disciple de Zhenjun qui m'envoie tuer les démons. L'épée à la main, je vole partout de mes roues de feu et de vent... »

Elle se tourne et se lève. Tu la suis en enjambant les pieds des spectateurs qui vous jettent des regards furieux.

— Ils sont pressés comme un décret impérial !

Eclat de rire derrière vous.

Que t'arrive-t-il ?

Rien ?

Pourquoi ne restes-tu pas ?

J'ai un peu la nausée.

Tu te sens mal ?

Non, ça va mieux. Je manquais d'air à l'intérieur.

Vous marchez dans la rue et les gens qui bavardent assis de chaque côté vous regardent.

Cherchons un endroit calme, d'accord ?

Oui.

Tu l'entraînes dans une ruelle, laissant derrière vous la rumeur et les lampes. Dans la ruelle, aucun lampadaire, seulement la lumière jaunâtre qui filtre à travers les fenêtres des maisons. Elle ralentit le pas. Le spectacle que vous venez de voir te revient à l'esprit.

Ne trouves-tu pas que nous ressemblons toi et moi aux démons que l'on voulait chasser ?

Elle pouffe de rire.

Vous ne pouvez plus retenir un fou rire. Elle doit se plier en deux.

Ses chaussures de cuir résonnent particulièrement sur les dalles de pierre. Au bout de la ruelle, une rizière. Dans une faible lueur, on distingue vaguement au loin quelques habitations. Tu sais qu'il s'agit du seul collège de ce bourg. Plus loin, dans la nuit gris-noir, sous la pâle clarté des étoiles, se dressent les montagnes. Le vent se lève. Un air frais se met à souffler, comme une palpitation, puis il retourne se cacher dans le doux parfum des chaumes de riz. Tu t'appuies sur son épaule, elle ne s'écarte pas. Vous ne dites plus rien, vous avancez en suivant les bordures blanchâtres des rizières.

Ça te plaît ?

Oui.

Tu ne trouves pas ça merveilleux ?

Je ne sais pas, je ne peux le dire. Ne me le demande pas.

Tu te serres contre son bras, elle se serre aussi contre toi. Tu baisses la tête pour la regarder. Tu ne distingues pas ses traits et ses yeux, tu trouves seulement que son nez est pointu. Tu respires son haleine tiède qui t'est déjà familière. Elle s'arrête soudain.

Rentrons, murmure-t-elle.

Où ?

Je dois me reposer.

Je te raccompagne.

Je ne veux pas que l'on me raccompagne.

Elle est devenue obstinée.

As-tu des amis ou de la famille ici ? Ou bien es-tu venue seulement pour te distraire ?

Elle ne répond pas. Tu ne sais ni d'où elle vient ni où elle va. Tu ne peux que la raccompagner jusqu'à la rue. Elle part brusquement et disparaît, comme une histoire ou comme un rêve.

6

Le camp d'observation des pandas, situé à deux mille cinq cents mètres d'altitude, est partout imbibé d'eau. Ma literie est saturée d'humidité. J'y ai déjà passé deux nuits. Dans la journée, je porte le blouson de duvet fourni par le camp. Mon corps est moite d'humidité. Le seul moment agréable vient lorsque l'on mange devant le feu en savourant une soupe chaude. Une grosse marmite en aluminium est accrochée par un fil de fer à la poutre de l'abri qui sert de cuisine. Sous elle, les branches qui sont empilées n'ont pas été refendues. Elle brûlent au fur et à mesure sur les cendres. De hautes flammes s'en élèvent et tiennent lieu d'éclairage. Chaque fois que nous nous mettons autour du feu pour manger, un écureuil vient immanquablement à côté de la cuisine et roule ses yeux tout ronds. Et c'est seulement au moment du repas du soir que les hommes peuvent se réunir. On plaisante. A la fin du repas, le ciel est totalement noir, le camp est cerné par la profonde forêt obscure et les hommes se faufilent sous leurs abris pour se livrer à leurs occupations à la lumière des lampes à pétrole.

Ils sont depuis de longues années au fond des montagnes. Ils ont dit tout ce qu'ils avaient à dire. Ils n'ont aucune nouvelle de l'extérieur. Seul un montagnard qiang qu'ils emploient rapporte dans une corbeille sur son dos des légumes frais et des morceaux de viande de porc ou de mouton depuis le dernier village de la montagne, la Passe de Wolong, situé à deux mille cent mètres d'altitude. Le centre de gestion de la réserve naturelle est encore plus éloigné que le village. Ils n'y descendent à tour de rôle qu'une fois par mois, ou même moins, pour s'y reposer un ou deux jours. Ils y vont pour se faire couper les cheveux, se laver, ou faire un bon repas. Quand ils ont cumulé des jours de congé, ils prennent la voiture de la réserve naturelle pour aller voir leurs petites amies à Chengdu ou pour rentrer dans leurs familles installées dans d'autres villes. Pour eux, la vie ne commence qu'à ce moment-là. Au camp, ils n'ont pas de journaux, n'écoutent pas la radio. Reagan, la réforme du système économique, l'inflation, la suppression de la pollution spirituelle, le prix cinématographique des Cent Fleurs, etc., ce monde bruyant, trop lointain pour eux, est resté dans les villes. Seul un diplômé de l'université qui a été affecté ici l'année dernière porte sans cesse des écouteurs sur les oreilles. En m'approchant de lui, je me suis aperçu qu'il apprenait l'anglais. Un autre jeune homme étudie à la lumière de sa lampe à pétrole. Tous deux s'apprêtent à passer le concours pour devenir aspirant-chercheur afin de quitter cet endroit. Un autre encore note un à un sur un plan topographique aérien les signaux radio qu'il a recueillis pendant le jour. Ces signaux sont émis par les émetteurs dont sont équipés les colliers de pandas capturés puis relâchés dans l'immense forêt.

Le vieux botaniste qui a parcouru avec moi ces montagnes pendant deux jours s'est déjà allongé. J'ignore s'il s'est endormi. Dans mes couvertures humides, couché tout habillé, je ne parviens pas à me réchauffer. J'ai l'impression que mon cerveau aussi est gelé. Pourtant, en dehors des montagnes, c'est déjà le mois de mai printanier. Je sens qu'une tique est en train de me piquer à l'intérieur de la cuisse. Pendant la journée, elle a dû monter par ma jambe de pantalon quand on marchait dans les herbes. Elle est grosse comme l'ongle du petit doigt et dure comme une cicatrice. Je la pince avec force sans parvenir à l'arracher. Je sais qu'en tirant plus fort je risque de la couper en deux, car sa bouche mord fermement ma chair. Je ne peux que demander à un travailleur du camp allongé sur la couchette près de moi de m'aider. Il me fait déshabiller et m'assène une violente claque sur la cuisse en tirant sur ce vampire. Il le jette sur la lampe qui dégage alors une odeur de crêpe fourrée à la viande. Pour le lendemain, il me promet des bandes molletières.

Sous l'abri règne un calme complet. On entend seulement goutter de l'eau à l'extérieur, dans la forêt. Au loin, le vent se rapproche, mais ne vient pas jusqu'ici, comme s'il rebroussait chemin, hurlant dans les vallons lointains et profonds. Puis, l'eau se met à suinter sur le mur de planches, au-dessus de ma tête, jusque sur ma couverture. Il pleut ? Je me pose instinctivement la question. Dehors, dedans, tout est aussi humide, et l'eau coule goutte à goutte... Plus tard encore, j'entends un claquement à la fois clair et lourd qui se répand dans le vallon.

— Ça vient du Roc blanc, dit quelqu'un.

— Merde, ils braconnent, jure un autre.

Les hommes se réveillent tous, à moins qu'ils n'aient pas encore dormi.

— Quelle heure est-il ?

— Minuit moins cinq.

Plus personne ne dit mot, comme si l'on attendait un nouveau coup de feu. Mais on n'entend plus rien. Dans le silence brisé qui reste en suspens, seules résonnent à l'extérieur de l'abri les gouttes d'eau et les remous qui s'évanouissent dans le vallon. On a soudain l'impression d'entendre les pas d'un animal sauvage. Ici, c'est le monde des bêtes sauvages, et pourtant, l'homme ne les laisse pas en paix. De tous côtés, dans l'obscurité, on devine agitation et mouvement. La nuit n'en paraît que plus dangereuse et réveille en toi cette crainte permanente d'être épié, suivi, près de tomber dans un piège. Impossible de retrouver la sérénité que tu réclames si ardemment...

— Il est là !

— Qui ?

— Beibei est là ! crie l'étudiant.

Grand remue-ménage dans l'abri. Tout le monde saute au bas du lit.

A l'extérieur, la respiration et les grognements d'un museau. Le panda qui était tombé malade après l'accouchement et qu'ils avaient sauvé revenait, affamé, chercher de la nourriture ! Ils attendaient sa venue. Ils avaient confiance dans son retour. Depuis plus de dix jours, ils comptaient les jours en affirmant qu'il allait revenir. Il devait revenir avant la sortie des nouvelles pousses de bambou, et c'est bien ce qui se produisait. Leur petit trésor adoré grattait de ses griffes les planches du mur.

L'un des hommes entrouvre d'abord la porte et s'éclipse, un seau rempli de bouillie de maïs à la main. Tout le monde le suit. Dans la nuit estompant les formes et les couleurs, une grosse masse noire avance en se dandinant. L'homme verse aussitôt son seau dans une cuvette et le panda s'avance, grommelant bruyamment de sa forte respiration. Toutes les lampes de poche se braquent sur l'animal sauvage, son corps gris-blanc, sa taille noire et ses yeux cernés de noir. Il n'y prête guère attention et ne pense qu'à manger, sans relever la tête. Quelqu'un veut le photographier : la lumière du flash troue la nuit. Chacun s'approche de lui à tour de rôle, en l'appelant, en le touchant, en caressant son pelage aussi rêche que celui d'un porc. Il relève la tête et les hommes s'écartent de lui en toute hâte pour rentrer sous l'abri. Il s'agit d'une bête sauvage : un robuste panda est capable de se battre avec une panthère. La première fois qu'il était venu manger dans la cuvette en aluminium pleine de nourriture, il avait dévoré en même temps l'ustensile qu'il avait ensuite évacué en petits morceaux. Les hommes avaient alors suivi à la trace ses déjections. A la ferme d'élevage des pandas située au centre de gestion, au pied de la montagne, un journaliste qui voulait montrer que les pandas étaient aussi gentils qu'un petit chat avait essayé de se faire prendre en photo avec l'un d'eux en le tenant dans ses bras. D'un coup de griffe, celui-ci lui avait arraché les organes génitaux et l'on avait dû envoyer le bonhomme en jeep à Chengdu pour lui sauver la vie.

Quand il a fini de manger, il mord dans une canne à sucre en balançant son énorme queue et disparaît dans les bosquets de bambous-flèches près du camp.

— J'avais bien dit que Beibei reviendrait aujourd'hui.

— En général, il vient toujours à ce moment, entre deux et trois heures.

— J'ai entendu ses grognements quand il grattait à la porte.

— Il sait mendier, le salaud !

— Il crevait de faim, il a mangé tout le seau.

— Je l'ai touché, il a grossi.

Ils discutent avec enthousiasme, revenant sur chaque détail : qui l'a entendu le premier, qui a ouvert la porte le premier, comment on l'a vu par la fente de la porte, comment il les a suivis, mis sa tête dans le seau, comment il s'est assis à côté de la cuvette, comment il a mangé avec gloutonnerie. L'un d'eux explique aussi qu'il a mis du sucre dans la bouillie de maïs destinée au panda. Lui aussi préfère manger sucré ! Ces hommes qui communiquent très peu en temps normal semblent parler de leur maîtresse lorsqu'ils parlent de Beibei.

J'ai regardé à ma montre, tout cela n'a duré qu'une dizaine de minutes, mais ils en parlent sans fin. Les lampes à huile sont allumées et plusieurs d'entre eux s'asseyent carrément sur les lits. Cet événement constitue bien sûr un réconfort dans leur vie monotone et solitaire en montagne. Puis ils en viennent à parler de Hanhan, un autre panda. Le coup de fusil qui vient de retentir les a inquiétés. Hanhan avait été tué en montagne par un paysan nommé Leng Zhizhong. A l'époque, ils avaient reçu des signaux de Hanhan qui indiquaient toujours le même point, comme s'il ne bougeait plus. Jugeant qu'il était peut-être malade et que la situation était grave, ils étaient partis à sa recherche. Ils avaient déterré dans la forêt le cadavre de Hanhan enseveli sous de la terre fraîche, ainsi que son collier muni de l'émetteur radio. Puis, accompagnés d'un chien de chasse, ils avaient poursuivi leurs recherches jusqu'à la maison de ce Leng Zhizhong où ils avaient trouvé la peau roulée de l'animal qui pendait sous l'avant-toit. Les signaux d'un autre panda du nom de Lili, qui avait été capturé et équipé d'un collier émetteur, s'étaient carrément évanouis dans l'immensité de la forêt. Etait-ce une panthère qui avait cassé le collier en le mordant ou bien était-il tombé sur un chasseur plus malin qui avait cassé le collier de la crosse de son fusil, impossible de le savoir.

Comme le jour va poindre, deux coups de feu retentissent encore au-dessous du camp. Leur écho, oppressant, se prolonge longuement dans le vallon, telle la fumée du canon qui flotte au moment de la décharge, sans vouloir se dissiper.

7

Tu regrettes de ne pas lui avoir fixé un rendez-vous, tu regrettes de ne pas l'avoir suivie, tu regrettes d'avoir manqué de courage pour l'embobiner, de passion romantique, d'esprit chimérique, sans lesquels l'aventure ne pouvait se produire. Bref, tu regrettes d'avoir raté ton coup. Toi qui souffres rarement d'insomnie, tu n'as pas dormi de la nuit. Au matin, tu t'es senti absurde, mais heureusement, tu n'as pas été téméraire. Cette brusquerie a blessé ton amour-propre, mais tu déplores ta lucidité exagérée. Tu ne sais pas aimer, tu es tellement faible que tu as perdu ta virilité, tu as perdu la capacité d'agir. Finalement, tu as quand même décidé d'aller au bord du fleuve tenter ta chance.

Tu t'assieds dans le pavillon et tu contemples le paysage en face de toi, comme te l'avait conseillé l'expert en achat de matériaux de bois. Le matin, l'embarcadère est en pleine effervescence. Les gens s'entassent sur le bac dont la ligne de flottaison arrive au-dessus du bordage. Il vient d'accoster, ses cordages ne sont pas encore amarrés que les passagers se bousculent pour descendre sur le quai. Les corbeilles en bambou suspendues aux palanches et les bicyclettes poussées à la main s'entrechoquent, on jure, on se presse vers le bourg. Le bac traverse et retraverse pour faire passer ceux qui attendent sur l'autre rive. Enfin, l'embarcadère retrouve son calme. Tu es seul dans le pavillon, comme un idiot, faisant semblant d'attendre un rendez-vous qui n'a jamais été fixé, une femme qui a disparu sans laisser de trace, comme un rêve en plein jour. Au fond, tu vis de manière ennuyeuse, aucune étincelle ne vient troubler ta vie banale, aucune passion, tu ne fais que t'ennuyer. As-tu encore l'intention de recommencer ta vie, de connaître, d'expérimenter ?

Soudain, la rive s'anime de nouveau, mais cette fois, ce sont des femmes. Les unes contre les autres, sur les marches de pierre qui touchent l'eau, elles lavent du linge, rincent des légumes ou du riz. Une barque couverte de nattes de bambou va aborder et l'homme qui manie la gaffe à l'avant crie dans leur direction. Elles se mettent à pépier sans lui laisser la place. Tu n'arrives pas à distinguer s'il s'agit d'un jeu amoureux ou s'ils se disputent vraiment. Et, finalement, tu revois sa silhouette. Et tu lui dis que tu pensais qu'elle reviendrait, qu'elle reviendrait près de ce pavillon dont tu te plais à lui raconter l'histoire. Tu dis que tu la tiens d'un vieil homme, qu'il était assis là aussi, maigre comme une bûche de bois, remuant ses lèvres desséchées par le vent, bougonnant comme un fantôme. Elle dit qu'elle a peur des fantômes, tu préfères donc affirmer que ses murmures ressemblaient aux sifflements du vent dans une ligne à haute tension. Tu dis que ce bourg est déjà mentionné dans les *Mémoires historiques* de Sima Qian[1] et que l'embarcadère devant vous s'appelait autrefois la Passe de Yu, car c'est ici, dit-on, que le grand Yu a dompté les eaux. Sur la berge, un rocher rond gravé, sur lequel on lit vaguement dix-sept caractères

1. Célèbre historien chinois qui a vécu de 145 à 86 avant J.-C.

archaïques en forme de têtards. Comme personne ne parvenait à les déchiffrer, on a fait sauter le rocher pour construire le pont, mais comme les fonds n'étaient pas suffisants, il n'a finalement pas été construit. Tu lui montres sur les colonnes les sentences parallèles qui ont été tracées de la main d'un maître de l'époque des Song. Cette Montagne de l'Ame que tu es venu chercher est mentionnée depuis longtemps par les anciens. Les paysans qui vivent ici de génération en génération ne connaissent pas l'histoire de ce lieu et ne connaissent pas davantage leur propre histoire. Si l'on couchait par écrit, sans rien inventer, l'histoire cachée des gens vivant dans les cours et les mansardes de ce bourg, les romanciers en resteraient abasourdis. Tu lui demandes si elle y croit ou non. Par exemple, cette vieille femme édentée, la peau ridée comme un navet conservé dans la saumure, telle une momie vivante, qui regarde au loin assise sur le pas de sa porte, et dont seules les deux pupilles éteintes bougent encore tout au fond de leurs orbites profondes. Autrefois, elle a connu son heure de gloire et à plusieurs dizaines de lis à la ronde, elle comptait parmi les premières beautés du pays. Qui aurait pu ne pas l'admirer ? A présent, qui pouvait imaginer son allure passée ? Et encore moins à l'époque où elle était l'épouse d'un brigand. Le chef des brigands, c'était le Deuxième Seigneur de ce bourg. En ce temps-là, jeunes et vieux l'appelaient tous Deuxième Seigneur, en partie pour le flatter, mais surtout par respect, « deuxième » aussi bien par son rang au sein de sa famille que parce qu'il était « frère juré », au sein d'une bande de brigands. Même si la cour devant laquelle elle est assise est petite, dès qu'on a pénétré à l'intérieur, les cours se succèdent les unes aux autres et c'est par paniers entiers que, dans le passé, les bandits y déchargeaient des pièces d'argent. A cet instant, elle a le regard fixé sur les barques couvertes de nattes de bambou. C'est sur un bateau de ce genre qu'elle a été enlevée jadis. A l'époque, elle était comme ces jeunes filles aux longues nattes qui battent leur linge sur les escaliers de pierre. A la seule différence que, le jour où elle est descendue vers la rivière laver des légumes, un panier en bambou au bras, elle portait des socques en bois et non des chaussures en plastique. Un bateau couvert de nattes a accosté près d'elle. Avant de comprendre ce qui lui arrivait, deux hommes lui ont tordu le bras, l'ont poussée sur le bateau ; avant qu'elle ait pu appeler au secours, on l'a bâillonnée. Le bateau n'avait pas parcouru cinq lis qu'elle avait déjà été possédée par plusieurs bandits. Dans ce bateau, pareil à tous ceux qui parcourent la rivière depuis mille ans, sous la natte en bambou, de telles exactions avaient lieu en plein jour. La première nuit, elle resta allongée complètement nue sur le pont, mais dès la deuxième nuit, elle allumait le feu à l'avant du bateau et préparait le repas...

Dis encore, dire quoi ? Dis comment elle a pu devenir la femme du Deuxième Seigneur. Est-elle toujours restée ainsi, assise sur le pas de sa porte ? Bon, à cette époque, elle n'avait pas ce regard mort. Elle portait toujours sur elle un cadre en bambou et faisait des travaux d'aiguille. De ses doigts blancs dodus, si elle ne brodait pas un motif de « canards mandarins s'ébattant sur l'eau », c'était celui d'un « paon faisant la roue ». Elle avait remplacé sa natte noire par un chignon tenu avec une épingle en argent sertie de jade, ses sourcils peints rehaussaient son visage et, malgré son air séduisant, personne n'aurait osé lui adresser la parole. On savait très bien que dans son cadre de bambou étaient rangés des fils de soie multicolores, mais que par-dessous se trouvait une paire de revolvers toujours chargés. Il suffisait que d'un bateau accostant au rivage descendent des soldats réguliers pour que ces deux mains si habiles à broder les abattent un à un pendant que le Deuxième Seigneur, capable d'apparaître et de disparaître comme par magie, dormait du sommeil du juste. Si cette femme avait été retenue par le Deuxième Seigneur, c'est qu'elle respectait l'adage qui règle la condition féminine : « Mariée à un coq, on suit le coq, mariée à un chien, on suit le chien. » Mais dans le bourg, personne ne les avait-il dénoncés ? Même le lièvre comprend qu'il ne doit pas manger l'herbe près de son terrier. Elle avait donc survécu, c'était comme un prodige. Tant qu'a vécu le célèbre et charitable chef des bandits Deuxième Seigneur, aucun de ses amis venant le voir par la route, la rivière ou d'autres moyens, n'avait jamais tenté d'obtenir ses faveurs, car il aurait aussitôt trouvé la mort entre les mains de la femme. Et pourquoi ? Le Deuxième Seigneur était cruel, mais la femme davantage encore. Dans ce domaine, les femmes dépassent les hommes. Si tu ne me crois pas, tu peux aller interroger le professeur Wu qui enseigne au lycée de ce bourg. Il prépare un recueil d'anecdotes historiques locales. C'est une commande du bureau du tourisme qui vient d'être créé au chef-lieu de district. Le chef de ce bureau est l'oncle maternel de la femme du neveu du professeur Wu, sinon cette mission ne lui aurait pas été confiée. Tous ceux qui sont enracinés dans ce terroir connaissent des anecdotes historiques à son propos et il n'est pas le seul à pouvoir écrire, mais, qui ne souhaiterait laisser un nom comme historien ? D'autant plus lorsque cela permet de toucher une rémunération non pas comme avance sur droits d'auteur, mais comme une rétribution en heures supplémentaires. En outre, le professeur Wu est issu d'une vieille famille de mandarins locaux et, pendant la Révolution culturelle, les registres recouverts de soie jaune que l'on avait sortis de chez lui et brûlés en public s'étalaient sur quatre mètres de long. Ses ancêtres s'étaient illustrés, que ce soit comme général de la garde de la cour impériale de l'empereur Wendi des Han ou comme académicien pendant l'ère Guangxu des Qing, mais les ennuis avaient commencé depuis quelques dizaines d'années, à la génération de son père, lors de la répartition des terres pendant la réforme agraire, quand ils furent affublés de l'appellation de « propriétaires terriens ». A présent, il est presque arrivé à l'âge de la retraite. Son frère aîné qui était parti s'installer à l'étranger, dont on était sans nouvelles et qui était finalement devenu professeur, est revenu en visite au pays dans une petite voiture, accompagné par le chef adjoint du district. Il lui a rapporté un poste de télévision couleur ; maintenant, les cadres du bourg le regardent d'un autre œil. Ne parlons plus de ça. Bon, en pleine nuit, les paysans insurgés se sont emparés de torches et ont incendié presque toute la rue. Autrefois, la rue principale du bourg était le quai longeant la rivière, et la gare routière actuelle se trouve à l'emplacement du temple du Roi Dragon, au bout de cette rue. A l'époque où le temple n'était pas encore un tas de briques, le quinze du premier mois lunaire, pendant la nuit de fête, c'était miraculeux si l'on arrivait à trouver une place sur la scène pour contempler les dragons-lanternes, venus de tous les villages des deux rives. Chaque équipe arborait un bandeau de couleur unie, rouge, jaune, bleu, blanc ou noir accordé à la couleur de son dragon. Gongs et tambours résonnaient en cadence, dans la rue les têtes se serraient les unes contre les autres. Le long de la berge, les boutiques accrochaient au bout d'une perche en bambou une enveloppe rouge garnie d'une somme d'argent plus ou moins importante, chacune voulant attirer la prospérité sur son commerce en offrant ce présent. En général, c'était l'enveloppe rouge du patron de la boutique de riz, située presque en face du temple du Roi Dragon, qui était la plus remplie et des chapelets de pétards doubles à cinq cents coups dégringolaient du sommet de son toit jusqu'au sol. Dans un jaillissement d'étincelles crépitantes, les jeunes dépensaient toute leur énergie pour agiter les lanternes, formant une danse qui s'achevait en tourbillon. Celui qui portait la tête du dragon et jonglait avec une boule brodée multicolore devait redoubler d'efforts. Lorsque deux dragons sont arrivés, l'un du village de Gulai, rouge, et l'autre, bleu, venant du bourg même, mené par Wu Guizi... Ne parle plus, si, continue. Tu veux que je parle de ce dragon bleu ? Tu veux que je te dise que ce Wu Guizi était un champion célèbre dans le bourg ? A sa vue, aucune jeune femme un tant soit peu volage ne pouvait s'empêcher d'avoir les yeux brillants. Soit elles l'appelaient pour lui proposer un peu de thé soit elles lui offraient un bol d'alcool de riz... Ecoute ! Comment ? Vas-y, dis ce que tu veux. Ce Wu Guizi faisait danser le dragon bleu tout au long de la route. Une vapeur chaude montait de tout son corps. Arrivé devant le temple du Roi Dragon, il a carrément déboutonné sa veste sans manches et l'a lancée aux passants qui assistaient à la scène, découvrant sa poitrine tatouée d'un dragon bleu. Aussitôt les jeunes gens qui l'entouraient l'ont acclamé à grands cris. A cet instant, le dragon rouge du village de Gulai est arrivé par l'autre côté de la rue. Vingt jeunes du même âge, pleins de fougue, venaient aussi s'emparer de l'enveloppe rouge du patron de la boutique de riz. Aussitôt, les deux dragons se sont mis en mouvement, aucun ne voulant céder à l'autre.

Dans les lanternes qui formaient les deux dragons, le rouge et le bleu, brûlaient des bougies. On ne vit plus alors que deux dragons de feu qui tourbillonnaient parmi la foule, levant la tête et remuant la queue. Wu Guizi jonglait avec sa boule de feu, tournoyant bras nus sur les dalles de pierre du chemin, entraînant le dragon bleu dans une ronde flamboyante. Le dragon rouge n'était pas en reste. Sans quitter des yeux sa boule de tissu brodé, il rampait et ondulait, tel un mille-pattes serrant dans sa gueule une proie vivante. Quand le double pétard à cinq cents coups eut fini d'exploser, les jeunes ont fait partir d'autres explosifs. Les deux équipes soufflaient tant et plus, la sueur dégoulinant sur leurs corps les faisait ressembler à des poissons frais sortis de l'étang. Ils se pressaient près du comptoir pour se disputer l'enveloppe rouge accrochée au bout de la perche qu'un jeune du village de Gulai finit par attraper en sautant. L'équipe de Wu Guizi ne put supporter cet affront. Les insultes qui fusaient des deux côtés couvraient le bruit des pétards et les deux dragons s'enchevêtrèrent de manière inextricable. Les spectateurs ne purent dire qui avait commencé, mais de toute façon, les poings leur démangeaient. C'est souvent ainsi que débutaient les bagarres. Des cris de frayeur fusaient, poussés par les femmes et les enfants, celles qui étaient assises sur les bancs devant leurs maisons emportaient leurs petits et rentraient, laissant les sièges comme armes aux combattants. Il y avait dans ce bourg un agent de police, mais à ce moment-là, soit on l'avait invité à boire, soit il était en train de regarder jouer aux cartes, prélevant un pourcentage sur le jeu, car on ne maintient pas l'ordre pour rien. Ce genre de démêlé dans la population n'entraînait pas de procès. Le résultat du combat fut un mort dans l'équipe du dragon bleu et deux dans celle du dragon rouge, sans compter le frère de Xiao Yingzi qui fut renversé sans raison par la foule, piétiné et abandonné avec trois côtes cassées. Heureusement, il fut ramené à la vie grâce à l'emplâtre « peau de chien » transmis par les ancêtres de Tang le Grêlé qui tenait boutique à côté de la *Maison du Joyeux Printemps* où brillait éternellement une lanterne rouge. Tout cela, ce sont des racontars, mais on peut aussi les considérer comme des histoires, tu peux continuer à les lui raconter. Mais elle ne veut plus t'écouter.

8

En bas du camp, dans la forêt d'érables et de tilleuls, le vieux botaniste qui m'a accompagné en montagne a découvert un hêtre gigantesque, haut de plus de quarante mètres, unique fossile végétal vivant de l'époque glaciaire, vieux de plus d'un million d'années. Il faut lever la tête pour apercevoir, tout au bout de ses branches dénudées, de jeunes feuilles minuscules. Le tronc est creusé d'un grand trou qui pourrait servir de tanière à un ours. Le vieux botaniste m'y fait entrer en assurant que si un ours y loge, il ne peut s'y trouver qu'en hiver. Je m'y glisse : les parois sont tapissées de mousse. A l'extérieur aussi, le grand arbre est recouvert de mousses veloutées. Ses racines et branches enchevêtrées s'insinuent comme des dragons et des serpents dans les buissons et les hautes herbes.

— Jeune homme, voilà la nature à l'état vraiment sauvage, dit-il en heurtant le tronc avec son piolet. Il appelle tous les membres de la réserve « jeune homme ». Agé d'une soixantaine d'années, il conserve une santé excellente. Se servant de son pic comme d'une canne, il ne cesse de parcourir les montagnes.

— Ils abattent les arbres précieux pour en faire des matériaux. S'il n'y avait pas eu ce trou, celui-ci aussi y serait passé. Ici, ce n'est déjà plus une forêt primitive au sens strict du terme. C'est tout au plus une forêt primitive de « second ordre », soupire-t-il.

Il est venu recueillir des spécimens de bambous-flèches, la nourriture des pandas. Je l'accompagne en me faufilant entre les buissons de bambous desséchés, plus hauts qu'un homme. Nous ne trouvons aucun bambou vivant. Il m'explique que soixante ans s'écoulent entre le moment où ils fleurissent et germent et celui où ils se dessèchent, puis refont une pousse avant de refleurir. C'est exactement la durée d'un *kalpa*, la succession des existences et des renaissances dans la religion bouddhiste.

— L'homme suit les voies de la Terre, la Terre suit les voies du Ciel, le Ciel suit les voies de la Voie, et la Voie suit ses propres voies [1], récite-t-il d'une voix forte, il ne faut pas commettre des actes qui vont à l'encontre de la nature, il ne faut pas faire l'impossible.

— Quelle valeur scientifique le sauvetage des pandas revêt-il ?

— Ce n'est qu'un symbole, une consolation, l'homme a besoin de se tromper lui-même. D'une part, il sauve une espèce qui a perdu la capacité de survivre, et d'autre part, il accélère la destruction de l'environnement qui lui permet de subsister. Regarde les deux rives de la Minjiang, les forêts y ont toutes été abattues et le fleuve lui-même n'est plus qu'une coulée de boue noire. Et ne parlons pas du Yangzi. Et ils veulent en plus construire un lac artificiel en le barrant au niveau des Trois Gorges ! C'est bien sûr très romantique d'avoir des projets fantastiques. L'histoire atteste qu'il y a eu plusieurs fois des affaissements dans cette région de faille géologique et la construction du bar-

---

1. Citation du *Daodejing (le Livre de la Voie et de la Vertu)*. La traduction ici proposée est celle de François Houang et Pierre Leyris, Le Seuil, 1979.

rage va détruire tout l'équilibre écologique du bassin du Yangzi. Si jamais ça provoque un grand tremblement de terre, les centaines de millions d'habitants qui vivent dans le cours inférieur et moyen du fleuve seront transformés en tortues ! Bien sûr, personne ne risque d'écouter les paroles d'un vieux comme moi. L'homme pille la nature, mais la nature finira par se venger !

Je le suis dans la forêt au milieu des fougères qui nous arrivent à la taille et dont les feuilles enroulées ressemblent à d'immenses entonnoirs. D'un vert émeraude encore plus vif, les *rodgersia aesculifolia* aux sept feuilles verticillées. Partout, une atmosphère saturée d'humidité. Je ne peux m'empêcher de demander :

— Il y a des serpents dans ces fourrés ?

— Ce n'est pas encore la saison, mais au début de l'été, quand le temps se radoucit, ils deviennent dangereux.

— Et des bêtes sauvages ?

— Ce ne sont pas elles qu'il faut craindre, mais plutôt l'homme !

Il m'explique que dans sa jeunesse, il avait un jour rencontré trois tigres. La mère et son petit étaient passés près de lui. Le troisième, le mâle, avait levé la tête et s'était approché. Ils s'étaient regardés, puis l'animal avait détourné le regard et s'était éloigné à son tour.

— En général, le tigre n'attaque pas l'homme alors que celui-ci le poursuit partout pour l'exterminer. On ne trouve plus trace de tigres en Chine du Sud. Il faudrait que tu sois particulièrement chanceux pour en rencontrer un maintenant.

Il dit cela sur un ton de moquerie.

— Et la liqueur d'os de tigres qu'on vend partout ?

— C'est de la blague ! Même les musées n'arrivent pas à recueillir des spécimens. Ces dix dernières années, on n'a pas acheté une seule peau de tigre dans tout le pays. Quelqu'un s'est rendu dans un village du Fujian pour acheter un squelette de tigre, mais une fois expertisé, on s'est aperçu qu'il s'agissait d'os de porc et de chien !

Il éclate de rire puis, essoufflé, se repose un peu en s'appuyant sur son pic :

— J'ai réchappé plusieurs fois à la mort dans mon existence, mais jamais à cause des griffes des animaux sauvages. Une fois, j'ai été enlevé par des brigands qui voulaient m'échanger contre un lingot d'or, croyant que j'étais issu d'une famille riche. Ils n'imaginaient pas qu'un pauvre étudiant comme moi, qui enquêtait dans les montagnes, n'avait pour tout bien qu'une montre empruntée à un ami. Une autre fois, c'était pendant un bombardement japonais. La bombe est tombée sur la poutre faîtière de la maison où j'habitais, faisant voler toutes les tuiles du toit, mais elle n'a pas éclaté. La troisième fois, c'était quand on m'a dénoncé, accusé d'être « droitiste » et envoyé en rééducation dans une ferme. Pendant la période de catastrophes naturelles, il n'y avait plus rien à manger, mon corps était couvert d'œdèmes et j'ai failli mourir. Jeune homme, la nature n'est pas effrayante, c'est l'homme qui est effrayant ! Il te suffira de te familiariser avec la nature et elle se rapprochera de toi. L'homme, lui, s'il est intelligent bien sûr, est capable de tout inventer, depuis les calomnies jusqu'aux bébés-éprouvettes, mais en même temps, il extermine chaque jour deux ou trois espèces dans le monde. Voilà la supercherie humaine.

Au camp, je n'avais que lui avec qui parler, peut-être parce qu'il était le seul à venir d'un monde vivant ; les autres, qui travaillaient année après année dans ces montagnes, étaient aussi taciturnes et avares de paroles que les arbres. Au bout de quelques jours, il est parti à son tour.

J'étais un peu inquiet à l'idée que je ne pouvais guère communiquer avec les autres. Je savais qu'à leurs yeux, je n'étais qu'un voyageur poussé par la curiosité. Pourquoi, au fond, étais-je venu dans ces montagnes ? Etait-ce pour expérimenter la vie dans ces camps de recherche scientifique ? Quel sens avait ce genre d'expérience ? Si c'était seulement pour fuir les difficultés que je rencontrais, il y avait un moyen encore plus facile. Peut-être pensais-je découvrir une autre vie ? M'éloigner le plus possible du monde terriblement ennuyeux des humains. Puisque je fuyais le monde, à quoi bon communiquer avec les hommes ? Le vrai tracas venait de ce que je ne savais pas ce que je cherchais. Trop de réflexion, de logique, de sens ! La vie elle-même n'obéit à aucune logique, pourquoi veut-on en déduire sa signification avec logique ? Et puis, qu'est-ce que la logique ? Je crois que je devrais me détacher de la réflexion, car de là vient mon mal.

Je demande à Lao Wu, l'homme qui m'a aidé à me débarrasser d'une tique, s'il y a encore des forêts primitives par ici.

Il me répond qu'autrefois les alentours n'étaient boisés que de forêts primitives.

Je lui dis que c'est évident, mais que je voudrais savoir où, maintenant, je peux encore en trouver.

— Eh bien, va au Roc Blanc. Nous avons tracé un sentier.

Je lui demande s'il s'agit du rocher blanc qui surgit au milieu de la mer de forêts, au sommet d'une falaise où l'on accède par le sentier qui traverse un ravin, en bas du camp.

Il fait oui de la tête.

Je suis déjà allé là-bas, la forêt est beaucoup plus serrée, mais dans les ravins, gisent des troncs d'arbres noirs immenses qui n'ont pas encore été emportés par les crues des rivières.

— Là-bas aussi on a abattu des arbres, dis-je.

— C'était avant la création de la réserve naturelle.

— En fin de compte, existe-t-il encore dans cette réserve naturelle une forêt primitive n'ayant pas subi les stigmates du travail humain ?

— Bien sûr, il faut aller à la rivière Zheng.

— C'est possible ?

— Même nous, avec notre matériel et notre équipement, nous ne sommes pas parvenus jusque dans sa zone centrale. Ce sont d'immenses gorges au relief complexe entourées de hautes montagnes enneigées de plus de cinq ou six mille mètres d'altitude.

— Comment faire pour arriver à voir une véritable forêt primitive ?

— Le point le plus proche où il faut aller, c'est 11M 12M.

Il parle des points géodésiques signalés sur la carte, utilisés en topographie aérienne.

— Mais toi, tu ne peux pas y aller tout seul.

Et il m'explique que l'année dernière, deux diplômés d'université qui venaient d'être affectés au camp étaient partis, munis d'une boussole et d'un paquet de biscuits, persuadés qu'il ne pouvait rien leur arriver, mais que, le soir, ils n'étaient pas rentrés. Ce n'est qu'à la fin du quatrième jour que l'un d'eux, ayant réussi à grimper jusque sur la route, avait été aperçu par un convoi qui se dirigeait vers le Qinghai. On était redescendu chercher son camarade qui s'était déjà évanoui de faim. Il me recommande de ne jamais m'éloigner seul et m'avertit que si j'ai vraiment envie d'aller voir cette forêt primitive, il me suffit d'attendre que l'un d'entre eux se rende en opération au point 11M 12M pour recueillir les signaux d'activité des pandas.

9

Tu as des soucis ?

Tu cherches à la taquiner.

A quoi le vois-tu ?

C'est évident, une jeune fille qui s'enfuit jusque dans ce genre d'endroit.

Toi aussi, tu es seul, non ?

C'est mon habitude. J'aime me promener seul, on peut se plonger dans ses pensées. Mais une jeune fille comme toi…

Ça suffit ! Il n'y a pas que les hommes qui ont des pensées.

Je n'ai jamais dit que tu n'en avais pas.

Et justement, il y a des hommes qui n'ont aucune pensée !

Tu as dû rencontrer des difficultés.

Chacun a des pensées, pas seulement lorsqu'il a des difficultés.

Je ne voulais pas me disputer avec toi.

Moi non plus.

J'espère pouvoir t'aider.

Quand j'en aurai besoin.

Tu n'en as pas besoin maintenant ?

Merci, non. J'ai seulement besoin d'être seule et que l'on ne vienne pas me déranger.

Ça prouve bien que tu as eu des ennuis.

Si tu le dis.

Tu souffres de mélancolie.

C'est moins grave que ça.

Donc tu reconnais que tu as des ennuis ?

Tout le monde a des ennuis.

Mais toi, tu recherches les ennuis.

Pourquoi ?

Inutile d'être très savant.

Toi, tu es vraiment malin.

Si ça ne va pas jusqu'à l'ennui.

Ce qui n'est pas la même chose qu'aimer.

Mais tu ne refuseras pas de faire un tour le long de la rive ?

Tu as besoin de te prouver à toi-même que tu es encore capable d'attirer les jeunes filles. Et elle finit par te suivre. Vous suivez la digue en remontant la rivière. Tu as besoin de rechercher le bonheur, elle a besoin de rechercher la souffrance.

Elle dit qu'elle n'ose pas regarder vers le bas, tu dis que tu sais très bien qu'elle a peur.

Peur de quoi ?

Peur de l'eau.

Elle se met à rire, mais tu perçois que son rire est un peu forcé.

Tu n'oserais pas sauter, dis-tu en marchant volontairement tout près du bord. Au bas de la digue, l'eau de la rivière bouillonne.

Et si je sautais ? dit-elle.

Je plongerais pour te sauver. Tu sais qu'en parlant ainsi tu gagneras ses faveurs.

Elle dit qu'elle a un peu le vertige, puis elle ajoute que c'est très facile de sauter, qu'il suffit de fermer les yeux, que c'est la manière de mourir qui fait le moins souffrir, et qu'en plus c'est enivrant. Tu dis que dans cette rivière a déjà sauté une jeune fille comme elle, venue de la ville elle aussi. Elle était plus jeune, encore plus simple. Tu ne veux pas dire que, elle, est particulièrement compliquée, mais que les gens d'aujourd'hui ne sont ni plus ni moins bêtes que ceux d'autrefois, et qu'autrefois, ce n'est pas si loin. Tu dis que c'était par une nuit sans lune, la rivière semblait encore plus profonde. La femme du passeur Wang le Bossu déclara plus tard qu'à l'époque, elle avait secoué un peu son mari endormi, en lui disant qu'elle avait entendu tinter les chaînes qui retenaient les amarres. Elle avait voulu se lever pour aller voir, puis elle avait entendu comme un hurlement et cru que c'était le vent. Elle avait pensé que ce ne pouvait pas être un homme en train de voler le bateau, car le hurlement était très sonore et les chiens n'avaient pas aboyé par cette nuit profonde et calme. Elle s'était donc rendormie. Dans son sommeil, le cri avait retenti encore une fois. Elle s'était réveillée et avait prêté l'oreille. Elle dit qu'à l'époque, si quelqu'un était accouru, la jeune fille ne se serait pas suicidée. Tout était la faute de ce vieux diable qui dormait comme une souche. Il arrivait souvent que quelqu'un frappe à la fenêtre ou appelle quand il voulait d'urgence traverser la rivière en pleine nuit. Ce qu'elle ne comprenait pas, c'est pourquoi la jeune fille avait déplacé les chaînes pour se suicider, était-ce pour prendre le bateau afin d'aller au chef-lieu de district et de là rejoindre la ville pour retrouver ses parents ? Elle aurait pu prendre à midi le car du district à moins qu'elle n'ait eu peur qu'on la voie. Personne ne pouvait dire à quoi elle avait pensé avant de mourir. En fait, cette jeune fille très convenable était venue sans raison apparente travailler à la terre dans ce village où elle ne connaissait ni parents ni amis. Elle avait été violée par un secrétaire du parti, quel péché ! Au lever du jour, les occupants d'un radeau l'avaient retrouvée sur un banc de sable à trente lis d'ici. Elle était torse nu, ses habits avaient dû s'accrocher aux branches d'un arbre dans un coude de la rivière. Pourtant ses chaussures de sport étaient restées, bien rangées, sur un rocher, sur ce rocher où étaient gravés les caractères rehaussés de peinture rouge « Passe de Yu ». A l'avenir, lorsque les touristes grimperont sur ce rocher pour se faire photographier, ils garderont le souvenir de ces deux caractères et les mânes de la jeune fille victime d'une injustice seront à jamais oubliés.

Tu m'écoutes ? demandes-tu.

Continue, répond-elle à voix basse.

Dans le passé, il y a toujours eu des morts ici, des enfants, des jeunes filles. Les petits enfants plongent du rocher. S'ils ne remontent pas, on appelle cela « chercher la mort » et l'on dit qu'ils ont été récupérés par leurs parents des vies antérieures. Les victimes d'injustices sont toujours des femmes. S'il ne s'agit pas de jeunes instruites chassées de la ville, ce sont des jeunes mariées qui ont subi les mauvais traitements de leur belle-mère et de leur mari, et aussi des belles qui viennent se suicider pour un amour déçu. C'est pourquoi, avant même les recherches du professeur Wu sur le bourg, les paysans appelaient cette Passe de Yu la « Falaise des fantômes en peine » et, quand les petits enfants vont s'y baigner, les adultes ne sont jamais tranquilles. On raconte encore qu'à minuit on voit apparaître là une femme fantôme revêtue d'un habit blanc qui chante une chanson dont on ne perçoit pas clairement les paroles. On dirait aussi bien une chanson enfantine paysanne que la complainte d'un mendiant. Il ne s'agit bien sûr que de superstitions, les gens se font souvent peur à eux-mêmes. Mais, à cet endroit, vit réellement un oiseau aquatique que les hommes du pays appellent tête-bleue et dont les gens cultivés disent qu'il s'agit de l'Oiseau bleu mentionné dans la poésie des Tang. Ce sont les paysans qui le nomment tête-bleue, en raison de ses longues plumes bleues. Tu as déjà vu cet oiseau, bien sûr, petit, un corps bleu foncé avec sur la tête deux huppes émeraude, très habile et plein d'agilité, il a belle allure. Il se pose toujours aux endroits frais et ombragés, au pied de la digue, ou bien en bordure de l'épaisse forêt de bambous, au bord de l'eau, épiant à droite et à gauche, très à l'aise. Tu peux fixer ton regard sur lui pour l'admirer, mais au moindre mouvement, il s'envole aussitôt. L'oiseau bleu qui picore pour la Reine Mère d'Occident mentionné dans le *Classique des mers et des montagnes* est une espèce d'oiseau merveilleux. Ce n'est pas le même que le « tête-bleue » des paysans, mais il possède le même aspect magique. Tu lui dis que cet oiseau bleu ressemble à une femme. Il existe bien sûr des femmes stupides, mais là, tu parles des femmes les plus raffinées, les plus sentimentales. Celles-ci connaissent rarement une vie heureuse, car les hommes veulent une femme pour leur propre plaisir, les maris une épouse pour s'occuper de leur maison et faire la cuisine, et les vieux une bru pour assurer leur descendance. Aucun ne recherche l'amour. Puis, quand tu lui parles d'une autre jeune fille, une jeune paysanne, elle t'écoute attentivement. Quand tu dis qu'elle est morte, victime d'une injustice, dans cette rivière, quand tu expliques ce que disent les gens, elle hoche la tête. Hébétée, elle t'écoute. Cet air hébété la rend encore plus charmante à tes yeux.

Tu dis que cette jeune paysanne avait été promise à un homme, mais lorsque l'envoyé de sa future belle-famille était venu la chercher, elle avait disparu. Elle était partie avec son amant, un jeune gars de la campagne.

Portait-il aussi les dragons-lanternes ? demande-t-elle.

La bande de jeunes qui venaient au bourg pour le combat des dragons-lanternes était du village de Gulai. La famille de ce petit gars se trouvait à Wangnian, à cinquante lis d'ici et cela se passait plus loin dans le temps. C'était un jeune homme excellent qui n'avait ni argent ni pouvoir. Sa famille possédait seulement quelques ares de terre et encore moins de rizière. Là-bas, si l'on travaillait dur, on ne risquait pas de mourir de faim. A condition bien sûr qu'il n'y ait ni catastrophe naturelle, ni guerre qui réduise le village presque à néant, ce qui était déjà arrivé. Et ce jeune homme, l'amant de la jeune fille, ne possédait pas suffisamment de biens pour épouser une fille aussi intelligente et belle. Une telle fiancée vaut un prix bien défini : une paire de bracelets en argent comme acompte, deux fois huit boîtes de gâteaux comme cadeau de fiançailles, deux coffres et deux armoires à vêtements dorées comme dot, tous à la charge de l'acheteur de la promise. L'homme qui l'avait achetée vivait dans une ruelle située derrière l'actuel magasin de photographies. La maison a changé de propriétaire depuis longtemps. A l'époque, l'épouse de son occupant n'avait mis au monde que des filles. Comme il voulait avoir un fils, il s'était décidé à prendre une concubine. De son côté, la mère de la jeune fille, une veuve pleine de sagesse, pensait qu'il valait mieux, pour celle-ci, devenir la concubine d'une famille riche plutôt que d'aller avec un pauvre type obligé de cultiver sa terre toute sa vie. L'affaire avait été réglée grâce à un intermédiaire. On avait décidé de se passer de palanquin, les vêtements et les sous-vêtements étaient confectionnés, mais au jour fixé pour venir chercher la mariée, la jeune fille s'était enfuie pendant la nuit. Chargée seulement d'un baluchon garni de quelques habits, elle était allée frapper en pleine nuit à la fenêtre de son ami, l'avait attiré dehors et, enflammée par sa passion, s'était donnée à lui sur place. Puis, séchant leurs larmes, ils avaient fait serment de fidélité éternelle et décidé de s'enfuir dans les montagnes et d'y subsister en défrichant la terre. Lorsqu'ils étaient arrivés à l'embarcadère, contemplant les eaux bouillonnantes de la rivière, le jeune homme avait hésité, disant qu'il devait rentrer chez lui prendre une hache. Et ses parents l'avaient surpris alors qu'il volait quelques affaires pour survivre. Le père avait frappé avec une bûche ce fils indigne, la mère en avait eu le cœur déchiré, mais elle n'avait pu se résoudre à le laisser partir. Le père avait continué de frapper et la mère de pleurer jusqu'au lever du jour. Des gens qui ont pris le bac au petit matin ont dit avoir vu une femme chargée d'un baluchon, avant qu'un épais brouillard ne se lève. Plus le jour avançait, plus le brouillard épaississait, flottant en volutes au-dessus de la rivière. Même le soleil était devenu comme un morceau de charbon rouge foncé. Le passeur redoublait de vigilance : si heurter un autre bateau n'avait rien de grave, être heurté par un train de flottage du bois serait une catastrophe. Sur la rive était massée la foule qui se rendait au marché, comme elle le faisait depuis au moins trois mille ans. Parmi elle, quelqu'un a sûrement entendu un cri percer le brouillard et s'évanouir dans le lointain, puis le bruit d'un corps qui tombe à l'eau. Mais chacun s'était remis à parler et plus aucun bruit n'avait été perceptible. C'était un embarcadère très animé, sinon le grand Yu n'aurait pas traversé ici.

Le bateau était chargé de bois, de charbon de bois, de millet, de patates douces, de champignons parfumés, de fleurs de lys séchées, d'oreilles de Judas, de thé, d'œufs, d'hommes et de porcs, la gaffe de bambou se courbait sous le poids, le tirant d'eau arrivait au bord du bateau, et, au-dessus de la surface blanchâtre de l'eau, on ne distinguait que l'ombre grise du rocher de la Falaise des Fantômes. Les femmes bavardes ont pu dire que ce matin-là, très tôt, elles avaient entendu le cri du corbeau, signe de mauvais augure. Le corbeau tournait dans le ciel en croassant. Il avait certainement senti l'odeur de la mort. Juste avant de disparaître, l'homme exhale une certaine odeur, mais c'est comme la malchance, tu ne la vois pas, c'est juste une question de sensation.

Est-ce que je porte la malchance ? demande-t-elle.

Simplement, tu t'en veux à toi-même. Tu as tendance à te faire du mal à toi-même.

Tu fais exprès de la taquiner.

Pas du tout, la vie est remplie de souffrances ! l'entends-tu crier.

10

Sur la mousse des troncs d'arbres, sur les rameaux des branches au-dessus de ma tête, sur les lichens qui pendent comme de longues mèches de cheveux, dans les airs même, l'eau suinte partout, sans que l'on sache d'où elle vient. De grosses gouttes, brillantes et scintillantes, coulent sur mon visage, une à une, et glissent le long de mon cou, glaciales. A chaque pas, je foule l'épaisse mousse veloutée et souple qui s'est accumulée, couche après couche. Elle vit en parasite sur les troncs des arbres gigantesques couchés au sol, mourant et se renouvelant sans cesse. Mes chaussures gorgées d'eau s'y enfoncent à chaque pas en produisant un bruit de succion. Ma casquette, mes cheveux, mon anorak, mes pantalons sont trempés, mes sous-vêtements aussi sont imbibés de transpiration et collent à ma peau. Je ne ressens de chaleur qu'au bas-ventre.

Il s'arrête au-dessus de moi sans tourner la tête. Derrière sa nuque, l'antenne faite de trois tiges métalliques vibre encore. Quand j'arrive à son niveau, après avoir enjambé les troncs d'arbre qui gisent sur le sol, il repart avant même que j'aie eu le temps de reprendre mon souffle. Plutôt petit, l'homme est d'une maigreur qui le fait ressembler à un singe agile ; il craint de se fatiguer en empruntant les lacets du chemin, et sans hésiter, se lance droit dans la pente. Partis de bon matin du camp, on a marché deux heures d'affilée, sans qu'il m'adresse la parole. J'ai pensé qu'il utilisait peut-être ce moyen pour se débarrasser de moi, pour que je batte en retraite. Je m'efforce de le suivre, mais la distance qui nous sépare est de plus en plus grande. Il s'arrête alors par moments pour m'attendre et profite des temps où je reprends mon souffle pour déployer son antenne, mettre ses écouteurs et rechercher les signaux, puis il griffonne sur son carnet.

Dans une clairière ont été installés des instruments de météorologie. Il les observe, fait quelques relevés et m'annonce que le degré d'humidité est déjà saturé. C'est la première parole qu'il m'adresse, je prends cela pour une manifestation d'amitié. Aussitôt après s'être remis en route, il me fait signe de le suivre dans un bosquet de bambous-flèches desséchés où une vaste cage de la hauteur d'un homme a été fabriquée avec des pieux. La porte est ouverte. Le ressort à l'intérieur n'est pas bandé. Les pandas sont attirés dans la cage, puis neutralisés d'une balle de narcotique. On leur passe un collier émetteur avant de les relâcher en forêt. Il me désigne l'appareil photo que je porte sur la poitrine. Je le lui tends et il me prend en photo devant la cage. Pas à l'intérieur, heureusement.

On pénètre dans une sombre forêt de tilleuls et d'érables. Les pépiements incessants des mésanges dans les bosquets de catalpas effacent tout sentiment de solitude. A l'altitude 2700-2800, commence la zone des forêts de conifères, de plus en plus clairsemées. D'immenses tsugas d'un noir métallique se dressent, avec leurs grosses branches étalées en ombrelle. Les sapins brun-gris les dépassent de trente ou quarante mètres, certains même de cinquante ou soixante mètres. Leur faîtage pointu où naissent de jeunes aiguilles gris-vert leur confère un surcroît d'élégance. Dans la forêt, les broussailles ont disparu, le regard porte loin. Entre les gros troncs des sapins, quelques azalées de montagne de plus de quatre mètres de haut sont couvertes de fleurs rouges toutes fraîches. Les tiges penchées ont l'air de ne plus pouvoir supporter cette luxuriante beauté. Elles sèment leurs énormes pétales au pied de l'arbre, exposant sereinement la splendeur infinie de leur teinte. Cette merveille de la nature à l'état brut fait de nouveau naître en moi un indéfinissable regret. Mais ce regret ne concerne évidemment que ma personne, il n'a rien à voir avec la nature elle-même.

Partout, d'immenses arbres morts cassés à mi-hauteur par le vent et la neige. Je passe entre ces énormes troncs dressés qui me forcent au silence. Souffrant du désir de m'exprimer, devant cette solennité, je perds mes mots.

Un coucou chante, invisible ; en haut, en bas, à gauche, à droite, comme s'il tournait sans cesse pour me désorienter. On dirait qu'il appelle : « Grand-frère attends-moi ! Grand-frère attends-moi ! » Je ne peux m'empêcher de penser à l'histoire des deux frères partis en forêt semer du sésame. Elle raconte qu'une belle-mère veut se débarrasser du fils de son mari, issu d'un premier mariage, mais le destin se venge sur son propre fils. Je pense aussi aux deux étudiants qui se sont perdus dans cette forêt et je sens monter en moi une inquiétude irrépressible.

Il s'arrête soudain et lève la main pour me faire signe. Je le rattrape à la hâte. Il me tire violemment pour m'obliger à m'accroupir, puis se relève aussitôt. Entre les troncs d'arbres, deux gros oiseaux gris-blanc, grêlés, aux pattes rouges, marchent à pas pressés dans la pente. J'avance doucement et aussitôt, le silence est rompu par le claquement des battements d'ailes.

— Des faisans des neiges, dit-il.

En un instant, l'air semble s'être figé de nouveau ; le couple de faisans des neiges gris-blanc, grêlés, aux pattes rouges, pleins de vie, semble n'avoir jamais existé, telle une hallucination. Il n'y a que l'immense forêt immobile et sans fin, mon existence m'apparaît tellement éphémère qu'elle n'a plus de sens.

Il devient plus amical à mon égard et ne me laisse plus en arrière. Il avance, puis s'arrête pour attendre que je le rattrape. La distance entre lui et moi s'est réduite, mais on ne parle toujours pas. Puis il s'arrête pour consulter sa montre, lève le visage vers le ciel de plus en plus dégagé. On dirait qu'il sent quelque chose. Il commence à grimper tout droit dans la pente en me tirant une nouvelle fois par la main.

Essoufflé, j'arrive sur un replat. Devant moi s'étale une forêt composée de sapins uniquement, tous de la même espèce.

— On est à plus de 3000, non ?

Il acquiesce d'un hochement de tête et court sous un arbre situé à l'endroit le plus élevé du replat. Il en fait le tour, ses écouteurs sur les oreilles, après avoir orienté l'antenne dans les quatre directions. Moi aussi, je regarde alentour. On est cernés de troncs d'arbres de la même grosseur, séparés par la même distance, tous aussi hauts et droits les uns que les autres, avec des branches partant toutes de la même hauteur avec la même élégance. Ici, pas de troncs cassés, ceux qui ont pourri gisent sur le sol, sans aucune exception, victimes de la sélection rigoureuse de la nature.

Ici, ni lichens, ni bosquets de bambous-flèches, ni buissons, les larges espaces entre les arbres rendent la forêt plus claire et la vue porte loin. Et, au loin, une azalée d'une blancheur immaculée, élancée et pleine de grâce, provoque un irrépressible enthousiasme par son extraordinaire pureté. Elle grossit au fur et à mesure que j'approche. Elle porte de grosses touffes de fleurs aux pétales encore plus épais que ceux de l'azalée rouge que j'ai vue plus bas. Des pétales d'un blanc pur qui n'arrivent pas à se faner jonchent le sol au pied de l'arbre. Sa force vitale est immense, elle exprime un irrésistible désir de s'exposer, sans contrepartie, sans but, sans recourir au symbole ni à la métaphore, sans faire de rapprochement forcé ni d'association d'idées : c'est la beauté naturelle à l'état pur.

Blanches comme la neige, luisantes comme le jade, les azalées se succèdent de loin en loin, isolées, fondues dans la forêt de sapins élancés, tels d'inlassables oiseaux invisibles qui attirent toujours plus loin l'âme des hommes. Je respire profondément l'air pur de la forêt. Je suis essoufflé, mais je ne dépense pas d'énergie. Mes poumons semblent avoir été purifiés, l'air pénètre jusqu'à la plante de mes pieds. Mon corps et mon esprit sont entrés dans le grand cycle de la nature, je suis dans un état de sérénité que je n'avais jamais connu auparavant.

La brume flotte à un mètre du sol et s'ouvre devant mes pas. De la main, je l'agite en reculant, comme s'il s'agissait de fumée. Je cours un peu à sa poursuite, mais je n'arrive pas à l'attraper et elle m'effleure seulement. Devant moi, le paysage s'estompe. Les couleurs s'effacent, le brouillard monte. Je le vois nettement qui flotte en tourbillonnant. Je recule et me retourne instinctivement pour le suivre. Arrivé sur la pente, je lui échappe, quand je vois soudain à mes pieds une gorge profonde. En face, se dresse une chaîne de montagnes majestueuses, bleu pâle, couronnée de nuages blancs. L'épaisse couche de nuages roule en tous sens, mais dans la gorge, seules flottent quelques brumes qui se dissipent rapidement. Ce fil blanc comme neige, c'est un torrent impétueux qui traverse la forêt au milieu de la gorge. Ce n'est certainement pas le vallon que j'ai suivi pour pénétrer dans la montagne il y a quelques jours. Il s'y trouvait au moins un village et quelques champs cultivés avec un pont de chaînes suspendu très ingénieux, accroché aux deux versants. Dans ce sombre vallon, je ne vois que des bosquets épais et de bizarres rochers escarpés, pas la moindre trace humaine. Sa seule vue donne un frisson dans le dos.

Le soleil réapparaît bientôt et illumine la chaîne de montagnes en face de moi. L'air est tellement pur, la forêt de résineux au-dessous de la couche de nuages offre à cet instant une touche vert foncé si nette qu'elle me force au ravissement. Elle est comme un chant paisible qui monterait du fond des poumons et se répandrait en suivant les ombres et les lumières, changeant de tonalité en un clin d'œil. Je cours, je saute, poursuivant l'ombre changeante des nuages, prenant photo sur photo.

Le brouillard gris est revenu dans mon dos, sans se soucier des fossés, des anfractuosités du terrain, des troncs d'arbres couchés. Je n'ai aucun moyen de fuir devant lui et il me rattrape, sans hâte. Je suis enfoui dans le brouillard. Le paysage a disparu devant moi, tout est indistinct. Seules restent dans ma tête les sensations que je viens d'éprouver. Comme je reste perplexe, un rayon de soleil perce au-dessus de moi et illumine la mousse qui couvre le sol. Alors je découvre sous mes pieds un étrange monde végétal avec, lui aussi, ses chaînes de montagne, ses prairies et ses bosquets d'un vert étincelant. Le temps que je m'accroupisse, le brouillard est revenu et s'est répandu partout, comme sorti de la main d'un prestidigitateur, ne laissant qu'une étendue grisâtre indistincte.

Je me relève. J'attends, perdu. J'appelle, sans réponse. J'appelle une nouvelle fois, mais j'entends seulement ma propre voix triste et tremblante qui s'éteint. Toujours pas de réponse. Aussitôt la peur m'étreint. Elle monte depuis la plante de mes pieds et mon sang se glace. J'appelle encore, toujours sans réponse. Autour de moi, seule l'ombre noire des sapins, tous identiques. Je me mets à courir, je crie, je me précipite à gauche, à droite, je perds la raison. Je dois me calmer, revenir à mon point de départ, non, je dois d'abord essayer de m'orienter, mais, partout autour de moi, se dresse l'ombre des sapins noirs. Pas un seul point de repère. J'ai déjà tout vu, mais c'est comme si je n'avais rien vu. Les veines à mes tempes palpitent avec force. Je comprends que la nature m'a joué un tour, à moi, le minuscule homme sans croyance qui n'a peur de rien et se donne de grands airs.

— Hé ho ! Hé !

Je crie. Je n'ai pas demandé son nom à l'homme qui m'accompagne. Je ne peux que hurler, de manière hystérique, comme une bête sauvage. Mes propres cris me font dresser les cheveux sur la tête. Je croyais qu'en montagne il y avait toujours de l'écho. Même l'écho le plus triste et le plus solitaire serait mieux que ce silence terrifiant. Ici, le son se perd dans l'atmosphère saturée d'humidité et l'épais brouillard. Je réalise alors que je n'arriverai même pas à faire porter ma voix et je tombe dans le plus complet découragement.

Sur le ciel grisâtre se détache la silhouette singulière d'un arbre ; il est penché, son tronc est divisé en deux parties de la même taille qui poussent droit, sans branches ni feuilles. Complètement dépouillé, il doit être mort ; il ressemble à un harpon gigantesque et monstrueux désignant le ciel. Je me dirige vers lui. En fait, il est situé à la limite de la forêt. En dessous doit se trouver la gorge sombre, cachée par le brouillard ; c'est donc une direction qui mène droit à la mort. Mais je ne peux plus quitter cet arbre, mon seul repère. Je m'efforce de rassembler dans ma mémoire les paysages que j'ai vus tout au long du chemin. Je dois d'abord retrouver des images fixes, comme cet arbre, et non pas des impressions fugitives. Tout est présent dans mon esprit et je tente d'y mettre de l'ordre afin d'utiliser ces souvenirs comme points de repère pour le retour. Mais ma mémoire en est incapable et, comme des cartes à jouer effacées, plus j'essaie d'arranger ces images, plus leur ordre se mélange. Epuisé, je finis par me laisser tomber sur la mousse humide.

Ainsi, j'ai perdu le contact avec mon guide et me suis égaré dans une forêt primitive dans la zone du point géodésique de navigation aérienne 12M, à plus de trois mille mètres d'altitude. Premièrement, je n'ai pas sur moi cette carte géodésique. Deuxièmement, je n'ai pas de boussole. Dans ma poche, je ne trouve qu'une poignée de bonbons que m'avait laissés le vieux botaniste qui m'a quitté. Il m'avait conseillé, pour aller en montagne, d'emporter un paquet de bonbons, en cas d'urgence, si je m'égarais. Du bout des doigts, je compte les bonbons dans ma poche . sept en tout. Je ne peux que m'asseoir et attendre que mon guide vienne me chercher.

Tous les récits sur des personnes qui sont mortes égarées dans la montagne, dont j'ai entendu parler ces derniers jours, me reviennent à l'esprit et me terrorisent. Je me sens pris au piège. A cet instant, je ressemble à un poisson pris dans les filets de la peur, percé par un gigantesque harpon : il se débat sans pouvoir changer son destin, sauf par miracle. Mais dans ma vie, n'ai-je pas toujours attendu un miracle ?

11

Elle le dit, elle l'a dit plus tard. Elle a vraiment voulu mourir, c'était très facile. Debout sur la digue élevée du fleuve, il lui suffisait de fermer les yeux et de se jeter dans le vide ! Mais l'idée qu'elle pouvait tomber sur le rebord en pierre de la berge la glaçait de terreur. Elle n'osait imaginer le spectacle affreux de sa cervelle jaillissant de son crâne fendu. Ce serait trop répugnant. Si elle mourait, ce serait en beauté, pour attirer sur elle compassion et sympathie.

Elle dit qu'elle aurait dû remonter le fleuve en suivant la rive. Quand elle aurait trouvé une plage, elle serait descendue sur la berge. Bien sûr, personne ne devrait la voir et personne ne le saurait. Elle serait entrée dans l'eau noire en pleine nuit, sans même quitter ses chaussures. Elle ne voulait pas laisser de traces. Elle aurait donc avancé, chaussures aux pieds. Pas à pas, elle serait entrée, et, quand elle aurait eu de l'eau jusqu'à la taille, avant même qu'il ne lui arrive à hauteur de poitrine et l'empêche de respirer, le courant serait devenu impétueux et d'un coup l'aurait entraînée et roulée au milieu du fleuve. Elle ne parviendrait plus à remonter à la surface, mais, malgré elle, elle se débattrait. Ce désir instinctif de survie ne servirait à rien. Au plus, elle battrait faiblement des pieds et des mains. Tout irait très vite, tout serait fini sans avoir eu le temps de souffrir. Elle ne pourrait pas crier. Il n'y aurait plus le moindre espoir, mais même si elle criait, l'eau l'étoufferait aussitôt. Personne ne pourrait l'entendre et il n'y aurait plus aucun moyen de la sauver. Et cette vie superflue s'effacerait de ce monde sans laisser la moindre trace. Puisqu'il n'existe aucun moyen de se débarrasser de cette souffrance, il vaut mieux se délivrer grâce à la mort, en prenant le mal à la racine, proprement. Il faudrait que la mort soit pure, elle aussi. Si elle pouvait mourir dans la pureté, ce serait bien, mais si le corps gonflé d'eau échouait en aval sur une anse de sable, il serait séché par le soleil, commencerait à pourrir et serait la proie d'une nuée de mouches. Involontairement, une impression de dégoût l'avait envahie de nouveau. Rien n'est plus écœurant que la mort. Rien à faire pour se débarrasser de ce dégoût, rien, rien.

Elle dit que personne ne peut la reconnaître, que personne ne connaît son nom ni son prénom. Ceux qu'elle a donnés lorsqu'elle a rempli la fiche de l'hôtel sont faux. Elle dit que personne dans sa famille n'arriverait à la retrouver, que personne ne pourrait imaginer qu'elle avait fui jusqu'à ce petit bourg de montagne. En revanche, elle imagine parfaitement l'attitude de ses parents. Sa belle-mère a dû passer un coup de téléphone à l'hôpital où elle travaille, de sa voix sourde, comme si elle était enrhumée, avec même quelques sanglots dans la gorge, et encore, sans doute à la demande pressante de son père. Elle sait très bien que si elle mourait, sa belle-mère ne pleurerait pas vraiment. Elle n'est qu'un fardeau pour cette famille. Sa belle-mère a son propre fils, un gars déjà assez âgé. Quand elle voulait rentrer chez elle passer la nuit, son petit frère devait dormir sur un lit pliant dans le couloir. Ils attendaient sa chambre, souhaitant qu'elle se marie au plus vite. Mais elle ne voulait pas vivre à l'hôpital. Dans ces chambres de repos pour les infirmières de garde, règne toujours une odeur de désinfectant. Toute la journée, dans cet univers de draps blancs, de blouses blanches, de moustiquaires blanches, de masques blancs, elle semble n'avoir en propre que ses yeux et ses sourcils. L'alcool, les pinces, les pincettes, le cliquetis des ciseaux et des bistouris, le lavage répété des mains, les bras continuellement plongés dans le désinfectant au point que la peau devient blanche et terne, elle perd la couleur du sang. A mesure que vieillissent les hommes et les femmes du bloc opératoire, la peau de leurs mains prend la teinte d'une souris blanche. A elle aussi, il ne restera plus un jour que des mains complètement décolorées. Ces mains échoueront sur la plage de sable et seront couvertes de mouches. Elle est prise à nouveau de dégoût. Elle déteste son travail, sa famille, et même son père, un incapable qui n'a plus la moindre opinion dès que sa belle-mère hausse un peu le ton. Parle un peu moins, d'accord ? Même s'il s'oppose à elle, il ne veut pas que cela se sache. Eh bien, dis-moi, où as-tu encore dépensé ton argent ? Tu es bête avant l'âge, comment pourrait-on encore te laisser de l'argent ? Une phrase en entraîne dix, la voix de la belle-mère résonne toujours aussi fort. Il ne dit pas un mot. Il lui avait touché le pied, sous la table, à tâtons, lorsque sa belle-mère et son petit frère n'étaient pas là et qu'ils étaient seuls tous les deux, il avait trop bu. Elle lui avait pardonné, mais en même temps, elle en était incapable. Il n'est bon à rien, elle déteste sa faiblesse. Ce n'est pas un père qui force l'admiration, un homme vrai, sur lequel elle pourrait s'appuyer et dont elle serait fière. Elle veut quitter les siens depuis longtemps, elle a toujours souhaité avoir sa propre petite famille. Mais voilà, elle est aussi dégoûtée.

Dans sa poche, elle avait trouvé un préservatif. Elle prenait la pilule et ne s'était jamais inquiétée à ce sujet. Elle ne peut pas dire qu'elle ait eu le coup de foudre pour lui. Mais c'est le premier homme qu'elle a rencontré qui ait osé lui faire la cour. Il l'avait embrassée. Elle commençait à penser à lui. Ils s'étaient revus, puis fixé un rendez-vous. Il la voulait, elle s'était donnée à lui. Ils s'étaient attendus avec impatience, ils s'étaient enivrés. Elle était troublée, le cœur battant, remplie de peur, mais pleinement consentante. Tout était normal, plein de bonheur, de beauté, plein de pudeur, sans vulgarité. Elle dit que, parce qu'elle savait, elle voulait d'abord l'aimer et être aimée de lui, puis être sa femme, et devenir une mère, une jeune mère, mais elle avait vomi. Elle dit que ce n'était pas parce qu'elle était enceinte. Mais, juste après qu'il eut fait l'amour avec elle, elle avait senti quelque chose dans la poche arrière du pantalon qu'il avait ôté. Il ne voulait pas qu'elle fouille, mais elle avait fouillé et elle avait vomi. Ce jour-là, après le travail, elle n'était pas rentrée à son dortoir et n'avait rien mangé pour se précipiter chez lui. A peine était-elle entrée, il l'avait embrassée et avait fait l'amour avec elle sans lui laisser reprendre son souffle. Il avait dit qu'il fallait profiter de la jeunesse, profiter de l'amour de tout son cœur. Blottie contre sa poitrine, elle avait acquiescé. Dans un premier temps, ils ne voulaient pas d'enfant pour pouvoir s'amuser en toute insouciance quelques années. Ils économiseraient pour voyager un peu. Ils n'aménageraient pas de maison au début. Il leur suffirait de posséder une petite chambre et il en avait déjà une, et elle, elle ne souhaitait que l'avoir, lui. Ils étaient fous, rien ne pourrait les arrêter, jamais, au grand jamais... Elle n'avait pas eu le temps d'en profiter, seul lui restait le dégoût. Un dégoût incoercible provoquant la nausée. Plus tard, elle s'était mise à pleurer et à insulter l'homme comme une hystérique ! Son amour pour lui était fini. Elle aimait tant l'odeur de transpiration de son maillot. Même quand il était propre, elle arrivait encore à la percevoir. Et pourtant, lui, il méritait si peu d'être aimé, il pouvait faire ces choses n'importe quand avec n'importe quelle femme. Les hommes sont tellement sales ! La vie qu'elle venait de commencer était souillée, comme les draps de ce petit hôtel où tout le monde venait dormir. Ils ne sont jamais changés et sentent la sueur des hommes. Elle ne viendrait plus dans ce genre d'endroit !

Où es-tu allée alors ? demandes-tu.

Elle dit qu'elle ne sait pas, elle ne comprend pas comment elle a pu venir ici toute seule. Elle dit encore qu'elle cherchait un endroit comme celui-ci où personne ne pourrait la reconnaître et que toute seule, elle avait suivi le fleuve en le remontant sans penser à rien, continuant tout droit jusqu'à épuisement, jusqu'à tomber raide morte sur la route…

Tu dis qu'elle est une enfant capricieuse.

Non ! Elle dit que personne ne la comprend. Et toi non plus.

Tu lui demandes si elle peut traverser le fleuve avec toi. Sur l'autre rive se trouve Lingshan, la Montagne de l'Ame, où l'on peut voir des merveilles qui aident à oublier ses souffrances et à obtenir la délivrance. Tu t'efforces de la séduire.

Elle dit qu'elle a expliqué à sa famille que son hôpital organisait un voyage, et à l'hôpital elle a prétendu que son père était tombé malade. Elle a demandé quelques jours de congé pour le garder.

Tu dis qu'elle est vraiment rusée.

Elle dit qu'elle n'est pas stupide.

12

Avant d'entreprendre ce long voyage, pendant ces journées où le médecin avait diagnostiqué un cancer du poumon, la seule chose que je pouvais faire était de me promener dans les parcs de la banlieue. Tout le monde disait que, dans cette ville polluée, seul l'air des parcs était de bonne qualité, d'autant plus celui des parcs de banlieue. Les petits tertres qui s'élèvent près des murailles de la ville étaient autrefois des lieux d'incinération et des tombeaux. Ils n'ont été transformés en parcs que récemment. Et comme l'urbanisation a gagné ces dernières années jusqu'aux tombeaux en friche, les vivants construisent des maisons sur les pentes des collines, disputant le terrain aux morts.

A présent, seul leur sommet reste en friche ; y sont entassées des dalles de pierre inutilisées qui devaient servir de stèles funéraires. Les vieux des environs viennent ici chaque matin faire leur gymnastique traditionnelle et promener leurs oiseaux. A neuf heures passées, quand le soleil tape sur le sommet de la colline, ils rentrent tous chez eux, leur cage à la main. Enfin seul, au calme, je sors de ma poche un exemplaire du *Livre des mutations*. Je lis, je lis, et sous le tiède soleil d'automne, je sens le sommeil m'envahir. Je m'allonge sur une dalle de pierre et pose la tête sur mon livre en guise d'oreiller. Je repasse mentalement les traits des hexagrammes[1] que je viens de lire et leur image d'un bleu brillant flotte sur mon visage rougi par la chaleur du soleil.

A l'origine, je n'avais aucune intention de lire. Que je lise un livre de plus ou de moins, que je lise ou non, ne différerait pas l'heure de mon incinération. Si je lis le *Livre des mutations*, ce n'est le fait que du pur hasard. Un ami d'enfance qui a eu connaissance de ma situation est venu spécialement me voir pour me proposer son aide. Et il m'a parlé des pratiques respiratoires du *qigong*. Il a entendu dire que certains les utilisent pour guérir le cancer et il connaît un homme qui pratique un art en rapport avec les huit trigrammes. Il m'a conseillé d'essayer moi aussi, j'ai compris ses bonnes intentions. Arrivé à ce stade, un homme est prêt à tout pour s'en sortir. Je lui ai demandé s'il pouvait me procurer un exemplaire du *Livre des mutations* que je n'avais encore jamais lu. Il me l'a apporté dès le lendemain. Très ému, je lui ai confié que lorsque j'étais petit, je l'avais soupçonné de m'avoir volé un harmonica que je venais d'acheter. Je l'avais accusé à tort, puisque j'avais retrouvé l'harmonica. Se souvenait-il de cela ? Un rire a éclairé son visage rond bien en chair et il m'a dit un peu gêné : A quoi bon reparler de ça ? En fin de compte, c'est lui qui était embarrassé, et pas moi. Manifestement il n'avait pas oublié, mais m'avait gardé son amitié. J'ai alors réalisé que moi-même j'avais commis des fautes et que ce n'étaient pas seulement les autres qui m'avaient accusé à tort. Etait-ce un repentir de ma part ? Etait-ce l'état d'esprit précédant la mort ?

1. Les trigrammes et hexagrammes sont les figures du *Yijing, le Livre des mutations*, utilisées pour la divination

Je ne savais pas si, au cours de ma vie, c'était moi qui finalement m'étais montré le plus ingrat envers les autres, ou les autres envers moi. Je savais que certains m'avaient vraiment aimé, comme ma mère aujourd'hui décédée, que d'autres m'avaient haï, comme ma femme dont je m'étais séparé, mais à quoi bon faire les comptes, maintenant qu'il me restait si peu à vivre ? Pour ceux envers lesquels je m'étais montré ingrat, ma mort serait déjà une compensation, et pour les autres, je ne pouvais plus rien faire. La vie n'est finalement qu'un nœud de rancunes inextricables, aurait-elle par hasard une autre signification ? Mais la terminer ainsi était vraiment prématuré. Je me suis aperçu que je n'avais jamais vécu convenablement et que si je pouvais avoir une autre existence, je changerais à coup sûr mon mode de vie, à condition qu'un miracle intervienne.

Je ne croyais pas aux miracles de la même manière que je ne croyais pas, initialement, à la destinée, mais lorsque l'on se trouve dans une situation désespérée, ne reste-t-il pas que les miracles en quoi l'on puisse espérer ?

Quinze jours plus tard, à la date fixée, je me suis rendu à l'hôpital pour y subir, comme prévu, une fibroscopie. Inquiet, mon frère avait tenu à m'accompagner, contre ma volonté. Je ne voulais pas laisser paraître mes sentiments devant mes proches. Seul, je pourrais me contrôler plus facilement, mais je n'étais pas arrivé à le dissuader. A l'hôpital travaillait aussi un vieux camarade de lycée qui m'a conduit directement auprès du responsable des radiographies.

Chaussé de lunettes, assis sur une chaise tournante, après lecture du diagnostic inscrit sur mon fichier médical puis examen des radiographies de ma poitrine, il a déclaré qu'il fallait encore procéder à une radiographie latérale. Il a aussitôt rédigé une lettre pour que j'aille passer cette radio dans un autre service, précisant qu'il irait retirer les épreuves avant même qu'elles soient sèches.

Un beau soleil d'automne brillait. A l'intérieur, il faisait particulièrement frais. Assis dans cette pièce à regarder par la fenêtre la pelouse inondée de soleil, j'avais une sensation de beauté infinie. Jamais par le passé je n'avais regardé le soleil de cette manière. En attendant que la radio latérale soit développée dans la chambre noire, je contemplais le soleil par la fenêtre. Et pourtant, le soleil était vraiment trop loin, il me fallait penser à ce qui allait m'arriver maintenant, à l'instant même. Mais cela demandait-il encore réflexion ? Ma situation était comme celle du meurtrier contre qui les charges sont accablantes et qui attend que le juge prononce la peine de mort. Il ne peut qu'espérer l'intervention d'un miracle. Mes deux maudites radios effectuées dans des hôpitaux différents ne constituaient-elles pas la preuve de ma condamnation à mort ?

Je ne sais quand, sans m'en apercevoir, peut-être au moment où je contemplais le soleil par la fenêtre, j'ai entendu qu'en moi-même je récitais le nom du Bouddha Amithaba, depuis un moment déjà. Je récitais des prières depuis que je m'étais rhabillé et que j'étais sorti de cette salle des machines où l'on fait monter les malades allongés, telle une usine à tuer.

Avant cet instant, si j'avais pensé qu'un jour je réciterais moi aussi des prières, j'aurais sûrement trouvé cela totalement ridicule. Quand je voyais, dans les temples, des vieillards et des vieilles femmes brûler de l'encens et se prosterner en murmurant le nom du Bouddha Amithaba, j'éprouvais toujours de la pitié pour eux. Il faut dire que cette pitié était éloignée de toute espèce de sympathie. Si je devais exprimer cette sensation avec des mots, ce serait en gros : « Ah ! les pauvres gens, ils sont pitoyables, ils sont faibles. Quand leur espoir même le plus infime a du mal à se réaliser, ils ne savent que prier pour que leur souhait soit exaucé. » Je ne pouvais concevoir qu'un homme dans la force de l'âge ou une belle jeune femme puissent prier. Lorsqu'il m'arrivait d'entendre, dans la bouche de jeunes fidèles, prononcer le nom de Bouddha, j'avais envie de rire et d'afficher une malveillance manifeste. Je ne pouvais comprendre qu'un homme en pleine prospérité se livre à ce genre de bêtises et pourtant, aujourd'hui, j'avais bien prié moi aussi, avec la plus grande ferveur, de tout mon cœur. Le destin est tellement dur et l'homme tellement faible. Face à l'adversité, l'homme n'est plus rien.

Et, dans l'attente de ma sentence de mort, je me trouvais dans cette situation où je n'étais plus rien, contemplant le soleil d'automne par la fenêtre et priant silencieusement Bouddha.

Mon vieux camarade de classe ne pouvait plus tenir. Il est entré dans la chambre noire, suivi par mon frère. On a fait ressortir ce dernier et il n'a pu que guetter le guichet des radios. Un instant plus tard, mon camarade est ressorti à son tour pour attendre au même guichet. Ils avaient déplacé leur attention du condamné sur son arrêt de mort. Cette métaphore n'était pas tout à fait exacte. Je les regardais entrer et sortir comme un observateur totalement extérieur, seulement occupé à répéter sans cesse en moi-même le nom de Bouddha. Soudain, je les ai entendus crier :

— Alors ?

— Il n'y a rien ?

— Vérifiez encore !

— Cet après-midi, seule cette radiographie latérale de la poitrine est prévue, a-t-on répondu avec agacement dans la chambre noire.

Ils ont soulevé tous les deux la radio avec des pincettes pour l'examiner. Le technicien est aussi sorti de la chambre noire, il a jeté un coup d'œil, a vaguement prononcé quelques mots, puis ne leur a plus prêté attention.

Grâces soient rendues à Bouddha. Ces mots qui ont d'abord remplacé l'invocation au Bouddha Amithaba sont devenus l'expression la plus banale de la joie. Telle était ma première disposition d'esprit après que j'eus échappé à cette situation désespérée. Le Bouddha avait pris soin de moi et le miracle s'était accompli. Mais je me réjouissais en moi-même, n'osant pas dévoiler mes sentiments à la légère.

Je n'étais toujours pas rassuré. J'ai pris la radio encore humide entre deux doigts et suis allé la faire vérifier auprès du responsable à lunettes.

Avec un geste très théâtral, il a dit en écartant les bras :

— C'est parfait, non ?

— Faut-il faire autre chose ? Je l'interrogeais au sujet de la fibroscopie.

— Faire quoi ? m'a-t-il demandé sur un ton de réprimande. Il en avait le droit, il sauvait des vies humaines.

Puis il m'a fait mettre debout devant la machine à rayons X, m'a fait respirer fort, tousser, me tourner, à gauche, puis à droite.

— Vous pouvez voir par vous-même, a-t-il dit en me montrant l'écran de contrôle. Regardez, regardez.

En fait, je ne voyais rien de très clair : dans mon cerveau, de la bouillie, et sur l'écran noir et blanc, le squelette de ma poitrine.

— Il n'y a rien du tout, n'est-ce pas ? a-t-il repris sur son ton de réprimande, comme si je faisais exprès de lui chercher des ennuis.

— Mais comment expliquer ce que l'on voit sur ces radios de la poitrine ? je n'ai pu m'empêcher de lui poser la question.

— S'il n'y a rien, c'est qu'il n'y a plus rien. Ça a disparu. Comment l'expliquer ? Une grippe, une pneumonie peuvent faire apparaître une ombre. Et elle disparaît à la guérison.

Je n'ai rien demandé au sujet des états d'âme. Pouvaient-ils faire apparaître une ombre ?

— Vivez en paix, jeune homme ! Il a fait pivoter son fauteuil et ne s'est plus occupé de moi.

C'est vrai, je venais de revivre, je me sentais plus jeune encore qu'un nouveau-né.

Mon frère est parti en toute hâte sur sa bicyclette, car il avait encore une réunion.

La lumière du soleil m'appartenait de nouveau. A moi d'en jouir. Assis sur une chaise, en bordure de la pelouse, mon camarade de classe a commencé à parler du destin avec éloquence. On ne parle du destin qu'au moment où ce n'est plus nécessaire.

— La vie, c'est quelque chose d'admirable, a-t-il déclaré, absolument un phénomène de hasard. On peut calculer le nombre de possibilités existant dans l'ordre des chromosomes, mais les chances qui s'offrent à un nouveau-né, peut-on les prévoir ?

Il était intarissable. Il étudiait l'ingénierie génétique. Quand il avait écrit sa thèse de fin d'études, la conclusion à laquelle il était parvenu à l'issue de ses expériences ne correspondait pas à l'opinion du chef de section qui le dirigeait et, au cours d'un entretien, il avait contredit le secrétaire du comité du Parti de cette même section. Une fois diplômé, il avait donc été envoyé dans une ferme des monts Daxing'an pour élever des cerfs. Plus tard, il n'avait pu être nommé dans une université nouvellement construite à Tangshan qu'au terme de nombreuses complications. Il ne s'attendait pas à y être « débusqué » et condamné comme « laquais de la clique noire des contre-révolutionnaires ». Il avait subi des tourments pendant près de dix ans avant que l'on conclût : « Absence de preuves ». Qui aurait pu penser qu'il serait muté dix jours avant le grand tremblement de terre de Tangshan, tandis que ceux qui l'avaient fait souffrir périraient tous dans l'effondrement de leur immeuble ? C'était la nuit, personne n'avait pu en réchapper.

— Dans les ténèbres, à chacun son destin ! a-t-il dit.

Et moi, je devais réfléchir à ma façon de vivre, maintenant que je venais d'acquérir une nouvelle vie.

13

Devant toi, un hameau avec ses maisons toutes semblables, aux briques bleues et aux tuiles noires, dispersées le long de la rive, au pied de champs en terrasses et de collines. A l'entrée du hameau, passe un ruisseau recouvert de longues dalles de pierre. Et là encore, tu vois, menant au village, une rue pavée de pierres gris-bleu profondément marquées par les roues des brouettes. Et tu entends encore le son de tes pieds nus claquant sur la pierre en laissant une trace humide. Il t'incite à entrer. C'est une petite rue pareille à celle de ton enfance, avec des traces de boue sur les dalles. Et enfin tu découvres entre les interstices le petit ruisseau qui traverse le village sous le chemin. A la porte de chaque maison, une dalle dressée permet de puiser l'eau et de faire la lessive. Sur les vaguelettes scintillantes flottent des débris de feuilles de choux. Tu entends aussi, derrière les portes des maisons, les caquètements des poules qui se battent pour picorer. Dans les ruelles, tu ne vois pas âme qui vive, ni enfants, ni chiens, le lieu est calme et solitaire.

A l'angle d'une maison, le soleil illumine le mur-écran blanchi à la chaux. Sa lumière, aveuglante par contraste, tranche sur la rue sombre. Au-dessus du linteau d'une [illegible] iroir décoré des huit trigrammes. Debout [illegible] découvres que ce miroir, destiné à chas- [illegible] s néfastes, est tourné vers le coin du mur [illegible] oie les souffles mauvais venus d'en face. Si [illegible] photo depuis là, les tons contrastés du mur [illegible] ans la lumière jaune du soleil, de l'ombre bleu-gris [illegible] a ruelle et des dalles de pierre grisâtres donneraient une sensation de calme et de bonheur. Les tuiles cassées des auvents des toits recourbés, les fentes des murs éveilleraient aussi une sorte de nostalgie. Ou bien, une photo prise sous un autre angle de la grande porte de cette maison, avec la lumière reflétée par le miroir aux huit trigrammes, le seuil en pierre, luisant à force d'être poli par le derrière des enfants, donnerait une image vivante dont disparaîtrait toute trace de la haine qui a animé ces deux familles de génération en génération.

Tu ne me racontes que des histoires cruelles et effrayantes, dit-elle, je ne veux pas les écouter.

Que veux-tu écouter alors ?

Raconte-moi de belles histoires avec de beaux personnages.

Veux-tu que je te parle des femmes au camélia ?

Je ne veux pas entendre parler de sorcières.

Ce ne sont pas des sorcières. Les sorcières sont des vieilles bonnes femmes répugnantes, les femmes au camélia sont toujours jeunes et belles.

Comme la femme du bandit Deuxième Seigneur ? Je ne veux pas écouter ce genre d'histoire cruelle.

Les femmes au camélia sont aussi envoûtantes que bienveillantes.

A la sortie du village, en remontant le lit du ruisseau, les énormes rochers deviennent glissants, polis par les eaux.

Elle avance en chaussures de cuir sur les rochers humides couverts de mousse Tu lui dis qu'elle est condamnée à ne pas aller loin, mais elle te demande de prendre sa main. Tu l'as prévenue, mais elle glisse quand même. Tu l'attires contre toi, en disant que tu ne l'as pas fait exprès, mais elle dit que tu es mauvais, elle fronce les sourcils. Au coin de sa bouche se dessine pourtant un sourire. Elle serre fortement les lèvres. Tu ne peux t'empêcher de les embrasser. Elle les relâche aussitôt et tu es étonné de leur douceur. Tu jouis de sa douce haleine. Tu dis qu'il arrive souvent ce genre de choses en montagne. Elle est séduisante et tu es séduit. Appuyée contre toi, elle ferme les yeux.

Parle-moi !

De quoi ?

Parle-moi des femmes au camélia.

Elles séduisent les hommes, dans les montagnes, sur les sentiers sombres, au détour du chemin, et souvent dans les pavillons au sommet…

Tu en as vu ?

Bien sûr. Elle se tenait assise toute droite sur le banc de pierre d'un pavillon construit au milieu d'un chemin. Impossible de l'éviter. C'était une montagnarde toute jeune, vêtue d'une chemise bleu clair en toile de lin, les boutons en tissu sur le côté, le col et les manches bordés de blanc ; elle portait un turban de batik noué avec raffinement. Sans le vouloir, tu as ralenti le pas et tu as fait exprès d'aller te reposer sur le banc de pierre, face à elle. Mine de rien, elle t'a observé sans tourner la tête, en gardant serrées ses fines lèvres d'un rouge éclatant. Ses sourcils et ses yeux d'un noir de jais étaient soulignés à l'aide d'un morceau de bois de saule passé au feu. Elle connaît parfaitement sa force d'attraction et, sans se cacher le moins du monde, de ses yeux brillants, elle jette des regards enjôleurs. C'est toujours l'homme qui se sent gêné face à elle. Toi-même, embarrassé, tu t'es levé pour partir. Sur ce sombre chemin désert, elle t'avait déjà fait perdre toutes tes facultés. Tu savais bien que tu n'avais guère que trois chances sur dix de pouvoir aimer ce genre de femme. Tu ne pouvais que languir pour elle, n'osais précipiter les choses. Tu dis que ce sont les tailleurs de pierre qui t'ont averti. Tu as passé la nuit dans leur abri. Ils extraient les pierres en montagne et, toute la soirée, tu as bu de l'alcool et parlé des femmes avec eux. Tu lui dis que tu ne peux pas l'emmener là-bas, car tu ne pourrais garantir sa sécurité. Seule une femme au camélia est capable de dominer ces tailleurs de pierre. Ils ont dit qu'elles pouvaient toutes pratiquer l'acupuncture à doigts nus. Leur art leur a été transmis par leurs ancêtres, et leurs mains agiles parviennent à guérir les maladies graves que les hommes ne peuvent pas soigner, depuis les convulsions des enfants jusqu'à l'hémiplégie. Et pour les affaires de mariage, de décès, les secrets entre hommes et femmes, tous s'en remettent à leurs bouches expertes pour s'entremettre et arranger les choses. Quand, en montagne, on rencontre une telle fleur sauvage, il faut la contempler sans jamais l'arracher. Les tailleurs de pierre disent qu'une fois, trois frères jurés ne les avaient pas crus. Sur un sentier, ils avaient rencontré une femme au camélia et de mauvaises pensées leur étaient venues. A eux trois, n'arriveraient-ils pas à soumettre une femme ? Après s'être consultés, ils se précipitèrent sur elle et l'attirèrent de force dans une grotte. C'était bien une femme, qui ne put résister à ces trois gaillards. Lorsque les deux premiers en eurent fini avec elle, la femme implora le troisième : « Le bien est récompensé par le bien, le mal par le mal. Tu es jeune encore, ne fais pas comme eux. Relâche-moi, je t'en prie, et je t'apprendrai une recette secrète. Tu en auras l'utilité plus tard. Tu pourras te marier et vivre à ton aise. » Pris de doute, l'homme la laissa quand même partir par pitié.

Toi-même, l'as-tu offensée, ou bien l'as-tu laissée partir ? demande-t-elle.

Tu dis que tu t'es levé pour partir, mais que tu n'as pu t'empêcher de te retourner pour lui jeter un regard et que tu as vu alors ses deux joues et une fleur rouge de camélia piquée sur sa tempe. La pointe de ses sourcils et le coin de ses lèvres brillaient comme des éclairs, illuminant soudain le vallon sombre. Ton cœur s'est enflammé. Tu as tout de suite compris que tu avais rencontré une femme au camélia. Elle était assise là, bien vivante, et sa poitrine tendait sa chemise de lin bleu clair. Elle tenait au bras un panier de bambou, fermé par une serviette brodée toute neuve. Aux pieds, elle portait une paire de chaussures, neuves aussi, de toile bleue à fleurs. Elle se détachait comme un papier découpé sur une fenêtre.

Approche-toi ! Elle te fait signe.

Assise sur une pierre, elle ôte d'une main ses chaussures à talon haut et, de son pied nu, tâte les galets avec précaution. Ses orteils blancs ondulent dans l'eau pure, comme des vers charnus. Tu ne comprends pas comment les choses ont commencé. Tu renverses soudain sa tête sur les verts joncs sauvages du bord de l'eau. Elle redresse la taille. De tes doigts, tu recherches l'attache de son soutien-gorge et tu libères ses seins ronds, d'un blanc diaphane sous la lumière du soleil de midi. Tu vois saillir la pointe rouge de ses seins et se détacher distinctement sous les aréoles, de fines veines bleutées. Elle pousse un petit cri et ses deux pieds glissent dans l'eau. Un oiseau noir aux pattes blanches, tu sais que cet oiseau s'appelle la pie-grièche, se pose sur un rocher brunâtre, rond comme un sein au beau milieu du ruisseau. Sur son contour, rayonne la lumière limpide de l'onde. Vous glissez tous les deux dans l'eau, elle regrette de mouiller sa jupe. Ses yeux humides et brillants ressemblent à la lumière du soleil qui se reflète dans l'eau du ruisseau. Tu finis par t'emparer d'elle, cette petite bête sauvage qui se débat obstinément devient soudain docile dans tes bras et se met à pleurer sans bruit.

La pie-grièche regarde à droite et à gauche, lève la queue, dresse et abaisse son bec rouge cire. A peine t'approches-tu qu'elle s'envole au ras de l'eau ; elle va se poser non loin sur un rocher, continue à s'agiter. Elle se tourne vers toi, dressant la tête et la queue. Elle te laisse approcher, puis s'envole, puis t'attend en poussant des petits pépiements. Cet esprit malin de couleur noire, c'est elle.

Qui ?

Son âme.

Et qui est-elle ?

Tu dis qu'elle est morte déjà. Ces bâtards l'ont emmenée pendant la nuit pour se baigner au bord du fleuve. Quand ils sont revenus, ils ont dit qu'ils ne se sont aperçus de sa disparition qu'une fois sur la rive. Des mensonges, bien sûr, mais c'est ce qu'ils ont dit. Ils ont dit encore que si on ne les croyait pas, on n'avait qu'à aller chercher le médecin légiste pour procéder à une autopsie. Ses parents n'ont pu s'y résoudre. Quand elle est morte, la jeune fille venait juste d'avoir seize ans. Et à cette époque, tu étais plus jeune qu'elle encore, mais tu savais que c'était un crime prémédité. Tu savais qu'ils lui avaient plusieurs fois fixé des rendez-vous la nuit, qu'ils l'avait étouffée sous la pile d'un pont et qu'ils étaient passés sur son corps les uns après les autres avant de se retrouver pour échanger leurs expériences. Ils s'étaient moqués de toi en disant que tu étais un imbécile de ne pas la toucher ni de profiter d'elle. Depuis longtemps, ils complotaient pour la posséder. Tu avais entendu à plusieurs reprises leurs conversations répugnantes dans lesquelles revenait toujours son nom. Tu l'avais avertie en cachette de se méfier et de ne pas aller avec eux la nuit. Elle t'avait dit qu'elle avait peur d'eux, mais elle n'osait pas refuser et continuait à les suivre. Elle avait peur d'eux, autant que toi. Quel lâche ! Et ces bâtards l'ont tuée, et refusé d'avouer leur crime. Et tu n'as pas osé les dénoncer. Depuis tant d'années, elle pèse sur ton cœur, comme un cauchemar. Son âme en peine te tourmente et t'apparaît sous toutes sortes de formes, seule la dernière image que tu as d'elle lorsqu'elle est sortie de sous la pile du pont n'a jamais changé. Elle est toujours devant toi, tchi..., tchi..., ce petit esprit malin, cette pie-grièche aux pattes blanches et aux lèvres rouges. Tu arraches un brin d'osier, saisis une racine de buis dans les interstices d'un rocher et tu rejoins le sentier qui remonte vers la rive.

Prenant sa main, tu lui recommandes de poser ses pieds sur une pierre.

Elle pousse un cri.

Qu'y a-t-il ?

Je me suis tordu le pied.

Avec ces chaussures à talons hauts, pas moyen de marcher en montagne.

Mais je ne me suis pas préparée à marcher en montagne.

Mais puisque tu es en montagne, prépare-toi à souffrir !

14

Si l'on regarde par la fenêtre de l'étage d'une vieille maison de cette ruelle sinueuse, on peut contempler à perte de vue des toits de tuile de guingois. On aperçoit aussi la lucarne d'un grenier coincé entre deux toits. Sur les tuiles, devant la lucarne, sèchent des chaussures. Dans la mansarde, un lit à baldaquin en bois dur sculpté protégé par une moustiquaire, une penderie en palissandre ornée d'un miroir rond et, devant la fenêtre, un fauteuil de rotin. Près de la porte, un banc étroit sur lequel elle me fait asseoir. Il est presque impossible de bouger ici. J'ai fait sa connaissance la veille, chez un ami journaliste. Ensemble, on a fumé, bu de l'alcool, bavardé, plaisanté à propos de sexe sans que jamais elle essaie d'esquiver, ce qui n'est guère commun dans ce bourg de montagne. Puis on en est venus à parler de mon problème et mon ami a dit qu'il fallait une femme pour me servir de guide. Elle a accepté sans hésitation de me conduire ici.

Elle murmure à mon oreille des recommandations pressantes en dialecte local : « Quand elle arrivera, tu devras lui offrir l'encens, puis t'agenouiller et te prosterner trois fois. Tu dois absolument te conformer à ces règles. » Son intonation et son comportement sont en tout point ceux des femmes de ce lieu. Serré contre elle sur ce banc étroit et court, j'ai un instant l'impression de commettre quelque chose de mal, comme si j'entretenais avec cette femme, dans ce petit bourg, une relation adultère, comme si, puisque tout le monde se connaît, on ne pouvait que venir ici pour un rendez-vous. Soudain, je sens monter la puanteur acide de légumes salés. Pourtant, dans cette mansarde, pas un grain de poussière, le plancher a été tellement frotté en son centre qu'il laisse apparaître la couleur d'origine du bois. La porte est couverte d'une tapisserie très propre. Nul endroit ici pour entreposer des légumes salés.

Ses cheveux frôlent mon visage. Elle s'approche de mon oreille :

— La voilà !

Entre une grosse femme d'un âge certain, suivie d'une vieille femme. La grosse femme enlève son tablier, époussette ses habits aux couleurs délavées, mais eux aussi parfaitement propres. Elle vient de préparer son repas. La vieille petite femme maigre m'adresse un signe de tête.

— Suis-la, m'avertit mon amie.

Je me lève et pars à sa suite dans l'escalier où elle ouvre une porte dérobée. A l'intérieur, une pièce minuscule avec seulement une table, un autel pour brûler l'encens et des tablettes en l'honneur du Vieux Seigneur, du Grand Empereur de la Clarté et de la déesse Guanyin. Devant l'autel, sont déposées des offrandes de gâteaux, de fruits, d'eau pure et d'alcool. Aux murs en planches, pendent des bannières rouges bordées d'un galon noir ou de dentelures jaunes et d'inscriptions propitiatoires. Le soleil se reflète sur les tuiles brillantes du toit, la fumée d'un bâtonnet d'encens qui se consume s'élève entre les rais de lumière de la lucarne, créant une atmosphère de recueillement. Je comprends pourquoi mon amie a chuchoté dès qu'elle est entrée dans la pièce. Des casiers sous la table, la vieille femme sort un paquet de bâtonnets d'encens enveloppés dans un papier jaune. Je lui tends tout de suite un yuan, suivant les conseils de mon amie. Je prends l'encens que j'allume aux rouleaux de papier de riz qu'elle a enflammés avec des allumettes et, les mains jointes, je m'agenouille sur le coussin devant l'autel. Puis je me prosterne trois fois. La vieille femme fait un signe pour montrer qu'elle approuve cette marque de piété. Elle reprend l'encens, le divise en trois paquets qu'elle pique dans le brûle-parfum.

Quand on revient dans la chambre, la grosse femme a déjà tout installé et se tient assise bien droite sur le fauteuil de rotin, paupières baissées. Manifestement, c'est elle le médium qui entre en communication avec les esprits. La vieille femme s'assied au bout du lit et lui chuchote quelques mots, puis elle se tourne vers mon amie pour lui demander l'heure et le lieu de ma naissance. Je lui donne la date selon le calendrier solaire. Je ne m'en souviens plus très bien selon le calendrier lunaire, mais on peut la calculer. La vieille femme m'interroge ensuite sur mon heure de naissance. Je réponds que je ne la connais pas, car mes parents sont morts. Elle semble très embarrassée et se remet à discuter à voix basse avec le médium qui murmure quelque chose. Je comprends qu'elle dit que ce n'est pas très grave. Ensuite, elle garde les mains sur les genoux et reste assise paisiblement, les yeux fermés. Dans son dos, un pigeon se pose sur les tuiles du toit et roucoule en ébouriffant une touffe de plumes qui lance des éclairs violacés sur son cou. Naturellement, je comprends qu'il s'agit d'un pigeon mâle en pleine parade amoureuse. Soudain le médium pousse un soupir qui fait fuir le pigeon.

Je regarde les tuiles du toit porteuses de mélancolie. Serrées comme des écailles de poisson, elles éveillent en moi des souvenirs d'enfance. Je repense aux jours de pluie, quand des gouttes d'eau brillantes imprégnaient les toiles d'araignée au coin de la maison, tremblant dans le vent. Puis je pense que je ne sais pas pourquoi je suis venu dans ce monde ; les tuiles ont comme une force d'attraction qui affaiblit et paralyse. J'ai un peu envie de pleurer, mais je ne sais plus pleurer.

Le médium a un hoquet. Sans doute l'âme d'un esprit se joint-elle à son corps. Elle ne cesse de hoqueter pour expulser l'air contenu dans son estomac. Elle en a tellement à rejeter que l'envie de hoqueter me prend à mon tour. Mais je n'ose pas et je suffoque intérieurement. Je crains de lui faire perdre ses dispositions et qu'elle s'imagine que je suis venu lui créer des ennuis et me moquer d'elle. Je suis vraiment de bonne foi, même si je n'y crois pas du tout. Les hoquets sont de plus en plus fréquents, son corps est pris de convulsions, mais elle ne semble pas le faire exprès. Selon moi, ses convulsions spontanées sont l'effet de pratiques respiratoires. Tout son corps se met à trembler. Soudain, elle dresse un doigt en l'air dans ma direction, mais elle garde les yeux fermés et pointe les index vers moi. Dans mon dos, c'est la cloison en planches, je ne peux pas reculer, je me contente de me redresser et je n'ose pas regarder mon amie. Elle éprouve certainement plus de dévotion que moi, même si elle n'a fait que m'accompagner. Le fauteuil de rotin grince sans cesse sous les balancements du corps de la grosse femme. Elle récite des imprécations incompréhensibles, quelque chose comme : « Reine Mère d'Occident, Seigneurs du Ciel et de la Terre, un pin dans la maison des esprits a foulé les roues terrestres et célestes tandis que les démons et les monstres ont brisé tous les tabous. » Elle parle de plus en plus vite. Il faut vraiment qu'elle ait un entraînement particulier. Je suis certain qu'elle est prête à présent. La vieille femme s'approche de son oreille et me déclare, le visage sombre :

— Vous, votre fortune n'est pas bonne, vous devez faire attention !

Le médium continue à grommeler, ses paroles sont devenues totalement indistinctes.

— Elle dit que vous avez rencontré l'Etoile du Tigre Blanc ! m'explique la vieille femme.

Je sais que le Tigre Blanc désigne la femme extrêmement attirante dont il est très difficile de se détacher si l'on tombe dans ses rets. En fait, je souhaite ardemment tomber dans ses filets, mais je veux aussi savoir si je pourrai échapper à mon infortune.

— Non, dit la vieille femme en branlant la tête, vous aurez du mal.

Manifestement, je ne suis pas un homme chanceux ; je n'ai d'ailleurs guère eu de chance. Ce que je souhaite ne se réalise jamais, mais ce que je redoute se produit toujours Au cours de ma vie, les catastrophes ont succédé aux catastrophes et je n'ai cessé d'avoir des ennuis avec les femmes, mais les menaces que j'ai subies ne sont pas forcément venues d'elles. En fait, je n'ai jamais eu de conflit très grave avec qui que ce soit, je ne sais pas à qui j'ai pu nuire et souhaite seulement que personne ne me nuise.

— Vous vivez aujourd'hui de grandes difficultés, reprend la vieille femme, vous êtes entouré par les petits hommes.

Je connais bien ces petits hommes. Dans le *Canon taoïste*, on les appelle *sanshi*, les « trois cadavres », ils vivent nus, habitent souvent le corps des hommes, se cachent dans leur gorge et se nourrissent de leur salive. Ils attendent qu'ils soient endormis pour monter à la cour céleste rapporter au Seigneur du Ciel les vices qu'ils ont eus.

La vieille femme dit encore qu'un homme mauvais aux yeux injectés de sang veut me punir et que je lui échapperai difficilement, même en faisant un vœu et en brûlant de l'encens.

La grosse femme glisse du fauteuil sur le sol, se roule sur le plancher. Pas étonnant qu'il soit si propre ; aussitôt je réalise que mes pensées sont impures et elle reprend ses imprécations contre moi. Elle m'assure que les tigres blancs qui m'entourent sont au moins au nombre de neuf.

— Puis-je encore être sauvé ? dis-je en la regardant.

Elle crache une écume blanchâtre, ses yeux tournent au blanc, avec une expression effrayante. Elle est en transes probablement, dans un état d'hystérie. La chambre ne lui offre pas assez de place pour se rouler au sol et son corps heurte mes pieds. Je les retire vivement et me lève, les yeux fixés sur ce corps gras qui se vautre frénétiquement à terre.

La peur m'envahit. Je ne sais si c'est la peur de mon propre destin ou celle de ses imprécations. J'ai dépensé de l'argent pour me jouer d'elle, je dois être puni d'une manière ou d'une autre. Parfois, les relations entre les êtres humains suscitent vraiment l'effroi.

Le médium ne cesse de marmonner et je me tourne vers la vieille femme pour connaître le sens de ses paroles. Elle se contente de hocher la tête sans plus d'explication. Je vois alors à mes pieds le corps gras, tordu par les convulsions, se recourber peu à peu, puis se recroqueviller lentement sous les pieds du fauteuil en rotin, comme une bête blessée. En fait, l'homme appartient à ces espèces d'animaux qui, une fois blessés, peuvent devenir particulièrement féroces. Ce qui l'effraie, c'est sa propre folie, et, devenu fou, il se torture à mort, voilà ce que je pense.

Elle pousse un long soupir sourd qui tourbillonne dans sa gorge, un cri de bête sauvage. Les yeux fermés, elle se lève à tâtons. La vieille femme s'approche d'elle en toute hâte pour la soutenir et l'aider à s'asseoir dans le fauteuil. Je suis sûr qu'elle a eu une véritable crise d'hystérie.

Son impression n'est pas fausse. Puisque je suis venu chercher une distraction, elle ne peut que se venger et maudire mon destin. Mais l'amie qui m'a accompagné est très inquiète et parlemente avec la vieille femme pour organiser une nouvelle séance afin de brûler l'encens et de faire un vœu pour moi. La vieille femme questionne le médium qui marmonne quelque chose, les yeux toujours fermés.

— Elle dit qu'une séance ne sert à rien.

— Aurais-je dû acheter plus d'encens ?

Mon amie demande alors à la vieille femme combien j'aurais dû donner d'argent. Vingt yuans, dit-elle. En mon for intérieur, je calcule que cela représente la même somme que si j'invitais un ami au restaurant. J'accepte d'autant plus que là, c'est pour moi seul. La vieille femme reprend sa discussion avec le médium et répond :

— Même si vous le faites, cela ne réussira pas.

— Ne puis-je donc pas échapper à mon destin néfaste ?

La vieille femme transmet encore la question. Le médium marmonne et la vieille femme ajoute :

— Ça dépend.

Ça dépend de quoi ? De ma dévotion ?

Le roucoulement du pigeon a repris derrière la lucarne. A mon avis, ce pigeon mâle a sûrement déjà sauté sur sa femelle. Encore une fois, je n'obtiendrai pas le pardon.

15

A l'entrée du village, le feuillage d'un arbre à suif noir a déjà viré au rouge foncé, brûlé par le givre. Debout sous l'arbre, appuyé sur sa houe, se tient un homme au visage gris, pâle comme la mort. Tu lui demandes comment s'appelle ce village. Il te jette un regard perçant, sans te répondre. Tu te tournes vers elle pour lui dire que ce gars-là, c'est un pilleur de tombes. Elle ne peut se retenir de rire et, une fois que vous l'avez dépassé, elle te dit à l'oreille qu'il a dû s'empoisonner au mercure. Tu dis qu'il est resté trop longtemps dans le boyau d'une tombe qu'il était en train de piller et que son comparse est mort. Lui seul a survécu.

Tu dis que son grand-père a fait ça toute sa vie, le grand-père de son grand-père aussi. Quand on a un ancêtre qui s'est livré à ce genre de trafic, il est difficile d'avoir les mains propres. Mais ce n'est pas comme fumer l'opium, où l'on finit par dilapider sa fortune et ruiner sa famille. Les pilleurs de tombes, eux, obtiennent d'immenses profits sans talent particulier. Il leur suffit de faire preuve de résolution pour se mettre au boulot. Lorsqu'on y a touché une fois, on s'y adonne de génération en génération. En lui parlant ainsi, tu provoques sa gaieté. Elle te prend la main, elle est prête à te suivre partout.

Tu dis qu'à l'époque du grand-père du grand-père du grand-père de cet homme, l'empereur Qianlong avait effectué une tournée d'inspection. Qui, parmi les fonctionnaires locaux, n'aurait désiré flatter l'empereur ? Tous les moyens étaient bons pour choisir les plus belles femmes du pays et recueillir les trésors des dynasties passées. Le père du grand-père du grand-père de son grand-père ne possédait comme héritage qu'un peu de terre aride. Pendant la belle saison, il cultivait la terre, mais pendant la morte saison, il parcourait les villages et les bourgs, la palanche à l'épaule, vendant des figurines qu'il fabriquait en faisant cuire quelques livres de sucre mêlées à toutes sortes de couleurs. Pouvait-il vraiment faire de gros bénéfices en fabriquant des sifflets pour les bébés et des personnages tel le fameux cochon portant une fille sur son dos ? Le surnom du grand-père du grand-père de son grand-père était Li le Troisième. Il passait ses journées à flâner sans avoir la moindre intention d'apprendre à fabriquer des figurines en sucre, mais il commençait à songer à se mettre aussi une fille sur le dos. Quand il voyait une femme, il engageait la conversation et tous les villageois le traitaient de vaurien. Un beau jour, était arrivé au village un guérisseur de morsures de serpents. Muni d'un tube de bambou, d'un tisonnier et d'un crochet métallique, un sac de toile sur le dos rempli de serpents, il se faufilait entre les tombes. Li le Troisième trouvait cela amusant et il l'avait suivi, devenant son acolyte. Le guérisseur lui avait donné un remède contre les morsures de serpents semblable à une petite crotte noire, en lui recommandant de la garder dans la bouche. Très sucré, ce truc devait lui éclaircir la voix. Après une quinzaine de jours passés avec lui, Li le Troisième avait découvert la supercherie. Les serpents, c'était un prétexte, piller les tombes, sa véritable activité. Et comme l'éleveur avait vraiment besoin d'un assistant, Li le Troisième avait ainsi commencé sa carrière.

Quand Li était rentré au village, il portait sur la tête une calotte à côtes de soie noire surmontée d'un bouton de jade. C'était un chapeau ancien obtenu à bas prix dans la boutique de prêt sur gage de Chen le Grêlé dans la rue du bourg de Wuyi, une rue ancienne qui n'avait pas encore été incendiée par les rebelles Taiping. Il avait vraiment grande allure, comme disaient les villageois, l'air d'avoir « fait fortune ». Certains avaient même franchi le seuil de sa maison pour proposer à son père des fiancées pour lui. Finalement, il avait épousé une jeune veuve, sans que l'on sache clairement si c'était elle qui, la première, avait tenté de le séduire ou si c'était lui qui était allé la chercher. De toute façon, disait-il en levant l'index, lui, Li le Troisième, il avait fréquenté la *Maison du Joyeux Printemps*, avec sa lanterne rouge, dans la rue basse du bourg de Wuyi, où il avait dépensé un lingot d'argent brillant. Bien sûr, il n'avait pas pu expliquer que cet argent avait pendant longtemps subi dans les tombes l'attaque de la chaux et de l'arsenic. Heureusement, il l'avait frotté tant et plus sur l'empeigne de ses chaussures.

Cette tombe se trouvait sur un monticule de pierres, à deux lis de la colline du Phénix. Après la pluie, son maître avait découvert une source qui coulait droit dans un trou. Plus il sondait ce trou avec un bâton, plus il s'élargissait. Du début de l'après-midi à la tombée de la nuit, il avait creusé, jusqu'à ce qu'un homme puisse se faufiler et, bien sûr, il était entré le premier. Il avait rampé, rampé et soudain, putain de ta grand-mère, il s'était à moitié évanoui. Il avait fini par rencontrer, en tâtonnant dans la boue, des jarres et des vases qu'il avait carrément brisés. Il avait aussi découvert un miroir qu'il avait extrait des planches d'un cercueil pourri, mou comme des résidus de fromage de soja. Ce miroir était encore d'un noir brillant, sans la moindre trace de vert-de-gris ; c'était un miroir idéal pour les jeunes filles ! « Foi de Li le Troisième, disait-il, si je mens, je ne suis qu'un fils de chien ! » Malheureusement, son maître le prit et ne lui laissa qu'un sac rempli d'argent. Instruit par cette aventure, il s'aperçut qu'il pouvait voler de ses propres ailes.

Tu t'es alors rendu au temple des ancêtres de la famille Li, au centre du village. Sur le linteau de la porte restaurée, a été replacée une pierre abîmée, gravée de motifs de grues, de cerfs, de pins et de prunus. Tu as poussé la grande porte entrebâillée. Aussitôt, une voix venue du fond des âges te demande : « Que faites-vous ? » Tu dis que tu es venu jeter un coup d'œil. Un vieillard de petite taille, mais pas rachitique du tout, est sorti d'une chambre abritée par la galerie. Manifestement, garder le temple des ancêtres est aussi une tâche glorieuse.

« Les étrangers n'ont pas le droit de se balader ici », dit-il en te repoussant. Tu lui dis que tu t'appelles aussi Li, que tu es un descendant de ce clan, que tu as erré au loin pendant longtemps et que tu reviens voir ton pays natal. Il fronce ses longs sourcils blancs et t'observe des pieds à la tête. Tu lui demandes s'il savait que longtemps auparavant vivait dans ce village un pilleur de tombes. Les rides de son visage se creusent davantage, comme s'il souffrait. Les souvenirs ne sont en général jamais exempts de souffrance. Tu ignores s'il est en train de fouiller dans ses souvenirs ou bien s'il s'efforce de t'identifier. De toute façon, tu te sens gêné de continuer à fixer ce vieux visage qui a changé d'expression. Il marmonne pendant un long moment, n'osant pas accorder de crédit à ce descendant chaussé de chaussures de voyage et non de chaussures de chanvre. Il finit par prononcer une phrase : « Tu n'es pas mort ? » « Mais qui est mort ? Ce sont toujours les vieux qui meurent, pas les enfants. »

Quand tu lui dis que les petits-enfants de la famille Li ont fait fortune à l'étranger, il ouvre grand la bouche, puis te laisse passer, courbant la taille pour te saluer et te conduire devant l'autel des ancêtres, comme un vieil intendant. Il a chaussé des souliers noirs et porte à la main une clef. Il parle de l'époque où ce temple n'avait pas encore été transformé en école, puis dit comment il a repris sa fonction, car l'école a déménagé.

Il te montre la tablette horizontale à la laque écaillée, semblable à une relique archéologique, mais dont l'inscription en style régulier « A la gloire des ancêtres » n'est pas effacée du tout. Sous la tablette se trouve un crochet de fer qui devait servir à suspendre les registres des ancêtres. En temps ordinaire, on ne les expose pas, car il revient au vieux chef de village de les conserver.

Tu lui dis que c'était un rouleau vertical entoilé sur de la soie jaune. « C'est exact, c'est exact », déclare-t-il. Il avait été brûlé au moment de la réforme agraire et de la redistribution des terres, mais plus tard, on l'avait reconstitué en cachette et conservé dans le grenier. Au moment du mouvement de « clarification de l'origine des classes », on avait arraché les lames du parquet et il avait été découvert, puis brûlé une nouvelle fois. Celui dont on dispose à présent a été reconstitué de mémoire par les trois frères de la famille Li et restauré par le père de Maowar, l'instituteur du village. Maowar a une fille de huit ans, mais il veut encore avoir un fils. « Est-ce qu'à présent, les naissances ne sont pas contrôlées ? » « Non seulement il faut payer une amende si l'on a un deuxième enfant, mais en plus, on ne vous donne pas de permis de résidence ! » Tu acquiesces et tu ajoutes que tu veux voir ce registre. « C'est sûr que tu y figures, c'est sûr , répète-t-il, tous les gens qui s'appellent Li dans ce village y figurent. » Il dit aussi qu'il n'y a que trois noms d'étrangers, des hommes qui ont épousé des jeunes filles de la famille Li ; sinon, ils n'auraient pas pu rester au village. Mais les gens qui ont un nom étranger seront toujours des gens au nom étranger et en général, les femmes ne peuvent pas accéder à ce registre.

Tu dis que tu comprends cela, que le grand empereur des Tang, Li Shimin, s'appelait aussi Li avant de devenir empereur, mais que les Li de ce village ne sont en aucun cas allés jusqu'à prétendre qu'ils étaient de la famille de l'empereur. Pourtant, nombreux sont les ancêtres qui ont été généraux ou ministres, il n'y a pas eu que des pilleurs de tombes.

A la sortie du temple, tu es entouré par des petits enfants dont tu ne sais pas d'où ils viennent, toujours plus nombreux. Ils te suivent partout. Tu leur dis qu'ils sont des insectes qui collent aux fesses, mais ils continuent à te suivre en riant bêtement. Quand tu brandis ton appareil photo, ils s'enfuient en criant. Seul l'un d'eux se redresse et affirme qu'il n'y a pas de pellicule dans ton appareil, que tu peux vérifier à l'intérieur. C'est un petit garçon intelligent, élancé, vif comme un gardon qui mène ses troupes dans la rivière.

— Hé, qu'y a-t-il d'intéressant à voir ici ? lui demandes-tu.

— La grande scène de théâtre.

– Quelle grande scène de théâtre ?

Ils pénètrent alors en courant dans une petite rue. Tu les suis. A l'angle d'une maison, sur une pierre érigée à l'entrée de la rue, sont gravés les caractères : *Digne d'une pierre du mont Taishan*. Tu ne pourras jamais comprendre le sens exact de cette inscription et aujourd'hui, personne ne peut te l'expliquer clairement. Bref, tout cela se rattache à tes souvenirs d'enfance. Dans cette petite rue vide qui ne peut laisser passer qu'une seule personne portant des seaux d'eau à la palanche, tu entends encore le claquement sec de tes pieds sur les dalles de pierres vertes où sèchent au soleil des traces d'eau.

Tu sors de la rue et débouches soudain sur une aire de séchage couverte de paille de riz. Dans l'air flotte le parfum doux et sucré de la paille fraîchement coupée. Au bout de l'aire de séchage se trouve effectivement une ancienne estrade de théâtre entièrement construite en bois. L'estrade est à hauteur de taille d'un homme. Des bottes de paille liées y sont entassées. La bande de petits singes y grimpe en escaladant une colonne et retombe sur l'aire de séchage, faisant la culbute dans les bottes de paille. Sur la scène ouverte à tous les vents, quatre gros piliers soutiennent un large toit aux angles recourbés. Sous le toit, quelques poutres horizontales devaient autrefois servir à accrocher les bannières, les cordes des lanternes, ainsi que celles des numéros d'acrobatie. Les poutres horizontales et verticales ont été peintes, mais la laque s'est écaillée.

Ici, on a joué la comédie, on a fait tomber des têtes, on a tenu des assemblées, célébré des événements. Des hommes aussi se sont agenouillés, prosternés et, à la période des moissons, on y entassait la paille et les enfants grimpaient dessus à qui mieux mieux. Parmi ceux qui grimpaient et descendaient de la paille autrefois, certains ont vieilli, d'autres sont morts et l'on ne sait plus très bien lesquels se trouvent dans les registres familiaux. La généalogie reconstituée de mémoire est-elle bien conforme à l'original ? Il n'y a finalement pas grande différence entre ceux qui possèdent des registres et ceux qui n'en ont pas. S'ils ne sont pas partis au loin ou s'ils n'ont pas connu d'ascension, ils doivent tous cultiver la terre pour vivre et tout ce qui leur reste, ce sont les enfants et la paille.

Face à l'estrade de théâtre, un temple a été reconstruit sur les ruines de l'ancien, tout pimpant avec ses couleurs éclatantes. Sur la porte principale écarlate sont peints deux esprits gardiens, un noir et un rouge, brandissant sabre et hache, les yeux comme des grelots de cuivre. Sur les murs blanchis à la chaux est tracé au pinceau : *Temple Huaguang restauré grâce à la contribution de : Untel cent yuans, Untel cent vingt yuans, Untel cent vingt-cinq yuans, Untel cinquante yuans, Untel soixante yuans, Untel deux cents yuans...* puis la signature et la dédicace du calligraphe : *Publié par les représentants des jeunes, des moins jeunes et des vieux de Lingyan, le Rocher de l'Ame.*

Tu entres. Dans le temple, au pied de la statue de l'Empereur de Clarté, une rangée de vieilles femmes, toutes vêtues d'une veste et d'un pantalon noirs, toutes édentées, s'agenouillent ou se relèvent tour à tour et se prosternent devant l'autel en brûlant de l'encens. L'Empereur de Clarté a un large visage luisant et des joues carrées. C'est une figure du bonheur que les volutes des fumées d'encens rendent encore plus bienveillante. Sur la longue table étroite placée en face de lui sont posés pinceaux et pierres à encre comme sur le bureau d'un fonctionnaire civil. Devant les tables à offrande où reposent bougeoirs et brûle-encens, pend un tissu rouge avec une inscription brodée de soies multicolores : *Protéger le pays et aider le peuple.* Au-dessus des tentures et des dais, une tablette horizontale porte une inscription en noir :

Révélation divine, et sur le bord, une rangée de petits carac tères : *Offert par les lettrés et les habitants de Lingyan, le Rocher de l'Ame*, sans qu'on sache précisément de quand date cette antiquité.

Tu reconnais que cet endroit s'appelle Lingyan, le Rocher de l'Ame. Il peut donc y avoir d'autres destinations qui portent le nom *ling*, l'âme Tu ne t'es pas trompé en te mettant en route pour Lingshan, la Montagne de l'Ame. Tu interroges les vieilles femmes qui te répondent de leurs bouches édentées en émettant des sifflements. Aucune ne t'indique clairement le chemin de Lingyan.

— C'est à côté de ce village, non ?

— Oui, oui, c'est ça...

— Ce n'est pas loin du village ?

— Oui, oui, c'est ça...

— Il faut tourner, non ?

— Oui, oui, c'est ça...

— Il y a encore deux lis ?

— C'est ça, oui, oui...

— Cinq lis ?

— Oui, oui, c'est ça

— Cinq lis ou sept lis ?

— Cinq ou sept ou sept ou cinq...

Y a-t-il un pont de pierre ? Il n'y a pas de pont de pierre ? On y va en suivant le lit de la rivière ? Ou bien par la route ? C'est plus long par la route ? Ça rallonge, mais c'est plus clair ? Si c'est plus clair, on trouve de suite ? L'important, c'est la sincérité ? La sincérité mène à l'exactitude ? Et l'exactitude mène au Rocher de l'Ame [1] Exactitude ou non, tout repose entièrement sur la chance,

1. Il y a homophonie en chinois entre Lingyan, le Rocher de l'Ame, et *lingyan*, l'exactitude.

il ne faut pas aller chercher ceux qui connaissent le bonheur ? On pourra aussi bien user des semelles de fer sans le trouver que tomber dessus par hasard ! Ce Rocher de l'Ame n'est-il pas un morceau de roche obstiné ? Si ce n'est pas bien de parler ainsi, comment faut-il parler ? Est-ce mal de parler ainsi, ou bien est-ce impossible ? Ceia aepend entièrement de toi, elle sera comme tu la vois, si tu penses que c'est une belle femme, elle sera une belle femme, si dans ton cœur tu nourris des pensées pernicieuses, tu ne verras qu'un monstre.

16

Quand j'ai atteint Dalingyan, le Rocher de la Grande Ame, la nuit n'était pas encore complètement tombée. J'avais cheminé toute la journée sur un sentier de montagne, en suivant une longue gorge, profonde, bordée de falaises escarpées brunes, couvertes de mousses vertes. Au bout du ravin, les dernières lueurs du soleil couchant, rouges comme des langues de feu, flamboyaient à la crête des montagnes.

Au pied de la falaise, derrière une forêt de séquoias, sous des ginkgos millénaires, se dresse un temple transformé en centre d'accueil pour les voyageurs. Au-delà de la grande porte, le sol est jonché de feuilles de ginkgo jaune pâle. Aucune voix humaine. Je me dirige droit vers la cour arrière, à gauche du bâtiment, où je trouve enfin un cuisinier qui nettoie ses marmites. Je le prie de me préparer un repas, mais il répond sans même lever la tête que l'heure de manger est passée.

— En général, à quelle heure finit-on de servir le souper, ici ?

— A six heures.

Je l'invite à regarder sa montre. Il n'est que six heures moins vingt

— Ça ne sert à rien de discuter, dit-il en continuant de laver ses marmites. Allez voir l'intendant. Je ne fais à manger que sur présentation de tickets.

Je parcours de nouveau les galeries serpentant dans le grand bâtiment vide, sans trouver personne. Finalement, je me résous à appeler :

— Hé ! Y a-t-il quelqu'un de garde ici ?

Au bout de nombreux appels, une voix me répond sur un ton traînant, un bruit de pas résonne et une serveuse vêtue d'une blouse blanche apparaît dans le couloir. Elle encaisse l'argent pour la chambre et le repas, la caution pour la clef. Elle m'ouvre une chambre et s'éloigne. Le souper ne se compose que d'une assiette de restes et d'une soupe aux œufs, tiède, dont aucune vapeur ne s'élève. Je regrette de ne pas avoir dormi chez elle.

Elle, je l'ai rencontrée sur le sentier de montagne, à la sortie de Longtan, le Gouffre du Dragon. Elle marchait tranquillement devant moi, vêtue d'un pantalon de tissu fleuri, deux grosses bottes de fougères chargées sur sa palanche. A deux ou trois heures de l'après-midi, le soleil de plein automne gardait toute sa force. Son dos était trempé de sueur et ses vêtements collaient à chacune de ses vertèbres. Elle tenait son dos très droit, ne ployant que sa taille. Je la suivais de près. Manifestement, elle avait entendu mes pas. Elle a fait pivoter sa palanche, équipée d'une pointe en fer, pour me laisser passer, mais les bottes de fougères barraient encore l'étroit sentier.

— Ne vous inquiétez pas, dis-je, avancez sans vous occuper de moi.

Plus tard, pour traverser un ruisseau, elle a dû poser sa palanche. J'ai pu voir alors les mèches de cheveux collées par la sueur sur ses joues, ses lèvres charnues et son visage d'enfant malgré sa poitrine déjà développée. Je lui ai demandé son âge. Elle a dit qu'elle avait seize ans ; pourtant, elle n'avait pas du tout cet air de timidité qu'arborent les jeunes filles de la montagne quand elles rencontrent un inconnu. Je lui ai parlé :

— Vous n'avez pas peur de marcher toute seule sur ce sentier ? Il n'y a personne ici et aucun village en vue.

Elle a jeté un coup d'œil à sa palanche piquée dans les bottes de fougères :

— Quand on marche seul sur les sentiers, il suffit d'emporter un bâton pour faire fuir les loups.

Elle m'a dit encore qu'elle n'habitait pas loin, juste dans le creux de la montagne.

Je lui ai demandé : Vous allez encore à l'école ?

Elle a dit qu'elle y était allée, mais que maintenant, c'était le tour de son petit frère.

Je lui ai dit :

— Pourquoi votre père ne vous laisse-t-il pas continuer à étudier ?

Elle a dit que son père était mort.

Je lui ai demandé : Qui reste-t-il dans votre famille ?

Elle a dit qu'elle avait encore sa mère.

Je lui ai demandé : Cette palanche doit peser plus de cent livres, non ?

Elle a dit que l'on comptait sur la fougère pour faire le feu quand il n'y avait plus de bois de chauffage.

Elle m'a laissé passer devant. A peine la crête franchie, j'ai aperçu une maison de brique isolée, blottie à flanc de montagne.

— Regardez ! La maison avec un prunier devant, c'est ma maison.

Le feuillage de l'arbre était presque entièrement tombé. Seules quelques feuilles rouge orangé tremblaient encore sur les rameaux d'un violet brillant.

— Ce prunier, devant chez nous, il est très curieux. Il a fleuri une fois au printemps, puis il a refleuri en automne et ses fleurs blanches comme la neige ne sont tombées que ces derniers jours. Pourtant, ce n'était pas comme au printemps, il n'a pas donné une seule prune.

Quand je suis passé à côté de chez elle, elle a voulu que j'entre boire le thé. J'ai gravi les marches de pierre et me suis assis sur la meule, devant la porte. Elle a porté ses bottes de fougères derrière la maison.

Un instant plus tard, elle est ressortie avec une théière de grès et a rempli un grand bol au bord bleu. La théière avait dû rester dans la braise de l'âtre, car l'eau était encore bouillante.

Appuyé au lit en fibres de palmier dans la chambre du centre d'accueil, j'ai froid. La fenêtre est fermée, mais au premier étage, les murs en planches laissent passer un air glacé. Après tout, c'est un soir de plein automne dans un vallon de montagne. Je me souviens encore comment elle a ri de moi quand elle a versé le thé, en me voyant porter le bol à deux mains vers ma bouche. Ses lèvres se sont entrouvertes. Sa lèvre inférieure était très charnue, comme enflée. Elle portait toujours sa veste courte imprégnée de sueur. Je lui ai dit :

— Vous allez prendre froid comme ça.

— Vous autres, vous êtes de la ville. Même en hiver, je me lave à l'eau froide, a-t-elle dit. Vous ne voulez pas dormir ici ?

Voyant ma surprise, elle a aussitôt ajouté :

— En été, quand les voyageurs sont trop nombreux, nous en logeons.

Et je suis entré dans la maison, guidé par son regard. Les murs de planches étaient à moitié recouverts d'images colorées racontant l'histoire de Fan Lihua, une femme général de l'Antiquité. J'avais entendu parler de cette héroïne dans mon enfance, mais je l'avais oubliée.

— Vous aimez lire des romans ? lui ai-je demandé en montrant ces images.

— Je préfère le théâtre chanté.

J'ai compris qu'elle parlait des programmes d'opéras diffusés à la radio.

— Vous ne voulez pas vous essuyer le visage ? Je vous apporte une cuvette d'eau chaude ? m'a-t-elle demandé.

J'ai dit que c'était inutile, que je pouvais aller à la cuisine. Elle m'y a conduit aussitôt et s'est emparée d'une cuvette que, d'un geste prompt, elle a rincé avec l'eau de la jarre. Elle l'a remplie d'eau chaude, me l'a présentée et a dit en me regardant :

— Allez voir dans les chambres, c'est très propre.

Je ne résistais pas à son regard humide. J'avais déjà décidé de rester.

— Qui est-ce ?

Une voix basse de femme s'élevait derrière la cloison de planches.

— Maman, c'est un hôte, a-t-elle crié avant de s'adresser à moi. Elle est malade, elle est alitée depuis un an.

J'ai pris la serviette chaude qu'elle me tendait et elle est entrée dans la chambre. Je les entendais murmurer. Je me suis essuyé le visage et j'ai repris mes esprits. J'ai ramassé mon sac et suis allé m'asseoir sur la meule de la cour. Quand elle est sortie, je lui ai demandé :

— Je vous dois combien pour l'eau ?

— Rien.

J'ai sorti de ma poche de la petite monnaie que je lui ai fourrée dans la main. Elle me regardait en fronçant les sourcils. Je suis descendu sur le sentier et ne me suis retourné qu'un peu plus loin. Elle était toujours devant la meule, serrant l'argent dans sa main.

J'ai besoin de trouver quelqu'un pour m'épancher. Je descends de mon lit et marche dans la chambre. A côté aussi, le plancher craque. Je frappe à la cloison :

— Il y a quelqu'un ?

— Qui est-ce ? demande une voix grave masculine.

— Vous êtes venu aussi vous promener en montagne ?

— Non, je suis venu travailler, répond la voix après un temps d'hésitation.

— Est-ce que je peux vous déranger ?

— Comme vous voulez.

Je sors frapper à sa porte. Quand il l'ouvre, je découvre plusieurs peintures à l'huile et des croquis posés sur la table et le rebord de la fenêtre. Il n'a pas dû toucher à sa barbe et à ses cheveux depuis longtemps. C'est sans doute voulu. Je dis :

— Quel froid !

— Si on avait de l'alcool, ça irait mieux, mais il n'y a personne au magasin.

Je jure : Quel foutu coin !

— Mais les filles d'ici — il me montre un croquis de jeune fille aux lèvres charnues —, quelle sensualité !

— Vous parlez de leurs lèvres ?

— Une lascivité sans perversité.

— Vous croyez à la lascivité sans perversité ?

— Toutes les femmes sont lascives, mais elles vous donnent toujours une impression de beauté et l'art a besoin de cela, dit-il.

— Mais vous ne pensez pas qu'il existe une beauté dénuée de perversité ?

— Ce serait se tromper soi-même ! dit-il sans détour.

— Vous ne voulez pas sortir faire un tour, voir un peu la montagne de nuit ?

— Bien sûr, bien sûr, dit-il. Mais on ne voit plus rien dehors, je suis déjà allé faire un tour. Il contemplait les lèvres charnues.

Je sors dans la cour. Les immenses ginkgos qui s'élèvent depuis le ruisseau masquent les lampadaires dont la lumière donne aux feuilles une couleur livide. Je me retourne : la montagne et le ciel s'estompent dans la brume sombre de la nuit où brillent faiblement les lampes. Seul se détache l'avant-toit du bâtiment. Enfermé dans cette lumière étrange, la tête me tourne.

La porte principale est déjà close. A tâtons, je tire le verrou. Passé le seuil, j'entre dans les ténèbres. Sur ma gauche, j'entends le chuintement d'une source.

Au bout de quelques pas, je me retourne. Au pied de la falaise, les lampes disparaissent et la brume gris bleuté s'enroule sur le faîte des montagnes. Du fond du ravin, un grillon pousse sa stridulation hésitante. Le chant de la source s'élève au gré du vent qui s'engouffre dans le ruisseau.

Une brume humide envahit le ravin et, dans le lointain, les silhouettes des gros ginkgos éclairés par les lampes se fondent dans le brouillard. L'ombre de la montagne se profile peu à peu. Je descends dans la gorge aux falaises escarpées. Derrière la masse noirâtre de la montagne, flotte une faible lumière, mais je suis entouré d'une épaisse obscurité qui resserre peu à peu son étau.

Je regarde en l'air : une gigantesque forme noire se dresse dans les cieux ; je suis terrorisé. En son centre, la tête d'un aigle immense, les ailes ramassées, comme s'il allait prendre son envol. Sous les serres monstrueuses de ce farouche esprit de la montagne, le souffle me manque.

Plus loin encore, dans la forêt de séquoias dressés à une hauteur vertigineuse, l'obscurité est totale, tellement dense qu'elle forme un mur épais contre lequel on risque de se cogner si l'on avance d'un pas. Instinctivement, je me retourne brusquement. Derrière moi, à travers l'ombre des arbres, perce la minuscule lumière d'une lampe, indistincte, comme une parcelle de conscience peu claire, un souvenir lointain difficile à retrouver. C'est comme si j'observais l'endroit d'où je viens, depuis un lieu indéterminé, sans qu'il y ait de chemin ; cette conscience qui n'a pas encore disparu ne fait que flotter devant mes yeux.

Je lève la main pour m'assurer que j'existe, mais je ne vois rien. J'allume mon briquet et distingue mon bras dressé, comme s'il brandissait une torche. Mais la flamme s'éteint aussitôt, malgré l'absence de vent. L'obscurité qui m'entoure devient plus dense encore, sans limite aucune. Même la stridulation continuelle du grillon s'est tue. Mes oreilles sont remplies d'obscurité, une obscurité première. Si l'homme a instinctivement adoré le feu, c'est pour vaincre la peur intérieure qu'il nourrissait envers les ténèbres.

Je rallume mon briquet. Sa faible lueur tremblotante est aussitôt anéantie par un vent sinistre, invisible. Dans cette obscurité sauvage, la terreur m'engloutit, elle me fait perdre confiance en moi-même et oublier la direction à prendre. Je crains, si je continue tout droit, de tomber dans un gouffre. Quand je me retourne, je ne suis déjà plus sur le sentier. Hésitant, je fais quelques pas. Dans la forêt, une rangée de faibles lumières, comme une palissade, cligne dans ma direction puis s'éteint. Je m'aperçois que je suis au milieu des arbres, hors du sentier qui devrait être sur ma droite. A tâtons, je tente de corriger ma direction ; je dois avant tout retrouver le sombre Rocher de l'Aigle, escarpé et solitaire.

Dans la brume rampant telle une fumée et prenant forme au contact du sol, scintillent par endroits quelques lumières. Je finis par retourner sous le Rocher de l'Aigle dont la couleur noire m'oppresse. Je découvre soudain, entre ses deux ailes étendues, une poitrine grisâtre, en forme de vieille femme, un grand manteau jeté sur les épaules. Elle n'a rien de bienveillant, l'air plutôt d'une sorcière. La tête baissée, un corps desséché. Sous le manteau, une femme nue agenouillée. Sur son dos, la marque des vertèbres est à peine visible. Le visage tourné vers cet être démoniaque, elle semble se plaindre, les mains jointes, les coudes loin du buste, dévoilant sa taille nue. Son visage reste indistinct, mais le contour de sa joue est gracieux et séduisant.

Ses longs cheveux épais tombent sur ses épaules et ses bras, soulignant sa taille. Elle est agenouillée sur ses talons, tête baissée, c'est une jeune fille. Terrorisée, elle semble prier, implorer. Parfois, elle change de forme, mais aussitôt, elle reprend son apparence de jeune femme, une femme implorant, les mains jointes. Il suffit de se tourner pour qu'elle redevienne une jeune fille aux lignes encore plus belles. Le galbe de son sein gauche apparaît un instant, inaccessible.

Passé la porte du temple, l'obscurité s'estompe complètement. Je retrouve les lumières blafardes des lampadaires. Les dernières feuilles des ginkgos qui s'élèvent depuis le ruisseau se sont fondues dans la nuit. Seuls les galeries et les avant-toits lumineux sont bien réels.

17

Quand tu arrives à l'extrémité du village, une femme âgée, un tablier noué par-dessus la robe, est accroupie au bord de la rivière qui coule devant sa porte. Un couteau à la main, elle prépare des poissons guère plus longs que le doigt. Là, brûle une torche de pin dont la lumière sautillante se reflète sur la lame du couteau. Plus loin encore, la montagne, perdue dans l'ombre. Quelques nuages empourprés traînent sur les sommets. Aucun être humain. Tu reviens sur tes pas. La torche de pin t'attire, sans doute. Tu te diriges vers la vieille femme pour lui demander si tu peux loger chez elle.

— Les gens viennent souvent se reposer chez moi.

Elle a compris tes intentions. Elle pose son couteau, s'essuie les mains à son tablier, te jette un coup d'œil et te guide sans dire un mot. Elle entre dans la maison et allume une lampe à pétrole. Tu la suis. Le parquet grince sous vos pas. A l'étage, flotte une odeur très nette de paille de riz fraîchement coupée.

— Toutes les chambres de l'étage sont libres. Je vais chercher une couverture. Il fait froid la nuit dans nos montagnes.

La vieille femme pose la lampe à pétrole sur le rebord de la fenêtre et descend.

Elle dit qu'elle ne veut pas passer la nuit en bas, qu'elle a peur. Elle ne veut pas non plus dormir dans la même chambre que toi, elle a peur aussi. Tu lui laisses la lampe, tu arranges avec le pied la paille de riz sur le plancher et tu vas dans la chambre d'à côté. Tu dis que tu n'as pas envie de dormir sur un lit en planches, tu préfères te rouler dans la paille. Elle dit qu'elle dormira la tête contre la tienne, que vous pourrez parler à travers la cloison. Les planches ne vont pas jusqu'au toit. Le cercle de sa lampe éclaire le plafond.

Tu dis : C'est original.

La vieille femme apporte les couvertures.

Elle veut aussi de l'eau.

La vieille femme revient avec un petit seau d'eau chaude.

Puis tu l'entends pousser le verrou de la porte de sa chambre.

Torse nu, une serviette sur les épaules, tu descends. Pas de lumière. La seule lampe à pétrole de la maison est restée dans la chambre à l'étage. La maîtresse des lieux est devant le fourneau de la cuisine. Son visage inexpressif est faiblement éclairé par les flammes. Les brindilles crépitent et il monte une odeur de riz cuit.

Tu prends un seau et descends vers le ruisseau. Sur les sommets, les derniers nuages empourprés ont disparu, partout règne l'obscurité du crépuscule. Des éclats de lumière scintillent sur les rides de l'eau limpide. Des étoiles naissent dans le ciel, les grenouilles coassent de toutes parts.

En face, des rires d'enfants percent l'ombre profonde de la montagne. Au-delà de la rivière s'étendent des rizières, une aire de battage se détache dans l'obscurité. Les enfants sont peut-être en train d'y jouer à colin-maillard. Une bande sombre la sépare des rizières. Un rire de jeune fille résonne. C'est sûrement elle. Dans la pénombre qui te fait face, ta jeunesse oubliée reprend vie. Un jour, un de ces enfants se souviendra lui aussi de son enfance. Un jour, la voix perçante de ces petits diables deviendra plus rude, plus gutturale, plus grave. Deux pieds nus frappant les dalles de l'aire de battage en laissant des traces humides les feront sortir de l'enfance et leur ouvriront le vaste monde. Et tu entends alors le claquement des pieds nus sur les dalles. Un enfant sur la berge joue au bateau avec le métier à broder de sa grand-mère. Elle l'appelle, il se retourne et prend ses jambes à son cou. Le claquement des pieds nus sur les dalles est cristallin. Et dans une ruelle, tu revois sa silhouette avec sa natte noire comme jais. Dans les ruelles du bourg de Wuyi, le vent d'hiver est glacial. Elle porte à l'épaule une palanche chargée d'eau et marche à petits pas sur les dalles de pierre. Les seaux pèsent sur ses épaules frêles d'adolescente. Elle a mal aux reins. A ton appel, elle s'arrête. Dans les seaux, l'eau ondule et coule sur les dalles de pierres. Elle tourne la tête et rit en te regardant. Puis ses pas menus reprennent. Elle porte des chaussures de toile violette. Dans l'obscurité, les enfants poussent des cris très nets, mais tu n'en saisis pas le sens. On dirait un écho incessant… ya ya…

En un instant, tes souvenirs d'enfance ont resurgi. Rugissants, les avions descendent en piqué. En un éclair, leurs ailes noires frôlent ta tête. Tu te blottis contre la poitrine de ta mère sous un petit jujubier sauvage dont les épines ont déchiré la veste de coton et dévoilé les bras tout ronds. Puis ta nourrice te prend dans ses bras, tu aimes te blottir contre elle. Balançant ses gros seins, elle rajoute pour toi un peu de sel sur une croûte de riz odorante jaune foncé, desséchée au coin du feu ; tu aimes te réfugier dans sa cuisine. Dans l'obscurité, scintillent les deux paires d'yeux rouge vif du couple de lapins blancs que tu élèves. L'un d'eux est mort dans sa cage, mordu par la belette, et l'autre a disparu. Plus tard, tu le retrouves, le poil souillé, flottant dans le seau d'aisance des latrines. Derrière la maison, dans la cour, pousse un arbre parmi les briques cassées et les débris de tuiles couvertes de mousse. Ton regard n'a jamais dépassé la fourche des branches, au niveau du sommet du mur. S'il s'étendait plus loin, tu ignores ce qu'il découvrirait. Tu peux seulement te mettre sur la pointe des pieds pour te hisser à la hauteur d'un trou dans le tronc de l'arbre. Tu y as jeté des pierres. On dit que les arbres peuvent se changer en esprits, des esprits comme les gens : ils craignent les chatouilles. Si tu enfonces un bâton dans ce trou, l'arbre éclate de rire, comme lorsque tu la chatouilles sous les aisselles ; elle serre alors les bras et rit à perdre haleine. Tu te rappelles encore qu'il lui manquait une dent. « Elle a perdu une dent ! elle a perdu une dent ! et on l'appelle Yaya ! » Dès que tu criais cela, elle était furieuse. Elle s'éloignait en te tournant le dos. La terre s'est soulevée telle une fumée noire et a recouvert les têtes, les corps, les visages. Ta mère s'est relevée et t'a épousseté, tu n'avais rien. Mais tu as entendu un long hurlement strident poussé par une autre femme, comme inhumain. Puis tu as été ballotté sans fin sur les chemins de montagne, assis dans un camion recouvert d'une bâche, serré entre les jambes des grandes personnes, au milieu des valises et des malles. Les gouttes de pluie coulaient le long de ton nez. Putain ! Descendez tous pour pousser ! Les roues du camion tournaient dans la boue et aspergeaient les hommes. Putain ! tu imites les jurons du chauffeur, c'est ton premier juron. Tu injuries la boue qui t'a arraché la chaussure ! Ya ya… les cris des enfants résonnent encore sur l'aire de battage. Ils rient et crient en se poursuivant. Plus d'enfance, face à toi, seule l'ombre noire de la montagne demeure…

Quand tu reviens devant sa porte, tu la supplies d'ouvrir. Elle te dit de ne pas faire de bêtises, elle est bien, maintenant. Elle a besoin de calme, elle n'a pas de désir, elle a besoin de temps, elle a besoin d'oubli, elle a besoin de compréhension et non d'amour, elle veut juste quelqu'un pour épancher son cœur. Elle espère que tu ne vas pas gâcher vos relations, elle vient de t'accorder sa confiance, elle dit qu'elle veut continuer à voyager avec toi, entrer dans la Montagne de l'Ame, elle va passer du temps avec toi. Mais pas maintenant. Elle te prie de lui pardonner, elle ne veut pas, elle ne peut pas.

Tu dis que tu ne veux rien, tu as simplement remarqué par la fente de la cloison une petite lumière à côté. Vous n'êtes donc pas seuls, une autre personne habite l'étage. Tu lui dis de venir voir.

— Non ! Ne me raconte pas d'histoires, ne me fais pas peur.

Tu dis que tu aperçois distinctement une lumière qui brille à travers la fente de la cloison, tu peux assurer qu'il y a une autre pièce derrière. Tu sors de ta chambre, la paille répandue sur le plancher entrave tes pas. En levant le bras, tu peux toucher de l'intérieur les tuiles du toit. Pour avancer plus loin, il faudrait se pencher.

Tu dis en tâtonnant : il y a une petite porte.

— Que vois-tu ? demande-t-elle de sa chambre.

— Rien du tout. Il n'y a pas de fente sur la porte. Oh ! elle est verrouillée.

— C'est effrayant.

Tu l'entends parler derrière la cloison.

Tu retournes dans ta chambre. Tu trouves une grande corbeille en bambou, la renverses au sommet du tas de paille. Tu montes dessus en te tenant à la poutre horizontale.

— Dis-moi vite, qu'as-tu vu ? Elle insiste, dans la chambre à côté.

— J'ai vu une lampe à huile, une mèche brûle dedans, elle est posée dans une niche clouée au mur. Une tablette des ancêtres est dressée au fond. La maîtresse de ces lieux est certainement une sorcière qui appelle les esprits des morts et emprisonne les âmes des humains. Elle doit hypnotiser les vivants pour que les fantômes s'emparent de leurs corps et parlent par leurs bouches.

— Tais-toi ! supplie-t-elle. Et tu entends glisser son corps appuyé contre la cloison.

Tu dis que, lorsqu'elle était jeune, cette femme n'avait probablement rien d'une sorcière. Elle était, comme toutes les femmes de son âge, parfaitement normale. A vingt ans, juste à l'âge où elle avait besoin d'un grand amour, son mari était mort.

Elle demande à voix basse : Comment est-il mort ?

Tu dis qu'il était allé de nuit, avec un cousin, voler des camphriers dans la forêt d'un village voisin. Au moment où un arbre allait tomber, son pied avait été retenu par une racine. Entendant l'arbre grincer, pour fuir, il s'était trompé de côté et s'était rapproché de l'endroit où devait tomber le tronc. Avant d'avoir pu crier, il avait été réduit en bouillie.

— Tu écoutes ? demandes-tu.

— J'écoute, dit-elle.

Tu dis que le cousin de son mari avait eu tellement peur qu'il s'était enfui sans oser annoncer sa mort. Puis la jeune femme avait rencontré dans la montagne un porteur de charbon de bois qui avait accroché au bout de sa palanche une chaussure de chanvre et priait les gens, sur son chemin, d'aller reconnaître le cadavre. Elle avait fabriqué elle-même ces chaussures brodées de fil rouge sur le dessus et sur le talon. Comment ne pas les reconnaître ? A cet instant, elle s'était évanouie, frappant le sol de sa nuque. Elle avait craché une écume blanche et s'était roulée par terre en criant : Démons et revenants, faites-les tous venir ! Faites-les tous venir !

— J'ai aussi envie de crier, te dit-elle.

— Eh bien, crie donc.

— Impossible.

Sa voie enrouée est pitoyable. Tu l'appelles de nouveau, mais elle refuse toujours à travers la cloison. Elle veut pourtant que tu continues à raconter.

— Raconter quoi ?

— Parle-moi d'elle, parle-moi de cette folle.

Tu expliques comment les femmes du village ne parvenaient pas à la maîtriser, comment il avait fallu que plusieurs hommes pèsent sur son corps et lui tiennent les bras pour l'attacher. A partir de ce jour, elle est devenue folle et a prédit les catastrophes et les changements intervenant au village. Elle a annoncé par exemple que la mère de Ximao deviendrait veuve, et c'est arrivé.

— Je voudrais aussi me venger.

— Te venger de qui ? De ton ami ? Ou bien de la fille qui avait des relations avec lui ? Tu veux qu'il la rejette après s'être amusé avec elle ? Comme il a fait avec toi ?

— Il disait qu'il m'aimait. Il n'a fait que jouer un peu avec elle.

— Elle est jeune ? Plus jolie que toi ?

— Elle a le visage couvert de taches de rousseur, une grande bouche !

— Elle est plus séduisante que toi ?

— Il a dit qu'elle courait les hommes, qu'elle pouvait tout faire, il voulait que je fasse comme elle !

— Faire quoi comme elle ?

— Ne me le demande pas !

— Tu sais donc tout ce qu'ils faisaient ensemble ?

— Oui.

— Et elle, elle savait ce que vous faisiez tous les deux ?

— Oh, n'en parle plus.

— De quoi parler alors ? De cette femme au camélia ?

— Je veux vraiment me venger !

— Comme cette sorcière ?

— Qu'a-t-elle fait ?

— Les femmes redoutaient ses malédictions mais tous les hommes venaient bavarder avec elle. Elle les attirait puis les rejetait. Elle se poudrait ensuite exagérément, installait un autel pour se livrer à toutes sortes de simagrées effrayantes pour implorer dieux et démons.

— Pourquoi faisait-elle ça ?

— Il faut savoir qu'elle avait été fiancée à l'âge de six ans avec un enfant qui n'était pas encore né. A douze ans, elle vivait dans la famille de son futur mari, alors que ce dernier avait encore la morve au nez. Et un jour, à ce même étage, sur ce tas de paille, son beau-père avait abusé d'elle. Elle venait d'avoir quatorze ans. Par la suite, chaque fois qu'elle était seule à la maison avec lui, elle tremblait. Plus tard encore, elle avait dû bercer son petit mari qui ne cessait de lui mordre cruellement le sein. Elle avait dû le supporter bon gré mal gré, en portant sa palanche, en coupant le bois, en guidant la charrue. Finalement, arrivé à l'âge adulte, en âge de l'aimer, il était mort écrasé. Ses beaux-parents étaient déjà vieux, le travail des champs et de la maison reposait entièrement sur elle. Ils n'osaient plus la surveiller de trop près, craignant qu'elle ne les quitte pour se remarier. A présent, ils sont morts tous les deux. Elle est vraiment persuadée qu'elle communique avec les esprits, qu'elle peut provoquer à sa guise bonheur ou malheur par ses imprécations. Naturellement, elle fait payer ceux qui viennent brûler l'encens. Le plus extraordinaire, c'est qu'elle est capable à présent, par magie, de faire s'évanouir sur place une fillette d'une dizaine d'années et de faire parler par sa bouche, avec sa voix d'origine, la belle-mère morte depuis longtemps, que la fillette n'a jamais connue. Voilà qui, bien sûr, donne la chair de poule à l'assistance

— Viens, me supplie-t-elle, j'ai trop peur.

18

Quand j'arrive au bord du lac Cao, aux sources de la Wujiang, la Rivière Noire, le temps est maussade et froid. Au bord du lac est construit un petit bâtiment neuf. C'est le centre de gestion de la réserve naturelle récemment ouverte. Il se dresse tout seul au milieu de cette immense étendue de boue, juché sur de hautes fondations faites de pierres empilées. On y arrive par un sentier boueux et spongieux ; le lac s'est retiré très loin, mais sur l'ancienne berge poussent encore par-ci par-là de rares herbes aquatiques. En grimpant l'escalier latéral de la maison, on arrive dans des pièces parfaitement éclairées grâce à leurs grandes fenêtres. Des échantillons d'oiseaux, de poissons ou de reptiles s'y entassent.

Le responsable du centre de gestion est grand, son visage respire la générosité. Il branche un réchaud électrique pour remplir de thé un grand gobelet émaillé. Il me fait signe d'approcher du feu pour le boire au chaud.

Il dit que dix ans auparavant, autour du lac, à plusieurs centaines de kilomètres à la ronde, les montagnes étaient encore couvertes d'arbres. Vingt ans plus tôt, une épaisse et sombre forêt s'étendait jusqu'au bord et il arrivait souvent d'y voir des tigres. A présent, même les buissons ont disparu de ces montagnes et de ces collines. Le bois a servi à faire cuire les repas et surtout à se chauffer. Ces dix dernières années, le printemps et l'hiver ont été particulièrement froids, les gelées précoces et la sécheresse au printemps très dure. Pendant la Révolution culturelle, le nouveau comité révolutionnaire a voulu innover en canalisant l'eau pour transformer les champs dans l'ensemble du district. Il a mobilisé cent mille travailleurs pour ouvrir à l'explosif des dizaines de canaux de drainage et endiguer le lac. Mais l'assèchement du lac aux sédiments vieux de plusieurs millions d'années n'a pas été facile. Une tornade s'est élevée cette année-là sur les eaux, et les paysans ont affirmé que le dragon noir du lac Cao avait été dérangé et s'était enfui. A présent, il ne demeure qu'un tiers du volume d'eau. Les abords sont devenus des marécages. On ne parvient ni à assécher ces terres ni à leur rendre leur aspect d'origine.

A la fenêtre est installée une longue vue de très forte portée. Dans l'objectif, l'étendue d'eau distante de plusieurs kilomètres se transforme en une immense surface blanche éblouissante. On distingue à l'œil nu un petit point sombre. C'est un bateau avec à sa proue les silhouettes de deux hommes dont le visage reste flou. A l'arrière, un homme s'agite, comme s'il jetait un filet.

— Avec une telle superficie, on ne parvient pas à les surveiller. Quand on arrive, ils ont filé depuis longtemps, dit-il.

— Les poissons sont nombreux dans ce lac ?

— Il est courant d'y attraper des centaines ou même des milliers de livres de poissons Le problème, c'est qu'on utilise encore des explosifs. Les hommes sont cupides, il n'y a rien à faire.

Et il secoue la tête, car c'est lui qui a la responsabilité du centre de gestion de la zone de protection naturelle.

Il me dit qu'au début des années cinquante, un diplômé de doctorat avait été nommé ici à son retour de l'étranger. Il était originaire de Shanghai et c'était à sa demande qu'il s'était installé là, plein d'enthousiasme, à la tête d'une équipe de quatre étudiants diplômés en biologie et en aquaculture pour fonder une station d'élevage d'animaux sauvages. Il avait réussi à élever castors, renards argentés, oies à tête tachetée, ainsi que de nombreux oiseaux aquatiques et poissons. Très vite pourtant, il était entré en conflit avec les paysans braconniers. Un jour qu'il passait dans un champ de maïs, un paysan embusqué l'avait assommé par derrière et lui avait passé autour du cou un panier de maïs fraîchement cueilli pour qu'il soit accusé de vol. Le paysan l'avait frappé jusqu'à lui faire cracher le sang. Aucun des cadres du district n'avait osé prendre la défense d'un intellectuel et il était mort. La station d'élevage avait disparu d'elle-même et les castors avaient été répartis entre les différents organismes du district pour être mangés.

— Il avait de la famille ?

— Personne ne l'a dit. Les étudiants qui l'avaient accompagné ont trouvé des postes dans des universités, à Chongqing ou Guiyang.

— Et personne n'est venu poser de questions à son sujet ?

Il dit que c'est seulement à l'occasion du tri des dossiers concernant les vieilles affaires du district qu'ont été découverts une dizaine de ses carnets où étaient notés de nombreux renseignements sur l'environnement de ce lac. Il les avait examinés de près et s'était aperçu qu'ils étaient très bien écrits. Si j'étais intéressé, il me les montrerait.

Un bruit monte, venant de je ne sais où, comme la toux forte d'un vieillard.

— Quel est ce bruit ?
— C'est une grue, dit-il

Il me fait descendre au rez-de-chaussée. Dans la salle d'élevage fermée par une grille métallique, se trouvent une grue à cou noir et tête rouge, de plus d'un mètre de haut, et plusieurs grues grises qui, par intermittence, poussent des cris. Il me dit que la grue à cou noir était blessée à la patte et qu'ils l'ont capturée pour la nourrir, tandis que les grues grises nées cette année ont été prises au nid avant de savoir voler. Jadis, à l'automne, les grues venaient passer l'hiver ici. On en voyait partout dans les roseaux au bord du lac, mais par la suite, elles ont presque complètement disparu à cause de la chasse. Après la fondation de la zone naturelle, il y a deux ans, une soixantaine sont revenues et, l'année dernière, plus de trois cents grues à cou noir. Les plus nombreuses restent les grues grises, mais on n'a pas encore revu de grues à tête rouge.

Je lui demande si je peux aller au bord du lac. Il me dit que le lendemain, s'il y a du soleil, il gonflera le canot pneumatique et m'accompagnera pour faire un tour. Aujourd'hui, le vent est trop fort et le temps trop froid.

Je prends congé de lui et je vais me promener en direction du lac.

En suivant un petit sentier à flanc de montagne, j'arrive dans un hameau habité par sept à huit familles. Les poutres et les piliers des maisons sont tous faits de pierre. Des arbres encore jeunes sont plantés devant les habitations et dans les cours. Il y a quelques dizaines d'années, une profonde forêt noire devait encore border ce hameau.

Je descends jusqu'au lac, en empruntant les levées de terre molles et boueuses entre les champs. A chacun de mes pas, la couche de boue s'épaissit sous mes chaussures.

Devant moi, au bout du champ, un bateau, et un enfant. Il porte un seau et une canne à pêche. J'ai envie de m'approcher, de pousser le bateau dans l'eau. Je lui demande :

— On peut mettre ce bateau à l'eau ?

Il est pieds nus, le pantalon roulé au-dessus des genoux. Il doit avoir treize ou quatorze ans. Son regard me dépasse, il est dirigé plus loin derrière moi. Tournant la tête, je vois une silhouette qui l'appelle en bordure du village. De très loin, la silhouette semble porter une veste aux couleurs vives, une fillette sans doute. Je fais un pas en direction du garçon. Mes chaussures se sont complètement enfoncées dans la boue.

— Aïe... yi... ya... yo... !

Je ne saisis pas distinctement le sens de ces cris lointains, mais la voix est claire et agréable. Elle appelle certainement le garçon. Canne à pêche à l'épaule, il s'éloigne en passant près de moi.

J'avance de plus en plus difficilement, mais puisque je suis tout près du lac, je veux aller y jeter un coup d'œil. Le bateau est tout au plus à dix pas de moi. Pour l'atteindre, je n'ai qu'à enjamber l'endroit où le garçon se tenait un instant plus tôt, un endroit apparemment plus ferme. A l'avant du bateau se dresse une perche de bambou. J'ai déjà repéré dans les roseaux des oiseaux volant à la surface de l'eau. Ce sont peut-être des canards sauvages. Ils ne cessent de crier, sans doute, mais comme le vent souffle de la rive, je ne les entends pas tout près de moi, alors que je distingue au loin les appels des deux enfants.

Je me dis que je n'ai qu'à pousser le bateau hors des touffes de roseaux pour gagner cette vaste étendue. En me laissant flotter seul au milieu du lac, dans ces hauts plateaux isolés et paisibles, je n'aurai à parler à personne. Et j'aimerais me fondre dans le paysage pour ne faire qu'un avec la lumière, le ciel et les couleurs de la montagne.

Je dégage mon pied pour avancer d'un pas, mais je m'enfonce jusqu'à mi-jambe dans la vase. Je n'ose pas faire porter mon poids vers l'avant. Je sais que dès que mon genou sera enfoui, je n'aurai plus aucun moyen de me sortir. Je n'ose pas non plus déplacer mon pied arrière. Incapable ni d'avancer ni de reculer, je ne sais plus quoi faire. Situation comique, bien sûr, mais comme nul ne me voit, nul ne peut rire et encore moins me porter secours. C'est plus ennuyeux.

De la même manière que j'ai vu les hommes dans leur bateau, peut-être pourra-t-on repérer ma silhouette grâce à la longue vue du centre de gestion. Mais, à la longue vue, je ne peux apparaître que comme une ombre fugitive, au visage flou. Même si on la dirige vers moi, on croira seulement qu'il s'agit d'un paysan s'apprêtant à aller sur le lac ramasser quelques produits pour améliorer ses revenus, et personne n'y prêtera vraiment attention.

A la surface silencieuse de l'eau, même les oiseaux aquatiques ont disparu. Imperceptiblement, les eaux brillantes commencent à s'obscurcir. A partir des touffes de roseaux, se répandent les couleurs du crépuscule, un air frais monte sous mes pieds. Je suis transi. Ni stridulations de grillons, ni coassements de grenouilles. Peut-être est-ce là enfin cette solitude originelle dénuée de sens que je recherchais.

19

Un soir glacial, au cœur de l'automne. Une épaisse et profonde obscurité noie l'étendue chaotique originelle, le ciel et la terre, les arbres et les rochers se fondent, la route est invisible, tu ne peux que rester sur place sans pouvoir dégager tes pieds, le buste penché en avant, les bras étendus pour tâtonner dans cette nuit noire, tu entends bouger, mais ce n'est pas le vent, c'est l'obscurité dans laquelle il n'y a plus ni haut ni bas, ni gauche ni droite, ni lointain ni proche, ni aucun ordre déterminé, tu te fonds totalement dans ce chaos, tu sais seulement que ton corps possède un contour, mais même ce contour s'estompe peu à peu dans tes pensées, une lueur monte à l'intérieur de toi, comme le feu solitaire d'une bougie dans l'obscurité, sa flamme dégage de la lumière mais pas de chaleur, une lumière glaciale qui emplit ton corps, déborde ses contours, ces contours que tu conserves en pensée, tes deux bras se resserrent pour préserver ce feu, cette conscience glaciale et transparente, tu as besoin de cette sensation, tu t'efforces de la protéger, devant toi apparaît la surface tranquille du lac et, sur l'autre rive, se dressent des bosquets d'arbres, des arbres qui ont perdu leurs feuilles, et d'autres, pas encore complètement dépouillés, des peupliers sveltes où restent accrochées quelques feuilles jaunes, des jujubiers d'un noir métallique où seules une ou deux feuilles jaune pâle tremblent au vent, des arbres à suif pourpres clairsemés, semblables à des volutes de brouillard, à la surface du lac, aucune vague, seulement des reflets, nets et brillants, aux couleurs chatoyantes, du rouge sombre au pourpre, à l'orangé, au jaune tendre, au vert foncé, au brun gris, au blanc de lune, sur plusieurs niveaux, tu réfléchis intensément, puis soudain les couleurs disparaissent pour se fondre en d'innombrables nuances de gris, de noir et de blanc foncé ou clair, comme une vieille photo défraîchie, seules les ombres restent nettes, au lieu de dire que tu es sur terre, mieux vaut dire que tu es dans un autre espace, tu observes la propre image de ton cœur en retenant ton souffle, tout est si calme, le calme te rassure, tu as l'impression qu'il s'agit d'un rêve, qu'il ne faut pas t'inquiéter, mais tu ne peux t'en empêcher, justement parce que le calme est trop parfait, un calme exceptionnel.

Tu lui demandes si elle a vu cette ombre.

Elle dit qu'elle l'a vue.

Tu lui demandes si elle a vu le petit bateau.

Elle dit que c'est justement ce bateau qui donnait ce calme à la surface du lac.

Soudain tu entends sa respiration, tu étends la main pour la toucher, ta main hésite sur son corps, elle t'arrête, tu serres son poignet, tu l'attires contre toi, elle se retourne et se blottit contre ta poitrine, tu sens le doux parfum qu'exhalent ses cheveux et tu cherches ses lèvres, elle t'évite et se tourne, son corps tiède et vivant respire plus fort, son cœur se met à battre plus vite sous la paume de ta main.

Tu dis que tu veux que ce bateau coule.

Elle dit que le bateau est déjà plein d'eau.

Tu l'as écartée et tu es entré dans son corps humide.

Elle savait qu'il en serait ainsi, elle soupire et son corps se détend, elle n'est plus que chair.

Tu veux qu'elle dise qu'elle est un poisson !

Non !

Tu veux qu'elle dise qu'elle est libre.

Ah ! non.

Tu veux qu'elle sombre, qu'elle oublie tout.

Elle dit qu'elle a peur.

Tu lui demandes de quoi elle a peur.

Elle dit qu'elle ne sait pas le dire, elle dit aussi qu'elle a peur du noir, qu'elle a peur de sombrer.

Ensuite, ce sont les joues brûlantes, les langues de feu sautillantes, aussitôt englouties par les ténèbres, les corps qui se tordent, elle te dit doucement, elle crie qu'elle a mal ! Elle se débat, te traite de bête sauvage ! Elle est traquée, chassée, déchirée, avalée. Ah… cette obscurité dense, tangible, ce chaos fermé, ni ciel ni terre, ni espace ni temps, ni être ni non-être, ni non-être ni être, ni être du non-être, ni être de l'être, le feu brûlant du charbon de bois, les yeux humides, la caverne ouverte, les volutes de fumée, les lèvres brûlantes, les cris gutturaux, l'homme et la bête, l'appel à l'obscurité originelle, l'angoisse du tigre féroce dans la forêt, l'avidité, les flammes sont montées, elle pleure en poussant des cris aigus, la bête sauvage mord, rugit, elle est ensorcelée, elle saute tout droit, tourne autour du feu, la lumière est de plus en plus claire, les flammes changeantes, informes, dans la grotte d'où s'élèvent les volutes de fumée, une lutte à mort s'engage, elle se précipite sur le sol, elle pousse des cris stridents, saute encore, rugit, étrangle et dévore… le voleur de feu s'est enfui, au loin la torche entre dans le noir, elle diminue, la flamme n'est plus qu'un petit point vacillant dans la bise. Elle s'éteint.

J'ai peur, dit-elle.

De quoi ?

Je n'ai pas peur de quelque chose, mais je veux dire que j'ai peur.

Enfant stupide,

l'autre rive,

que dis-tu ?

Tu ne comprends pas.

Tu m'aimes ?

Je ne sais pas,

tu ne l'avais jamais fait ?

Je savais seulement que tôt ou tard ce jour arriverait,

tu es heureuse ?

Je suis à toi maintenant, dis-moi des choses tendres, parle-moi des ténèbres,

Pangu[1] brandit sa hache pour ouvrir le ciel,

ne me parle pas de Pangu,

te raconter quoi ?

Raconte-moi ce bateau,

un petit bateau qui va sombrer,

on croit qu'il va sombrer, mais ne sombre pas,

finalement, a-t-il sombré ?

Je ne sais pas.

Tu es vraiment un enfant.

Raconte-moi une histoire,

après la grande inondation, entre ciel et terre, il ne resta qu'un petit bateau, dans ce bateau seulement un frère et une sœur, ils ne supportaient plus la solitude et se tenaient étroitement serrés, seule la chair de l'autre attestait sa propre existence,

tu m'aimes,

la fille a été séduite par le serpent,

le serpent, c'était mon frère.

---

1. Personnage mythologique qui a formé le monde.

20

Un chanteur yi m'a emmené en montagne, derrière le lac Cao, dans les villages de son ethnie. Plus on avance, plus les sommets paraissent arrondis, les arbres serrés et luxuriants, exhalant une sorte d'odeur féminine originelle.

La peau très brune, le nez droit, les yeux fins, les femmes yi sont superbes. Elles regardent très rarement un inconnu en face. Même si, au détour d'un sentier de montagne, elles lèvent le visage vers lui, elles conservent toujours les yeux baissés et, sans un mot, s'arrêtent pour céder le passage.

Mon guide a fredonné pour moi quelques chansons populaires yi, des complaintes remplies de tristesse, même les chants d'amour.

Si tu sors un soir de lune,
n'allume pas la torche sur le chemin,
si tu allumes la torche sur le chemin,
triste sera la lune.
A la saison où fleurit le colza,
ne porte pas le panier pour cueillir les fleurs,
si tu portes le panier pour cueillir les fleurs,
triste sera le colza.
Si tu aimes une jeune fille sincère,
n'hésite pas,

si tu hésites,
triste sera la jeune fille.

Il m'apprend qu'aujourd'hui encore, le mariage entre filles et garçons yi est arrangé par les parents. Les jeunes gens qui veulent s'aimer librement se cachent pour se rencontrer dans la montagne. S'ils sont découverts, ils sont arrêtés et mis à mort par leurs familles.

Ensemble, la tourterelle et le poulet picorent,
le poulet a un maître, la tourterelle n'en a pas,
le maître du poulet est venu le chercher,
seule est restée la tourterelle.
Ensemble, la jeune fille et le petit gars batifolent,
la jeune fille a un maître, le jeune homme n'en a pas,
le maître de la jeune fille est venu la chercher,
seul est resté le petit gars.

Ces chansons d'amour, il ne peut pas me les chanter chez lui, devant sa femme et ses enfants. Il vient au centre d'hébergement où je loge et, porte fermée, les chante d'une voix douce en langue yi tout en les traduisant au fur et à mesure.

Vêtu d'une longue robe, une ceinture nouée autour des reins, il a des yeux tristes et des joues émaciées. Il a lui-même traduit ces chansons en chinois, dans une langue pleine de sincérité qui s'écoule spontanément de son cœur. C'est un poète né.

Son âge n'est pas très éloigné du mien, mais il dit qu'il est déjà vieux. A mon grand étonnement, il dit qu'il n'est plus bon à rien maintenant, mais qu'il a deux enfants, une fille de douze ans, un garçon de dix-sept ans, et qu'il doit travailler dur pour eux. Plus tard, quand je suis allé dans son pays natal, un village de montagne, j'ai constaté que, dans l'enclos à bestiaux qui jouxtait sa maison, il élevait deux porcs. A l'intérieur de la demeure, le sol était en terre battue, et sur le lit, il n'y avait qu'une mince couverture usée de coton noirâtre. Sa femme est malade. La vie pour lui est de toute évidence un lourd fardeau.

C'est lui aussi qui m'emmène voir un *bimo*, un prêtre yı. Nous entrons dans une maison très profonde et parcourons des couloirs étroits et sombres avant d'arriver dans une petite cour latérale où le prêtre occupe une habitation simple, à une seule entrée. Il pousse la porte de la cour et appelle. Aussitôt, une voix d'homme retentit. Il me dit d'entrer. A l'intérieur, devant une table près de la fenêtre, est assis un homme habillé d'une longue robe bleue. Il se lève. Il porte aussi à la taille une ceinture et sur la tête un turban noir.

Le chanteur me présente en langue yi, puis m'explique que l'homme est originaire de la région de Kele. Il est issu d'une grande famille et on l'a fait venir de son village pour s'occuper des cérémonies religieuses des populations yi du chef-lieu de district. Il a cinquante-trois ans. Sans ciller, il me dévisage de ses yeux clairs et perçants. Il est impossible de rencontrer son regard. Bien qu'il me fixe, c'est un autre endroit qu'il contemple, sans doute un autre monde, un monde de forêts, de montagnes, d'esprits et de fantômes.

Je m'assieds à la table face à lui. Le chanteur explique la raison de ma venue. Il est en train de recopier un texte sacré en langue yi, au pinceau, comme un Han. Quand il a fini d'écouter le chanteur, il hoche la tête, range son pinceau dans un pot et ferme l'encrier. Ensuite, il installe bien droit devant lui le texte sacré, calligraphié sur du papier grossier et épais, l'ouvre au début d'un chapitre et commence brusquement à psalmodier d'une voix forte.

Sa voix est trop sonore pour une si petite pièce. Elle sort sur une tonalité égale, très haut perchée, puis ondule sur quatre ou cinq tons, vous emportant d'un coup au loin, sur les levées de terre des hauts plateaux.

Dans cette pièce sombre, à travers la fenêtre derrière lui, la lumière du soleil paraît particulièrement éclatante, le sol boueux de la cour aveuglant. Un coq dresse la tête, comme pour l'écouter, puis il se remet à picorer, tête baissée, habitué à cette voix, comme si la psalmodie des textes sacrés était pour lui une chose habituelle.

Je demande à mon guide :

— Que chante-t-il ?

Il me dit que ce sont des textes sacrés réservés à la grande retraite, après la mort d'un homme. Mais ils sont composés en langue yi ancienne et il n'y comprend pas grand-chose. Je m'étais renseigné auprès de lui sur les coutumes des Yi en matière de mariage et de deuil, et je lui avais surtout demandé si j'aurais l'occasion d'assister à des funérailles telles qu'il me les avait racontées. De nos jours, c'est un spectacle plutôt rare. Cette voix masculine, continue et modulée, qui monte de la gorge du prêtre, résonne dans ses cavités nasales et sort de son masque, cette voix pleine de vie, mais déjà usée, fait surgir en moi l'image d'une procession funéraire avec des personnages battant le tambour, jouant du hautbois, brandissant des bannières et portant des figurines de deuil en papier. Les jeunes filles sont à cheval, les garçons portent à l'épaule un fusil dont les détonations résonnent tout au long du chemin.

Je vois aussi la maison de l'âme du défunt. Installée sur le cercueil, elle est faite de bambous tressés couverts de papiers de couleur. Un mur de branches entrecroisées l'entoure. Sur la place des funérailles, se consument de hauts tas de bois. Les proches du défunt sont assis en rond autour de l'un d'eux ; les flammes s'élèvent de plus en plus haut, tandis que retentissent dans la nuit les psalmodies des textes sacrés ; la foule court et sautille, on frappe tambours et gongs et l'on tire des coups de fusil.

L'homme vient au monde dans les pleurs et les cris, il le quitte dans le vacarme. Voilà la nature humaine.

Cette coutume n'est pas propre aux villages de montagne de l'ethnie yi. On la retrouve dans tout le vaste bassin du Yangzi, mais la plupart du temps, elle est empreinte d'une grande vulgarité et a perdu sa signification originelle. A Fengdu, au Sichuan, une ville appelée la « cité des fantômes », le pays antique des hommes de Ba, j'ai assisté aux funérailles du père du directeur d'un grand magasin du chef-lieu de district. Sur son cercueil, on avait déposé une maison en papier pour l'âme du défunt. Devant la porte de son domicile, étaient rangées les innombrables bicyclettes des gens venus présenter leurs condoléances et, de l'autre côté, s'entassaient couronnes de fleurs, hommes et chevaux de papier. Au bord de la rue, trois troupes de trompettistes jouaient à tour de rôle du matin au soir, mais aucun des proches ni aucune des relations venus pleurer le défunt n'ont entonné de chants de piété filiale ou dansé les danses de deuil. Ils restaient dans la cour à jouer aux cartes, agglutinés autour des tables. J'ai voulu prendre une photo de ces coutumes modernes, mais le directeur a saisi mon appareil et a exigé de voir mes papiers.

Bien sûr, il existe encore des hommes qui connaissent les chants de piété filiale. Dans la région de Jingzhou, à Jiangling, berceau des hommes du pays de Chu, ils se sont perpétués jusqu'à nos jours. Ils sont chantés au cours d'une cérémonie magique organisée par le prêtre taoïste du village. On appelle cela « battre le pot en chantant ». On en trouve une trace écrite dans le *Zhuangzi*[1] : quand Zhuangzi perd sa femme, il se met à chanter en frappant

1. Ouvrage de Zhuang Zhou, philosophe taoïste du IVe siècle avant J.-C.

sur un pot, transformant ses funérailles en un événement joyeux grâce à ce chant sonore.

Certains spécialistes actuels de l'ethnie yi ont démontré que l'ancêtre fondateur des Han, Fuxi, a un rapport avec le totem du tigre des Yi, dont on trouve des traces un peu partout aux pays de Ba et de Chu. Sur les briques de la dynastie des Han découvertes au Sichuan, la Reine Mère d'Occident est représentée sous l'aspect d'une tigresse à visage humain. Quand j'étais dans le village du chanteur yi, j'ai observé deux petits enfants jouant par terre, devant une haie d'osier tressé. Ils étaient coiffés de chapeaux à tête de tigre, brodés de fil rouge, pareils à ceux des enfants des régions du Sud-Jiangxi et du Sud-Anhui. Dans les sites anciens de Wu et de Yue, sur le cours inférieur du Yangzi, les hommes du Jiangsu et du Zhejiang, connus pour leur intelligence, ont conservé cette crainte envers la tigresse. Est-ce une réminiscence enfouie dans l'inconscient d'hommes qui adoraient des totems de tigresse à l'époque de la société matriarcale ? Nul ne le sait. L'histoire, finalement, n'est qu'un épais brouillard. Ici, seule la voix du prêtre est parfaitement claire et nette.

Je demande à mon guide s'il peut me traduire le sens général de ces textes sacrés. Ils indiquent au mort la route dans les ténèbres, dit-il. Ils s'adressent au dieu du ciel, aux dieux des quatre directions, aux dieux de la montagne et de l'eau, et ils révèlent l'origine des ancêtres du défunt. L'âme du mort peut alors rentrer dans son pays natal en suivant la route qui lui est montrée.

Je demande ensuite au prêtre combien on comptait de fusils lors de la plus grande cérémonie qu'il ait organisée. Il réfléchit un instant et répond par le truchement du chanteur qu'il y en avait plus de cent. Mais, pour les funérailles d'un chef de tribu, il a vu des cérémonies avec mille deux cents fusils. Il avait alors quinze ans et il assistait son père, car on est prêtre de père en fils.

Avec enthousiasme, un cadre yi du district met une petite jeep à ma disposition pour m'emmener à Yancang visiter le gigantesque tombeau, dressé vers le ciel, de l'ancien roi des Yi. C'est une colline ronde au sommet concave, haute de cinquante mètres. A l'époque de la « mise en valeur des terres pour la révolution », les gens sont devenus fous. Pour faire de la chaux, ils ont emporté les trois rangées de pierres funéraires entourant la colline, ils ont déterré et brisé les urnes, puis ils ont semé du maïs sur cet espace dénudé. Actuellement, seules quelques herbes sauvages rabougries, courbées par le vent, y poussent encore. D'après les chercheurs yi, les terrasses des morts de l'ancien pays de Ba attestées par les documents chinois des *Annales du pays de Huayang* ressemblent beaucoup à ce tombeau dressé vers le ciel. Elles sont dévolues au culte des ancêtres et destinées à l'observation du ciel.

Il affirme que les ancêtres des Yi sont originaires de la région de Aba dans le nord-ouest du Sichuan et qu'ils ont des ancêtres communs avec les anciens Qiang. C'est précisément le lieu de naissance de Yu le Grand, descendant des Qiang. Je me range donc à son point de vue. Les Qiang et les Yi sont très proches par leur couleur de peau, leur visage et leur constitution physique ; je peux en témoigner puisque je reviens de ces régions. Il me frappe sur l'épaule pour m'inviter à boire chez lui. On est devenus amis. Je lui demande si, chez les Yi, il faut toujours boire de l'alcool mêlé à du sang pour sceller une amitié. Il acquiesce : on doit tuer un coq et mélanger son sang à l'alcool. Quant à lui, il l'a déjà mis dans la marmite, on boira en mangeant. Il vient d'envoyer sa fille à

Pékin, pour ses études. Il me la recommande en me priant de prendre soin d'elle. Il a aussi écrit un scénario de film. Si je pouvais l'aider à trouver un studio de réalisation, il se fait fort d'arriver à déplacer un régiment de cavaliers yi pour participer au tournage. Je devine qu'il appartient à la classe des aristocrates propriétaires d'esclaves, les Yi noirs. Il ne me dément pas. Il raconte que l'année dernière, il est allé dans les monts Daliang. Il est arrivé à remonter jusqu'à la dixième ou même plusieurs dizaines de générations — je ne me rappelle plus — d'ancêtres de la branche qu'il a en commun avec un cadre local yi.

Je lui demande si, dans la société yi d'autrefois, la hiérarchie des clans était très rigoureuse. Un garçon et une fille d'un même clan qui voulaient se marier ou qui avaient des relations sexuelles, étaient-ils mis à mort ? De même pour les cousins germains ? Si un esclave yi blanc avait des relations sexuelles avec une aristocrate yi noir, le garçon devait-il être condamné à mort et la femme contrainte au suicide ?

— C'est exact, dit-il, mais n'est-ce pas la même chose chez vous autres, les Han ?

Après un temps de réflexion, je réalise qu'il dit vrai.

J'ai entendu dire que les condamnations au suicide pouvaient être exécutées sous forme de pendaison, empoisonnement, hara-kiri, noyade, saut dans le vide. Les peines de mort, c'étaient la strangulation, les coups, la noyade avec une pierre attachée au corps, la chute du haut d'un rocher, l'exécution au couteau et au fusil. Je lui demande s'il confirme cela.

— A peu près, mais n'est-ce pas la même chose chez vous autres, les Han ?

Après réflexion, j'avoue qu'il a raison.

Je veux savoir aussi si des tortures encore plus cruelles étaient pratiquées. Le fait de couper les talons, par exemple, ou de couper les doigts et les oreilles, arracher les yeux, crever la pupille, trouer le nez.

— Oui, tout cela a existé dans le passé, bien sûr, à peu près comme pendant la Révolution culturelle.

Il a raison, pourquoi m'étonner ?

Il raconte comment, dans les monts Daliang, il a rencontré un ancien officier du Guomindang qui continuait à se présenter comme diplômé de telle promotion de telle année de l'Académie militaire de Huangpu et comme commandant-colonel de telle compagnie, telle division, telle troupe dans l'armée nationaliste. Fait prisonnier et réduit à l'esclavage par un chef de tribu, il s'était enfui, puis avait été rattrapé. On l'avait traîné sur un marché, enchaîné par la clavicule, et vendu pour quarante ligatures d'argent à un autre maître. A l'arrivée du Parti communiste, son statut d'ancien esclave l'avait sauvé des persécutions, car personne ne connaissait son histoire. A présent, comme on reparle d'une nouvelle alliance entre le Parti communiste et le Guomindang, il a osé la raconter. On a alors voulu le nommer membre de la Conférence consultative du peuple chinois, mais il a décliné l'offre. Il a déjà soixante-dix ans et cinq enfants, nés du temps où il était esclave. Son maître lui avait donné deux femmes et il a eu neuf enfants, dont quatre sont morts. Il vit encore dans les montagnes et n'a aucune envie de savoir ce qu'il est advenu de sa première femme et de ses enfants. Le cadre me demande si j'écris des romans. Il est prêt à me livrer cette histoire gratuitement !

Après le repas, quand je sors de chez lui, la petite rue est plongée dans l'obscurité ; le ciel se découpe entre deux rangées de toits en un long rectangle gris foncé. Un jour de marché, la rue serait remplie de Yi à la tête enturbannée et de Miao avec leur mouchoir noué sur les cheveux, mais elle ne différerait guère d'une rue de l'intérieur du pays.

Sur le chemin du centre d'accueil où je loge, je passe devant un cinéma. Je ne sais si une séance a lieu. Une affiche racoleuse, représentant une femme splendide à la poitrine proéminente, est éclairée par un projecteur. Dans le titre du film doit figurer un nom de femme ou le mot amour. Il est encore tôt, je n'ai pas envie de retourner dans ma chambre aux quatre lits déserts. Je reviens sur mes pas pour aller chez un ami dont je viens de faire la connaissance. Il a étudié l'archéologie à l'université. Je ne sais comment il est arrivé ici et je ne le lui ai pas demandé. Il m'a simplement dit à contrecœur qu'il n'avait pas de doctorat.

Selon son point de vue, l'ethnie yi vit principalement dans le bassin du Jinshajiang et de son affluent le Yagongjiang. Leurs ancêtres sont les Qiang, qui ont émigré peu à peu jusqu'ici quand le système esclavagiste de la Plaine centrale de l'époque des Shang et des Zhou a disparu. A l'époque des Royaumes combattants, quand le royaume de Qin et celui de Chu se sont battus dans l'actuel Guizhou, leurs ancêtres ont repris leur émigration vers le Yunnan. C'est un fait attesté de manière indubitable par le texte ancien en langue yi, les *Annales yi du Sud-Ouest*. Pourtant, l'année dernière, il a découvert au bord du lac Cao plus de cent outils en pierre datant du paléolithique, puis, au même endroit, des outils du néolithique dont le polissage ressemble beaucoup à ceux du site de Hemudu sur le cours inférieur du Yangzi. Des vestiges de constructions ressemblant à des maisons sur pilotis ont aussi été mis au jour dans le district voisin de Hezhang. Il pense donc qu'au néolithique, il existait une relation entre le lieu où nous sommes et la culture des ancêtres des tribus yue.

Quand il me voit arriver, il sort de sous un lit d'enfant toute une corbeille de pierres, croyant que je viens voir les outils qu'il a trouvés. Nous nous regardons en riant. Je lui dis :

— Je ne suis pas venu pour les pierres.

— C'est vrai, les pierres, ce n'est pas le plus urgent, allez, viens, viens !

Il pose aussitôt la corbeille derrière la porte et appelle sa femme :

— Amène à boire !

Je dis que je viens de boire.

— Ne t'inquiète pas, si tu es saoul, tu passeras la nuit ici !

Il doit être du Sichuan. En entendant sa manière de parler, je me sens proche de lui et adopte son accent. Sa femme prépare immédiatement des plats pour accompagner un alcool à l'arôme merveilleusement velouté. Débordant d'enthousiasme, mon ami se lance dans de grands discours : sur les fragments de fossiles de *machairodus* extraits des marécages du lac Cao, que vendent les marchands de poisson, sur les cadres locaux capables de se réunir une matinée entière pour décider du simple achat d'un boulier.

« Avant de l'acheter, il faut le passer un peu au feu pour voir si les boules sont en corne de bœuf ou bien en bois peint. »

« C'est du vrai ou du toc ? »

On rit tous les deux à perdre haleine. On a mal au ventre, nous nageons en pleine euphorie.

Quand je sors de chez lui, mes pieds me semblent d'une légèreté inhabituelle, typique des hauts plateaux. Je sais que j'ai bu juste ce qu'il faut, sans dépasser mes capacités. Plus tard, je me suis souvenu que j'avais oublié de prendre dans sa corbeille une hache de pierre qu'avaient utilisée les descendants de l'homme de

Yuanmou[1]. Il s'était écrié en me montrant les pierres de la corbeille posée derrière la porte :

— Prends-en tant que tu veux, ce sont des talismans transmis de génération en génération !

1. Site paléolithique de la province du Yunnan.

21

Elle dit qu'elle a peur des souris, du bruit des souris qui courent sur le plancher. Elle a peur des serpents aussi. Il y en a partout dans ces montagnes, elle a peur des serpents colorés qui tombent des poutres et se glissent entre les couvertures, elle veut que tu la tiennes étroitement serrée dans tes bras, elle dit qu'elle a peur de la solitude.

Elle dit qu'elle veut entendre ta voix, ta voix la rassure. Elle veut aussi reposer sa tête sur ton épaule. Elle veut t'entendre parler, parler sans cesse, sans t'arrêter, elle ne se sentira plus seule.

Elle dit qu'elle veut t'entendre lui raconter des histoires, elle veut savoir comment le Deuxième Seigneur a pris la jeune fille que les bandits avaient enlevée juste devant sa porte, comment elle s'est soumise à lui, est devenue la maîtresse de la maison et comment ensuite elle a mis fin, de ses propres mains, à la vie du Deuxième Seigneur.

Elle dit qu'elle ne veut pas entendre l'histoire de la jeune fille venue de la ville qui a sauté dans le fleuve, que tu ne dois pas décrire le cadavre enflé repêché entièrement nu, elle ne veut plus se suicider, elle ne veut pas non plus entendre l'histoire des hommes qui se sont brisé les côtes en maniant les dragons-lanternes. Du sang, elle en a trop vu au bloc opératoire de l'hôpital. Elle a envie d'écouter des histoires amusantes, comme celle de la femme au camélia, elle ne veut plus d'histoires violentes.

Elle te demande si tu es le même avec les autres filles. Elle ne veut pas savoir ce que tu fais avec elles. Elle veut savoir si elle est la première que tu attires comme ça dans la montagne. Tu lui demandes ce qu'elle en pense. Je n'en sais rien, dit-elle. Tu lui fais deviner. Elle dit qu'elle ne peut pas deviner et que tu ne le lui diras pas, même si c'est déjà arrivé. Elle ne veut pas le savoir, elle sait seulement qu'elle est venue de son propre gré, c'est de sa faute si elle a été trompée, elle dit qu'à présent, elle te demande seulement de la comprendre, de la protéger, de t'occuper d'elle, de veiller sur elle.

Elle dit, elle dit que la première fois qu'un homme l'a prise, il a été très brutal, elle dit qu'elle ne parle pas de toi, elle parle de cet ami, il ne tenait pas compte d'elle. A l'époque, elle était complètement passive, elle n'avait pas le moindre désir, elle n'éprouvait aucune émotion. Il lui avait retiré sa jupe à la hâte, elle avait gardé un pied appuyé sur le sol à côté du lit. Il était particulièrement égoïste, c'était un porc, il ne voulait que la violer. Elle était consentante, bien sûr, mais elle s'était sentie très mal, il l'avait fait souffrir. Elle savait qu'elle risquait de souffrir et elle le faisait comme pour s'acquitter d'une tâche, pour l'inciter à l'aimer, pour qu'il l'épouse.

Elle dit qu'elle n'avait éprouvé aucun plaisir avec lui et qu'elle avait vomi quand elle avait vu son sperme couler le long de sa cuisse. Plus tard, cette odeur lui donnait toujours la nausée. Elle dit qu'elle n'était pour lui qu'un objet pour assouvir son désir. Elle éprouvait du dégoût envers sa propre chair lorsqu'elle était souillée par lui.

Elle dit que c'est la première fois qu'elle se laisse aller que c'est la première fois qu'elle se sert de son corps pour aimer un homme. Elle n'a pas vomi, elle t'est reconnaissante de lui avoir donné ce plaisir. Elle dit qu'elle voulait justement se venger de lui de cette manière, se venger de son ami, elle lui dira qu'elle aussi a couché avec un autre homme. Un homme beaucoup plus âgé qu'elle, un homme qui a su jouir d'elle et qui a su lui donner de la jouissance.

Elle dit qu'elle savait qu'il en serait ainsi, qu'elle savait qu'elle te ferait entrer, qu'elle savait que toutes ses préventions n'étaient en fait qu'une manière de se tromper elle-même. Mais pourquoi voulait-elle se punir ? Pourquoi ne pouvait-elle pas jouir aussi à sa guise ? Elle dit que tu lui as donné la vie et l'espoir, elle veut continuer à vivre, elle a de nouveau du désir.

Elle dit encore que, lorsqu'elle était petite, il y avait un chien chez elle qui aimait la réveiller de son museau humide et qui, parfois, sautait sur son lit. Elle adorait serrer ce chien dans ses bras. Sa maman disait, sa vraie maman qui vivait encore, elle disait que les chiens ont des puces qui mordent. Par la suite, il devint interdit d'élever des chiens en ville et, un jour où elle n'était pas chez elle, une équipe de ramassage des animaux domestiques avait emporté et tué son chien, elle avait pleuré et refusé de manger ce soir-là. A cette époque, dit-elle, elle ne connaissait que la bonté. Elle ne comprenait pas pourquoi le monde des hommes était aussi mauvais. Pourquoi la compassion faisait autant défaut dans les relations humaines. Elle dit qu'elle ne se rappelle plus pourquoi elle dit cela.

Tu lui dis de continuer.

Elle dit qu'elle a l'impression d'avoir ouvert une boîte à paroles, elle parle, parle sans fin.

Tu dis qu'elle parle très bien.

Elle dit qu'elle avait à la fois envie de rester petite et de grandir, elle souhaitait être aimée, souhaitait que tout le monde la regarde, tout en ayant peur du regard des hommes. Elle trouvait que le regard des hommes était toujours sale, qu'ils ne regardaient jamais le beau visage des femmes, mais toujours autre chose.

Tu dis que tu es aussi un homme.

Tu es une exception, elle dit que tu l'as apaisée, elle a voulu rester dans tes bras.

Tu lui demandes si elle ne trouve pas que tu es sale aussi.

Ne dis pas cela, dit-elle. Elle ne trouve pas, elle t'aime. Elle trouve que tout en toi est tellement tendre, elle dit que c'est maintenant seulement qu'elle connaît la vie. Mais elle dit que parfois elle a particulièrement peur et trouve que la vie ressemble à un gouffre sans fin.

Elle dit que personne ne l'aime vraiment, elle se demande quel sens a la vie dans ce monde si personne ne l'aime. Elle dit qu'elle a peur de cela. L'amour des hommes est tellement égoïste, ils ne pensent qu'à posséder, que donnent-ils en échange ?

Ils donnent aussi, dis-tu.

Juste quand ils le désirent.

Mais les femmes sont tout autant incapables de se passer des hommes, non ? Tu dis que c'est la volonté du ciel qui a assemblé dans un même moule deux pierres polies yin et yang, que c'est dans la nature humaine, elle ne doit pas avoir peur.

Elle dit que c'est toi qui l'as poussée.

Tu lui demandes si cela lui déplaît.

Non, à condition que tout soit naturel, dit-elle.

Oui, aussi bien par le corps que par l'âme. Tu la provoques.

Ah, elle dit qu'elle a envie de chanter.

Chanter quoi ? tu lui demandes.

Chanter que je suis avec toi, dit-elle.

Chante ce que tu veux. Tu l'encourages à chanter à pleine voix.

Elle veut que tu la caresses.

Tu dis que tu veux qu'elle se détende.

Elle veut que tu embrasses le bout de ses seins...

Et tu l'embrasses.

Elle dit qu'elle aime aussi ton corps, rien de ton corps ne l'effraie plus, elle fera ce que tu voudras, oh, elle dit qu'elle veut voir ton corps entrer en elle.

Tu dis qu'elle est devenue une vraie femme.

Oui, dit-elle, une femme qu'un homme a possédée, elle dit qu'elle ne sait plus ce qu'elle dit, elle dit qu'elle n'a jamais joui ainsi, elle dit qu'elle flotte sur un bateau, elle ne sait pas jusqu'où elle va flotter, son corps ne lui appartient plus. Elle est bercée sur la surface de la mer d'un noir de laque, elle et toi, non, elle seule, elle n'a pas peur du tout, se sent seulement vide, elle veut mourir, la mort la séduit aussi, elle a envie de tomber dans la mer pour que les flots noirs l'engloutissent, elle a besoin de toi, de la chaleur de ton corps, de ta pression sur elle, est-ce une sorte de réconfort, elle te demande si tu le sais ? Elle en a vraiment besoin !

Besoin d'un homme ? Tu la tentes.

Oui, elle a besoin de l'amour d'un homme, elle a besoin d'être prise. Elle dit que oui, elle veut être prise, elle veut se détendre, tout oublier, ah, elle t'est reconnaissante, elle dit que la première fois, elle avait un peu peur, oui, elle dit qu'elle voulait, elle savait qu'elle voulait mais elle avait très peur, elle ne savait pas comment faire, elle avait envie de pleurer, de crier, envie que la tempête la chasse dans la campagne déserte, qu'elle la dépouille entièrement, que les branches des arbres lui écorchent la peau, qu'elle souffre sans pouvoir se dégager, que les bêtes sauvages la déchirent ! Elle dit qu'elle l'a vue, elle, cette femme débauchée vêtue de noir qui se caressait les seins des deux mains, avec son air moqueur, sa manière de marcher en tortillant les fesses, une femme dévergondée, elle dit, tu ne comprends pas, ça, tu ne le comprends certainement pas, tu ne comprends rien, quel idiot tu fais !

22

Je quitte en car la région yi aux confins du Yunnan et du Guizhou et, une fois arrivé à Shuicheng, je dois attendre le train pendant un long moment. Depuis la gare jusqu'au chef-lieu de district, il reste un bon bout de chemin. Je ne sais plus où j'en suis dans cette région ni urbaine, ni rurale, surtout lorsque je vois, au bord de ce qui ressemble à une rue, deux sentences parallèles collées sur le treillage de la fenêtre d'une vieille maison aux poutres noires : « Les enfants jouent dehors, les hommes sont en paix partout. » Je n'ai plus l'impression d'avancer, j'ai l'impression de retourner dans mon enfance, comme si je n'avais connu ni guerre, ni révolution, ni luttes successives, ni critiques ni contre-critiques, ni, à présent, le retour aux réformes qui n'est pas complètement un retour aux réformes, comme si mon père et ma mère n'étaient pas morts, comme si, moi-même, je n'avais pas souffert, comme si je n'avais pas grandi ; ému, j'ai failli fondre en larmes.

Je vais m'asseoir sur un tas de bois déchargé au bord de la voie ferrée, pour réfléchir un peu à ma situation. Une femme d'une trentaine d'années, au visage malheureux, s'approche de moi. Elle veut que je l'aide à acheter un billet de train. Elle a dû entendre, un instant plus tôt, au guichet de la gare, que je ne parle pas le dialecte local. Elle me dit qu'elle veut aller à Pékin pour porter plainte, mais elle n'a pas d'argent pour s'acheter le billet. Je lui demande contre qui elle porte plainte. Elle m'explique longuement, de manière confuse, que son mari est mort, victime d'une injustice, mais qu'à présent, personne ne veut la reconnaître, qu'elle n'a touché aucune indemnité. Je lui donne un yuan pour me débarrasser d'elle et je m'éloigne carrément pour m'asseoir au bord de la rivière. Je contemple pendant plusieurs heures le paysage face à moi.

Le soir, à huit heures passées, je finis par arriver à Anshun. Je commence par mettre à la consigne mon sac de plus en plus lourd. Il contient une brique décorée que j'ai rapportée de Hezhang. Là-bas, les paysans utilisent les briques des tombes des Han pour construire des enclos à cochons. Une lampe est allumée au guichet de la consigne, mais il n'y a personne. Je frappe plusieurs fois, une employée arrive. Elle prend l'argent que je lui tends, accroche une étiquette à mon sac et le range sur une étagère vide avant de tourner les talons. La vaste salle d'attente déserte ne ressemble en rien aux salles d'attente habituellement bondées de monde et bruyantes où les gens s'accroupissent même sur les rebords des fenêtres, s'allongent sur les bancs, s'assoient sur leurs bagages, errent sans but et se livrent à mille trafics. Quand je suis sorti de cette gare déserte, j'entendais même mes pas.

De noirs nuages filent rapidement au-dessus de ma tête, mais la nuit est d'une grande luminosité. La brume du crépuscule, haut dans le ciel, se mêle aux nuages et resplendit de couleurs intenses. Au fond de l'esplanade qui s'étend devant moi se dressent des monts tout ronds. Dominant les hauts plateaux, ils ressemblent aux seins plantureux d'une femme. Mais, quand on s'en approche, ils paraissent gigantesques et deviennent oppressants. Je ne sais pas si c'est à cause des nuages noirs qui galopent au-dessus de ma tête, mais j'ai l'impression que la surface du sol penche aussi, et je titube, comme si j'avais une jambe plus courte que l'autre. Je n'ai pas bu pourtant. Cette soirée à Anshun me laisse une étrange impression.

Face à la gare, je trouve une petite auberge. Dans la pénombre, on ne distingue pas très bien comment elle est construite. En fait, les chambres sont tellement petites qu'elles ressemblent à des cages à pigeons, la tête cogne presque au plafond. On ne peut y tenir qu'allongé.

Dans la rue se succèdent des gargotes dont les tables sont sorties, éclairées par des lampes électriques éblouissantes. Bizarrement, il n'y a aucun client. Tout va mal, ce soir, et, instinctivement, je me méfie de ces boutiques. Plusieurs dizaines de mètres plus loin, deux clients sont assis à une table carrée. Je vais m'installer en face d'eux et je commande un bol de vermicelles de riz pimentés à la viande de bœuf.

Ce sont deux gaillards maigres et secs. Devant l'un d'eux, une gourde en étain remplie d'alcool, l'autre a un pied posé sur le banc. Chacun a dans la main une petite coupe en grès, ils n'ont pas l'air de se faire servir de plats. Ils saisissent des baguettes qu'ils disposent bout à bout. Au même instant, l'un dit « crevette ! », l'autre « palanche ! », et les baguettes se séparent sans que l'on sache qui a gagné. C'est en fait un signal pour commencer à boire. Une fois qu'ils se sont concentrés, ils remettent leurs baguettes bout à bout. L'un dit « palanche ! », l'autre « chien ! » et, bien sûr, la palanche frappe le chien, celui qui a dit « chien » a perdu. Le gagnant dévisse alors le bouchon de la gourde et verse un peu d'alcool dans la coupe de son adversaire. Le perdant vide son verre d'un trait et les deux baguettes sont remises bout à bout. Leur calme et leur raffinement me font irrésistiblement penser à deux immortels. Mais, en les examinant de plus près, je constate que leur visage est parfaitement ordinaire. J'imagine pourtant que les immortels doivent boire de cette façon.

Après avoir mangé mon plat de vermicelles à la viande de bœuf, je me lève et m'éloigne. Je les entends encore s'interpeller de leurs voix qui résonnent particulièrement dans cette rue déserte.

J'arrive dans une vieille rue. Des deux côtés, ce ne sont que des maisons délabrées dont le toit s'étend jusqu'au milieu du passage. La rue se rétrécit au fur et à mesure que j'avance. Les toits se touchent presque. Ils semblent prêts de s'écrouler. Devant chaque porte, sont installés des étalages qui exposent des marchandises : quelques bouteilles d'alcool, des pamplemousses et des fruits secs. Des vêtements aussi, qui se balancent au vent comme des fantômes de pendus. La rue est sans fin, elle se prolonge jusqu'au bout du monde. Ma grand-mère maternelle, elle est morte maintenant, avait dû m'emmener acheter une toupie. Celle que le fils des voisins faisait tourner m'avait fait très envie, mais on ne pouvait acheter ce genre de jouet que pour la fête du Printemps. En temps normal, il n'y en avait pas dans les rayons spécialisés des magasins. On a dû aller au temple protecteur du sud de la ville. On pouvait trouver des toupies dans ce lieu où étaient exécutés des numéros de singes savants et d'arts martiaux et où l'on vendait aussi des emplâtres de peau de chien. Je me souviens que, la seule fois où j'y suis allé, c'était pour acheter ce jouet. Et à présent, cela fait bien longtemps que je n'ai plus joué avec cet objet qui tourne de plus en plus vite à mesure qu'on le fouette. Mais, dans cette rue, personne ne vend de toupies. Dans les étalages sont présentés toujours les mêmes articles, tous plus insipides les uns que les autres. Je me demande qui, finalement, achète dans ces magasins ? S'agit-il de vrais commerçants ? N'ont-ils pas une autre occupation plus respectable ? De la même manière qu'il y a quelques années on collait sur les portes des maisons les citations du vieux Mao pour donner un peu d'allure à sa façade, on dispose à présent des étalages devant chez soi.

Après je ne sais quels tours et détours, j'arrive dans une grande rue. Cette fois, ce sont des magasins officiels d'Etat, déjà tous fermés. Les vrais commerçants ont baissé leur rideau, tandis que dans la rue, les gens continuent à circuler. Naturellement, on remarque surtout les jeunes filles avec rouge à lèvres et chaussures à talons hauts qui claquent sur le trottoir. Elles portent des habits moulants, bariolés, qui découvrent leurs épaules et leur cou. Ils sont importés de Hong Kong, grâce à quelque trafic, ou même en contrebande. Elles ne vont peut-être pas toutes en boîte de nuit, mais elles ont toujours l'air d'avoir un rendez-vous.

Au carrefour, les gens sont encore plus nombreux, toute la ville semble se déverser là. Ils marchent carrément au beau milieu de la rue désertée par les voitures, comme si cette grande avenue avait été construite uniquement pour eux. En voyant l'espace occupé par ce carrefour et l'allure de ses maisons, je me demande si je ne suis pas arrivé au Grand Carrefour. Le centre des villes des hauts plateaux est souvent appelé ainsi. Pourtant, par contraste avec la rue commerçante étroite tout illuminée, il semble plongé dans l'obscurité. Est-ce un manque d'électricité ou bien un oubli du préposé à l'allumage au moment de la relève ? Impossible de le savoir. Pour lire la plaque de la rue, je dois m'approcher d'une maison d'où sort de la lumière.

Effectivement, c'est le « Grand Carrefour », le centre de la ville où se déroulent les cérémonies officielles et les manifestations.

Sur le trottoir, j'entends dans l'obscurité des voix d'hommes qui attisent ma curiosité. Je m'approche pour jeter un coup d'œil et découvre que des gens sont assis au pied d'un mur, serrés les uns contre les autres. En me penchant pour les observer de près, je m'aperçois que ce sont uniquement des personnes âgées. Il y en a des centaines, mais ils n'ont rien de manifestants en train de faire un sit-in. Ils rient, ils chantent. Un homme tient sur ses jambes couvertes d'un morceau de tissu un violon à deux cordes, désaccordé, à la sonorité enrouée. Ce vieux musicien ressemble à un cordonnier en train de reclouer des semelles. A ses côtés, un vieil homme appuyé contre le mur chante inlassablement une mélodie, « Les cinq veilles du jour ». Il chante comment une femme éperdue d'amour attend ardemment son amant ingrat. Les deux rangées de vieillards l'écoutent, fascinés. Il n'y a pas que des vieillards, mais aussi des vieilles femmes, comme des ombres, recroquevillées sur elles-mêmes. Leur toux résonne encore plus fort. Elle a l'air de sortir de figurines de deuil en papier. Certains parlent doucement, d'une voix qui semble délirer ou plutôt ne s'adresser qu'à eux-mêmes. Pourtant, en écho, des rires retentissent. En prêtant l'oreille, je comprends qu'un vieillard fait la cour à une vieille femme. « Combien de bois as-tu ramassé en montagne, grand frère ? » « Combien de chaussures as-tu brodées de ta main, petite sœur ? » Ils s'interrogent et se répondent comme dans les chansons que les montagnards chantent en couple. Ils profitent sans doute de l'obscurité de la nuit pour transformer ce Grand Carrefour en une aire de chant semblable à celles qu'ils fréquentaient quand ils étaient jeunes. Peut-être est-ce ici qu'ils étaient venus se faire la cour autrefois. Un couple de vieillards entonne des chansons d'amour, d'autres bavardent et s'esclaffent. Je ne comprends pas ce qu'ils disent, ni ce qui les fait rire. Le sifflement qu'ils émettent entre leurs gencives édentées n'est compréhensible que d'eux seuls. Je crois rêver, mais j'observe autour de moi : les gens qui m'entourent sont bien vivants. Je me pince à travers mon pantalon et la douleur est la même que d'habitude. Tout est réel, je suis bien sur ces hauts plateaux, je viens du nord, je suis dans le sud et demain je prendrai le premier long courrier du matin pour aller encore plus au sud, à Huangguoshu. Là-bas, dans les chutes d'eau, je me laverai de cette impression étrange et je ne pourrai douter ni de la réalité de mon environnement ni de moi-même.

En route pour les chutes d'eau de Huangguoshu, je passe d'abord à Longguan. Un petit bateau de plaisance coloré flotte sur une eau lisse comme un miroir d'une profondeur insondable. Sans réfléchir, les passagers se sont battus pour monter sur le bateau. Ils n'ont pas dû remarquer la grotte située à côté de la sombre falaise escarpée. Quand l'embarcation s'en approche, la surface lisse de l'eau se met à rugir et s'écoule irrésistiblement dans sa direction. On comprend à quel point il est dangereux de s'approcher de ces chutes d'eau une fois que la montagne est contournée. Parfois le bateau s'approche à trois ou quatre mètres de la grotte, comme pour une dernière distraction avant de plonger dans un malheur infini. Tout se passe sous le soleil. Quand je m'assieds dans le bateau, je ne peux m'empêcher de douter de la réalité.

Le long de la route, le torrent gonflé roule avec impétuosité ses eaux écumantes, les montagnes rondes et le ciel brillant sont éblouissants, les toits des maisons en pierres plates scintillent dans le soleil, les contours sont nets, comme une série de dessins colorés aux traits fins. Assis dans un car qui cahote à toute allure sur la route, je ressens une impression d'apesanteur, j'ai le sentiment de planer de tout mon corps sans savoir jusqu'où je vais m'envoler. Et je ne sais pas ce que je recherche.

23

Tu dis que tu viens de rêver, endormi sur elle. Elle dit que c'est vrai, il y a un instant, elle parlait encore avec toi, tu ne dormais pas, elle dit qu'elle te caressait et pendant que tu rêvais, elle a touché ton pouls, il y a une minute à peine. Tu dis que c'est vrai, tout était encore distinct, tu sentais la douceur de ses seins, la respiration de son ventre. Elle dit qu'elle te serrait, qu'elle a touché ton pouls. Tu dis que tu as vu s'élever la surface noire de la mer, la surface parfaitement plane s'est soulevée lentement, inexorablement. Comprimée, la ligne entre ciel et mer a disparu et la surface noire a occupé tout l'espace. Elle dit que tu as dormi, collé contre sa poitrine. Tu dis que tu as senti ses seins monter, comme une marée noire, que le flux était tel un désir qui enfle, de plus en plus fort ; quand elle allait t'engloutir, tu dis que tu as ressenti une sorte d'inquiétude. Elle dit : tu étais sur ma poitrine comme un enfant sage, seul ton pouls s'est accéléré. Tu dis que tu as senti une sorte d'oppression, cette marée qui montait et s'étendait d'une manière incoercible est devenue une immense surface plane qui a déferlé vers toi, sans la moindre vague, lisse et glissante comme une soie noire déployée sans fin, elle s'écoulait, sans rien pour la retenir, puis elle s'est transformée en une chute d'eau noire tombant d'un point invisible situé très haut vers un gouffre insondable, sans rencontrer la moindre aspérité sur son chemin. Elle dit : tu es vraiment stupide, laisse-moi te caresser. Tu dis que tu as vu cet océan noir avec ses vagues déferlantes, cette surface qui s'est soulevée pour occuper tout l'espace, inexorablement. Tu étais sur ma poitrine, dit-elle, c'est moi qui te serrais dans mes bras, avec mon doux parfum, tu savais que c'étaient mes seins, mes seins qui gonflaient. Tu dis que non. Elle dit que si, c'est moi qui t'ai serré, qui ai touché ton pouls qui battait de plus en plus fort. Tu dis que dans ces vagues noires jaillissantes, nageait une anguille humide et glissante comme l'éclair, mais qu'elle a été engloutie aussitôt par la vague noire. Elle dit qu'elle l'a vue et qu'elle l'a sentie. Ensuite, après le passage de la vague, il n'est resté que la grève sans limite, vaste étendue plane de minuscules grains de sable, et, juste après le retrait de la marée, il n'est resté que des bulles et tu as vu alors des corps humains noirs, agenouillés, rampant, se tortillant, enroulés ensemble, se repoussant puis s'emmêlant de nouveau, affrontés dans un silence absolu sur l'immense grève au bord de la mer, sans bruit de vent, ils s'enchevêtraient les uns aux autres, se dressaient, retombaient, têtes et jambes, bras et pieds inextricablement mêlés. On aurait dit des éléphants de mer, mais pas tout à fait, ils roulaient, se dressaient et tombaient, roulaient à nouveau, se redressaient et retombaient. Elle dit qu'elle l'a ressenti en toi, après de violentes palpitations, ton pouls s'est calmé, puis, par intermittence, les palpitations sont revenues, puis se sont apaisées, elle a tout ressenti. Tu dis que tu as vu des corps d'animaux marins a l'aspect humain ou des corps humains à l'allure animale, des corps noirs et lisses, un peu brillants, comme une soie noire, comme une fourrure luisante, ils se tortillaient et retombaient à peine s'étaient-ils redressés, roulant sans cesse, inextricablement enchevêtrés, impossible de dire s'ils se battaient ou s'entre-tuaient, sans bruit, tu as vu clairement sur cette grève déserte, sans le moindre souffle de vent, au loin, ces corps qui roulaient et se tordaient dans un silence absolu. Elle dit que c'était ton pouls. Après de violentes palpitations, il s'est apaisé, puis s'est remis à battre plus fort et s'est calmé encore. Tu dis que tu as vu ces corps lisses et noirs d'animaux marins à l'aspect humain ou ces corps humains à l'allure animale, brillant d'une petite lumière, comme une soie noire, une fourrure luisante, qui se tordaient et roulaient, inextricablement enchevêtrés, sans jamais cesser, lentement, tranquillement, se battant ou s'entre-tuant, tu les as vus très clairement, sur la grève étale, au loin, tu les as vus rouler très distinctement. Elle dit que tu reposais ta tête sur son corps, collée contre ses seins, comme un enfant sage, ton corps était couvert de transpiration. Tu dis que tu viens de rêver, couché sur elle. Elle dit qu'il y a juste une minute, elle écoutait ta respiration. Tu dis que tu as tout vu distinctement, et que tu as vu aussi la surface noire de la mer se soulever et couler lentement, irrésistiblement, tu as ressenti une sorte d'inquiétude. Elle dit que tu es un stupide enfant, que tu ne comprends rien à rien. Mais toi, tu dis que tu as tout vu très clairement, distinctement, elle déferlait comme ça, elle a occupé tout l'espace, cette impétueuse vague noire sans limites déferlait inexorablement, sans un bruit, lisse comme une soie noire déployée, elle s'écoulait comme une chute d'eau, noire aussi, sans aucune aspérité, sans écume, précipitée dans un gouffre insondable, tu as tout vu. Elle dit qu'elle te serrait contre sa poitrine, ton dos était couvert de sueur. Ce mur noir vertical et glissant qui s'écoulait t'a inquiété, malgré toi, en fermant les yeux, tu as continué à sentir sa présence, mais tu l'as laissé s'écouler sans pouvoir le retenir, tu as tout vu, mais tu n'as rien vu, cette mer penchée, tu as coulé, tu as refait surface, les bêtes noires, se battant ou s'entre-tuant, se tordaient sans cesse sur la grève déserte et sans vent. Elle a mis ta tête contre sa poitrine, tu conserves ces menus détails gravés dans ta mémoire, mais tu n'as pu les répéter. Elle dit qu'elle veut de nouveau tâter ton pouls, elle le veut, et elle veut aussi ces bêtes sauvages à figure humaine qui se tordent, ce combat silencieux, telle une tuerie, inextricablement emmêlées les unes aux autres, elles se déplacent sur la grève étale aux minuscules grains de sable, il ne reste que des bulles, elle le veut, elle le veut encore. Quand cette marée noire se sera retirée, que restera-t-il sur la grève ?

24

C'est un masque d'animal à visage humain sculpté dans le bois, deux cornes sur le sommet de la tête et deux autres plus petites sur les côtés. Il ne peut donc s'agir de la représentation d'un bœuf ou d'un mouton domestique. Ce doit être une bête féroce, car ce visage étrange et diabolique n'a pas la douceur d'un cerf. A la place des yeux, deux trous ronds béants cernés d'un bourrelet. Sous chaque sourcil, une profonde entaille. Le front est pointu et les motifs gravés au-dessus des sourcils font ressortir les orbites. Les yeux sont menaçants, comme ceux d'une bête sauvage qui affronte un homme.

Dans les trous noirs des orbites saillantes, les prunelles de celui qui porte le masque doivent jeter des éclairs, comme un regard d'animal féroce. Et les deux croissants, aux extrémités pointues, évidés sous les yeux, ajoutent de la cruauté au regard. Le nez, la bouche, les pommettes et la mâchoire inférieure sont parfaitement dessinés, une bouche de vieillard édenté, dont même la fossette au milieu du menton n'a pas été oubliée. La peau est desséchée, les pommettes saillantes. Les traits du visage sont nets et vigoureux. C'est celui d'un vieillard, mais il contient une grande force. Aux commissures des lèvres sont sculptés deux crocs acérés qui remontent de chaque côté du nez. Les narines sont épatées, dégageant une impression de moquerie et de mépris. Les dents sont tombées, non de vieillesse, mais parce qu'on a ajouté à leur place des crocs. Au coin des lèvres serrées, deux petits trous sont creusés sans doute pour en faire sortir des moustaches de tigre. Ce visage humain, plein d'intelligence, est en même temps empreint de la sauvagerie de la bête.

L'observation des ailes du nez, des coins de la bouche, des lèvres, des pommettes, du front et de la glabelle, montre que le sculpteur devait parfaitement connaître la morphologie du squelette et des muscles du visage humain. Seules les orbites et les cornes sur la tête sont exagérées, tandis que le dessin des muscles du visage crée une sorte de tension. Sans les moustaches de tigre, ce pourrait être un visage d'homme primitif tatoué, dont la connaissance de soi-même et de la nature est contenue tout entière dans les orifices noirs de ses orbites rondes. Les deux trous aux commissures des lèvres expriment la méfiance de la nature envers l'homme en même temps que le respect qu'il lui porte. Ce visage reflète aussi parfaitement la peur de l'homme envers la bestialité de ses semblables et la sienne propre.

L'homme ne peut se défaire de ce masque, il est la projection de sa chair et de son âme. Il lui colle à la peau, il ne pourra jamais s'en débarrasser, mais il est plongé dans un étonnement profond, comme s'il ne pouvait pas croire qu'il s'agisse de lui-même. Cette impossibilité de quitter le masque lui inflige d'immenses souffrances. Une fois qu'il l'a mis, impossible de l'arracher parce qu'il dépend de lui, parce qu'il n'a pas de volonté personnelle, ou, s'il en a, il n'a pas le moyen de l'exprimer et préfère ne pas la montrer. Le masque laisse ainsi l'image d'un homme qui se contemple éternellement dans le plus profond étonnement.

C'est un vrai chef-d'œuvre. Je l'ai trouvé dans un musée de Guiyang. A l'époque, le musée était fermé pour cause de réfection. Grâce à des amis qui m'ont procuré une lettre de recommandation, et à d'autres qui ont passé des coups de fil pour moi sous tel ou tel prétexte, j'ai dérangé un conservateur adjoint du musée, un cadre très gentil, replet, toujours une tasse de thé à la main Je pense qu'il doit être à la retraite à présent. Il m'a fait ouvrir deux réserves et m'a laissé me promener entre les étagères couvertes de bronzes, d'armes et de toutes sortes de poteries. C'était magnifique bien sûr, mais je n'y trouvai rien qui puisse me laisser un souvenir impérissable. Profitant de sa générosité, j'y suis retourné. Il m'a confié que leurs réserves étaient surchargées et il ne savait en fait pas trop ce que je voulais voir. Le mieux était qu'il me laisse le catalogue où chaque pièce était accompagnée d'une petite photo. J'ai fini par trouver ce masque *nuo* classé parmi les objets de religion et de superstition. Il m'a expliqué qu'ils restaient toujours enfermés, qu'ils n'avaient jamais été exposés, que si je voulais vraiment les voir, je devrais au préalable remplir un certain nombre de formalités. Quand j'y suis retourné une troisième fois, le gentil conservateur a fait monter pour moi une grosse malle. Quand il en a sorti les masques un à un, je suis resté bouche bée.

Il y en avait une vingtaine, confisqués dans les années cinquante comme objets de superstition. Je me demande qui avait accompli cette bonne action, car, de la sorte, ils n'avaient pas été brûlés comme bois de chauffage et avaient échappé à la Révolution culturelle. D'après les estimations d'un archéologue de ce musée, il s'agissait de pièces de la fin des Qing. Les couleurs en avaient toutes disparu, les seules traces de laque qui subsistaient avaient noirci et perdu leur éclat. Sur les fiches était mentionnée leur provenance : les districts de Huangping et de Tianzhu, sur le cours supérieur des fleuves Wushui et Qingshui, une région peuplée de Han, de Miao, de Tong et de Tujia.

J'y suis donc allé.

25

Dans la lumière orangée du matin, les couleurs des montagnes sont pures et fraîches, l'air limpide et clair, tu ne sembles pas avoir passé une nuit blanche, tu serres une épaule douce, sa tête est appuyée contre toi. Tu ne sais pas si c'est la jeune fille que tu as vue en rêve cette nuit, tu ne distingues plus quelle est la plus réelle des deux. Tout ce que tu sais à cet instant, c'est qu'elle te suit sagement sans s'occuper de ta destination finale.

En empruntant ce sentier de montagne, après avoir gravi la pente, tu ne pensais pas arriver sur un vaste plateau couvert à l'infini de champs en terrasses. Deux piliers s'y dressent, qui devaient autrefois former une porte. De chaque côté gisent des débris de lions et de tambours en pierre. Tu dis qu'autrefois vivait là une famille de grand renom. Une fois le portique franchi, les cours succédaient aux cours. La résidence devait bien mesurer un li de long, mais à présent, ce ne sont plus que des rizières.

Tout a été brûlé quand les Taiping se sont révoltés et sont venus du bourg de Wuyi, non ? Elle fait exprès de poser cette question.

Tu dis que l'incendie s'est produit plus tard. Autrefois, le Deuxième Seigneur, petit-fils du fils aîné de la famille, était un grand mandarin à la cour. Nommé président du ministère des Peines, il avait été mêlé à une affaire de trafic de sel. En réalité, plutôt que d'affirmer qu'il avait enfreint la loi pour un pot-de-vin, il aurait mieux valu dire que l'Empereur, dans sa stupidité, avait accordé crédit à de fausses accusations portées par les eunuques. Il le soupçonnait d'avoir trempé dans un complot ourdi par la famille de l'Impératrice pour usurper le trône ; il s'était ensuivi la confiscation de tous ses biens et la décapitation de tous les membres de sa famille. Sur les trois cents personnes qui occupaient cette immense résidence, tous les hommes, même les enfants de moins d'un an, furent exterminés, et les femmes données comme servantes. Ce fut vraiment ce que l'on appelle mettre fin à la descendance. Comment cette résidence aurait-elle pu ne pas être rasée ?

Tu aurais pu aussi raconter l'histoire autrement. En considérant l'ensemble architectural que forment cette tortue de pierre noire à moitié brisée qui surgit du sol, ces portes, ces tambours et ces lions de pierre, l'endroit pouvait ne pas avoir été autrefois la résidence d'une famille, mais plutôt un tombeau. Evidemment, avec son allée d'un li, ce tombeau avait dû avoir beaucoup d'allure, mais à présent, il était difficile d'en prouver l'existence. La stèle érigée sur le dos de la tortue de pierre avait été emportée par un paysan au moment de la réforme agraire, et transformée en meule, tandis que les autres socles avaient été enterrés sur place, car leur poids empêchait de les réutiliser ou exigeait trop de main-d'œuvre pour les déplacer. Mais ce n'était certainement pas un homme du peuple qui y était enterré, ni même un hobereau du lieu qui n'aurait osé se permettre un tel luxe, même s'il avait possédé beaucoup de terre. Seuls princes et ministres le pouvaient.

Et justement, celui dont tu parles, c'est un des fondateurs d'un Etat qui, à la suite de la rébellion de Zhu Yuanzhang, avait pourchassé les Tatars ; il avait tellement combattu que pratiquement aucun de ses hommes n'était mort de sa belle mort. Seuls ceux qui avaient fait preuve de talents exceptionnels pouvaient jouir de grandes funérailles s'ils étaient morts dans leur lit. Evidemment, le futur occupant du tombeau avait vu que les vieux généraux, aux côtés de l'Empereur, disparaissaient les uns après les autres. Pétri de peur du matin au soir, il avait fini par oser présenter sa lettre de démission à l'Empereur : « A présent que le pays est en paix et le peuple calme, écrivait-il, la clémence de l'Empereur est immense, ministres et généraux se pressent à la cour, mais moi, petit ministre sans talent, âgé de cinquante ans, avec une vieille mère veuve qui se tue à la tâche, seule à la maison, je n'ai plus beaucoup d'années devant moi et je désirerais rentrer dans mon pays natal pour servir encore un peu ma mère. » Quand la lettre de démission arriva entre les mains de l'Empereur, il avait déjà quitté la capitale impériale. Sa majesté le fils du Ciel ne put s'empêcher de le regretter et il ordonna qu'un don précieux lui fût remis. En outre, l'empereur consentit à signer de sa main un édit selon lequel il aurait droit à être enterré dans un grand tombeau après sa mort, pour que ses mérites soient éternellement exaltés à l'intention des générations futures.

Cette anecdote connaît aussi une autre version, très éloignée de ce qui est mentionné dans les livres d'histoire, mais qui se rapproche beaucoup plus d'un « écrit au fil de la plume ». Lorsque l'occupant de la tombe avait vu que l'Empereur éliminait les vétérans sous prétexte de « rectifier le programme de la cour », il avait prétendu qu'il devait partir pour les obsèques de son père et avait abandonné son poste pour se réfugier à la campagne. Par la suite, il avait simulé la folie et n'avait plus vu personne. L'Empereur nourrissait quelque soupçon et n'était pas rassuré. Il envoya un émissaire qui franchit monts et vallées pour parvenir chez lui, mais trouva porte close. Arguant qu'il était porteur d'un ordre impérial, il pénétra de force dans la maison. Qui aurait dit que notre homme sortirait à quatre pattes en aboyant furieusement ? L'émissaire restait sceptique. L'abreuvant d'injures, il lui intima l'ordre, au nom de l'Empereur, de se changer pour retourner à la capitale. Notre homme se mit alors à renifler des crottes de chien à l'angle du mur, puis à les avaler en hochant la tête. L'émissaire ne put que rentrer à la cour faire son rapport à l'Empereur, dont les soupçons s'évanouirent. Après la mort de l'homme, il lui fit donner de grandes funérailles. En réalité, les crottes de chien avaient été confectionnées par sa servante favorite avec du sucre mélangé à des graines de sésame pilées, mais comment l'Empereur aurait-il pu s'en douter ?

Ici avait vécu aussi un lettré de village qui recherchait le mérite et la gloire. Il avait tenté de passer les examens alors qu'il avait déjà atteint l'âge mûr et, à plus de cinquante-deux ans, il avait fini par décrocher une place de second sur la liste des reçus. Il attendait chaque jour avec impatience d'être nommé sur un poste. Qui aurait dit que sa fille encore célibataire ferait les yeux doux à son jeune beau-frère et finirait par se retrouver enceinte ? Cette stupide enfant croyait que le bézoard de bœuf provoquerait un avortement et elle avait attrapé des coliques qui avaient duré deux mois. Elle maigrissait chaque jour davantage, tandis que son ventre enflait. Finalement, ses parents découvrirent la situation et la maison en fut immédiatement bouleversée. Pour sauver sa réputation, le vieil homme imita la méthode utilisée par l'Empereur envers les ministres et les fils rebelles dont il ordonnait la mort. Il n'hésita pas à enfermer sa fille déshonorée dans un cercueil de planches. L'affaire s'ébruita rapidement et parvint jusqu'au chef-lieu de district. Craignant toujours de perdre son bonnet de mandarin, le chef du district, qui se faisait déjà un sang d'encre à cause des pratiques peu orthodoxes communes à cette région, voulut donc faire un exemple et transmit l'affaire à la préfecture qui, elle-même, la transmit à la cour impériale.

L'Empereur, tout occupé par ses favorites, négligeait depuis longtemps les affaires de la cour, mais un jour qu'il s'ennuyait à mourir, il voulut s'enquérir des sentiments du peuple à son égard. Les ministres lui rapportèrent alors cette histoire exemplaire qui ne manqua pas de le faire soupirer, car c'était un homme de bon sens. « Voilà une famille qui connaissait bien les rites », a-t-il dit. Ces mots devinrent aussitôt directive impériale et furent transmis à la préfecture. Là, le préfet y ajouta une annotation : cette directive devait immédiatement être gravée sur une tablette et diffusée dans toute la population sans le moindre retard. Elle fut ensuite transmise par courrier rapide jusqu'au chef-lieu de district. Le chef de district n'hésita pas à monter dans un palanquin, accompagné de ses hommes qui frappaient le gong et criaient pour faire écarter les gens le long de la route. Et, une fois agenouillé pour recevoir la directive émanant de l'Empereur, comment ce vieux lettré pourri aurait-il pu retenir des larmes de reconnaissance ? Le chef lui fit de sévères recommandations : « Cette directive qui émane du Fils du Ciel vaut plus que mille onces d'or. Allez vite dresser un portique d'honneur et faites-la graver pour ne jamais l'oublier. Cet événement merveilleux apportera gloire à vos ancêtres et émouvra ciel et terre ! » Le vieux emprunta plusieurs dizaines de milliers de livres de riz et embaucha des tailleurs de pierre dont il surveilla le travail jour et nuit. Au bout de six ans, le portique minutieusement sculpté fut achevé avant le solstice d'hiver. Pour son inauguration, le vieux offrit un grand banquet à tous ses voisins et, à la fin de l'année, il fit ses comptes. Il était encore débiteur de quarante onces d'argent et cent soixante pièces d'or. Il finit par prendre froid et tomber malade. Il ne s'en releva pas et mourut avant les semailles de printemps.

Le portique commémoratif se dresse toujours à l'entrée est du village et les petits pâtres paresseux s'en servent pour attacher leurs bœufs. Cependant, l'inscription horizontale entre les deux piliers ne sembla pas adéquate au président du comité révolutionnaire lorsqu'il vint en inspection dans ces campagnes, et il ordonna au secrétaire du village de la remplacer par le slogan : « Que l'agriculture prenne exemple sur Dazhai [1] ». Les sentences parallèles des piliers : « Depuis toujours, fidélité et piété filiale se transmettent de père en fils », « Eternellement, le *Shijing* et le *Shujing* se répandront dans le monde » devaient être remplacées par « Cultiver la terre pour la révolution, sans égoïsme et pour le bien de tous ». Qui pouvait savoir à l'époque que le modèle de Dazhai serait remis en cause et que la terre serait rendue aux paysans ? A présent, plus on travaille plus on s'enrichit. Personne ne comprend plus le sens de ces slogans. En outre, les descendants de cette famille ont tous fait

1. Dès 1964 et jusqu'à 1977, le modèle de développement agricole de la brigade de production de Dazhai au Shanxi est donné en exemple à tout le pays par les partisans de la collectivisation poussée à l'extrême. Il sera définitivement abandonné lorsque Deng Xiaoping établira dès 1978 une politique radicalement opposée.

fortune dans le commerce ; lequel d'entre eux aurait le temps de revenir pour changer ces maximes ?

Derrière le portique, à la porte de la première maison, est assise une vieille femme. Elle pile quelque chose dans un mortier de bois. A côté d'elle, un chien jaune renifle en tous sens. La vieille femme brandit son pilon et couvre l'animal d'injures : « Fiche le camp, dégage ! »

Toi, de toute façon, tu n'es pas chien. Tu continues à avancer pour t'adresser à elle :

— Alors, la vieille, vous faites du pâté de fromage pimenté ?

Sans répondre, elle te jette un coup d'œil et recommence à piler son piment frais.

— Excusez-moi, il y a bien ici un endroit nommé le Rocher de l'Ame ?

Tu sais parfaitement qu'il serait vain de l'interroger sur un lieu aussi lointain que la Montagne de l'Ame, tu lui expliques que tu viens d'un village situé plus bas, le village de la famille Meng et que quelqu'un t'a parlé d'un certain Rocher de l'Ame.

Elle délaisse son ouvrage et te dévisage. En fait, c'est surtout ton amie qu'elle examine, puis elle tourne la tête et te demande sur un ton de grand mystère :

— Vous cherchez à avoir un enfant, c'est ça ?

Elle t'attire furtivement de la main, mais tu la questionnes sans comprendre :

— Quel rapport y a-t-il entre ce rocher et le fait de vouloir un enfant ?

— Quel rapport ? s'écrie-t-elle d'une voix perçante. Ce sont toujours des femmes qui y vont. Elles vont y brûler l'encens quand elles n'arrivent pas à avoir de garçon !

Et elle se met à glousser, comme si on la chatouillait.

— Et cette jeune femme veut avoir un garçon ?

Agressive, la vieille se dirige vers elle.

Tu lui expliques .

— Nous voyageons, nous allons un peu partout.

— Mais qu'y a-t-il d'intéressant ici ? Ces jours derniers, c'était pareil, plusieurs couples sont venus de la ville. Ils ont mis le village sens dessus dessous.

Tu ne peux pas t'empêcher de demander :

— Qu'est-ce qu'ils sont venus faire ?

— Ils portaient une boîte électrique, ça braillait là-dedans, ça résonnait dans toute la montagne. Sur l'aire de battage, ils se serraient dans les bras les uns des autres et se tortillaient les fesses à qui mieux mieux. Une honte !

— Ah bon, ils cherchaient aussi la Montagne de l'Ame ?

Tu es de plus en plus intéressé.

— Ta montagne de malheur ! Je te l'ai déjà dit, c'est là que les femmes voulant un garçon vont brûler de l'encens.

— Pourquoi les hommes ne peuvent-ils pas y aller ?

— Si tu ne crains pas la poisse, tu peux y aller. C'est elle qui t'en empêche ?

Elle te tire encore, mais toi, tu dis que tu ne com prends toujours pas.

— Tu seras éclaboussé par la couleur du sang !

Tu ne sais si la vieille te met en garde ou te maudit.

— Elle dit que c'est tabou pour les hommes.

Elle veut justifier ce que dit la vieille.

Tu dis qu'il n'y a aucun tabou.

— Elle veut parler du sang menstruel des femmes, te dit-elle à l'oreille, comme si elle voulait t'inciter à partir.

— Eh bien, qu'y a-t-il avec le sang menstruel des femmes ?

Tu dis que tu te fiches de ce sang.

— Allons voir ce qu'il en est de ce Rocher de l'Ame.

Elle dit que ça suffit, qu'elle n'a pas envie d'y aller. Tu lui demandes de quoi elle a peur, elle dit qu'elle a peur des paroles de la vieille femme.

— Comment pourrait-il exister de telles pratiques ? Allons-y ! lui dis-tu.

Et tu demandes le chemin à la vieille.

— C'est mal, vous allez attirer les démons.

La vieille femme est derrière ton dos. Cette fois, ce sont bien des imprécations.

Elle dit qu'elle a peur, qu'elle a comme un pressentiment. Tu lui demandes si elle a peur de rencontrer une sorcière. Et tu ajoutes que dans ces villages de montagne, toutes les vieilles femmes sont des sorcières et les jeunes des renardes.

— Moi aussi, dans ce cas ? te demande-t-elle.

— Pourquoi ? Tu n'es pas une femme ?

— Et toi, tu es un démon ! dit-elle pour se venger.

— Aux yeux des femmes, tous les hommes sont des démons.

— Donc, je suis avec un démon ? demande-t-elle en levant la tête vers toi.

— Le démon emmène la renarde, dis-tu.

Elle égrène un rire joyeux. Mais elle te supplie de nouveau de ne pas aller là-bas.

— Qu'arrivera-t-il si nous y allons ? demandes-tu en t'arrêtant. Nous attirerons le malheur ? Provoquerons une catastrophe ? Qu'y a-t-il à craindre ?

Blottie contre toi, elle dit qu'avec toi, elle est rassurée, mais tu t'aperçois qu'une ombre passe en elle. Tu t'efforces de la dissiper en parlant très fort.

26

Je ne sais pas si tu as déjà réfléchi à cette chose étrange qu'est le moi. Il change au fur et à mesure qu'on l'observe, comme lorsque tu fixes ton regard sur les nuages dans le ciel, couché dans l'herbe. Au début, ils ressemblent à un chameau, puis à une femme, enfin ils se transforment en un vieillard à longue barbe. Rien n'est fixe cependant, puisqu'en un clin d'œil ils changent encore de forme.

C'est comme lorsque tu vas aux toilettes dans une vieille maison et que tu observes les murs éclaboussés. Tu y vas chaque jour, mais les traces, pourtant anciennes, changent chaque fois. La première fois, tu distingues un visage humain, puis un chien mort, les tripes à l'air. La fois suivante, elles se transforment en un arbre sous lequel une fillette monte un cheval étique. Dix ou quinze jours plus tard, peut-être plusieurs mois, un beau matin, tu es constipé et tu découvres soudain que les traces d'eau ont repris la forme d'un visage humain.

Allongé sur ton lit, tu regardes le plafond. L'ombre de la lampe transforme aussi le plafond blanc. Si tu concentres ton attention sur ton moi, tu t'aperçois qu'il s'éloigne peu à peu de l'image qui t'est familière, qu'il se démultiplie et revêt des visages qui t'étonnent. C'est pourquoi je serais pris d'une terreur incoercible si je devais exprimer la nature essentielle de mon moi. Je ne sais lequel de mes multiples visages me représente le mieux, et plus je les observe, plus les transformations m'apparaissent manifestes. Finalement, seule la surprise demeure.

Tu peux aussi attendre, attendre que les traces d'eau sur le mur reviennent à leur forme d'origine, redeviennent un visage humain, tu peux aussi espérer, espérer qu'un jour ton image prenne telle ou telle forme. Mais mon expérience me prouve que plus le temps passe, moins cette image évolue selon tes désirs et que, souvent, tout au contraire, elle devient monstrueuse. Tu ne peux plus l'accepter et elle se détache de ton moi, mais, finalement, tu y es contraint.

Un jour, j'ai observé la photo collée sur ma carte d'autobus posée sur la table. Dans un premier temps, j'ai trouvé mon petit sourire plutôt agréable, mais ensuite, je l'ai trouvé plutôt railleur, un peu hautain et froid, témoignant d'un certain amour-propre mêlé de pas mal d'autosatisfaction, il indiquait que je me prenais pour un personnage supérieur. En réalité, j'y ai perçu une sorte d'affectation accompagnée d'une expression de grande solitude et de frayeur diffuse ; ce n'était pas du tout le visage d'un gagnant. On y lisait de l'amertume. Il ne pouvait bien sûr pas y avoir le vague sourire habituel qui naît du bonheur involontaire, c'était plutôt une expression de doute quant au bonheur. Cela devenait un peu effrayant et même vain. La sensation de tomber sans point de chute. Je n'ai plus voulu revoir cette photo.

Ensuite, j'ai observé les autres, mais quand je l'ai fait, j'ai découvert que ce moi détestable et omniprésent s'en mêlait aussi, ne tolérant pas de ne pas intervenir dans la perception du visage de l'autre. C'était fâcheux : lorsque j'observais une autre personne. je continuais à m'observer moi-même. Je recherchais des visages que j'aimais, ou une expression que je pouvais accepter. Si un visage n'arrivait pas à me toucher, si je n'arrivais pas à trouver des gens avec qui m'identifier parmi ceux qui passaient devant moi, je les observais donc sans les voir. Dans une salle d'attente, dans un wagon de train, sur le pont d'un bateau, dans une gargote ou un parc, ou même au cours d'une promenade dans la rue, je ne choisissais que les visages ou les silhouettes proches de ceux qui m'étaient familiers et dans lesquels je recherchais quelque allusion pouvant faire resurgir un souvenir en sommeil. Quand j'observe les autres, je les considère comme des miroirs qui me renvoient ma propre image et cette observation dépend entièrement de ma disposition d'esprit du moment. Même lorsque je regarde une jeune fille, je cherche à l'appréhender avec mes propres sens, je l'imagine avec ma propre expérience avant de formuler un jugement. Ma compréhension d'autrui, y compris des femmes, est en fait superficielle et arbitraire. Dans mon regard, les femmes ne sont rien d'autre que des illusions que j'ai créées moi-même et que j'utilise pour me mystifier. Voilà ce qui m'attriste. C'est pourquoi mes relations avec les femmes conduisent toujours finalement à l'échec. Et inversement, si j'étais une femme, j'aurais autant de peine pour avoir des contacts avec les hommes. Le problème réside dans la prise de conscience intérieure de mon moi, ce monstre qui me tourmente sans cesse. L'amour-propre, l'autodestruction, la réserve, l'arrogance, la satisfaction et la tristesse, la jalousie et la haine, viennent de lui, le moi est en fait la source du malheur de l'humanité. La solution de ce malheur doit-elle passer par l'étouffement du moi conscient ?

Voilà pourquoi Bouddha a enseigné l'éveil : toutes les images sont des mensonges, l'absence d'image est aussi mensonge.

27

Elle dit qu'elle a vraiment envie de retourner dans son enfance, une époque où elle ne connaissait ni peines ni tracas. Pour aller à l'école chaque jour, sa grand-mère maternelle tressait ses nattes. Deux longues nattes, brillantes, ni trop serrées ni trop lâches. Tout le monde disait qu'elles étaient très jolies. A la mort de sa grand-mère, elle se coupa les cheveux très court, volontairement, en signe de protestation, elle n'aurait même pas pu se faire les deux petites couettes à la mode chez les gardes rouges. A cette époque, son père, objet d'une enquête, avait été séparé d'elles et enfermé dans le grand bâtiment de son unité de travail. Il n'avait pas le droit de rentrer à la maison, et sa mère lui apportait tous les quinze jours du linge de rechange, mais jamais elle ne lui avait permis d'aller le voir. Ensuite, sa mère et elle avaient été chassées à la campagne. Elle n'avait même pas qualité pour devenir garde rouge. Elle dit que l'époque la plus heureuse de sa vie était celle où elle portait ses longues nattes. Sa grand-mère ressemblait à un vieux chat, elle dormait toujours à ses côtés, elle se sentait tellement rassurée. Elle dit que maintenant, elle est déjà vieille, que son cœur est vieux, qu'elle ne se sent plus aussi facilement bouleversée par de petites choses. Autrefois, elle était capable de pleurer sans aucune raison. Ses larmes étaient abondantes, elles venaient droit du cœur, sans qu'elle ait à se forcer, elle se sentait tellement bien.

Elle dit qu'elle avait une amie appelée Lingling. Elles étaient amies depuis leur tendre enfance. Elle était tellement adorable, avec ses fossettes qui creusaient ses joues rondes dès qu'elle te regardait. A présent, elle était déjà mère, indolente, avec une intonation caractéristique dans la voix, elle traînait sur la dernière syllabe des mots, comme si elle avait toujours sommeil. Quand elle était encore jeune fille, son babillage incessant la faisait ressembler à un moineau. Elle disait n'importe quoi, sans s'arrêter un instant, elle disait qu'elle voulait sortir, qu'elle était triste dès qu'il pleuvait, qu'elle ne savait pas pourquoi, qu'elle allait t'étrangler, et effectivement, elle te serrait violemment le cou et te faisait tousser.

Un soir d'été, elles étaient assises toutes les deux au bord d'un lac en train de contempler la nuit. Elle avait dit qu'elle avait très envie de s'allonger sur sa poitrine et Lingling avait répondu qu'elle voulait faire la petite maman, elles s étaient mises à chahuter en pouffant de rire, et, avant que la lune se lève, elle t'avait demandé si tu savais. La nuit était gris-bleu et la lune s'était levée, oh, la clarté qui s'écoulait de la lune, elle t'avait demandé si tu avais déjà vu ce genre de paysage, cette lumière qui s'écoule en volutes et se répand sur le sol, comme si tu affrontais un brouillard tourbillonnant. Elle dit qu'elles ont encore entendu bruire la lumière de la lune, quand elle est passée à travers les branches des arbres comme des herbes aquatiques ondulant au fil de l'eau. Elles se sont mises à pleurer. Leurs larmes s'écoulaient comme l'eau d'une fontaine, comme la lumière de la lune. Elles se sentaient tellement bien, les cheveux de Lingling frôlaient son visage, elle les sentait encore maintenant, leurs deux visages étaient collés l'un à l'autre, celui de Lingling était brûlant. Il existe une sorte de fleur de lotus qui s'ouvre la nuit, pas un nénuphar, elle est plus petite que la fleur de lotus, plus grosse que la fleur de nénuphar. Elle a un pistil jaune d'or qui rayonne dans l'obscurité, ses pétales roses sont comme du suif, comme les oreilles roses de Lingling quand elle était petite, mais avec moins de duvet, brillantes comme l'ongle de son petit doigt, ah ! à cette époque, elle se laissait pousser l'ongle du petit doigt comme un coquillage, mais non, ces pétales roses ne brillent pas du tout, ils sont aussi épais qu'une oreille et s'ouvrent lentement en tremblant.

Tu dis que tu en as vu aussi, tu as vu s'ouvrir ces pétales tremblants avec en leur centre un pistil velu jaune d'or qui frissonne. C'est cela, dit-elle. Tu as pris sa main. Oh, il ne faut pas, dit-elle, elle veut que tu continues à l'écouter. Elle dit qu'elle est sérieuse, tu ne t'en rends pas compte ? Est-ce que tu ne veux pas t'en rendre compte ? Tu ne veux pas la comprendre ? Elle dit que cette gravité est comme de la musique sacrée. Elle adore la Vierge, la figure de la Vierge à l'enfant, les paupières baissées, les deux mains pleines de douceur aux doigts si fins. Elle dit qu'elle espère aussi devenir une mère et tenir dans ses bras son petit trésor, cette chair vivante et tendre, qui téterait le lait de ses seins. C'est un sentiment pur, est-ce que tu le comprends ? Tu dis que tu crois comprendre. Eh bien, si tu ne comprends toujours pas, c'est que tu es vraiment stupide ! dit-elle.

Elle dit que des tentures épaisses pendent, les unes après les autres. Quand on avance parmi elles, on a l'impression de glisser. En écartant doucement les tentures de velours vert foncé, et en se faufilant entre elles, on ne voit personne, il n'y a pas un bruit, le tissu absorbe les sons, il n'y a qu'une musique, parfaitement pure, tamisée par les tentures, une musique qui s'écoule doucement, venant d'une source limpide pleine de douceur ; là où elle passe, apparaît une faible lumière.

Elle dit qu'elle avait une tante très belle qui se déplaçait souvent devant elle dans la maison, vêtue seulement d'un minuscule soutien-gorge et d'une toute petite culotte. Elle avait toujours eu envie de toucher ses cuisses brillantes, mais jamais elle n'avait osé. Elle dit qu'à cette époque, elle était encore une petite fille maigrichonne. Elle pensait qu'elle ne pourrait jamais devenir aussi belle que sa tante qui avait de nombreux amis et recevait souvent au même moment plusieurs lettres d'amour. Elle était actrice et nombreux étaient les hommes qui la poursuivaient de leurs assiduités. Elle disait toujours qu'ils l'importunaient terriblement, mais en fait elle aimait cela. Plus tard, elle s'était mariée à un officier qui l'avait étroitement surveillée. Si elle rentrait un peu en retard, il la questionnait et même la battait parfois. Elle dit qu'à l'époque, elle n'avait pas compris pourquoi sa tante ne l'avait pas quitté, ni comment elle avait pu supporter cette humiliation.

Elle dit encore qu'elle avait aimé un professeur, son professeur de mathématiques, oh, il ne s'agissait que du sentiment d'une petite fille. Elle aimait sa voix en cours, les mathématiques sont une matière rebutante, sans saveur, mais elle aimait sa voix et elle faisait ses devoirs très consciencieusement. Un jour, elle n'avait obtenu que quatre-vingt neuf sur cent à un examen et avait fondu en larmes. En plein cours, à la distribution des copies, elle avait éclaté en sanglots en voyant la sienne. Le professeur avait repris la copie en disant qu'il allait la revoir, puis il lui avait rajouté quelques points. Elle avait dit qu'elle n'en voulait pas, non, elle n'en voulait pas, et elle avait jeté sa copie par terre. Devant tous ses camarades de classe, elle n'avait pu s'empêcher de fondre en larmes. Elle s'était bien sûr couverte de honte et, suite à cette affaire, elle ne lui avait plus prêté attention et ne l'avait plus jamais appelé professeur. Après les vacances d'été, il n'enseignait plus dans sa classe, mais elle pensait encore à lui, elle aimait sa voix, cette voix empreinte d'honnêteté et de simplicité

28

Entre Shigan et Jiangkou, la route est barrée par un cordon rouge. Un minibus empêche le passage du car long courrier dans lequel je voyage. Brassard rouge au bras, un homme et une femme montent dans le véhicule. Dès que l'on porte ce genre de brassard, on jouit d'un statut spécial et l'on arbore un air terrible. Je croyais que l'on recherchait quelqu'un, mais heureusement, il ne s'agit que d'un contrôle des billets effectué par des inspecteurs chargés de la surveillance des routes nationales.

Le chauffeur avait déjà contrôlé les billets peu de temps après le départ, dès le premier arrêt. Un paysan avait voulu s'esquiver, mais son sac était resté coincé dans la porte du car que le chauffeur avait refermée à temps. Après l'avoir contraint à débourser dix yuans, il lui avait jeté son sac. Sans prendre garde au paysan qui le couvrait d'injures, le chauffeur avait mis pleins gaz et démarré, l'obligeant à sauter dans le fossé. Dans ces zones montagneuses où les véhicules sont peu nombreux, tenir un volant place le chauffeur bien au-dessus du commun des mortels, et tous les passagers nourrissent envers lui une aversion manifeste.

L'homme et la femme au brassard qui montent dans le car s'avèrent pourtant encore plus brutaux. L'homme arrache le ticket qu'un passager lui tend et ordonne, en menaçant le chauffeur du doigt :

— Descends, descends !

Le chauffeur s'exécute sans faire d'histoires. La femme lui dresse une contravention de trois cents yuans, soit trois cents fois le prix du billet dont le talon n'a pas été déchiré. Toute chose peut en maîtriser une autre, cette règle ne vaut pas que dans la nature, c'en est une aussi chez les hommes.

Dans un premier temps, le chauffeur s'explique, debout près de son car. Il dit qu'il ne connaît pas ce passager, qu'il ne pouvait pas revendre son ticket, puis le ton monte. Mais les inspecteurs restent intraitables et refusent la moindre concession, peut-être parce que le salaire du chauffeur est plus élevé que le leur grâce à la mise en place du nouveau système de responsabilité, ou bien parce qu'ils veulent montrer le prestige que leur confèrent leurs brassards. Le chauffeur se met dans tous ses états, puis il prend une mine pitoyable et les supplie lamentablement. Une heure s'écoule ainsi, sans que le car reparte. Le contrevenant et les inspecteurs ont oublié que les passagers enfermés dans l'autobus sont, eux, condamnés à rôtir sous un soleil brûlant. L'aversion générale contre le chauffeur se transforme peu à peu en haine contre les brassards rouges. Les voyageurs frappent à la fenêtre et crient leur réprobation. La femme au brassard rouge comprend alors qu'elle est la cible de la foule. Elle se hâte de détacher la contravention qu'elle fourre dans la main du chauffeur. L'autre inspecteur agite un petit drapeau. Leur voiture arrive aussitôt, ils montent dedans et disparaissent au loin.

Mais le chauffeur, accroupi sur le sol, refuse de se lever La tête aux fenêtres du car, les passagers essaient de le réconforter, puis, au bout d'une demi-heure, ils commencent à perdre patience et se mettent à l'injurier. Il remonte alors à contrecœur dans son véhicule.

Le car a juste parcouru un bout de chemin quand, traversant un village, il s'arrête sans raison. Les portes arrière et avant s'ouvrent avec fracas et le chauffeur saute de sa cabine en déclarant :

— Tout le monde descend ! On s'arrête, il faut faire le plein.

Puis il s'éloigne. Les passagers restent dans le car en pestant, mais bientôt, comme personne ne s'occupe d'eux, ils descendent les uns après les autres.

Au bord de la route, hormis un petit restaurant, il y a une boutique de cigarettes et d'alcool devant laquelle, sous une toile tendue pour abriter du soleil, on vend du thé.

Le soleil est déjà bas, mais, sous l'auvent, il fait encore très chaud. J'ai le temps de boire deux bols de thé froid, le car n'a toujours pas fait le plein. Le chauffeur a disparu. Bizarrement, les passagers qui s'étaient mis à l'ombre sous les arbres ou sous l'auvent se sont aussi dispersés.

J'entre dans le petit restaurant à leur recherche, mais il n'y a que des tables carrées et des bancs vides. Je ne comprends vraiment pas où ils sont passés. Je finis par retrouver le chauffeur à la cuisine. Devant lui sont étalés sur la table deux grands plats de légumes sautés et une bouteille d'alcool. Il bavarde avec le patron.

Je m'adresse à lui sur un ton peu aimable :

— Il repart quand, le car ?

Il me répond sur le même ton :

— Demain matin, six heures.

— Et pourquoi ça ?

— Vous n'avez pas vu que j'ai bu de l'alcool ?

— Ce n'est pas moi qui vous ai collé une amende. Vous ne devriez pas vous venger sur les passagers, si vous êtes en colère. Vous ne comprenez pas ça ?

J'essaie de me retenir.

— Quand on conduit après avoir bu de l'alcool, on risque une amende, ça, vous le comprenez, non ?

Il sent effectivement l'alcool et il affiche une mine parfaitement effrontée. En voyant ses deux petits yeux sous son front qui se plisse quand il mastique sa nourriture, je suis pris d'une telle colère que j'ai envie de lui casser la bouteille sur la tête. Je sors en hâte du restaurant.

De retour sur la route, devant le véhicule vide, je réalise l'absurdité de ce bas monde ; si je n'étais pas monté dans ce car, j'aurais évité ces ennuis. Il n'y aurait eu ni chauffeur, ni passagers, ni contrôleurs, ni amende ; et le problème, maintenant, c'est de trouver un endroit pour la nuit.

Je retourne sous l'auvent où l'on sert du thé. J'y retrouve un passager.

— Ce putain de car ne repart plus.

— Je sais.

— Où passez-vous la nuit ?

— Je cherche aussi.

— Où sont passés les autres passagers ?

Il me dit qu'ils sont tous du coin, qu'ils savent où aller, qu'ils ne se soucient guère du temps, un jour plus tôt, un jour plus tard, ça n'a pas grande importance pour eux. Lui, en revanche, il vient du zoo de Guiyang où est arrivé un télégramme du district de Yinjiang. On les a prévenus que des montagnards ont capturé une bête sauvage inconnue. Il doit gagner dès ce soir le chef-lieu de district pour repartir le lendemain matin en montagne. S'il arrive trop tard, il a peur que la bête ne soit morte.

— Laisse-la crever ! Tu risques une amende ? lui dis-je.

— Non, tu n'y comprends rien.

Je lui dis que dans ce monde, il n'y a pas moyen de comprendre quoi que ce soit.

Il dit que c'est d'une bête inconnue qu'il parle, pas du monde.

Je lui demande si vraiment il y a une grande différence entre ce monde et une bête inconnue.

Alors il me montre le télégramme. On peut effectivement y lire : « Paysans du district capturé animal inconnu, urgence envoyer quelqu'un pour identification. » Puis il m'explique comment son zoo a reçu un jour un coup de téléphone annonçant la découverte d'une salamandre géante de quarante à cinquante livres rejetée par une rivière de montagne et comment, lorsqu'ils avaient envoyé quelqu'un, non seulement elle était déjà morte, mais encore les villageois s'étaient partagé sa chair ; le cadavre ne pouvait plus être reconstitué et il était bien sûr impossible d'en garder un spécimen. Cette fois, il devait absolument faire du stop pour arriver.

Je lui tiens compagnie un long moment. Plusieurs camions passent. Il brandit son télégramme, mais personne ne lui prête attention. Moi, je n'ai ni le devoir de sauver une quelconque bête sauvage ni même le monde. A quoi bon rester là, à avaler de la poussière ? Je me décide à retourner manger au restaurant.

Je demande à la serveuse si l'on peut dormir ici. Elle me jette un regard chargé de haine, comme si je lui avais demandé si elle recevait des clients :

— Vous n'avez pas vu ? C'est un restaurant ici !

Je me fais le serment de ne plus monter dans ce car, mais il me reste sûrement cent kilomètres à faire et, à pied, j'en ai au moins pour deux jours.

Quand je reviens au bord de la route, l'homme du zoo n'est plus là ; j'ignore s'il est arrivé à se faire emmener.

Le soleil va bientôt se coucher. Sous l'auvent où l'on boit le thé, les bancs sont rangés. En contrebas résonnent des roulements de tambour. Je me demande de quoi il s'agit. Vu d'en haut, le village n'est qu'une succession de toits de tuiles, et, entre les maisons, de cours dallées de pierres. Plus loin s'étalent les terrasses où le riz précoce a été récolté. Certaines ont déjà été labourées comme en témoigne la boue noire retournée.

Je dévale la pente en direction des roulements de tambour. Un paysan remonte d'une rizière, le pantalon retroussé, les mollets noirs de boue. Plus loin, un enfant mène un buffle par une corde vers un étang en bordure du village. A la vue des fumées qui s'élèvent des toits, une sensation de paix m'envahit.

Je m'arrête, j'écoute le tambour. Il n'y a plus de chauffeur, plus de contrôleurs au brassard rouge, plus de car exaspérant, plus de télégramme demandant de reconnaître d'urgence une bête inconnue, la nature reprend ses droits. Je repense à ces années passées à la campagne, contraint de participer au travail manuel. Si la situation n'avait pas évolué, ne serais-je pas comme eux, en train de cultiver la terre ? Et moi aussi, à la fin du travail, les mollets couverts de boue, je serais fatigué à ne même plus avoir le courage de me laver, mais je ne connaîtrais pas une telle anxiété. Pourquoi être aussi pressé d'aller là-bas ? Rien n'est plus naturel que ces fumées de foyers dans la lumière du crépuscule, ces toits de tuiles, ces roulements de tambours, tantôt proches tantôt lointains.

Les coups de tambours répétés semblent psalmodier une légende sans mots. Et seuls demeurent les toits des maisons qui s'assombrissent à mesure que la couleur de l'eau et la lumière du ciel changent, les dalles de pierre grisâtres confusément distinctes entre les cours des maisons, la boue qui a gardé la tiédeur du soleil, l'haleine exhalée par les museaux des buffles, les bribes de conversation qui montent des habitations, comme des disputes, et aussi le vent du soir, le tremblement des feuilles des arbres au-dessus de ma tête, l'odeur de la paille et de l'étable, le clapotis de l'eau que l'on remue, le grincement d'une porte, peut-être, ou du treuil d'un puits, le pépiement des moineaux et le roucoulement d'un couple de tourterelles quelque part dans leur nid, les appels des voix aiguës des femmes et des enfants, l'odeur de l'armoise et les bourdonnements des insectes en vol, la boue sèche sous les pieds, mais molle en dessous, le désir latent et la soif de bonheur, les vibrations que font naître dans le cœur les sons du tambour, l'envie de marcher pieds nus et de s'asseoir sur le seuil d'une porte rendu luisant par le passage des hommes.

29

Un envoyé du sorcier de Tianmenguan, la Passe de la Porte céleste, est venu à Mujiangping, la Terrasse des Menuisiers, pour commander à un vieux sculpteur une tête de la déesse Tianluo. Il a dit qu'il reviendrait la chercher en personne pour l'offrir le vingt-septième jour du douzième mois sur l'autel des ancêtres. L'envoyé a offert une oie vivante comme acompte et a promis que, si le travail était fait en temps voulu, il donnerait une jarre d'alcool de riz et une demi-tête de cochon ; avec ça, le vieillard pourrait fêter le Nouvel An. C'est alors que le vieux sculpteur a été saisi de frayeur, réalisant que ses jours étaient comptés. La déesse Guanyin est maîtresse de notre vie, la déesse Tianluo est maîtresse de notre mort ; elle venait le presser d'en finir.

Ces dernières années, en dehors de son travail de menuisier, il avait fait pas mal de statues, il avait sculpté des figures du dieu de la Richesse, du moine abstinent, du préposé au registre des vivants et des morts, il avait aussi façonné pour des troupes de théâtre *nuo* des séries complètes de masques, des Zhang Kaishan mi-hommes mi-dieux, des Mashuai mi-hommes mi-bêtes, des petits démons mi-hommes mi-diables et aussi des figures comiques de Qintong grimaçants. Pour des gens venus d'au-delà de la montagne, il avait aussi sculpté des figures de Guanyin, mais c'est vrai, personne encore ne lui avait commandé la féroce figure de la déesse Tianluo, celle qui gouverne la vie des êtres, et maintenant la voilà qui venait lui réclamer sa vie. Comment pouvait-il être assez étourdi pour avoir accepté si facilement ? C'était à cause de sa vieillesse, de sa grande avidité. Il suffisait qu'on lui propose quelque objet de valeur pour qu'il sculpte n'importe quoi. Tout le monde s'accordait à dire que ses sculptures étaient pleines de vie. Au premier coup d'œil, on reconnaissait le dieu de la Richesse, le Mandarin des âmes, un Luohan souriant, le moine abstinent, le préposé au registre des vivants et des morts, le général Zhang Kaishan, un Mashuai ou un petit démon, une Guanyin. Il n'avait jamais vu de Guanyin, il savait seulement que c'était une mère qui favorisait la naissance des enfants. Quand une femme venue d'au-delà des montagnes lui avait apporté deux pieds de tissu rouge pour commander une figurine de Guanyin, elle avait passé la nuit chez lui. Au matin, elle était repartie toute contente, emportant avec elle la Guanyin qu'il avait fait naître de ses mains en l'espace d'une nuit. Mais de toute sa vie, jamais il n'avait sculpté la déesse Tianluo, d'abord parce que personne ne le lui avait demandé, ensuite parce que cette figure féroce ne pouvait être exposée que sur l'autel d'un sorcier. Il n'avait pu retenir un frisson. Son corps se glaçait ; il savait que la déesse Tianluo l'attirait déjà contre elle, attendant de lui prendre la vie.

Il a grimpé sur un tas de bois pour prendre un morceau de buis qui séchait sur une poutre, un bois aux fines nervures, qui ne pouvait se déformer ni se fendre. Il l'avait entreposé là plusieurs années auparavant, ne pouvant se résoudre à l'employer pour une utilisation ordinaire. Une fois monté sur le tas de bois, lorsqu'il a tendu la main pour s'emparer du morceau de buis, son pied a glissé et le tas s'est complètement effondré. Il a eu très peur, mais il a compris ce qui se passait. Serrant le morceau dans ses bras, il est allé s'asseoir sur une souche d'érable qui lui servait de billot. Pour un travail ordinaire, il dégrossissait le matériau brut de quelques coups de hache, sans trop y réfléchir, puis le travaillait au ciseau et, en suivant les copeaux soulevés par la lame, faisait apparaître la forme. C'était de la routine. Mais jamais il n'avait sculpté de déesse Tianluo et il restait assis là, stupide, son morceau de bois dans les bras. Comme il sentait le froid l'envahir, il a posé le bois sur le sol. Il est rentré dans la maison où il s'est assis sur une bille de bois noircie par la fumée du foyer et brillante à force d'avoir été polie par les derrières qui s'y étaient posés. Sa fin approchait. Il réalisait qu'il ne passerait pas l'année. On lui commandait cette statue pour le vingt-sept du douzième mois, juste avant l'offrande au génie du foyer, sans même attendre le quinze du premier mois, la Fête des Lanternes. On ne le laisserait jamais passer le Nouvel An en paix.

Il avait commis beaucoup de crimes, dit-elle.

C'est ce qu'a dit la déesse Tianluo ?

Oui, dit-elle, ce n'était pas un bon vieillard, il n'a pas su se contenter de son sort.

Il avait séduit la jeune femme qui était venue demander un enfant ?

C'est cette jeune femme qui était méprisable, elle était entièrement consentante.

N'est-ce pas un péché ?

Pas forcément.

Eh bien, ses péchés à lui, ce sont…

Il a abusé d'une jeune fille muette.

Chez lui ?

Ça, il n'aurait pas osé, c'était un jour où il était en déplacement. Les artisans comme lui qui travaillent loin de chez eux restent longtemps seuls. Ils ont un peu d'argent et beaucoup de savoir-faire. Trouver des femmes pour coucher avec n'est pas difficile. Certaines le font par appât du gain. Mais il n'aurait pas dû tromper une muette. Il l'a déshonorée, s'est amusée d'elle, puis l'a abandonnée.

Quand la déesse Tianluo est venue lui reprendre la vie, a-t-il réalisé que c'était à cause de cette muette ?

Il y a sûrement pensé, elle lui est apparue sans qu'il puisse l'effacer.

C'était donc une vengeance ?

Oui. C'est la vengeance qu'espèrent toutes les filles qui ont été humiliées ! Si elle vivait encore, si elle pouvait le retrouver, elle lui arracherait les yeux, elle le couvrirait des injures les plus blessantes, elle demanderait aux démons de l'emporter jusqu'au dix-huitième niveau des enfers, elle lui ferait subir les pires tortures ! Mais cette fille était muette, elle n'avait aucun moyen de se faire comprendre, et quand elle est tombée enceinte, elle a été chassée de chez elle, elle s'est mise à errer en se prostituant et en mendiant. Elle est devenue un tas de chair corrompue et repoussante. A l'origine, elle ne manquait pas de charme et aurait très bien pu se marier à un honnête paysan et mener une vie conjugale normale. Elle aurait eu un foyer pour se protéger et mettre des enfants au monde, et, à sa mort, elle aurait même eu un cercueil.

Il n'a pas pensé à tout cela, il n'a pensé qu'à lui.

Mais les deux yeux de cette fille ne cessent de le fixer.

Les yeux de la déesse Tianluo.

Les yeux de cette jeune fille muette

Ses yeux remplis de terreur lorsqu'il l'a possédée ?

Ses yeux remplis d'une soif de vengeance !

Ses yeux suppliants.

Elle ne pouvait pas supplier, elle s'arrachait les cheveux en pleurant.

Elle le regardait, hagarde,

non, elle criait...

Mais personne ne comprenait le sens de ses cris confus et tout le monde riait. Et lui aussi riait dans la foule.

Non ?

Si ! A cette époque, il ne connaissait pas encore la peur et il était content de lui. Il pensait que personne ne pourrait le retrouver.

Le destin s'est vengé !

Elle est venue, la déesse Tianluo, alors qu'il tisonnait les braises, elle est apparue dans les flammes et la fumée. Il a fermé fortement les yeux et des larmes ont jailli.

Ne le mets pas à son avantage !

Tout le monde pleure quand il a les yeux pleins de fumée. Il s'est mouché dans ses doigts rêches comme des brindilles de bois sec, il est allé dans la cour clopin-clopant en traînant ses savates, il a pris dans les bras le morceau de buis, et, accroupi près de la souche d'érable, il l'a taillé à la hache jusqu'au soir. Puis il est rentré chez lui, la pièce de bois dans les bras. Assis près du feu, il l'a coincée entre ses jambes et l'a caressée de ses mains calleuses. Il savait que c'était la dernière figurine qu'il sculptait dans sa vie et il craignait de manquer de temps pour la finir. Il voulait réussir avant le lever du jour, car il savait qu'à cet instant disparaîtrait l'image qu'il conservait en lui, au bout de ses doigts, la silhouette de la jeune fille, sa bouche, sa lèvre supérieure qu'elle serrait fortement quand elle hochait la tête, le lobe de ses oreilles si tendre mais particulièrement plein, dans lequel il lui faudrait passer de grands anneaux ; sa peau tendue, mais souple aussi, son visage lisse et fin, son nez et son menton pointus, mais sans arêtes saillantes. Sa main s'était glissée dans le col serré autour du cou…

Au matin, les villageois qui se rendaient à la foire de Luofengpo faire leurs achats de Nouvel An l'ont appelé, mais il n'a pas répondu. La porte était grande ouverte et il flottait une odeur de brûlé. Les gens sont entrés et l'ont découvert, renversé dans l'âtre. Il était déjà mort. Certains dirent qu'il avait été victime d'une attaque, d'autres qu'il était mort brûlé. A ses pieds gisait une figurine de la déesse Tianluo presque achevée, coiffée d'une couronne de ronces. Sur le bord de sa coiffure étaient percés quatre petits trous. De chacun d'eux sortait une tortue noire, tête tendue, telle une bête sauvage qui guette, accroupie dans sa tanière. Les paupières de la sculpture étaient baissées, comme si elle dormait à moitié. La fine arête de son nez rejoignait deux sourcils arqués donnant l'impression qu'ils étaient un peu froncés, ses lèvres, petites et minces, étaient fortement serrées, comme si elle méprisait la vie, et ses pupilles noires, à peine perceptibles, jetaient pourtant un éclat glacial. Ses sourcils, ses yeux, son nez, sa bouche, son visage, son menton, son cou fin et allongé, tout reflétait la délicatesse d'une jeune fille ; seuls les lobes de ses oreilles, pleins et fermes, auxquels pendaient des anneaux de cuivre en forme de fers de lance laissaient pointer la séduction. Son cou, en revanche, était serré dans le col de son habit montant très haut. Et voilà comment cette déesse Tianluo a été offerte sur l'autel du sorcier de Tianmenguan, la Passe de la Porte céleste.

30

Depuis longtemps j'avais entendu des légendes sur le célèbre serpent *qi* et son terrible venin. A la campagne, on le nomme souvent le Dragon des Cinq Pas, car on prétend que sa morsure entraîne la mort d'un homme ou d'une bête avant qu'ils aient eu le temps de parcourir cinq pas. D'autres disent que l'on a peu de chance d'en réchapper si l'on passe à moins de cinq pas de lui. Il est certainement à l'origine du proverbe : « Le plus puissant des dragons ne peut venir à bout du premier serpent terrestre. » Chacun s'accorde à dire qu'il est différent des autres serpents venimeux. Même le serpent à lunettes, tout dangereux qu'il est, peut facilement être effrayé par l'homme. Lorsqu'il attaque, il faut tenir la tête levée le plus haut possible et se redresser en criant pour le terroriser. Quand on le rencontre, on peut très facilement s'en protéger en jetant quelque chose à côté de lui. Si l'on n'a rien à jeter, il suffit de lancer ses chaussures ou son chapeau et de filer au moment où le serpent les attaque, croyant avoir affaire à sa proie. Mais, quand on rencontre un serpent *qi*, dans huit ou neuf cas sur dix, il attaque avant qu'on ait eu le temps de le voir.

Dans les zones montagneuses du sud de l'Anhui, j'ai entendu des histoires presque mythiques sur ce serpent.

Elles racontent qu'il est capable de s'organiser en ordre de bataille et qu'il délimite son territoire à l'aide d'un fil plus fin que la toile d'une araignée. Si un animal le touche, il l'attaque, aussi rapide que l'éclair. Rien d'étonnant si partout où vit ce serpent circulent toutes sortes de paroles incantatoires. On dit qu'elles ont un pouvoir protecteur si elles sont récitées en silence, mais que les montagnards ne les transmettent pas aux étrangers. Lorsqu'ils vont couper du bois, ils portent des bandes molletières ou des chaussettes montant très haut, confectionnées en toile de bâche. Les habitants du chef-lieu de district, peu habitués à la montagne, m'ont raconté des choses encore plus effrayantes : ces serpents mordraient même à travers les chaussures en cuir, et ils m'ont conseillé d'emporter un médicament antivenimeux même si, en réalité, il n'a guère d'effet sur le serpent *qi*.

Sur la route menant de Dunxi à Anqing, en passant à Shitai, j'ai rencontré dans une petite gargote, près de la gare routière, un paysan à la main coupée. Il m'a raconté qu'il se l'était tranchée lui-même après une morsure de serpent *qi*. Il était sans doute le seul survivant à une telle morsure. Il arborait un chapeau de paille souple aux bords étroits, en forme de chapeau de cérémonie, le genre de coiffure que les paysans portent pour se rendre au débarcadère, signe distinctif des hommes d'expérience. J'avais commandé un bol de soupe aux nouilles dans cette gargote installée sous une bâche blanche. Assis juste en face de moi, il maniait les baguettes de la main gauche, agitant sans cesse devant mes yeux le moignon de son bras droit. Mal à l'aise, je m'adressai à lui en pensant qu'il voudrait sans doute bavarder :

— Vieux frère, ça te gênerait de me dire comment tu t'es blessé ? Je te payerai ton bol de nouilles.

Et il m'a raconté son expérience.

Il était allé en montagne à la recherche de bois de lyciet.

— De quoi ?

— De lyciet. Ça guérit de la jalousie. Ma femme est terrible. Dès qu'une autre femme me cause, elle veut me balancer un bol à la figure. Je voulais lui faire boire une infusion de lyciet.

— C'est un remède traditionnel ?

— Mais non, dit-il en ricanant. Sous son chapeau de paille, il ouvre une large bouche ornée d'une dent en or. En fait, il plaisante.

Il m'explique qu'ils sont toute une bande qui abat des arbres pour faire du charbon de bois. A l'époque, ce n'était pas encore la mode de faire du commerce, comme de nos jours, et, pour gagner un peu d'argent, les montagnards fabriquaient du charbon de bois. Encore fallait-il savoir s'y prendre. Il recherchait spécialement le chêne à écorce blanche, car le charbon qu'on en tire est d'une couleur gris argenté et résonne d'un son clair quand on le frappe. Avec une charge de ce combustible, on récupérait le prix de deux charges de charbon ordinaire. Je le laisse parler à sa guise, de toute façon, je ne lui paierai qu'un bol de nouilles.

Il me raconte qu'il marchait en tête, une hache à la main. Ses compagnons étaient restés en arrière à bavarder et à fumer. Il venait de se baisser quand il avait senti un souffle glacial monter en lui depuis la plante des pieds. Il avait pensé qu'un malheur lui était arrivé. Il s'était senti comme un chien solitaire qui, dès qu'il a reniflé la trace du léopard, n'ose plus avancer d'un pas et se met à gémir sur place comme un chat. A ce moment, ses jambes étaient devenues toutes molles. Le plus solide des gaillards qui rencontre un serpent *qi* n'a aucune chance. Et lui, il l'avait vu, enroulé sur une pierre dans des ronces, la tête dressée au-dessus du corps ramassé en une boule compacte. En moins de temps qu'il n'en faut pour le raconter, il avait brandi sa hache, mais en un clin d'œil, il avait senti un grand froid sur son poignet, un long frisson avait agité son corps, comme traversé par un courant électrique. Un voile noir était passé devant ses yeux, le soleil s'était obscurci, son cœur s'était glacé et il n'avait plus entendu ni le bruit du vent, ni le chant des oiseaux, ni le crissement des grillons. La sinistre couleur du ciel s'était assombrie, le soleil et les arbres n'émettaient plus qu'une froide lumière. Il avait réalisé que son cerveau fonctionnait encore, qu'il fallait faire vite, il ne devait pas mourir, il avait encore une chance et, de sa hache, il s'était tranché le poignet. Aussitôt il s'était accroupi et avait pincé les veines de son bras mutilé. Le sang jaillissait en fumant sur les pierres au contact desquelles il se décolorait pour se transformer en bulles jaune pâle. Ensuite, ses compagnons l'avaient ramené au village en rapportant le poignet coupé, noirâtre, couvert de plaques violacées. Le morceau de bras qui restait était noir lui aussi. Quand on eut épuisé tous les médicaments de médecine chinoise contre les morsures de serpent, la chaleur était revenue en lui.

— Toi alors, tu n'as pas froid aux yeux.

S'il avait hésité un seul instant, ou si sa morsure s'était située un peu plus haut, il serait mort.

— Perdre une main contre la vie, ça vaut la peine, non ? Même la mante religieuse est capable de se débarrasser de ses pinces quand elle n'arrive pas à se dégager.

— Mais c'est un insecte.

— Eh bien ? Les hommes valent-ils moins que les insectes ? Le renard aussi peut se ronger une patte pour s'échapper quand il est pris au piège. L'homme est bien aussi fort que le renard.

Il a posé un billet de dix yuans sur la table, refusant que je paie ses nouilles en déclarant qu'à présent il faisait du commerce, et qu'un lettré comme moi devait gagner moins que lui.

Tout au long de mon périple, j'ai enquêté sur ce serpent et j'ai fini par en voir sur la route menant aux monts Fanjing. Ils étaient en train de sécher, enroulés sur le toit d'un magasin d'une bourgade appelée Minxiao ou Shichang. Ils correspondaient à la description qu'en donne le mandarin des Tang, Liu Zongyuan : « Noirs, décorés de blanc. » Ils sont un matériau précieux pour la médecine chinoise et fournissent un bon remède pour détendre les muscles et activer le sang, chasser les rhumatismes et guérir les refroidissements. Comme ils s'achètent à prix élevé, des hommes courageux sont toujours prêts à se faire tuer pour en capturer.

Liu Zongyuan a qualifié cet animal de « plus terrible qu'un tigre ». Ensuite, il a attaqué la tyrannie en disant qu'elle était plus horrible que ce serpent. Il était préfet, tandis que moi, je suis un homme ordinaire. Il était mandarin et devait être le premier à se préoccuper des malheurs sur terre. Moi qui parcours le monde, je ne me soucie que de ma propre existence.

Voir ces serpents séchés enroulés ne me suffisait pas. Je voulais en trouver de vivants pour apprendre à les reconnaître et à m'en défendre.

Finalement, j'en ai vu deux au pied des monts Fanjing, le royaume des serpents venimeux. Ils avaient été saisis entre les mains d'un braconnier dans un poste de contrôle de la réserve naturelle. Ils étaient enfermés dans une cage grillagée et je pouvais les examiner à loisir.

Leur nom scientifique est *Agkistrodon acutus*. Les deux spécimens étaient longs d'un mètre et moins gros que le poignet, leurs queues très effilées. Leurs corps étaient couverts de motifs triangulaires marron foncé et gris alternant d'une manière peu nette. Une autre appellation populaire leur donne le nom de « serpent échiquier ». Extérieurement, rien ne laisse deviner leur férocité Lovés sur une pierre en montagne, ils ressemblent à une motte de terre. Quand on les examine de près, leur tête triangulaire marron terne, leur museau pointu terminé par une écaille en forme d'hameçon, leurs yeux mornes, leur confèrent un aspect comique de cupidité qui évoque immanquablement un personnage de clown de l'opéra de Pékin. En fait, ils ne se fient pas du tout à leur vue pour repérer leurs proies. Entre le museau et les yeux est logée une cavité qui constitue un organe sensible à la chaleur, particulièrement aux rayons infrarouges. Ils peuvent ainsi mesurer à trois mètres alentour un changement d'un vingtième de degré dans la température. Il suffit qu'un animal ayant une température plus élevée que la leur apparaisse dans les environs pour qu'ils le détectent et l'attaquent. Ces détails m'ont été révélés plus tard, quand je suis allé dans les monts Wuyi, par un spécialiste des morsures de serpent travaillant dans la réserve naturelle.

Et sur ma route, sur le cours supérieur de la rivière Chen, affluent de la Yuan, les eaux de la Jin, non polluées et puissantes, sont particulièrement limpides. Les petits gardiens de buffles se laissent entraîner par le courant au milieu du fleuve en poussant des cris perçants. A plusieurs centaines de mètres de la berge, les passants s'arrêtent, tant leurs cris parviennent distinctement. En contrebas de la route, une jeune femme nue se lave dans le fleuve et, quand elle voit passer le car, elle se redresse telle une aigrette, tourne la tête et se perd dans sa contemplation. Sous le soleil brûlant de midi, la lumière qui se reflète sur l'eau est aveuglante. Mais tout cela n'a bien sûr aucun rapport avec le serpent *qi*.

31

Elle éclate de rire, tu lui demandes pourquoi. Elle dit qu'elle est joyeuse, mais elle sait bien qu'en fait elle ne l'est pas ; elle fait semblant, elle ne veut pas que les gens sachent qu'elle est triste.

Elle dit qu'un jour, elle marchait dans la rue quand elle a vu un homme courir après un tramway qui démarrait. Il avançait sur la pointe d'un pied et il sautillait en criant de toutes ses forces, car une de ses chaussures était restée coincée dans la porte quand il était descendu. C'était sûrement un provincial venu de la campagne. Quand elle était petite, ses professeurs lui avaient appris à ne pas se moquer des paysans, et, une fois devenue adulte, sa mère lui recommandait de ne pas rire bêtement devant les hommes ; mais là, elle n'avait pu s'empêcher de rire. Quand elle riait de cette manière, les hommes la regardaient. Plus tard, elle s'est aperçue qu'en riant ainsi, elle les attirait réellement. Les hommes animés de mauvaises intentions croyaient qu'elle faisait la coquette. Les hommes ont toujours un regard différent avec les femmes, tu ne dois pas te méprendre.

Elle dit que la première fois qu'elle s'est donnée à un homme, il ne savait pas qu'elle était vierge ; il lui a demandé pourquoi elle pleurait, quand il l'a eue, allongé sur elle. Elle a dit que ce n'était pas à cause de la douleur, mais parce qu'elle avait pitié d'elle-même. Il a essuyé ses larmes : mais ce n'était pas pour lui que ces larmes coulaient. Elle a écarté sa main, boutonné ses vêtements et remis de l'ordre dans ses cheveux, elle ne voulait pas qu'il l'aide. Plus il l'aiderait, plus il aggraverait les choses. Il avait joui d'elle en profitant d'une faiblesse passagère.

Elle ne peut pas dire qu'il l'a forcée, il l'a invitée chez lui à déjeuner. Elle y est allée, elle a bu un verre d'alcool. Elle semblait heureuse, mais ce n'était pas une vraie joie et elle a ri de la même manière qu'aujourd'hui.

Elle dit que ce n'était pas entièrement de sa faute à lui, qu'à l'époque elle a simplement voulu voir ce qui allait se passer. Elle a bu jusqu'au bout le demi-verre d'alcool qu'il lui a versé. La tête lui tournait un peu, elle ne savait pas que cet alcool était si fort, elle sentait que son visage rougissait et elle a commencé à rire bêtement. Alors il l'a embrassée, renversée sur le lit, c'est vrai, elle n'a pas résisté quand il a relevé sa jupe, elle en est consciente.

C'était son professeur, elle était son élève, il n'aurait pas dû se passer cela entre eux. Elle entendait hors de la chambre, dans le couloir, le bruit des pas qui montaient et descendaient, des gens qui parlaient sans cesse, les gens ont toujours tellement de choses sans intérêt à dire. C'était midi, ceux qui avaient fini de manger à la cantine rentraient chez eux, elle les entendait parfaitement. Dans ce cadre, cet acte lui semblait malhonnête, elle avait terriblement honte ; une bête, tu es une bête, se disait-elle.

Ensuite, elle a ouvert la porte de la chambre, elle est sortie, la poitrine droite, tête haute, et quand elle est arrivée au sommet de l'escalier, quelqu'un a soudain crié son nom, elle dit qu'à cet instant, elle a rougi, comme si sa jupe s'était relevée sans qu'elle ne porte rien dessous. Heureusement, l'entrée de l'escalier était très sombre. C'était en fait une de ses camarades de classe qui voulait qu'elle l'accompagne chez le professeur pour parler du programme des cours optionnels du trimestre prochain. Elle a prétexté qu'elle devait aller au cinéma, qu'elle était en retard et elle s'est enfuie. Mais jamais elle n'avait oublié cet appel, elle dit que son cœur avait failli jaillir de sa poitrine ; même quand l'homme l'avait prise, son cœur n'avait pas battu aussi fort. Maintenant, elle a eu sa vengeance, elle s'est vengée, vengée pour tous les tracas et les frayeurs de ces dernières années, elle s'est vengée d'elle-même. Elle dit que sur le terrain de sport, ce jour-là, le soleil était particulièrement aveuglant, un bruit strident vous perçait le cœur, comme une lame de rasoir que l'on passe sur du verre.

Tu lui demandes qui elle est en fin de compte.

Elle dit qu'elle est elle-même, puis éclate de rire à nouveau.

Tu restes perplexe.

Elle te rassure alors, elle dit qu'elle ne faisait que te raconter une histoire, une histoire qu'elle tient d'une amie. C'était une étudiante de l'Institut de médecine qui était venue en stage dans son hôpital. Elle était devenue l'une de ses amies les plus intimes.

Tu ne la crois pas.

Pourquoi n'y aurait-il que toi qui puisses raconter des histoires ? Et quand elle raconte, elle, ça ne marcherait pas.

Tu lui dis de continuer.

Elle dit qu'elle a fini.

Tu dis que son histoire est venue de manière trop abrupte.

Elle dit qu'elle ne sait pas envelopper les choses de mystère comme toi et qu'en plus, toi, tu as déjà raconté beaucoup d'histoires alors qu'elle, elle commence juste.

Eh bien, continue, dis-tu.

Elle dit qu'elle n'est plus en état de le faire, qu'elle n'a plus envie de raconter.

C'était une ensorceleuse, dis-tu après avoir réfléchi un peu.

Il n'y a pas que les hommes qui ont du désir.

Bien sûr, c'est pareil pour les femmes, dis-tu.

Pourquoi de nombreuses choses sont-elles permises aux hommes et interdites aux femmes ? C'est la nature humaine.

Tu dis que tu n'as pas voulu condamner les femmes, tu as seulement dit qu'elle était une ensorceleuse.

Il n'y a pas de mal à ça.

Tu dis que tu ne le contestes pas, tu ne fais que raconter.

Dans ce cas, tu as fini.

Que racontes-tu encore ?

Si tu veux parler de cette ensorceleuse, eh bien, parle d'elle, dit-elle.

Tu dis que le mari de cette ensorceleuse est mort avant même que soit passée la période des sept fois sept jours...

Qu'appelle-t-on la période des sept fois sept jours ?

Autrefois, quand un homme mourait, il fallait veiller son âme sept fois sept jours.

Sept est un chiffre néfaste ?

Sept est un jour faste pour les esprits.

Il ne faut pas parler des esprits.

Eh bien, parlons de cette personne avant sa mort, les bandes de tissu blanc cousues sur l'empeigne de ses chaussures n'ont pas encore été enlevées, elle ressemble à la prostituée de la *Maison du Joyeux Printemps* du bourg de Wuyi, appuyée immobile à l'entrée, les mains sur la taille, une jambe reposant nonchalamment sur la pointe du pied. Quand elle voit un homme arriver, elle fait la coquette, le regarde l'air de rien, pour l'attirer.

Elle dit que tu insultes les femmes.

Non, dis-tu, les femmes non plus ne supportent pas sa vue et s'écartent d'elle en toute hâte. Seule la quatrième belle-sœur Sun, cette mégère, s'est plantée devant elle et lui a craché dessus.

Mais quand les hommes passent, ne la dévorent-ils pas tous des yeux ?

Impossible de faire autrement, ils se retournent tous, même le bossu qui a cinquante ans bien sonnés la fixe en tournant sa tête de travers. Ne ris pas.

Qui rit ?

Et tu racontes encore comment la femme du vieux Lu, sa voisine, à peine avait-elle fini le repas du soir, s'asseyait sur le pas de sa porte pour piquer des semelles de chaussures. Elle avait tout vu et s'était écriée : « Hé, le Bossu, tu as marché dans une merde de chien ! » Le Bossu avait été terriblement gêné. En plein été, quand tous les habitants du village prenaient leur repas du soir dans la rue, ils la voyaient porter à la palanche sa paire de seaux vides et passer devant les maisons en tortillant des fesses. La mère du Poilu avait pincé son homme avec ses baguettes, ce qui lui avait valu plus tard une volée de bois vert. La douleur l'avait fait gémir toute la nuit. Les femmes mariées du village n'avaient qu'une envie : flanquer des gifles à cette dépravée. Il fallait absolument que la mère du Poilu la déshabille, lui attache les cheveux et lui fiche la figure dans un seau de merde.

C'est vraiment écœurant, dit-elle.

Mais c'est ainsi que les choses se sont passées, dis-tu. D'abord, elle a été surprise par la femme de son voisin, le vieux Lu. Le vieux Zhu qui ne s'était pas trouvé d'épouse se faufilait toujours dans son abri à courges, prétextant que c'était pour l'aider à épandre l'engrais humain, mais en fait, c'était lui qui épandait sur place. Si tout cela n'était pas remonté jusqu'à la femme de Sun le Quatrième, les choses n'auraient pas pris une tournure aussi dramatique. Sun avait dit qu'il partait en montagne couper du bois de très bon matin, mais en fait, palanche à l'épaule, il avait fait un détour par les rues du village et escaladé le mur de la cour de cette putain. Avant qu'il soit ressorti, la femme de Sun qui était sur ses gardes, était allée frapper à la porte avec sa palanche. Elle avait ouvert comme si de rien n'était, en reboutonnant sa veste. Comment la femme de Sun aurait-elle pu laisser tomber ? En moins de temps qu'il n'en faut pour le raconter, elle s'était jetée à l'intérieur et les deux femmes s'étaient mises à se battre au milieu des cris et des pleurs. Tout le monde était accouru. Les femmes, bien sûr, prenaient parti pour la femme de Sun, mais les hommes regardaient le combat sans mot dire. Elle eut les habits déçhirés et le visage griffé. Par la suite, la femme de Sun avait avoué qu'elle avait réellement cherché à la défigurer. Elle se cachait le visage à deux mains, en pleurant doucement, se tortillant comme un ver. C'était dégradant, mais finalement c'étaient des histoires de femmes. Le Sixième Oncle et le chef du village se tenaient un peu à l'écart, se contentant de tousser sèchement. Cet épisode attisa la colère des femmes qui décidèrent de la punir. Après s'être concertées, plusieurs d'entre elles, celles aux plus gros bras et aux plus fortes jambes, se postèrent sur le sentier de montagne où elle allait couper son bois et la dévêtirent complètement. Puis elles la ligotèrent et la transportèrent à l'aide d'une barre. Elle ne pouvait qu'appeler au secours. Mais, même si ses amants étaient accourus à ses cris, ils n'auraient osé se montrer en voyant l'air féroce de leurs épouses, prêtes à lui arracher la peau. Elles l'avaient transportée dans le Ravin des Fleurs de

Pêchers. Autrefois, ce ravin où vivaient des femmes débauchées était le village des lépreux. Elles l'avaient jetée, avec la barre qui avait servi à la porter, sur la seule route qui sortait du ravin, puis l'avaient piétinée et couverte de crachats en la maudissant. Enfin, elles étaient rentrées au village.

Et ensuite ?

Ensuite, il avait plu, plu plusieurs jours et nuits d'affilée. Un beau jour, à midi, quelqu'un l'avait vue rentrer au village, le pantalon en lambeaux, le torse nu enveloppé dans un habit de paille contre la pluie, les lèvres d'une pâleur cadavérique. Les enfants qui jouaient sous les auvents s'étaient enfuis et les portes d'entrée se fermaient à la hâte sur son passage. Peu de jours après, elle était ressortie de chez elle, ayant repris ses esprits. Elle avait l'air encore plus coquette, les lèvres d'un rouge éclatant, les joues d'un teint de pêche : une vivante image d'ensorceleuse. Mais elle n'osait plus parader au village. Elle allait au bord du ruisseau puiser de l'eau ou laver son linge avant le lever du jour ou à la nuit tombée. Elle rasait les murs, tête baissée. Si les petits enfants la voyaient, ils lui criaient de loin : « La lépreuse, la lépreuse, ton nez va pourrir et plus tard ton visage ! » Puis ils détalaient à toutes jambes. Peu à peu les villageois l'oublièrent, tout occupés qu'ils étaient à couper le riz et à battre le grain. Puis vinrent les labours et le repiquage du riz, la récolte du riz précoce, le repiquage du riz tardif. Il réalisèrent soudain que les travaux n'avaient pas été effectués dans les champs de la femme et qu'il y avait bien longtemps qu'on ne l'avait pas vue. On décida alors d'envoyer quelqu'un chez elle. Après de longues tergiversations, on désigna sa voisine, la femme du vieux Lu pour aller voir ce qui se passait. Au retour, elle déclara : « Cette sorcière a enfin été punie. Elle a le visage couvert de pustules, pas étonnant qu'elle ne sorte plus de chez elle ! » Les femmes poussèrent un soupir de soulagement, elles n'avaient plus à s'inquiéter pour leurs hommes.

Et ensuite ?

Ensuite, il avait fallu couper le riz tardif. Quand on eut fini le dernier champ, le givre apparut. Les villageois commençaient à faire leurs achats pour la fête du Nouvel An, il fallait nettoyer la meule pour moudre la farine de riz. La femme du Poilu découvrit des cloques sur le dos de son mari qui poussait la meule torse nu. Elle n'osa en parler à personne, sauf à sa belle-sœur. Qui aurait dit que le lendemain, celle-ci verrait apparaître des boutons sur la poitrine de son mari ? Le mal se répandait et les femmes ne pouvaient plus garder le secret. Même Sun le Quatrième voyait pousser sur ses jambes de grosses ampoules purulentes. Evidemment, le Nouvel An se passa très tristement, les femmes étaient préoccupées et leurs maris s'enveloppaient la tête ou le visage. En hiver, ce n'était pas trop gênant, mais quand le temps vint de labourer la terre au début du printemps, il n'était pas commode d'avoir la tête et le visage enveloppés. Les hommes, qui ne s'en souciaient pas, ont alors vu tantôt leur peau partir en lambeaux, tantôt leurs cheveux tomber ou des ampoules apparaître. Une pustule avait même poussé au bout du nez du Sixième Oncle. Tout le monde était logé à la même enseigne, il n'y avait rien à dire et la terre devait être hersée. Après le repiquage du riz, on put enfin souffler un peu. On repensa donc à cette ensorceleuse dont on ne savait pas si elle vivait encore. Mais tout le monde disait que si l'on s'asseyait sur la chaise d'un lépreux, on risquait d'attraper des furoncles au derrière et personne n'osait plus passer sa porte.

C'est bien fait pour ces hommes, dit-elle.

La première qui se rendit aux champs pour sarcler, le visage couvert par un mouchoir, fut la femme de Sun le Quatrième. Les vieux dirent : « Qui fait le mal en reçoit la sanction de son vivant. » Mais que faire ? Même la femme du vieux Lu n'y échappa pas, elle eut des abcès au sein qui suppurèrent. Les jeunes filles et les jeunes garçons encore célibataires auraient difficilement échappé à la catastrophe s'ils ne s'étaient exilés très loin dans d'autres villages.

Tu as fini ? demande-t-elle.

Oui, c'est fini.

Elle dit que cette histoire, elle ne peut pas la supporter.

Parce que c'est une histoire d'hommes.

Existe-t-il des histoires d'hommes et de femmes ? demande-t-elle.

Tu dis que naturellement il existe des histoires d'hommes, des histoires que les hommes racontent aux femmes, et des histoires d'hommes que les femmes aiment écouter, tu lui demandes lesquelles elle veut entendre.

Elle dit que tes histoires sont de plus en plus méchantes, de plus en plus triviales.

Tu dis que c'est précisément le monde des hommes.

Dans ce cas, qu'en est-il du monde des femmes ?

Seules les femmes connaissent le monde des femmes.

N'y a-t-il aucun moyen de les faire communiquer ?

Ce sont deux approches différentes.

Mais l'amour permet de les faire communiquer.

Tu lui demandes : tu crois à l'amour ?

Si tu n'y crois pas, pourquoi aimer ? te rétorque-t-elle.

Et cela signifie qu'elle veut encore y croire.

S'il ne reste que le désir sans amour, quel intérêt la vie a-t-elle ?

Tu dis que c'est là la philosophie d'une femme.

Cesse de toujours parler des femmes, des femmes, les femmes sont aussi des êtres humains.

Ils ont tous été modelés par Nügua[1] avec de la terre.

C'est ton opinion sur la femme ?

Tu dis que tu ne fais qu'exposer les faits.

Exposer, c'est aussi une opinion.

Tu dis que tu n'as pas envie de polémiquer.

1. Nügua ou Nüwa est un personnage mythologique représenté sous la forme d'un monstre mi-femme mi-poisson. Femme ou sœur de Fuxi, l'un des empereurs mythiques, elle aurait réparé la voûte céleste et créé l'homme en le modelant dans de l'argile.

32

Tu dis que tu as fini de raconter ton histoire, tel le venin du serpent *qi*, la vulgarité et la laideur en moins. Mieux vaut pour toi écouter des histoires de femmes ou des histoires que les femmes racontent aux hommes.

Elle dit qu'elle ne sait pas raconter les histoires, qu'elle n'est pas comme toi qui peux parler à tort et à travers. Ce qu'elle désire, c'est la vérité, une vérité sans fard.

La vérité des femmes.

Pourquoi la vérité des femmes ?

Parce que la vérité des hommes n'est pas celle des femmes.

Tu es de plus en plus étrange.

Pourquoi ?

Parce que tu as obtenu ce que tu voulais et vous, les hommes, tout ce que vous obtenez, vous vous en désintéressez.

Eh bien, tu reconnais aussi qu'en dehors du monde des hommes, il y a le monde des femmes ?

Ne parle pas des femmes avec moi.

De quoi alors ?

Parle de ton enfance, parle de toi.

Elle ne veut plus écouter tes histoires, elle veut connaître ton passé, ton enfance, ta mère, ton vieux grand-père, même les détails les plus infimes, tes souvenirs quand tu étais encore au berceau, elle veut tout savoir, sur toi, sur tes sentiments les plus cachés. Tu dis que tu as déjà tout oublié. Elle veut justement t'aider à retrouver tes souvenirs, à te rappeler les faits et les gens que tu as oubliés, elle veut flâner avec toi dans ta mémoire, pénétrer au plus profond de ton âme, revivre avec toi ta vie passée.

Tu dis qu'elle veut posséder ton âme. Elle dit que c'est cela, elle ne veut pas posséder que ton corps, elle te veut tout entier, par ta voix, elle veut entrer dans ta mémoire, s'emparer de tes souvenirs, pénétrer les tréfonds de ton âme, jouer avec ton imagination, elle veut devenir ton âme.

Tu es une vraie sorcière, dis-tu. Elle dit que c'est bien cela, elle veut devenir tes extrémités nerveuses, elle veut que tu te serves de ses doigts pour toucher, de ses yeux pour voir, que tu construises avec elle des rêves, que vous gravissiez ensemble la Montagne de l'Ame, elle veut contempler ton âme tout entière depuis le sommet de cette montagne, y compris bien sûr les recoins les plus cachés de ton être, les secrets les plus inavouables. Avec cruauté, elle dit que même tes fautes, tu ne dois pas les lui cacher, elle veut tout voir au grand jour.

Tu lui demandes si elle veut aussi que tu te confesses ? Ah, il ne faut pas parler avec autant de gravité, c'est toi qui l'as voulu, n'est-ce pas la force de l'amour ? te demande-t-elle.

Tu dis que tu ne peux pas lui résister, tu lui demandes par où commencer. Elle te dit de raconter ce que tu veux à la seule condition que tu parles de toi-même.

Tu dis que quand tu étais petit, tu as rencontré un diseur de bonne aventure, mais que tu ne te rappelles plus exactement si c'était ta mère ou ta grand-mère maternelle qui t'avait emmené le voir.

Ça n'a pas d'importance, dit-elle.

Ce dont tu te souviens très clairement, c'est que ce diseur de bonne aventure avait des ongles très longs et qu'il avait utilisé des pièces d'échec en laiton pour disposer les huit caractères correspondant à ta naissance. Il les avait placés sur le tableau des huit trigrammes et avait fait tourner la boussole. Tu lui demandes si elle a entendu parler de ce que l'on appelle l'Art de la Grande Ourse. C'est une technique de numérologie très recherchée qui permet de prévoir l'avenir, la vie et la mort des hommes. Tu dis que lorsqu'il disposait les pièces d'échec en laiton, il faisait cliqueter ses ongles sur le damier d'une manière effrayante en marmonnant des imprécations, des « *papakaka, papakaka* », puis il a déclaré que l'enfant rencontrerait dans sa vie de nombreuses difficultés, que ses parents voulaient le rappeler à eux dans une vie antérieure, qu'il serait très difficile à élever ; car nombreuses étaient les dettes accumulées ! Ta mère, ou peut-être ta grand-mère maternelle, avait demandé comment conjurer le sort. Il avait dit que l'enfant devait briser son image pour que les fantômes des hommes victimes d'injustice ne puissent le reconnaître quand ils viendraient chercher son âme. Ta grand-mère avait profité de ce que ta mère n'était pas à la maison, tu te souviens très bien que c'était elle, pour te percer l'oreille. Elle t'en avait frotté le lobe avec un haricot mungo, puis t'avait massé avec du sel en prétendant que ça ne faisait pas mal. A force de frotter, le lobe avait enflé et te démangeait de plus en plus, mais avant qu'elle ait eu le temps de le percer avec une aiguille, ta mère était revenue et s'était disputée avec elle. Elle avait renoncé en grommelant, tandis que toi, à cette époque, tu n'avais pas d'opinion sur ce sujet.

Tu lui demandes ce qu'elle veut entendre encore. Tu dis que ton enfance n'a pas été malheureuse, que tu ne t'es pas privé d'emprunter la canne de ton grand-père pour t'aider à faire naviguer une bassine sur les eaux des ruelles après l'orage. Tu te souviens aussi que l'été, allongé sur le lit en bambou, tu comptais les étoiles par la lucarne du toit et que tu en cherchais une pour en faire ta propre constellation. Tu te souviens encore qu'à midi, le jour de la fête des Dragons, ta mère t'avait attrapé et badigeonné les oreilles de réalgar mêlé à de l'alcool, puis qu'elle avait voulu tracer sur ta tête le caractère *wang*, le roi. On disait qu'en été, cela prévenait de la gale et des furoncles. Craignant d'être laid, tu t'étais débattu et tu avais fui avant que ta mère ait fini son inscription. A présent, elle a quitté ce monde depuis longtemps.

Elle dit que sa mère est morte aussi, dans une Ecole de cadres du 7 Mai. Elle avait dû partir à la campagne, malgré sa maladie. A cette époque, la ville tout entière était sur le pied de guerre, prête à être évacuée. On disait que les Soviétiques allaient attaquer. Oh ! dit-elle, elle aussi avait fui, le quai de la gare était rempli de sentinelles, non seulement des soldats avec deux insignes rouges sur le col, mais aussi des miliciens portant des uniformes militaires avec un brassard rouge. Sur le quai, on emmenait sous escorte un groupe de détenus des camps de travail. Tels des mendiants en haillons, vieillards, hommes et femmes, chacun avec un paquetage de couvertures, un gobelet et un bol à la main, ils chantaient à tue-tête : « Reconnaître ses crimes tête baissée, c'est la sagesse, refuser de s'amender, c'est l'impasse. » Elle dit qu'à l'époque, elle n'avait que huit ans, elle avait bêtement fondu en larmes, sans raison, et n'avait jamais voulu monter dans le train. Cramponnée au sol, elle gémissait pour rentrer chez elle. Sa maman l'avait grondée, lui avait dit que la campagne était plus amusante que la ville, que les abris antiaériens étaient trop humides, que si elle devait continuer à en creuser, elle se briserait les reins, qu'il valait mieux aller à la campagne, que l'air y était plus pur, qu'elle n'aurait plus à lui masser le dos chaque soir. Et c'est vrai qu'à l'Ecole des cadres, elle était toute la journée avec sa maman. Quand les adultes étudiaient la politique en récitant les citations du président Mao et en lisant les éditoriaux des journaux — il y en avait tellement à cette époque —, elle pouvait rester dans ses bras. Quand ils allaient aux champs, elle les accompagnait et restait à s'amuser à côté d'eux. Quand ils coupaient le riz, elle les aidait à ramasser les épis. Tout le monde aimait jouer avec elle, c'était la période la plus heureuse de sa vie. Elle adorait l'Ecole des cadres, bien qu'elle ait vu l'oncle Liang subir une séance de critique. Jeté en bas de son banc, battu jusqu'au sang, il en avait perdu ses incisives. On cultivait aussi des pastèques et dès que quelqu'un en entamait une, il l'appelait aussitôt. Elle n'en avait jamais mangé autant de sa vie.

Tu dis que toi aussi, bien sûr, tu te souviens de cette soirée de Nouvel An, l'année de ton bac. C'était la première fois que tu dansais avec une fille, tu ne cessais de lui marcher sur les pieds, tu étais terriblement timide, mais elle te répétait que ça ne faisait rien. Il neigeait cette nuit-là, les flocons fondaient sur ton visage et, le chemin qui te ramenait chez toi après la soirée, tu l'avais fait en petites foulées pour rattraper la fille avec qui tu avais dansé et qui te précédait…

Ne me parle pas des autres filles !

Je vais te parler du chat qui était chez moi et qui était si paresseux qu'il n'attrapait même pas les souris.

Ne me parle pas de chats.

De quoi alors ?

Raconte-moi si tu l'as vue, si tu as vu cette fille.
Quelle fille ?
La fille qui s'est noyée.
La jeune instruite installée à la campagne ? La jeune fille qui s'est suicidée en se jetant dans le fleuve ?
Non.
Laquelle alors ?
Celle que vous avez attirée en lui disant que vous alliez vous baigner de nuit et qu'ensuite vous avez violée !
Tu dis que tu n'y étais pas.
Elle dit qu'elle est sûre que tu y étais
Tu dis que tu peux le jurer !
Eh bien, tu l'as certainement touchée.
Quand ?
Sous le pont, dans le noir, toi aussi tu l'as touchée, vous êtes tous mauvais, les garçons !
Tu dis qu'à l'époque tu étais encore petit, tu n'aurais pas osé
Au moins l'as-tu regardée
Bien sûr que tu l'as regardée, elle n'était pas d'une beauté ordinaire, elle était vraiment attirante.
Tu ne l'as pas regardée de manière anodine, tu as regardé son corps.
Tu dis que tu y as seulement songé.
C'est faux, tu l'as certainement fait.
C'est impossible.
C'est possible ! Tu es capable de tout, tu allais souvent chez elle.
Eh bien quoi, chez elle ?
Dans sa chambre ! Elle dit que tu as juste retroussé ses vêtements.
Comment ?
Elle était debout, appuyée au mur.

C'est elle-même qui a retroussé ses vêtements.

Comme ça ?

Un peu plus haut.

Elle ne portait rien dessous ? Même pas de soutien-gorge ?

Ses seins venaient juste de pousser. Ils se dressaient bien sûr, mais leur pointe était encore rentrée.

N'en parle plus !

Tu dis que c'est elle qui a voulu que tu en parles.

Elle n'a pas voulu que tu parles de ça, elle ne veut plus écouter.

Que veux-tu que je te dise alors ?

Ce que tu veux, mais ne parle plus des femmes.

Tu lui demandes ce qu'elle a.

Ce n'est pas elle que tu aimes.

Comment peux-tu dire ça ?

Quand tu as fait l'amour avec elle, tu pensais à quelqu'un d'autre.

C'est faux ! Cette affirmation ne repose sur rien.

Elle dit qu'elle ne veut plus t'écouter, qu'elle ne veut rien savoir.

Pardonne-moi, tu l'interromps.

Tu ne dois plus rien dire.

Tu dis que dans ce cas, c'est toi qui l'écoutes.

Tu ne l'as jamais écoutée.

Tu fais exprès de lui demander si elle mangeait toujours des pastèques à l'Ecole des cadres.

Tu es vraiment nul.

Tu la supplies de continuer, tu lui promets que tu ne l'interrompras plus.

Elle dit qu'elle n'a plus rien à dire.

33

Au fur et à mesure que l'on remonte la rivière Taiping depuis le district de Jiangkou, à la source de la Jin, les montagnes des deux rives deviennent de plus en plus imposantes. Une fois passé le hameau de Panxi peuplé de Han, de Tujia et de Miao, on entre dans la réserve naturelle. Là, les chaînes verdoyantes de montagnes commencent à se rapprocher et le lit de la rivière se resserre en se creusant. La station de surveillance de la rivière Heiwan, un petit bâtiment en brique d'un étage, est installée au fond d'une anse. Le chef de la station est un homme d'âge moyen, grand, noiraud et sec. Les deux serpents vivants que j'ai vus, c'est lui qui les avait repris à un braconnier étranger au pays. Il m'explique que sur les bords de la rivière, les serpents *qi* sont particulièrement nombreux parmi les feuilles d'*Apocynum venetum*.

— Ici, c'est le royaume du serpent *qi*.

C'est grâce à ce serpent que cette forêt subtropicale de feuillus s'est conservée jusqu'à nos jours à l'état presque sauvage.

Il a beaucoup voyagé, comme soldat, puis comme cadre, mais à présent il ne veut plus bouger. Récemment, il a refusé un poste de commissaire de police et de chef de la station de plantation de la réserve naturelle. Il préfère rester ici tout seul, à surveiller cette montagne qu'il a prise en affection.

D'après lui, cinq ans plus tôt, il y avait encore des tigres qui venaient voler des vaches au hameau, mais maintenant, plus personne n'en voit la trace. L'année dernière, il a confisqué un léopard tué par les montagnards et l'a expédié au bureau de gestion du district. On a mis à tremper ses os dans l'anhydride arsénieux pour les garder comme spécimen et on les a mis sous clef. Mais un voleur s'est introduit dans la pièce grâce au tuyau d'écoulement des eaux et les a dérobés. Vendus comme os de tigres pour être mélangés à de l'alcool, ils sont censés apporter la longévité.

Il m'explique qu'il n'est ni écologiste ni chercheur. Il est un simple gardien qui demeure dans cette station depuis sa construction. Le petit bâtiment a plusieurs pièces et peut accueillir les spécialistes qui viennent de partout, soit pour enquêter, soit pour recueillir des spécimens. Son rôle est de faciliter leur séjour.

— Vous ne vous sentez pas seul ici, depuis si longtemps ?

Apparemment il n'a ni femme ni enfant.

— Les femmes sont trop casse-pieds.

Et il me raconte l'époque où il était soldat pendant la Révolution culturelle ; les femmes aussi s'étaient lancées à corps perdu dans le mouvement. L'une d'elles, une jeune milicienne de dix-neuf ans, était devenue tireur d'élite de la province. Quand la lutte armée avait fait rage, elle était partie en montagne avec sa faction et avait abattu l'un après l'autre cinq combattants qu'ils avaient encerclés. Fou de rage, leur chef avait ordonné qu'on l'attrape vivante. A bout de munitions, elle avait fini par être arrêtée. On l'avait complètement dévêtue et un soldat lui avait vidé son chargeur dans le vagin, la réduisant en bouillie.

Quand il était responsable du personnel dans une petite mine de charbon, les ouvriers s'étaient même battus à l'arme blanche pour une femme. Il avait donc connu trop de démêlés à cause des femmes. Lui-même avait été marié, mais ils s'étaient séparés et il ne voulait plus entendre parler du mariage.

— Vous pouvez venir habiter ici pour écrire vos livres. Nous pourrons boire ensemble. Je bois à chaque repas, pas beaucoup, mais toujours un peu.

Un paysan passe sur le pont fait d'un tronc d'arbre jeté sur l'eau devant la porte de la maison. Il tient à la main un chapelet de petits poissons. Mon hôte le salue et lui fait signe d'approcher en expliquant qu'il a un invité.

— Je vais te faire de la friture piquante au sésame, c'est très bon pour accompagner l'alcool.

Il m'explique que, s'il veut manger de la viande fraîche, il peut en demander aux paysans qui reviennent du marché. Dans le hameau le plus proche, à vingt lis d'ici, il y a une petite boutique où l'on achète alcool et cigarettes. Le plus souvent, il se nourrit de fromage de soja, car chaque fois qu'un paysan en prépare, il lui en met de côté. Il élève aussi quelques poules. Il a donc toujours poulets et œufs.

Il est midi, au pied des montagnes verdoyantes, je bois de l'alcool avec lui tout en dégustant sa friture au piment et au sésame et le bol de viande salée qu'il a préparé.

— C'est vraiment une vie d'immortels, dis-je.

— Immortels ou non, de toute façon, c'est calme ici. On n'est pas trop dérangé au moins. Les choses sont simples pour moi, un seul chemin conduit à cet endroit et il passe sous mes yeux. Mon unique tâche consiste à surveiller les montagnes.

Au district, j'ai entendu dire que la réserve naturelle de cette anse est très bien gardée. Je pense que c'est grâce à l'attitude désintéressée de son gardien. D'après ce qu'il dit, il entretient de bons rapports avec les paysans. Chaque printemps, un vieil homme lui apporte un sachet de racines de plantes séchées.

— Si tu en mâches quand tu vas en montagne, les serpents t'éviteront. Ici, les serpents *qi* sont vraiment dangereux.

Et en parlant, il se lève et va chercher dans sa chambre un sachet en papier rempli d'herbes dont il sort une racine marron. Je lui demande le nom de la plante, mais il l'ignore, il ne l'a jamais demandé. C'est un remède secret transmis par les ancêtres. Les montagnards ont leurs propres usages.

D'après lui, pour me rendre au sommet Jinding, il me faudra trois jours aller et retour. Je devrai emporter du riz, de l'huile, du sel, des œufs et un peu de légumes au fromage de soja. Pour passer la nuit en montagne, il me faudra m'abriter dans une grotte où des scientifiques, venus quelque temps auparavant, ont laissé des couvertures. Elles me protégeront du froid car, en montagne, le vent souffle et il peut faire très frais. Puis il déclare qu'il va aller au village voir s'il trouve quelqu'un pour que je puisse me mettre en route dès aujourd'hui. Et il part, empruntant le pont de bois.

Je vais faire un tour dans l'anse. Sur les hauts-fonds, l'eau est vive. Elle scintille sous le soleil, mais, dans les coins à l'ombre, elle est sombre et calme et paraît receler d'innombrables dangers. Sur la rive, la végétation est d'une luxuriance presque exagérée, d'un vert quasiment noir, elle exhale une humidité inquiétante : on imagine aussitôt que l'endroit est infesté de serpents. Je rejoins l'autre rive en franchissant à mon tour le pont de bois. Derrière la forêt se blottit un hameau de cinq ou six hautes maisons anciennes en bois dont les murs de planches et les poutres sont noircis par l'excès d'humidité dû aux pluies abondantes.

Un calme parfait règne sur le hameau, pas la moindre voix humaine. Les portes des maisons sont grandes ouvertes, sur les galeries sans rambardes s'entassent des herbes sèches, des outils, des morceaux de bois et des bambous. Je m'apprête à entrer dans une maison pour jeter un coup d'œil quand soudain un chien hargneux au poil noir et gris bondit vers moi en aboyant farouchement. Je recule en toute hâte et retourne sur l'autre rive. Je me plonge alors dans la contemplation des gigantesques montagnes gris-vert exposées au soleil derrière le petit bâtiment de la station de surveillance.

Derrière moi retentit l'éclat de rire d'une femme qui arrive sur le pont. Sur son épaule danse une palanche sur laquelle s'enroule un gros serpent de cinq ou six pieds de long qui remue la queue. Manifestement, elle me fait signe, mais je ne comprends ce qu'elle crie qu'en m'approchant de la rivière :

— Hé ! Vous m'achetez mon serpent ?

Et sans attendre la réponse, elle se remet à rire, puis elle prend le serpent d'une main et le dresse vers moi avec sa palanche. Heureusement, le chef de la station arrive à temps et lui crie sur un ton de reproche :

— Rentre chez toi ! Tu as entendu ? Rentre vite !

Bon gré mal gré, la femme recule jusqu'au pont et s'éloigne sagement.

— Elle est dérangée. Dès qu'elle voit arriver un étranger, elle manigance quelque chose.

Il a trouvé un paysan qui me servira de porteur et de guide. Il a encore à faire chez lui, mais ensuite il préparera le riz et les légumes pour plusieurs jours. Je pourrai partir en premier et il me rejoindra. Les montagnards connaissent bien le chemin, mon guide me rattrapera rapidement avec les provisions. Il n'y a qu'un seul sentier, je ne peux pas me tromper. Plus loin, à sept ou huit lis, se trouve une mine de cuivre qui a été un peu exploitée puis laissée à l'abandon il y a bien longtemps. Si jamais je ne vois pas arriver mon homme, je pourrai toujours m'y reposer.

Il me conseille aussi de laisser mon sac à dos, le paysan me l'apportera. Il me donne ensuite un bâton qui m'évitera des efforts à la montée et me permettra de chasser les serpents. Enfin, il me recommande de mâcher un morceau de la racine qu'il m'a donnée. Je le salue, il agite la main vers moi et rentre chez lui. Sa tête plate, son visage noir et maigre, sa figure couverte d'une barbe naissante ont disparu.

Et à présent, je ne peux m'empêcher de penser à lui, à son attitude complètement désintéressée envers la vie. Et je pense aussi à la rive sombre, de l'autre côté du pont, aux maisons de bois noirci du hameau, au chien hargneux au pelage noir et gris, à la femme qui joue avec un serpent sur sa palanche ; ils semblent tous vouloir me dire quelque chose, tout comme la gigantesque montagne derrière le petit bâtiment ; je trouve qu'ils dégagent un charme immense, sans que je puisse en percer le sens.

34

Tu avances dans la boue, sous une petite pluie fine, le chemin est calme et silencieux, hormis le bruit de succion de tes pas dans la terre mouillée. Tu lui conseilles de marcher là où le sol est plus dur, quand tu entends un bruit de chute. Tu te retournes et tu la vois étalée dans la boue, un bras appuyé à terre, la mine déconfite. Tu t'avances pour l'aider, mais elle glisse encore et se salit de sa main maculée. Tu lui conseilles d'enlever carrément ses chaussures à talons hauts, elle se met à pleurer lamentablement et s'assied en plein dans la boue. Tu lui dis que ça ne fait rien qu'elle soit sale, que ce n'est pas grave, qu'il faut trouver une maison pour se laver, mais elle refuse d'avancer.

Voilà bien les femmes, dis-tu. Elles veulent faire de la montagne, mais sans souffrir.

Elle dit qu'elle n'aurait jamais dû te suivre sur ce satané sentier.

Tu lui dis qu'en montagne il n'y a pas que de beaux paysages, il y a aussi la pluie et le vent. Puisqu'elle est là, elle n'a rien à regretter.

Elle dit que tu l'as trompée, qu'il n'y a jamais personne sur le chemin qui mène à cette satanée Montagne de l'Ame.

Tu dis que si ce sont des êtres humains qu'elle veut voir et non des montagnes, elle en voit assez dans les rues, en ville. Elle n'a qu'à aller se promener dans un supermarché, au rayon des pâtisseries ou des produits de beauté, là où les femmes trouvent leur bonheur.

Alors elle éclate en sanglots en se couvrant le visage de ses mains sales, comme un enfant qui n'a pas l'air si triste que ça. Tu t'impatientes, tu l'obliges à se relever et tu la soutiens pour avancer.

Tu dis que, de toute manière, il ne faut pas rester là dans la pluie, que plus loin il y aura peut-être une maison, que dans cette maison il y aura peut-être un feu, que s'il y a du feu, il y aura de la chaleur, qu'elle ne se sentira plus aussi perdue, qu'elle trouvera un peu de réconfort.

Toi, bien sûr, tu sais que derrière ces murs délabrés, les foyers seront certainement en ruine et que les marmites seront rouillées depuis longtemps. Sur cette butte envahie par les herbes folles, derrière les tombes où sont piquées des bannières de papier défraîchi, aucun risque d'entendre les lamentations du fantôme d'une femme. Comme tu aimerais, à cet instant précis, trouver une maison dans la montagne pour pouvoir mettre des habits secs et propres, t'asseoir dans un fauteuil d'osier devant le feu, un bol de thé chaud à la main, face à la pluie tombant de l'auvent, et lui raconter à elle une histoire pour enfants qui n'aurait aucun rapport avec le monde des hommes ! Elle serait la petite fille bien sage d'un montagnard solitaire et elle se blottirait contre toi, assise sur tes genoux.

Tu dirais que le génie du feu est un petit garçon rouge tout nu qui adore faire des mauvais tours. Il apparaît toujours dans des forêts fraîchement coupées. Il fait exprès de remuer l'épaisse couche de feuilles sèches et, cul nu, il grimpe et saute entre les branches.

Elle te raconte son premier amour, une inclination vers l'amour plutôt, un amour de jeune fille naïve. Elle dit qu'à l'époque, il rentrait juste d'une ferme de rééducation par le travail. Il n'avait pas changé, très noir, très maigre, comme autrefois, les joues creusées de rides profondes. Son cœur à elle penchait toujours vers lui. Elle l'écoutait avec passion raconter les souffrances qu'il avait subies.

Tu dis que c'est une histoire très ancienne, tu la tiens de ton arrière-grand-père. Il disait qu'il avait vu, de ses yeux vu, l'enfant rouge sortir de sous l'arbre qu'il avait coupé l'année d'avant, et se diriger vers un camélia. Il avait secoué la tête, persuadé que ses vieux yeux étaient éblouis. Il était en montagne pour couper un tronc d'azerolier commandé par un constructeur de bateau de Xiangshui. L'azerolier est léger, c'est un bon matériau pour les bateaux.

Elle dit qu'à l'époque, elle n'avait que seize ans et lui déjà quarante-sept ou quarante-huit. Il aurait pu être son père. C'était d'ailleurs un ancien camarade d'université de son père, un ami de longue date. Après sa réhabilitation, à son retour en ville, il ne connaissait plus personne. Il venait toujours chez eux raconter à son père, en buvant de l'alcool, sa vie de « droitier » au camp de rééducation. Elle écoutait, écoutait, les yeux humides. Il n'avait pas encore recouvré toute sa vitalité, il était maigre, très différent de ce qu'il deviendrait quand il aurait trouvé un travail d'ingénieur en chef. Il porterait alors un costume à l'occidentale, avec une chemise au col blanc bien repassé, grand ouvert, qui lui donnerait tellement d'élégance. Mais à l'époque, elle était comme enivrée par lui et elle l'aimait. Elle voulait pleurer pour lui, elle ne pensait qu'à le réconforter pour qu'il passe de manière heureuse la dernière moitié de sa vie. Elle désirait seulement qu'il accepte son amour de jeune fille, c'est vrai, dit-elle, elle ne se souciait de rien d'autre.

Tu dis qu'à l'époque, ton arrière-grand-père descendait de la montagne, chargé d'un tronc d'azerolier, quand il avait vu le génie du feu grimper sur un camélia. Il n'avait pas ralenti le pas et, sans trop regarder, était rentré chez lui déposer son chargement. Avant même de pénétrer dans la maison, il s'était exclamé : « Quel malheur ! » A l'époque, ton grand-père vivait encore, il lui avait demandé : « Qu'y a-t-il, papa ? » Ton arrière-grand-père avait expliqué qu'il avait vu le génie du feu, Zhurong, que c'en était fini des jours fastes !

Mais elle dit que lui, l'ami de son père, il ne savait rien, c'était un imbécile. Il ne lui avait dit que bien plus tard, alors qu'elle était à l'université, qu'il avait une femme et un fils. Lorsqu'il était parti en camp, sa femme l'avait attendu vingt ans, son fils était plus âgé qu'elle. De plus, son père à elle était un de ses vieux amis, comment pourrait-il le traiter ainsi ? Quel peureux ! Quel peureux ! Elle dit qu'à l'époque, elle l'avait injurié en pleurant. Elle dit que même ce rendez-vous, c'était elle qui l'avait fixé. Il prenait congé de son père et elle avait prétexté vouloir retrouver une amie habitant le même immeuble que lui pour sortir en même temps. Habituellement, elle l'appelait Oncle Cai. Elle lui avait dit : « Oncle Cai, j'ai quelque chose à te dire. » « Entendu, allons-y, bavardons en marchant. » Non, elle ne pouvait pas parler comme ça, en pleine rue. Il avait réfléchi un peu et lui avait fixé rendez-vous dans le restaurant d'un parc.

Tu dis qu'ensuite les catastrophes se sont succédé. A l'époque, tu étais encore petit, tu ne pouvais pas porter un fusil, ni chasser avec eux. Tu ne pouvais que les suivre, houe à l'épaule, pour déterrer des pousses de bambou.

Ton arrière-grand-père était déjà bossu ; et, sur la nuque, lui était poussée une grosse boule de chair, à cause de tous les arbres qu'il avait transportés. Ton père t'avait dit que dans sa jeunesse, c'était un chasseur inégalable ; pourtant, il avait été tué deux jours après avoir vu l'enfant rouge. La balle avait perforé l'occiput, ressortant par l'œil gauche. Baignant dans une mare de sang, il avait réussi à atteindre le seuil de la maison où il avait rendu l'âme, maculant au passage les racines du vieux camphrier de la cour. Ton arrière-grand-mère ne l'avait découvert qu'au petit matin, en se levant pour préparer la nourriture des cochons. Elle n'avait entendu aucun cri pendant la nuit.

Elle dit qu'à table, elle n'avait parlé que de son école, de choses qui ne le concernaient pas. Après le repas, il lui avait proposé de faire un tour dans le parc et, une fois à l'ombre des arbres, il s'était conduit comme tous les hommes. Grisé par l'alcool, il avait voulu l'embrasser, mais elle l'avait repoussé. Elle lui avait dit qu'elle l'appellerait encore Oncle Cai, qu'elle voulait juste qu'il sache combien elle l'avait aimé, combien elle s'en voudrait de se donner à quelqu'un qui ne l'aimerait pas. Elle avait perdu la tête l'espace d'un instant, cet homme-là s'était amusé d'elle, oui c'est cela, elle utilisait le mot s'amuser, elle avait cédé à une pulsion. A l'entendre parler ainsi, il avait voulu la prendre dans ses bras, mais elle s'était dérobée.

Tu dis qu'à cet instant, il ne faisait pas encore tout à fait jour. Ta grand-mère a d'abord trébuché sur lui, puis elle s'est mise à hurler. A l'époque, elle était enceinte de ton père. Ce fut ton grand-père qui tira le corps dans la maison. Il a dit que ton arrière-grand-père était tombé dans une embuscade, qu'il avait été atteint par derrière, par une cartouche remplie de limaille de fer pour la chasse au sanglier. Ton grand-père a dit aussi que, peu de temps après sa mort, le feu s'était déclenché dans la montagne et que l'incendie avait dévasté la forêt dix jours de suite. Impossible d'éteindre de telles flammes. Leur lumière illuminait le ciel, transformant le mont Huri en un véritable volcan. Ton grand-père a dit que ton arrière-grand-père avait été abattu au moment où le feu avait pris. Plus tard, il avait pourtant affirmé que la mort de ton arrière-grand-père n'avait pas de rapport avec l'enfant rouge, qu'il était tombé dans l'embuscade d'un ennemi personnel. Jusqu'à sa mort, ton grand-père avait voulu retrouver l'assassin de son père, mais quand ton père t'a raconté cette histoire, il s'est contenté de pousser un soupir sans en dire davantage.

Elle dit que lui aussi avait déclaré qu'il l'aimait, mais elle avait dit : « C'est faux ! » Il prétendait avoir vraiment pensé à elle, mais c'était trop tard. Il avait demandé pourquoi. Quelle question ! Pourquoi il ne pourrait même pas l'embrasser une fois. Elle avait dit qu'elle pourrait coucher avec n'importe quel homme, mais pas avec lui. « Va-t'en ! avait-elle crié, tu ne pourras jamais comprendre. » Elle le haïssait, elle ne voulait plus le voir. Et elle l'avait repoussé avec force.

Tu dis qu'elle n'est absolument pas infirmière, qu'elle n'a fait que te raconter des mensonges tout au long de la route, qu'elle n'a pas parlé d'une amie, mais d'elle-même, de sa propre expérience. Elle te répond que toi non plus, tu ne parles pas de tes propres arrière-grand-père, grand-père, père et de toi-même, tu inventes des histoires pour lui faire peur. Tu lui dis que tu l'avais prévenue qu'il s'agissait d'un conte pour enfants, mais elle répond qu'elle n'est pas un petit enfant, qu'elle n'écoute plus ce genre de contes, qu'elle désire seulement vivre réellement, qu'elle ne croit plus à l'amour, qu'elle est lasse déjà, que les hommes sont tous aussi lubriques. « Et les femmes ? » demandes-tu. Elles sont viles aussi, dit-elle, elle a déjà tout vu, elle n'a plus le goût de vivre, elle ne veut pas souffrir autant, elle n'aspire qu'à un simple instant de bonheur. Elle te demande si tu la veux encore.

Ici, sur cette terre trempée ?

C'est plus excitant, non ?

Tu dis qu'elle est vraiment abjecte. Est-ce que ce n'est pas justement ce qu'aiment les hommes ? demande-t-elle. C'est simple, facile, et en plus c'est excitant, quand c'est fini, c'est fini. Avec combien d'hommes as-tu couché ? lui demandes-tu. Plus de cent, au moins. Tu ne la crois pas.

Qu'y a-t-il à croire ou ne pas croire ? En réalité c'est très simple, parfois, il suffit de quelques minutes.

Dans l'ascenseur ?

Pourquoi dans l'ascenseur ? Tu as vu ça dans des films occidentaux. On peut faire ça partout, sous un arbre, dans un coin de mur...

Avec un homme qu'on ne connaît pas du tout ?

C'est encore mieux, on risque moins d'être gêné si on se revoit.

Tu lui demandes si elle fait souvent ça.

Seulement quand j'en ai envie.

Et quand tu ne trouves pas d'hommes ?

Ils ne sont pas difficiles à trouver. Ils te suivent sur un simple regard.

Tu dis que sur un simple regard de sa part, ce n'est pas sûr que tu la suivrais.

Elle dit que tu n'oserais peut-être pas, mais que certains osent. N'est-ce pas cela que veulent les hommes ?

Eh bien, tu t'amuses avec les hommes.

Pourquoi n'y aurait-il que les hommes qui s'amuseraient avec les femmes ? Quoi d'étonnant ?

Autant dire qu'elle s'amuse avec elle-même.

Et pourquoi pas ?

Dans cette boue !

Puis elle te dit en riant doucement qu'elle t'apprécie, mais que ce n'est pas de l'amour. Et aussi que tu dois faire attention au cas où elle se mettrait vraiment à t'aimer…

Ce serait une catastrophe.

Pour toi ou pour elle ? demande-t-elle.

Pour toi et pour elle.

Tu es vraiment intelligent. Elle dit qu'elle aime en toi cette intelligence.

Tu dis que c'est dommage que ce ne soit pas ton corps.

Elle dit qu'un corps, tous les hommes en ont un. Elle ajoute ensuite qu'elle n'a pas envie de trop se fatiguer dans la vie et elle pousse un long soupir avant de te demander de raconter une histoire gaie.

Raconter encore le feu ? Ou l'enfant rouge aux fesses nues ?

Ce que tu veux.

Tu dis alors que ce génie du feu, Zhurong, l'enfant rouge, était le dieu de cette grande montagne. Au pied du mont Huri, le temple au génie du feu avait été laissé à l'abandon, les hommes avaient oublié d'y faire des sacrifices, ils utilisaient l'alcool et la viande à leur usage personnel. Le dieu oublié de tous s'était mis en colère et quand ton arrière-grand-père…

Pourquoi ne continues-tu pas ?

La nuit où il est mort, alors que tout le monde était plongé dans un profond sommeil, une lumière étincelante avait inondé la montagne sombre. Quand le vent avait poussé des bouffées d'odeur de brûlé, les gens avaient commencé à suffoquer dans leur sommeil et s'étaient vite levés. A la vue du feu, ils étaient restés interdits. Au matin, la fumée avait tout envahi, il était déjà trop tard pour partir. Les animaux sauvages, pris de panique, fuyaient devant le feu ; les tigres, les léopards, les sangliers, les loups se réfugiaient pêle-mêle dans le torrent. Seules ses eaux impétueuses empêchaient le feu de progresser. La foule massée sur la rive pour contempler l'incendie avait soudain vu s'envoler un grand oiseau rouge à neuf têtes. Crachant le feu, sa longue queue dorée déployée, poussant un cri semblable aux vagissements d'un nouveau-né, il avait disparu dans les cieux. Des arbres séculaires gigantesques étaient projetés en l'air comme des plumes, puis retombaient dans la fournaise en émettant de grands craquements...

35

En rêve, je vois la falaise s'ouvrir derrière moi en grinçant, entre les pierres se découpe le ciel gris perle, sous le ciel, une ruelle, déserte et calme, sur le côté, la porte d'un temple, je sais qu'elle conduit dans un grand temple, elle n'est jamais ouverte, à l'entrée est tendue une corde de nylon où sèchent des vêtements d'enfants, je reconnais cet endroit, je suis déjà venu ici, c'est le temple des Deux Rois du district de Guan, je me promène sur la digue qui sépare les eaux du fleuve bouillonnant à mes pieds, sur la rive opposée, les ruines d'un autre temple désaffecté, j'ai voulu y entrer, mais je n'ai pas trouvé la porte, j'ai seulement vu les serpents-poissons rampant sur les avant-toits noirs et recourbés dépassant largement les murs de la cour, en me tenant à un câble, j'avance un peu, sur la berge blanche du fleuve, un homme pêche, je veux aller vers lui, l'eau monte, je ne peux que reculer, les eaux me cernent de toutes parts, moi, au milieu, je redeviens enfant, moi, à cet instant, debout devant cette entrée, je me regarde moi en enfant, je porte des chaussures de toile, je ne peux ni avancer ni reculer, sur l'empeigne de mes chaussures il y a des boutons en tissu, à l'école primaire, mes camarades disaient que je portais des chaussures de fille, ils me mettaient mal à l'aise, et c'est justement de la bouche de ces garçons habitués à la rue que j'ai compris le sens de cette injure, ils disaient aussi que les femmes, c'était de la mauvaise camelote et aussi que la grosse dame qui vendait des galettes au coin de la rue se collait aux hommes, je savais que c'étaient des grossièretés en rapport avec la chair des hommes et des femmes, mais la nature de ces rapports restait très floue dans ma tête, ils disaient que j'aimais la petite fille maigre et noiraude de ma classe, qui m'avait donné une carte parfumée, j'avais rougi, et un jour, après mon entrée dans le secondaire, pendant les vacances, j'avais rencontré ces garçons au cours d'une séance de cinéma réservée aux lycéens, ils m'avaient dit qu'elle avait embelli, une jeune fille très séduisante, qu'elle s'était renseignée à mon sujet, ils m'avaient demandé pourquoi je ne lui fixais pas un rendez-vous, ensuite, j'étais tombé dans la chair des femmes, je m'étais débattu, j'avais tendu la main pour toucher le bas du corps humide d'une femme, je n'étais pas aussi courageux autrefois, je savais que je tombais dans la déchéance, mais j'aimais cela secrètement, je savais peut-être que c'était une femme que je voulais avoir sans y parvenir, son joli visage, je ne pouvais le voir, je voulais la baiser avec ma bouche qui avait déjà été baisée par une autre femme, en moi-même je ne l'aimais pas, mais je ne faisais que prendre mon plaisir, j'ai vu aussi les yeux tristes de mon père, silencieux, je sais qu'il est mort déjà, que ce n'est pas vrai, dans mon rêve, je m'efforce de me laisser aller, puis j'entends le claquement de la porte dans le vent, je me souviens que je dors dans une grotte de montagne, au-dessus de ma tête le plafond étrange monte et descend, éclairé par la lampe-tempête, je dors tout habillé dans des couvertures saturées d'humidité, mes habits sont trempés aussi, mes pieds sont gelés, je n'arrive pas à les réchauffer, le vent est violent, il hurle à chaque claquement de porte, comme une bête sauvage ensanglantée, allongé dans une grotte de montagne fermée par une simple planche, j'écoute attentivement, les hurlements du vent déferlent du sommet des montagnes, et s'engouffrent dans les champs et les forêts.

Pressé par une envie d'uriner, je me lève et, à la lumière de la lampe-tempête que je porte à la main, je remets mes chaussures. Je retire la planche qui bloque la porte faite de rondins de bois. La porte claque violemment en s'ouvrant, poussée par le vent. La lampe n'éclaire qu'un cercle à mes pieds dans le rideau noir de la nuit. Je fais deux pas et déboutonne mon pantalon, quand je vois soudain, en levant la tête, une ombre de plus de dix mètres de haut se dresser devant moi. Je pousse un cri et manque renverser la lampe. L'ombre immense bouge au même rythme que moi. J'imagine qu'il s'agit de « l'ombre du démon » signalée dans la *Monographie de la montagne Fanjing*. J'agite ma lampe, l'ombre bouge aussi. C'est en fait mon ombre portée dans la nuit.

Le paysan qui me sert de guide est sorti en entendant du bruit, sa hache à la main. Je n'ai pas encore repris mes esprits et je ne peux lui parler. En marmonnant, j'agite la lampe pour lui montrer. Lui aussi pousse un cri et s'empare de la lampe. Deux ombres immenses se profilent alors sur le rideau noir de la nuit et dansent au rythme de nos cris. Quelle stupéfaction d'être effrayé par soi-même, qui plus est par son ombre ! Comme deux enfants, nous pissons en dansant pour faire sauter l'ombre démoniaque. C'est aussi pour nous calmer, pour réconforter nos esprits troublés.

Une fois rentré dans la grotte, l'excitation m'empêche de retrouver le sommeil. Mon compagnon se retourne aussi sur sa couche. Je lui demande carrément de me raconter des histoires de montagne. Il se met à balbutier, mais il s'exprime en dialecte et huit phrases sur dix m'échappent. Il me semble qu'il raconte l'histoire d'un cousin éloigné, faisant tel ou tel travail, qui avait eu un œil arraché par un ours, parce qu'il n'avait pas honoré le dieu de la montagne avant d'y aller. Impossible de savoir si c'est une manière de m'adresser des reproches.

Levé tôt, j'ai l'intention d'aller à Jiulongchi, le lac des Neuf Dragons. Un épais brouillard est tombé. Mon guide marche devant, ombre indistincte à trois pas de moi ; à plus de cinq pas, il ne m'entend plus, même si je l'appelle à tue-tête. Rien d'étonnant si, dans la nuit d'hier, la lampe pouvait projeter les ombres sur un brouillard aussi épais. Pour moi, c'est bien sûr une expérience nouvelle ; à chaque expiration, une vapeur blanche vient remplir l'espace laissé libre dans la bouche. A moins de cent pas de la grotte, il s'arrête et se retourne en disant qu'il est impossible de continuer.

— Pourquoi ?

— L'année dernière, par le même temps, six personnes sont parties en montagne ramasser en cachette des plantes médicinales et seules trois d'entre elles sont rentrées, bredouille-t-il.

— Vous voulez me faire peur, non ?

— Si vous voulez y aller, allez-y, mais sans moi.

— Mais vous êtes mon guide ! Je suis bien sûr un peu en colère.

— C'est le chef de la station qui m'a envoyé.

— Mais c'est pour moi qu'il vous a envoyé.

Je ne lui ai pas dit que c'est moi qui ai payé son salaire.

— S'il vous arrive quelque chose, j'aurai des comptes à rendre au chef de la station.

— Vous n'aurez aucun compte à lui rendre. Ce n'est pas mon chef. Il n'est pas responsable de moi. Je veux simplement aller voir ce lac des Neuf Dragons !

Il dit que ce n'est pas un lac, seulement quelques étangs aux eaux profondes.

— Ça m'est égal que ce soit un lac ou des étangs, je veux voir la mousse dorée qui recouvre la berge, je suis venu en montagne pour voir cette mousse épaisse, je veux aller me rouler dans cette mousse.

Il me dit qu'on ne peut pas s'y étendre, ce sont des herbes qui poussent dans l'eau.

J'ai envie de lui raconter que c'est le chef de la station qui m'a dit que c'est plus agréable de se rouler sur cette mousse que sur un tapis, mais je ne veux pas avoir à lui expliquer ce qu'est un tapis.

Il se tait et marche devant, tête baissée. Je me remets en route. Voilà ma victoire : faire exécuter ma volonté par un guide que j'ai payé. Je veux prouver que j'ai ma volonté, c'est le sens de ma venue dans ce lieu où les diables eux-mêmes n'osent pénétrer.

Il a encore disparu. J'ai ralenti un peu le pas et il s'est évanoui dans la blancheur du brouillard. Je me hâte de le rattraper, mais je me heurte à un grand arbre. Si je dois retrouver mon chemin seul, parmi ces arbres et ces champs, je n'y arriverai jamais. Je n'ai aucune idée de mon orientation et je commence à l'appeler à grands cris.

Finalement, il réapparaît dans la brume, gesticulant de manière bizarre dans ma direction. Je ne l'entends crier que lorsque je suis devant lui, toujours dans ce maudit brouillard.

— Vous êtes en colère contre moi ? Je tente de m'excuser.

— Je ne suis pas en colère, pas contre vous en tout cas, c'est vous qui devez m'en vouloir !

Il continue à gesticuler en criant, mais les sons arrivent de manière étouffée à travers le brouillard. Je me rends compte que je ne suis pas raisonnable.

Je lui emboîte le pas, à lui marcher sur les talons. Bien sûr ce n'est pas commode, nous ne pouvons guère aller plus loin. Je ne suis pas venu dans cette montagne pour contempler les talons de cet homme. Pourquoi suis-je venu alors ? J'ai un mauvais pressentiment, sans doute à cause du rêve et de l'ombre démoniaque de cette nuit, de mes habits trempés par l'humidité, de la nuit presque blanche que j'ai passée, et de ma fatigue. Je cherche à prendre dans la poche de ma chemise, qui colle à ma peau, la racine d'herbe médicinale antiserpent, mais je ne la trouve plus.

— Il vaut mieux rentrer.

Il ne m'a pas entendu. Je dois crier :

— On rentre !

La situation devient comique, mais lui ne rit pas. Il se contente de marmonner :

— Ça fait longtemps qu'on aurait dû rentrer.

J'ai donc fini par lui obéir. Dans la grotte, il a tout de suite allumé un feu, mais la pression atmosphérique est trop basse, la fumée ne peut pas s'échapper et envahit tout l'espace, nous empêchant d'ouvrir les yeux. Assis près du foyer, il marmonne.

— Qu'est-ce que vous dites au feu ?

— Je lui dis que nous n'avons pas désobéi.

Puis il grimpe sur sa couchette. Un instant plus tard, j'entends ses ronflements sonores. C'est un être simple, sa conscience est tranquille, alors que moi, je suis un être égoïste, perpétuellement en quête d'une spiritualité à laquelle je ne serai peut-être même pas capable de m'éveiller lorsqu'elle se révélera. Et j'ignore où cela m'entraînera.

J'ai le cafard, dans cette grotte humide, avec ces habits trempés et glacés qui me collent à la peau. A cet instant, ce que je désire le plus, c'est une fenêtre, une fenêtre éclairée, avec derrière, un peu de chaleur, une personne que j'aime et qui m'aime. C'est tout. Tout le reste serait vain. Mais cette fenêtre n'est encore qu'une ombre illusoire.

Je rêve souvent que je vais à la recherche de la maison de mon enfance, à la recherche de mes souvenirs les plus doux, je vois en rêve une succession de cours en enfilade comme un labyrinthe avec des passages sombres, étroits et tortueux, dont je ne trouve jamais l'issue. Chaque fois que je fais ce rêve, les chemins sont différents, parfois la cour intérieure où habitait ma famille est un passage pour les voisins, je ne peux rien faire sans que ceux-ci ne le voient, et je ne peux pas jouir d'un sentiment de douce intimité, et même si je suis dans la maison, les cloisons ne vont pas jusqu'au plafond ou les papiers collés des murs sont déchirés ou même un mur est carrément tombé, je grimpe sur un escalier qui monte à l'étage et je regarde en bas, à l'intérieur de la pièce, tout n'est que gravats, dehors, c'est un champ de courges sous lesquelles j'ai rampé pour attraper des grillons, les poils des tiges de courges mêlés à la transpiration de mon cou et de mes bras provoquent des démangeaisons sur tout mon corps, parfois en plein soleil, parfois sous la pluie glacée, dans cette cour remplie de gravats, on a construit de nouvelles maisons, je ne sais pas quand, avec des fenêtres toujours fermées, sous ce pavillon presque sans murs, ma grand-mère maternelle est en train de déménager une malle à habits en palissandre, aussi vieille qu'elle, dont le couvercle a été ouvert, elle est morte depuis longtemps, mais je dois quand même retrouver mes souvenirs les plus doux, mes rêves d'enfant, je veux retrouver mes amis d'enfance, mes petits camarades dont j'ai déjà oublié le nom, il y avait un garçon dont la lèvre inférieure était marquée par une cicatrice, il avait l'air tellement honnête, il avait un pot en grès violet où il élevait des grillons, il disait que c'était son grand-père qui le lui avait donné, j'aimais aussi sa sœur, une grande fille très douce, mais je ne lui ai jamais parlé, j'ai su plus tard qu'elle s'était mariée, ça ne servirait à rien de retourner chez elle, et je ne retrouverais pas non plus mon petit camarade d'enfance avec sa cicatrice à la lèvre, j'ai parcouru la ruelle où se succèdent les portes de leurs maisons, leurs avant-toits qui débordent presque jusqu'au milieu de la rue, j'ai hâte de rentrer dans ma maison, ma grand-mère maternelle m'attend pour manger, dès que c'est l'heure, elle m'appelle à grands cris, dès que je l'entends m'appeler, je crois qu'elle se dispute avec quelqu'un, elle se dispute souvent avec ma mère, elle s'emporte facilement, plus elle vieillit, plus son caractère devient étrange, elle ne s'entend pas avec sa propre fille, elle a dû rentrer au pays vivre dans sa famille, par la suite, ils ont dit qu'elle était morte à l'hospice, je dois retrouver ce lieu pour être digne de ma mère qui est morte, à cet instant, je pense beaucoup à celles qui ont disparu, peut-être parce que en temps normal, je ne l'ai pas fait souvent, ce sont pourtant les personnes qui m'étaient les plus proches, dans cette grotte de montagne, face au feu, les flammes sautillantes appellent les souvenirs, je frotte mes yeux enfumés que je n'arrive pas à ouvrir.

Je me lève pour sortir. Le brouillard s'est un peu dissipé, on voit à plus de dix pas. Il tombe une petite pluie fine. Je découvre que dans les fentes des rochers sont piqués des restes de bâtons d'encens ainsi qu'une branche d'arbre sur laquelle est attaché un tissu rouge. Est-ce le Rocher de l'Ame où les femmes viennent demander la naissance d'un fils ?

Tout en haut, d'immenses piliers de pierre se fondent dans la brume. Je ne pensais pas découvrir une ville morte sur cette crête.

36

As-tu autre chose à dire ?

Tu lui parles de ces ruines envahies de roseaux et battues par les vents violents des sommets, des pierres brisées, couvertes de mousses et de lichens, du gecko qui rampe sur une dalle fendue.

Tu lui dis comment, autrefois, résonnaient ici la cloche du matin et le tambour du soir, comment la fumée de l'encens tourbillonnait, comment neuf cent quatre-vingt-dix-neuf bonzes habitaient les mille chambres que possédait le temple, comment, les jours de nirvana, se tenaient de somptueuses assemblées religieuses.

Tu dis que lorsque les fumées de l'encens s'échappaient des innombrables brûle-parfums, les fidèles accouraient de cent lis à la ronde pour voir de leurs propres yeux le vieux moine entrer en béatitude. Les pèlerins se pressaient sur les chemins à travers la forêt.

Tu dis que les psalmodies des soutras résonnaient au-delà de la grande porte de la pagode. Il ne restait plus la moindre natte disponible dans le temple. Les derniers arrivés s'agenouillaient à même le sol et ceux qui arrivaient encore plus tard devaient attendre dehors. Et derrière la masse des fidèles qui ne parvenaient pas à entrer, se pressait encore une foule immense. C'était un rassemblement exceptionnel.

Tu dis qu'il n'y avait pas un seul fidèle qui ne voulût obtenir la grâce du vieux moine. Chaque disciple espérait recueillir son message car, avant d'entrer en béatitude, le grand maître enseignerait le dharma. La salle des soutras où il se tenait était au rez-de-chaussée du pavillon des ouvrages canoniques, à gauche du temple du Grand Trésor.

Tu dis que dans la cour, devant cette salle, embaumaient deux canneliers en pleine floraison, l'un rouge, l'autre blanc, et que le sol était couvert de nattes depuis la salle jusque dans la cour. Sous le doux soleil d'automne, les bonzes attendaient assis, le cœur paisible, que le vieux moine enseigne pour la dernière fois le dharma.

Tu dis qu'il se tenait assis en tailleur sur une estrade de bois de santal noir, sculpté de fleurs de lotus, qu'il pratiquait une purification et une abstinence totale depuis sept jours et sept nuits, sans manger ni boire, gardant les yeux fermés, une longue robe rapiécée flottant sur ses épaules. Devant l'autel, dans les brûle-parfums en bronze ciselé, se consumaient des bûchettes de bois de santal blanc dont l'arôme se répandait dans toute la salle. Deux de ses disciples étaient à ses côtés et une dizaine de bonzes qui avaient reçu la tonsure de sa propre main attendaient respectueusement au pied de l'estrade. De la main gauche, il tortillait un chapelet, et de la droite, il tenait une clochette qu'il frappait doucement d'une fine baguette de métal serrée entre ses doigts. Telle une soie légère, le son de la clochette s'envolait et flottait entre les bannières suspendues dans la salle.

Tu dis que les bonzes ont alors entendu sa douce voix : « Le Bouddha nous enseigne que pour connaître l'éveil, il ne faut pas connaître Bouddha par sa figure corporelle ; ce que l'on appelle la figure corporelle du Bouddha, ce sont les figures illusoires de son corps, les figures que l'on voit ne sont pas sa figure, elles sont la négation de sa figure. Ce que je vous transmets, c'est que même ce que dit Bouddha ne peut être accepté, tout en ne pouvant pas ne pas être accepté, sans pouvoir être transmis, ce qui ne peut être transmis et qui ne peut être admis, mais qui ne peut pas ne pas être admis, c'est ce que je vous transmets, et c'est la grande loi que vous transmet Bouddha, avez-vous des questions ? »

Tu dis que dans la foule des disciples, personne n'a compris le sens de ses paroles et n'ose poser de question. Pour les deux disciples qui le veillent à sa gauche et à sa droite, c'est le plus difficile. Depuis sept jours, ils n'osent se relâcher un instant, attendant sans un mot que le maître ait fait part de ses intentions et de son enseignement. Sur le brûle-parfum, le dernier bâtonnet d'encens finit de se consumer. Finalement, le premier disciple s'enhardit. Il avance d'un pas, s'agenouille, puis se prosterne mains jointes : « Votre disciple a une question, mais il ne sait pas s'il doit la poser. »

Le vieux moine ouvre un peu les yeux et demande quelle est la question. Le disciple lève la tête, jette un regard circulaire et demande : « Avant de parvenir au nirvana, le maître transmettra-t-il son enseignement à un successeur ? » Tous ont compris : il faut absolument qu'il désigne un successeur pour s'occuper d'un monastère aussi vaste avec autant de bonzes, de cierges et d'encens. Comment un grand maître comme lui pourrait-il ne pas être remplacé ?

Le vieux maître hoche la tête, prend sur sa poitrine son bol à offrandes et dit : « Prends ce bol... » L'encens s'est presque entièrement consumé, les volutes de fumée s'élèvent dans l'air en formant des cercles incomplets avant de se dissiper. La lourde cloche en fer de douze mille livres du temple du Grand Trésor, fondue pendant l'ère Zhenyuan des Tang, se met à résonner, suivie du son des tambours. Dans la salle des soutras, les moines s'empressent de frapper leurs poissons de bois et leurs pierres sonores. Comprenant que le vieux maître a transmis son enseignement et désigné son successeur, la foule psalmodie les soutras et récite le nom du Bouddha Amithaba.

Mais les deux premiers disciples restent un peu stupides, ils n'ont pas entendu qu'après les mots « prends ce bol », il a ajouté « et va mendier ». Ils voient seulement les lèvres du maître remuer, mais ni l'un ni l'autre ne parvient à recueillir son enseignement. Ils tendent la main en même temps pour s'emparer du bol à offrandes et aucun ne veut le lâcher. Le bol finit par se briser. Les deux hommes sont frappés de stupeur. Ils comprennent quelle était l'intention du maître, mais ils n'osent pas lui parler. Seul le vieux moine a réalisé que le temple tombera un jour en ruine. N'en supportant pas davantage, il ferme les yeux et, assis, fait le vide en lui sur son siège en fleur de lotus, les mains croisées, il concentre son attention sur le point « porte de la vie » et, par sa propre volonté, met fin à son existence.

Tu dis comment la cloche et le tambour résonnent dans la salle des soutras et au dehors. A l'intérieur, les moines récitent à l'unisson des prières qui se propagent jusque dans la cour. Là, la foule des moines les reprend en chœur jusqu'aux trois salles et aux deux ailes latérales, puis jusqu'à l'extérieur du temple où se pressent les fidèles avec leurs palanquins, leurs ânes et leurs chevaux. Les fidèles qui n'ont pu pénétrer dans le bâtiment ne veulent pas être en reste et crient à tue-tête le nom du Bouddha Amithaba avec tant de force qu'on les entend jusque dans le temple !

Les moines soulèvent la grande jarre où a été placé le vieux moine en béatitude, escortés de bannières sacrées en brocarts brodés, le chemin est ouvert par les deux premiers disciples agitant les chasse-mouches et dispersant l'alcool pour purifier les âmes et les corps, et la masse des fidèles se précipitent de plus belle dans le temple pour avoir le bonheur de contempler la figure mortuaire du grand maître. Ceux qui arrivent à le voir s'écrient : « Miséricorde ! » et ceux qui n'y parviennent pas sont au comble de l'excitation, tête dressée, ils se pressent sur la pointe des pieds, perdant leur chapeau, et leurs chaussures, renversant les brûle-parfums sans se soucier de la solennité du lieu.

Une fois le couvercle de la jarre scellé, elle est installée sur un bûcher devant le temple du Grand Trésor, puis, avant d'allumer le feu, commence une séance de lecture de soutras pour la délivrance de l'âme, aucun manquement au cérémonial n'est possible, la moindre négligence est inconcevable, mais aucun temple ne pourrait contenir des dizaines de milliers de personnes se pressant et se bousculant, les gaillards les plus solides ne pourraient résister au flot de la foule, les gens bousculés et piétinés poussent des cris pitoyables ! Personne n'aurait pu dire où le feu avait pris, combien de victimes périrent brûlées ou écrasées, s'il y eut plus de morts par étouffement ou par brûlure, de toute façon, le feu dura trois jours et trois nuits avant que le Seigneur d'en haut, pris de pitié, ne fasse enfin tomber une pluie bienfaisante qui ne laissa qu'une étendue de cendres fumantes. Et après la catastrophe, il ne resta plus que des ruines et des stèles cassées, objets d'étude pour les générations futures.

37

Derrière le mur en ruine, sont attablés mon père, ma mère et ma grand-mère maternelle, tous morts. Ils m'attendent pour manger. Je me suis assez promené maintenant, cela fait assez longtemps que je ne me suis pas retrouvé en famille. J'ai envie de m'asseoir à la même table qu'eux pour bavarder de la pluie et du beau temps, comme lorsque j'étais chez mon frère cadet, quand le docteur avait diagnostiqué un cancer et que nous parlions de choses dont on ne peut parler qu'en famille. A cette époque, à l'heure du repas, ma petite nièce voulait toujours regarder la télévision, mais elle ne pouvait pas savoir que les programmes portaient exclusivement sur la campagne contre la pollution spirituelle, expliquée à l'intention de tous par des vedettes du monde culturel qui prenaient position les unes après les autres en utilisant le verbiage des documents officiels. Ce n'étaient pas des programmes pour enfants et ils n'étaient bien sûr guère adaptés à l'heure des repas. J'en avais assez des nouvelles diffusées par la radio, la presse écrite et la télévision, je n'aspirais qu'à revenir à ma propre vie, à parler du passé de ma famille que l'on avait déjà oublié, par exemple, de cet arrière-grand-père fou qui n'avait qu'une seule envie :

devenir mandarin et qui avait pour cela fait don, en vain, de tout son patrimoine, une rue entière, puisqu'il n'avait même pas récupéré un demi-poste de fonctionnaire et qu'il était devenu fou lorsqu'il avait compris qu'il avait été berné. Il avait alors mis le feu à la dernière maison, celle où il habitait, et il était mort à l'âge de trente ans à peine, encore plus jeune que moi à cette époque. Cette trentaine, dont le vieux maître Confucius dit que c'est la période où sa personnalité était déjà formée, reste quand même un âge fragile où il est facile de tomber dans la schizophrénie. Mon petit frère et moi n'avions jamais vu de photo de cet arrière-grand-père, peut-être qu'à son époque la photographie n'avait pas encore été introduite en Chine, ou qu'elle était réservée à la famille impériale. Mais mon petit frère et moi avions mangé les plats délicieux que cuisinait notre grand-mère, et celui qui nous avait laissé l'impression la plus forte, c'était la crevette ivre dont la chair frémissait encore quand on l'avait en bouche. Avant d'en manger une, il nous fallait prendre notre courage à deux mains. Je me souviens aussi encore que mon grand-père, paralysé à la suite d'une crise d'apoplexie, avait loué à la campagne une vieille maison de paysan pour éviter les bombardements des avions japonais. Il restait allongé dans la pièce principale sur une chaise longue en bambou, le visage auréolé de ses cheveux argentés soufflés par le vent qui s'engouffrait par la porte grande ouverte. Dès qu'une alerte aérienne était déclenchée, il était saisi de frayeur. Ma mère disait qu'elle ne pouvait que lui répéter sans cesse à l'oreille que les Japonais n'avaient pas suffisamment de bombes et qu'ils les réservaient pour les villes. A cette époque, j'étais encore plus jeune que ma petite nièce à présent, je venais juste d'apprendre à marcher. Je me souviens que pour aller dans la cour de derrière, on passait un seuil très élevé au-delà duquel il fallait encore descendre une marche. Je ne pouvais pas le franchir seul, et cette cour constituait toujours pour moi un endroit mystérieux. Devant la porte d'entrée s'étendait une aire de battage, je me souviens comment, avec les enfants des paysans, je me roulais sur la paille qui séchait. Dans l'eau paisible de la rivière qui longeait l'aire de battage s'était noyé un petit chien. Je ne sais si quelque sale type l'avait jeté dans l'eau ou s'il s'était noyé tout seul, mais son cadavre était resté longtemps sur la rive. Ma mère m'interdisait formellement de jouer au bord de la rivière et je ne pouvais aller creuser le sable qu'en suivant les adultes qui venaient y puiser l'eau. Ils faisaient des trous sur la rive et recueillaient l'eau filtrée par le sable.

Je comprends à cet instant que je suis entouré d'un monde de morts et que derrière ce mur en ruine se trouvent mes parents disparus. J'ai envie de retourner parmi eux, m'asseoir à la même table, écouter même les propos les plus futiles, j'ai envie d'entendre leurs voix, de voir leurs regards, de m'asseoir bien sagement avec eux, même si je ne mange pas. Je sais que les repas de l'autre monde ont valeur de symbole, c'est une sorte de cérémonie à laquelle les vivants ne peuvent participer, m'asseoir à leur table me paraît soudain constituer le bonheur parfait. Je m'approche donc d'eux avec précaution, mais dès que j'ai franchi le mur en ruine, ils se lèvent et disparaissent silencieusement derrière un autre mur. J'entends leurs pas feutrés qui s'éloignent, je vois la table vide qu'ils ont laissée. En un instant, la table se couvre de mousse tendre, se fend et s'écroule en un tas de pierres, et dans ses fentes poussent des herbes folles. Je sais aussi qu'ils parlent de moi dans une autre maison en ruine, ils n'approuvent pas ma conduite et s'inquiètent à mon sujet. En réalité, rien ne devrait les préoccuper, mais ils y tiennent. Les morts se font sans doute souvent du souci pour les vivants. Ils sont en train de discuter en cachette, mais ils se taisent dès que j'appuie mon oreille contre le mur de pierres humides recouvert de mousse. Ils doivent continuer à parler avec les yeux, dire que je ne peux pas poursuivre ainsi, qu'il me faut une famille normale, une épouse sage et vertueuse qui s'occuperait de mes repas et tiendrait la maison, que si j'ai contracté une maladie incurable, cela vient de mon alimentation qui ne convient pas. Ils complotent pour savoir comment intervenir dans ma vie, je dois leur dire qu'il ne faut pas s'inquiéter, qu'arrivé à l'âge mûr, j'ai mon propre style de vie, que ce style de vie, je l'ai choisi moi-même, que je ne peux pas revenir sur les rails qu'ils ont fixés pour moi. Je ne peux pas vivre comme eux, d'autant plus que leur vie n'était pas forcément réussie, mais je ne peux m'empêcher de penser à eux, je veux les regarder, écouter leur voix, parler avec eux du passé. Je veux demander à ma mère si elle m'a réellement emmené en bateau sur la Xiang. Je me souviens d'un bateau de bois avec une voile en bambou tressé, sur lequel des gens se serraient, assis sur des bancs, de chaque côté de la cabine, genoux contre genoux. A travers la voile, on voyait que l'eau du fleuve risquait de passer par dessus le plat-bord. Le bateau ne cessait de tanguer, mais personne ne disait mot, chacun faisant semblant de rien, même si tous avaient réalisé que ce bateau rempli à ras bord risquait de chavirer d'un instant à l'autre. Personne ne voulait affronter la vérité. Moi aussi, je faisais semblant de rien, ni je ne pleurais ni je ne m'agitais, m'efforçant de ne pas penser à la catastrophe qui risquait de se produire d'une minute à l'autre. Je veux lui demander si elle aussi fuyait. Si j'avais revu ce genre de bateau sur la Xiang, ce souvenir aurait été bien réel. Je veux encore lui demander si l'on avait échappé à des bandits en se réfugiant dans un enclos à cochons. Le temps, ce jour là, était comme aujourd'hui, il tombait une pluie fine ; dans un tournant particulièrement relevé d'une côte, le car était tombé en panne et le chauffeur ne cessait de se lamenter en disant que s'il avait mieux tenu son volant, les roues du véhicule ne seraient pas allées s'enfoncer dans le fossé. Je me souviens que c'étaient les roues du côté droit, parce que, ensuite, les occupants du car étaient tous descendus et avaient transporté leurs bagages sur le côté gauche de la route, à flanc de montagne, puis ils étaient allés pousser, mais les roues continuaient à patiner dans la boue, sans résultat. Le car était équipé d'un moteur à charbon de bois, car c'était encore la guerre et les véhicules civils ne roulaient pas à l'essence. Pour le faire démarrer, il fallait d'abord tourner vigoureusement une manivelle, jusqu'à ce que le moteur pétarade. Les véhicules, à cette époque, étaient comme les hommes, ils ne se sentaient bien qu'après s'être soulagés des gaz qui encombraient leur ventre, mais cette fois, le car, même après avoir pété, n'était capable que de faire patiner ses roues en maculant de boue le visage des gens qui le poussaient. Le chauffeur s'efforçait de faire signe aux voitures qui passaient, mais aucune ne voulait s'arrêter pour le dépanner. Par un temps pareil, le ciel était tellement noir, ils ne pensaient qu'à fuir. Une dernière voiture était passée en frôlant le bord, ses phares jaunes luisants tels les yeux d'une bête sauvage. Ensuite, les passagers avaient gravi la côte à tâtons dans le noir, en bravant la pluie, glissant sans cesse sur la route de montagne boueuse, chacun se raccrochant aux vêtements de celui qui le précédait. Ce n'était qu'une bande de vieillards, de femmes et d'enfants. La troupe avait fini par atteindre non sans mal une maison paysanne sans lumière, où personne n'avait jamais voulu ouvrir la porte. On ne pouvait que se serrer dans l'enclos à cochons pour se protéger de la pluie ; des coups de feu retentissaient sans cesse dans la montagne. Des torches scintillaient. Des bandits sans doute. La peur empêchait chacun de proférer le moindre mot.

Je franchis le mur en ruine, derrière, il n'y a qu'une pousse de buis à petites feuilles, de l'épaisseur du petit doigt, qui tremble au vent au milieu de maisons démolies, sans toits. En face, se dresse une moitié de fenêtre sur laquelle on peut s'appuyer pour regarder au dehors. Parmi les touffes d'azalées et de bambous-flèches jaillissent des dalles de pierre recouvertes d'une mousse qui semble très souple, vue de loin. On dirait un corps allongé, genoux repliés, bras étendus. Sur le toit doré du temple, autrefois composé de milliers de salles et de cellules de moines, avaient été posées des tuiles métalliques pour résister au vent impétueux de la montagne. Les moines et les nonnes qui accompagnaient la neuvième concubine du père de l'empereur Wanli des Ming venaient ici s'exercer à la pratique de la perfection. Les grandes cérémonies, au cours desquelles brûlait l'encens et résonnaient la cloche du matin et le tambour du soir, n'avaient pas pu ne pas laisser de trace. Je veux trouver des vestiges de cette époque, mais je ne fais que retourner un morceau de stèle brisée. Est-ce que même les tuiles métalliques ont toutes été détruites par la rouille cinq cents ans plus tard ?

38

Que dire encore ?

Dire que, cinq cents ans plus tard, ce vieux temple en ruine était devenu un repaire de brigands qui dormaient le jour et, la nuit, allumaient des torches pour descendre de la montagne piller les villages. Et justement, au pied de la montagne, vivait dans un couvent de bonzesses la fille d'un fonctionnaire. Elle y pratiquait le bouddhisme mais n'était pas nonne. Pour racheter ses fautes du passé, elle veillait les lampes à huile. Mais elle avait tapé dans l'œil du chef des bandits, qui l'avait enlevée et obligée à devenir sa femme. Préférant mourir plutôt que de lui obéir, elle avait été violée puis décapitée.

Et encore ?

Revenir mille cinq cents ans en arrière, à l'époque où aucune trace du temple n'existait. Seule se dressait la cabane en chaume d'un célèbre lettré qui avait abandonné la vie publique pour vivre en ermite. Chaque jour, au moment où l'aube pointait, il tournait son visage vers l'est pour se livrer à des pratiques respiratoires. Il aspirait l'air frais du matin et l'expirait longuement, le cou tendu. Le son pur de ses chants résonnait dans le vallon désert et les singes qui grimpaient sur les falaises escarpées lui répondaient en écho. Si, par hasard, une connaissance lui rendait visite, il lui offrait du thé en guise d'alcool, sortait un jeu d'échecs ou bavardait avec lui sous la clarté de la lune. Il ne se souciait pas de vieillir. Les bûcherons qui passaient par là le regardaient de loin et il devint un personnage légendaire. Voilà comment ce lieu a gardé le nom de Falaise de l'Immortel.

Et encore ?

Dire encore que mille cinq cent quarante-sept ans plus tard, un seigneur de la guerre qui avait consacré presque toute sa vie à ses troupes, une fois devenu général, était revenu au pays pour offrir un sacrifice à ses ancêtres. Remarquant la servante de sa vieille mère, il avait choisi un jour faste pour l'épouser comme septième concubine. Fier de montrer aux hommes du pays sa puissance, il avait offert un festin de cent une tables. Les gens du pays se pressaient autour des tables et, évidemment, le flattaient et lui offraient des cadeaux : il fallait bien le remercier pour l'alcool qu'ils buvaient. Juste au moment où tout le monde le félicitait, se présenta à la porte un homme dénommé le Mendiant, aux vêtements en haillons et la tête couverte de gale. Le garde lui offrit un bol de riz en lui interdisant d'entrer, mais il voulait à tout prix féliciter personnellement le nouveau marié. Le général, hors de lui, ordonna à son aide de camp de chasser l'intrus à coups de crosse de fusil. En pleine nuit, alors que tout le monde se reposait et que le nouveau marié faisait de beaux rêves, qui aurait cru que le feu prît aux quatre coins de la résidence, anéantissant presque entièrement la demeure de ses ancêtres ? Certains dirent qu'un sort avait été jeté par une réincarnation de Maître Ji voulant exécuter le vœu du Ciel en punissant les hommes mauvais. D'autres dirent que le Mendiant avait commis ce crime à la tête d'une bande de vauriens des environs. Le général lui ayant manqué de respect, à minuit, il avait ordonné à ses hommes de main d'envoyer, par-dessus les hauts murs de la cour, des spirales d'encens enflammé sur des tas d'herbes et de bois. Le grand général, à la tête de milliers d'hommes et de chevaux, avait été incapable de se défendre de cet homme de rien. Voilà qui illustre bien le vieux dicton : « Le puissant dragon n'arrive pas à vaincre le tyran local. »

Et encore ?

Un demi-siècle plus tard, malgré l'isolement et l'austérité de ces montagnes, à cause des désordres engendrés par les hommes, ce lieu ne connaissait toujours pas le calme. La fille du nouveau responsable du comité révolutionnaire du district, un laideron, avait, comme par un fait exprès, jeté son dévolu sur le petit-fils d'un ancien propriétaire foncier. Désobéissant à son père, elle s'était obstinée dans cette union sans doute prédestinée et avait volé dans un tiroir des tickets pour trente-huit livres de céréales et cent sept yuans en liquide. Ils s'étaient enfuis tous deux en montagne, pensant pouvoir subvenir à leurs besoins en cultivant la terre. Le père, qui propageait jour après jour la lutte de classes, voyait sa propre fille prendre la poudre d'escampette avec un vaurien, fils de propriétaire terrien. Sa colère fut terrible. Il donna aussitôt l'ordre à la police de diffuser une photo du couple et de lancer un mandat d'arrêt dans tout le district. Comment les jeunes amoureux auraient-ils pu échapper aux milices armées qui battaient la campagne ? Leur grotte fut cernée. Le jeune étourdi tua d'abord sa fiancée avec une hache volée, puis il se suicida avec.

Elle dit qu'elle aussi veut voir du sang. Elle veut se piquer le majeur avec une aiguille, et du même coup faire souffrir son cœur. Elle veut voir jaillir le sang, le voir enfler et déborder, teinter de rouge tous ses doigts jusqu'à leur racine, s'écouler entre leurs fentes, le long des lignes de sa main, jusqu'au cœur de celle-ci, puis dégoutter de sa paume…

Tu lui demandes pourquoi.

Elle dit que c'est à cause de la pression que tu exerces sur elle.

Tu dis que cette pression ne vient que de son cœur à elle.

Mais c'est à cause de toi.

Tu dis que tu te contentes de raconter, que tu n'as rien fait d'autre.

Elle dit que ce que tu racontes la rend triste, l'empêche de respirer.

Tu lui demandes si elle se sent malade.

Cet état de maladie, c'est toi qui l'as créé !

Tu dis que tu ne comprends pas ce que tu as fait.

Quel hypocrite ! dit-elle. Puis elle prend le fou rire.

Tu ne peux t'empêcher d'avoir un peu peur en la regardant, tu reconnais que tu voulais stimuler un peu son désir, mais le sang d'une femme ne peut que te dégoûter.

Elle dit qu'elle veut justement te faire voir du sang, faire couler du sang sur son poignet, puis sur ses bras, sous ses aisselles, sur sa poitrine, elle veut que son sang frais coule en travers de sa poitrine blanche, un sang sombre aux reflets violacés et noirs, elle s'enfonce dans ce sang noir violacé. Tu seras obligé de la voir…

Totalement nue ?

Totalement nue, elle sera assise dans une mare de sang, le bas de son corps, entre ses cuisses, ses cuisses elles-mêmes, seront couverts de sang, de sang, de sang ! Elle dit qu'elle veut se noyer, sombrer au plus profond, elle ne sait pas pourquoi elle a un désir aussi fort, les vagues la submergent, elle se voit allongée sur une plage, les vagues la recouvrent, la plage de sable ne parvient pas encore à l'absorber complètement, une nouvelle vague irrésistible monte en elle, elle veut que tu pénètres dans son corps, que tu la pétrisses et que tu la déchires, il ne faut pas avoir pitié, elle dit qu'elle n'a pas de pudeur, qu'elle n'a plus peur, elle avait peur, mais en fait elle prétendait avoir peur, elle n'avait pas vraiment peur, mais elle craint aussi de tomber dans ce gouffre noir, d'y flotter sans cesse, elle veut sombrer, elle dit qu'elle voit la marée noire monter doucement depuis des gouffres insondables, l'écume sombre l'engloutit entièrement, elle dit qu'elle vient particulièrement lentement, mais qu'une fois qu'elle est venue, on ne peut plus l'arrêter, elle ne sait pas comment elle a pu devenir aussi insatiable, ah, elle veut que tu lui dises qu'elle est une dévergondée, elle veut que tu lui dises qu'elle n'est pas une dévergondée, elle ne fait cela que pour toi, elle n'éprouve ce besoin que pour toi, elle dit qu'elle t'aime, elle veut que tu dises aussi que tu l'aimes, mais tu ne dis jamais cela, tu es vraiment froid, ce que tu veux c'est une femme, mais ce qu'elle veut, elle, c'est l'amour, elle a besoin de le sentir dans tout son corps, même si elle doit aller en enfer avec toi, elle te supplie de ne pas l'abandonner, ne la laisse jamais tomber, elle a peur de la solitude, du vide, elle sait que tout cela est provisoire, elle veut seulement se tromper elle-même, ne peux-tu pas lui dire des choses pour la rendre joyeuse ? Lui inventer une histoire qui la rende heureuse ?

Ah, ils sont très joyeux, face à face, assis en tailleur sur leur natte. Des plats parfaitement disposés devant eux du sang de porc tout noir, du fromage de soja tout blanc des poivrons rouges, des haricots de soja verts, des jambonneaux à la sauce de soja, des côtelettes cuites l'étouffée, de la viande de porc grasse bouillie, arrosés d'alcools servis dans d'immenses bols. Le village tout entier célèbre le Nouvel An, tuant d'un coup neuf porcs, trois bœufs, ouvrant dix grandes jarres de vieil alcool. Les visages sont rouges, les nez luisants. Un vieillard estropié se lève et se met à crier d'une voix éraillée de coq : « Pourquoi a-t-on laissé des étrangers mettre le feu et planter du maïs sur les monts Mahua, eux qui constituent notre réserve de bois de chauffage depuis des générations ? » Ses dents sont tombées, il postillonne. Il ne faut pas croire que dans leur village ne subsistent que des vieillards délabrés, secs comme de la paille de riz, il ne faut pas croire que leurs habitants se laissent offenser. Même si, à présent, ils ne peuvent plus porter ni la palanche au bout ferré, ni une arme à feu, les descendants de ce village ne sont pas de la mauvaise graine !

« Hé, la mère de Grand Trésor, tu ne peux pas tirer sur les pattes arrière de ton rejeton pour le faire grandir ? » Agitant le bracelet d'argent qu'elle porte au bras, la femme répond : « Ferme-la, le vieux, tous les villageois ont vu que mon Grand Trésor a grandi, mon rejeton est méprisé à l'extérieur et c'est un sujet de plaisanterie au village ; ne vous en prenez pas qu'à lui, dans certaines familles, on n'a eu que des filles, même pas de garçons ! » A ces mots, les femmes s'emportent : « Hé, la mère de Grand Trésor, comment oses-tu détourner la conversation ? » Si les habitants du village ne peuvent se redresser à l'extérieur, comment pourraient-ils garder la face ? Les jeunes aussi, rouges d'excitation, bombent le torse en ouvrant leur veste. Le chef du village, fusil à la main, ne sait pas ce que c'est de jeûner ! « A vos ordres, chef, envoyez-nous seuls en première ligne si les belles-sœurs enferment nos aînés dans les maisons ! » A ces mots, les jeunes femmes piquent une colère et crient contre eux : « Ça n'a pas de poils au-dessus des lèvres et ça sait déjà persifler ! Si vos parents sont prêts à vous sacrifier, pourquoi pas nous ? » Un homme se lève d'un coup, les yeux ronds. « Hé, petit, c'est trop tôt pour toi de prendre la parole au village ! » Tu m'écoutes encore ?

Continue, elle dit qu'elle veut seulement entendre ta voix.

Tu reprends tes esprits et racontes comment la foule se met à applaudir, l'ahuri s'empare aussitôt d'un coq et lui coupe le cou. Ses ailes battent encore. Le sang chaud est mélangé à du vin dans un bol. Il s'écrie : « Ceux qui ne boivent pas iront se faire mettre par les chiens ! » « Seuls ceux qui se sont fait mettre par les chiens ne boiront pas ! » Les hommes roulent leurs manches, ils écrasent un crachat sur le sol et prêtent serment en prenant le ciel à témoin. Les yeux tout rouges, ils se tournent pour prendre leurs instruments. Les uns aiguisent les couteaux, les autres fourbissent leurs armes. Les vieux parents de chaque famille brandissent des lanternes et ils vont creuser une fosse à côté de la tombe des ancêtres. Les femmes restent à la maison et, à l'aide des ciseaux qui leur ont servi à se coiffer le jour de leur mariage et à couper le cordon ombilical le jour de la naissance de leurs enfants, elles découpent les banderoles de papier qui vont sur les tombes. A l'aurore, quand les brumes matinales apparaissent, le vieillard claudicant frappe à grands coups le tambour. Les femmes sortent des maisons en essuyant leurs larmes et guettent l'entrée du village, regardant les hommes frapper les gongs, couteau à la main et fusil à l'épaule. Ils poussent de grands cris en descendant de la montagne, pour les ancêtres, pour le clan, pour la terre et les forêts, pour leurs descendants, ils s'entre-tuent à coups de fusil, puis, discrètement, ils rapportent les cadavres.

Ensuite, les femmes se remettent à crier pour invoquer ciel et terre. Puis le calme revient. Se succèdent les labours, les semailles, le repiquage, les moissons et le battage des grains. Le printemps passe et l'automne arrive, les hivers succèdent aux hivers, quand les tombes sont envahies par les herbes, les veuves ont volé les jeunes gens, les orphelins ont grandi et sont devenus adultes, la tragédie a été oubliée, seule la gloire des ancêtres reste dans les mémoires. Jusqu'à ce que, le soir du réveillon de Nouvel An, avant le sacrifice aux ancêtres, les vieux se mettent à raconter les querelles de famille d'autrefois, que les jeunes se mettent à boire, que leur sang chaud monte à nouveau dans leurs veines...

La pluie tombe sans cesse, toute la nuit, les flammes diminuent pour ne plus ressembler qu'à des pois dont les fleurs brilleraient avec, en leur centre, un bourgeon violet. Le bourgeon se développe, mais plus la fleur diminue, plus sa couleur fonce, passant du jaune clair au rouge orangé. Soudain la lumière se réfugie sur la mèche de la lampe, l'obscurité devient plus épaisse, comme de la cire de bougie qui se fige, faisant disparaître la lumière tremblotante du feu. Tu te détaches du corps brûlant de femme endormi contre toi et tu écoutes la pluie qui crépite sur les feuilles des arbres. Le vent hurle tristement dans le vallon à travers les branches des pins. Le toit où est accrochée la lampe à huile commence à laisser passer la pluie qui tombe jusque sur ton visage. Tu te recroquevilles dans la chaumière faite de roseaux séchés qui sert à surveiller la montagne. Tu sens une odeur de moisi, mais aussi une haleine parfumée.

39

Il faut que je quitte cette grotte. Trois mille deux cents mètres d'altitude, trois mille quatre cents millilitres d'eau de pluie annuels, deux jours de beau temps par an, un vent hurlant qui souffle à plus de cent mètres à la seconde : le sommet des monts Wuling, aux confins des quatre provinces du Guizhou, Sichuan, Hubei et Hunan, est hostile et glacial. Je dois retourner parmi les hommes, retrouver le soleil et la chaleur, la joie, la foule, le tumulte ; quels que soient les tourments qu'ils me font endurer, ils sont le souffle vital de l'humanité.

Je passe par Tongren avec ses antiques ruelles encombrées, couvertes jusqu'en leur centre par les avant-toits des maisons. Les piétons sont sans cesse bousculés par les paniers en bambou des passants. Je ne m'attarde guère et prends dès que possible un car long courrier. Le soir même, j'arrive dans une petite gare routière appelée Yubing. A côté, on a récemment construit de petites auberges privées. Je loue une chambre minuscule avec, pour tout mobilier, un lit à une place. Les moustiques sont agressifs, mais j'étouffe si j'abaisse la moustiquaire. Dehors, résonne une musique trop forte mêlée à des conversations entrecoupées de pleurs et de hurlements à donner la chair de poule. On projette un film en plein air sur le terrain de basket, ce genre de films qui racontent de sempiternelles histoires, tragiques ou joyeuses, de séparations et de retrouvailles, à différentes époques.

A deux heures du matin, je prends un train pour Kaili. A l'aube, j'arrive au chef-lieu de la région autonome miao.

Je me renseigne sur la fête des bateaux-dragons qui doit se tenir à Shitong, un village miao. Un cadre du comité des minorités du département m'explique que la fête aura lieu cette année pour la première fois depuis dix ans. Y viendront plus de dix mille Miao, descendant parfois des plus lointains villages de montagne. Les dirigeants de la province et de la région autonome y assisteront aussi. Je lui demande comment m'y rendre et il répond que la fête se déroulera à plus de deux cents kilomètres, qu'il est impossible d'y aller sans voiture. Il a l'air embarrassé quand je le prie de m'y emmener, mais, à force de parlementer, je finis par le convaincre d'accepter que le lendemain à sept heures, je vienne voir s'il reste une place pour moi.

Le lendemain, j'arrive dix minutes en avance au siège du comité. Les grosses voitures qui y étaient garées la veille ont disparu. A l'intérieur, plus personne. Je finis par dénicher un employé qui me dit que les voitures sont parties depuis longtemps. Je comprends que j'ai été berné, mais l'urgence me donne une idée. Pour l'intimider, je sors ma carte de membre de l'Association des écrivains qui ne me sert jamais à rien et qui, d'habitude, m'attire surtout des ennuis. Je proclame à cor et à cri que je viens spécialement de Pékin pour écrire un reportage sur cette fête et je lui demande instamment de se mettre en contact avec le gouvernement du département autonome. Sans se douter de la supercherie, il passe plusieurs coups de fil et finit par m'avouer que la voiture du chef de département n'est pas encore partie. Je cours d'une traite jusqu'au siège du gouvernement. La chance me sourit, car le chef écoute mes explications et, sans poser de questions, m'invite à me serrer dans son minibus.

A la sortie de la ville, sur la route cahotante d'où s'élève un nuage de poussière, s'étire une interminable file de voitures et de camions où s'entassent toutes sortes de gens. Ce sont les cadres et les employés des organismes gouvernementaux, et même des écoles et des usines du département autonome, en route pour la fête. Le chef du département, ancien roi des Miao, présidera sans doute la cérémonie. Un cadre, assis à côté du chauffeur, ne cesse de crier par la fenêtre ouverte. Nous doublons continuellement les autres véhicules et traversons plusieurs villages avant d'être bloqués dans un embouteillage, devant un embarcadère. Un car n'arrive pas à monter sur le bac, ses roues avant trempent dans l'eau. Une imposante Volga, qui tranche vraiment sur les autres véhicules, est aussi arrêtée. Le bruit court que c'est la voiture du secrétaire du Parti du département, dans laquelle est bloqué le gouverneur de la province. Sur l'embarcadère, des policiers s'égosillent à qui mieux mieux. Au bout d'une heure passée à se démener en tous sens pour déplacer les véhicules, ils poussent le car à moitié dans l'eau pour réussir à faire monter la Volga sur le bac. Le minibus peut alors se ranger derrière la Volga, serré par une voiture de police. Le bac largue enfin ses amarres et quitte la rive.

A midi pile, notre colonne déferle sur le village miao construit au bord du fleuve Qingshui. Le soleil darde à la surface de l'eau ses rayons éblouissants. De chaque côté de la route, c'est un incessant défilé d'ombrelles colorées et de hautes coiffes en argent que portent les femmes miao. Sur la rue qui longe le fleuve, se dresse un petit bâtiment en brique à un étage surmonté d'une terrasse, tout neuf : c'est le siège de l'administration cantonale. Le long de la berge, se succèdent les habitations en bois sur pilotis des Miao. De la terrasse du siège de l'administration, on aperçoit, sur chaque rive, la multitude des têtes des passants mêlées aux ombrelles colorées et aux chapeaux à larges bords luisant d'huile d'aleurite, circulant entre les petits étals installés sous des bâches blanches. Plusieurs dizaines de bateaux-dragons décorés de rubans rouges, la proue haut levée, glissent en silence sur le fleuve brillant et lisse.

Quand je pénètre dans le bâtiment à la suite du chef, je bénéficie du même traitement que les cadres que j'accompagne. Les policiers me saluent aussi au garde-à-vous. Des jeunes filles miao en habits de fête, les yeux brillants et les dents blanches, apportent des cuvettes d'eau chaude et proposent à tout le monde des serviettes parfumées flambant neuves pour se rafraîchir. Elles offrent ensuite à chacun du thé fraîchement infusé qui diffuse un parfum subtil. La scène est en tout point identique à celles que l'on voit dans les reportages sur la visite d'un dirigeant d'Etat dans les régions de minorités ethniques. Je demande à l'un des cadres qui nous accueillent si ces jeunes filles sont des actrices de la troupe de chants et danses du département. En fait, m'explique-t-il, ce sont des élèves « aux cinq qualités » du collège du chef-lieu de district, qui ont été formées spécialement pendant toute une semaine par le comité des minorités. Deux d'entre elles entonnent ensuite pour nous un chant d'amour miao. Les chefs prononcent quelques paroles de félicitations, puis on nous conduit dans une salle où est dressé un banquet. De la bière et des sodas sont servis. On me présente au secrétaire du Parti et au chef du canton qui connaissent quelques mots de chinois. Pendant le banquet, tout le monde loue les talents du cuisinier qu'on a fait venir spécialement du chef-lieu. A chaque plat qu'il apporte, il agite les bras en signe de dénégation. Après le repas, on nous apporte à nouveau thé et serviettes. Il est déjà deux heures, la course des bateaux-dragons va commencer.

Le secrétaire du Parti ouvre la marche, accompagné du chef du canton. Les rues sont pleines de monde. A l'ombre des maisons sur pilotis, des jeunes filles vêtues de jupes brodées à plis, venues d'un peu partout, finissent de se préparer. A la vue de ce groupe escorté de policiers, elles arrêtent de se coiffer devant leur miroir pour observer avec curiosité le cortège qui contemple aussi les coiffes, les bracelets et les colliers dont elles se parent, parfois lourds de plusieurs kilos. Et on ne sait plus qui regarde qui.

Des chaises et des bancs sont installés sur la terrasse d'un bâtiment sur pilotis, face au fleuve. Une fois assis, chacun reçoit une petite ombrelle semblable à celles qu'utilisent les jeunes filles miao, mais elles perdent leur charme entre les mains des cadres dirigeants. Le soleil brûle et l'on transpire sous les ombrelles. Je préfère descendre au bord du fleuve me mêler à la foule.

Les odeurs de tabac, de chou aigre, de transpiration, les émanations fétides des étals de poisson et de viande de porc ou de bœuf montent dans la chaleur. On vend de tout : des tissus et mille autres marchandises, toutes sortes de friandises comme les sucres d'orge, les cacahuètes, la gelée de soja, les graines de pastèque. L'animation est à son paroxysme : c'est une cacophonie de marchandages, de rires, de taquineries amoureuses, avec, en plus, le va-et-vient incessant des enfants à travers la foule.

Je me faufile difficilement jusqu'à la berge, mais je suis continuellement bousculé et manque tomber dans l'eau

Je ne trouve mon salut qu'en sautant sur un petit bateau amarré là. Devant moi, flotte un bateau-dragon creusé dans le tronc d'un arbre gigantesque. Pour assurer son équilibre, un autre tronc d'arbre a été fixé de chaque côté, au niveau de sa ligne de flottaison. Une trentaine de matelots, tous vêtus de la même manière, y ont pris place, vêtus d'un pantalon court, teint en un indigo brillant fabriqué à partir d'os de buffles, et coiffés d'un petit chapeau finement tressé en bambou. Ils arborent des lunettes noires et, à la taille, une ceinture métallique étincelante.

Au centre du bateau est assis un jeune garçon déguisé en femme, avec sur la tête une parure en argent et une barrette de fille. Par moments, il frappe un gong au son clair accroché devant lui. A la proue du bateau se dresse une figure de dragon en bois sculpté coloré, plus haute qu'un homme, couverte d'un tissu rouge piqué de petits drapeaux. Caquetant sans cesse, plusieurs dizaines d'oies et de canards vivants y sont accrochés.

Des chapelets de pétards crépitent et on apporte les offrandes pour le sacrifice. A l'avant du bateau, un vieux frappe le tambour et fait signe aux jeunes gens de se lever. Un adulte prend dans ses bras une énorme jarre de vin de riz et, sans retrousser son pantalon, entre dans l'eau à mi-corps pour offrir un bol à chacun de ces matelots. Les jeunes gens à lunettes noires boivent à grandes lampées en chantant et en poussant des cris de remerciement, puis, de la main, répandent dans le fleuve le vin qui reste au fond du bol.

Un homme âgé, aidé par un autre, entre ensuite dans l'eau, portant un cochon vivant, les pattes attachées, qui lance des hurlements stridents. L'animation est à son comble. Enfin, l'énorme jarre et le cochon sont déposés sur un petit bateau porte-offrandes qui suit le bateau-dragon.

Quand je remonte sur la terrasse du bâtiment sur pilotis, il est presque cinq heures. Sur le fleuve, les roulements de tambour se succèdent, tantôt forts, tantôt doux, sur un rythme tantôt rapide, tantôt lent. Les trente bateaux-dragons continuent à évoluer chacun de son côté, sans donner l'impression qu'ils vont commencer la compétition. Certains ont l'air de vouloir se rejoindre, mais aussitôt, rapides comme des flèches, ils se séparent. Sur la terrasse, personne ne s'impatiente. Un membre du comité des minorités, puis un cadre du comité des sports, sont appelés. Une décision a été prise d'en haut : accorder à chaque bateau-dragon une récompense de cent yuans et des tickets pour deux cents livres de céréales s'il participe à la compétition. Un bon moment plus tard, le soleil disparaît, la chaleur diminue et les ombrelles ne sont plus nécessaires ; pourtant, les bateaux restent dispersés sans que la compétition commence. A cet instant, un homme annonce qu'elle n'aura pas lieu aujourd'hui, que les spectateurs désireux d'y assister doivent descendre le lendemain plus bas sur le fleuve. Elle se tiendra à trente lis d'ici, dans un autre village miao. Naturellement, les spectateurs sont très désappointés. Après un instant d'agitation, on quitte la terrasse.

Le long dragon des voitures s'ébranle et disparaît dix minutes plus tard dans un nuage de poussière jaune. Dans les rues ne restent que des bandes de filles et de garçons miao qui déambulent. Apparemment, le plus intéressant de la fête aura lieu cette nuit.

Je voudrais bien rester, mais un cadre m'a averti que je n'aurais pas de voiture le lendemain. J'ai répondu que j'irais à pied. Il est plutôt gentil et me confie à deux cadres miao en les mettant en garde : « Si quelque chose lui arrive, vous en serez responsables ! » Le secrétaire et le chef de canton hochent la tête : « Ne t'inquiète pas ! »

Lorsque je retourne au siège de l'administration cantonale, il n'y a plus personne, la porte est fermée à clef. J'ignore où le secrétaire et le chef de canton sont partis s'enivrer et ne trouve pas de cadre capable de parler chinois. Soudain, je me sens libre et je décide d'aller me promener dans le village.

Dans la rue qui longe le fleuve, chaque famille reçoit ses amis et ses proches ; chez certains, les invités sont si nombreux que les tables couvertes de plats débordent sur la rue. A l'entrée des maisons sont posés des seaux à riz, des bols et des baguettes. Chacun se sert à sa guise sans que personne n'y prête attention. Comme j'ai faim, je ne m'embarrasse pas de politesse et, incapable de communiquer par le langage, je prends aussi un bol et des baguettes ; les gens m'encouragent à me resservir. C'est une vieille coutume chez les Miao. Je me suis rarement senti plus à l'aise.

Les chants d'amour commencent au crépuscule. Par groupes de cinq ou six, les jeunes filles descendent sur la berge, les unes forment un cercle, d'autres se tiennent par la main et commencent à appeler leur amant. Le son des chants se répand rapidement dans la nuit tombée. Devant et derrière moi, partout des jeunes filles, un mouchoir ou un éventail à la main, toutes encore avec leur ombrelle. Parmi elles, des petites filles de treize ou quatorze ans, à peine nubiles.

Dans chaque groupe, l'une dirige le chant et les autres l'accompagnent en chœur. C'est presque toujours la plus gracieuse. Que la plus belle soit choisie en premier semble tout naturel.

Le chant de la meneuse de jeu s'élève, suivi par celui des autres jeunes filles, poussé à tue-tête. Parler de chant n'est peut-être pas vraiment exact. Les voix perçantes et claires venues des entrailles, résonnent dans le corps tout entier ; elles s'élèvent depuis la plante des pieds jusqu'au crâne avant d'être expulsées. Rien d'étonnant si on les appelle des « chants volants », ils viennent du fond de l'être. Ils ne sont ni affectés ni forcés. Sans fioriture aucune, ils sont dénués de toute gêne. Les jeunes filles se donnent totalement pour attirer leur amant.

Plus effrontés encore, les garçons se plantent sous leur nez et choisissent celle qui leur plaît comme s'il s'agissait de melons. A cet instant, si elles se sentent regardées, les jeunes filles agitent leur mouchoir ou leur éventail et chantent avec une passion accrue. Si les deux parties s'entendent, le garçon tire la jeune fille par la main. Le marché, fréquenté pendant la journée par des milliers de passants déambulant entre les étals, n'est plus maintenant qu'une immense aire de chant. D'un coup, je suis noyé dans les chants d'amour. Je me dis qu'aux origines de l'humanité, on devait se faire la cour de cette manière. Plus tard, la prétendue civilisation a établi une séparation entre pulsion sexuelle et amour. Elle a aussi inventé les concepts de mariage, argent, religion, morale et ce que l'on appelle le poids de la culture. Voilà bien la stupidité de l'espèce humaine.

La nuit devient de plus en plus noire. Sur le fleuve sombre, les roulements de tambour se taisent et des torches sont allumées sur les bateaux. J'entends soudain appeler « frère ! » en chinois, non loin de moi, me semble-t-il. Je me retourne et vois quatre ou cinq jeunes filles qui chantent d'une voix claire dans ma direction. Elles ne connaissent peut-être que cette phrase en chinois, mais elle suffit pour un appel à l'amour. Je croise un regard fixe et langoureux dans l'obscurité, je suis fasciné et mon cœur se met à battre. D'un coup, je reviens à mes années d'enfance et à mes désirs. Une émotion que je n'avais plus ressentie depuis longtemps brûle en moi. Instinctivement, je m'approche d'elle, à la manière sans doute des jeunes gens d'ici, mais peut-être aussi parce que la lumière baisse. Je vois ses lèvres bouger faiblement, aucun son n'en sort. Elle attend. Ses compagnes aussi ont arrêté de chanter. Elle est toute jeune encore, elle a un visage d'enfant, un front haut, un nez retroussé et une petite bouche. Je sais que, sur un simple geste de ma part, elle me suivra et se blottira contre moi. Elle lève joyeusement son ombrelle. Je ne peux supporter cette confrontation qui se prolonge et je hoche la tête avec conviction en riant bêtement. Trop peureux, je me retourne et je m'éloigne sans même oser jeter un regard.

Jamais je n'ai connu ce genre d'appel, bien que ce soit justement ce dont j'ai le plus rêvé. Maintenant que l'occasion se présente, je la laisse échapper.

Je dois reconnaître que le regard brillant, plein d'attente, de cette jeune fille, avec son nez retroussé, son haut front, sa petite bouche fine commune à toutes les filles miao, a réveillé en moi une espèce de tendresse douloureuse que j'avais oubliée depuis longtemps ; j'ai réalisé que jamais plus je ne ressentirais ce pur amour. Je dois reconnaître que je suis vieux maintenant. Non seulement l'âge et toutes sortes de distances me séparent d'elle, mais même si elle était très proche de moi et même si je pouvais l'entraîner de ma main, le plus grave est que mon cœur est vieux et que je ne peux plus aimer une jeune fille avec fougue, sans penser à rien. Mes relations avec les femmes ont perdu depuis longtemps ce naturel, seul le désir charnel demeure. Même si je recherche le plaisir d'un instant, j'ai peur d'avoir à assumer mes responsabilités. Je ne suis pas un loup, je veux seulement le devenir pour me réfugier dans la nature, mais je n'arrive pas à me débarrasser de mon apparence humaine, je suis une espèce de monstre à peau humaine qui ne trouve nulle part où aller.

Le son des orgues à bouche s'élève. Au même moment, dans les bosquets de la berge, derrière chaque ombrelle, les couples se blottissent et s'embrassent, s'étendent entre ciel et terre pour sombrer dans leur monde. Ce monde, telle une ancienne légende, est trop éloigné du mien. Amer, je quitte la berge.

Sur l'esplanade où jouent les orgues à bouche, brille l'éclat, blanc comme neige, d'une lampe à essence accrochée à un grand bambou.

Elle a la tête couverte d'un tissu noir, noué comme un turban, un cercle d'argent lui remonte les cheveux sur le sommet de la tête parée d'une coiffure étincelante au centre de laquelle s'ébattent dragons et phénix enroulés ; de chaque côté, cinq feuilles d'argent en forme de plumes de phénix s'agitent à chaque geste du pied ou de la main. Sur celles de gauche est noué un ruban bariolé qui pend jusqu'à la taille, dont il souligne la grâce à chaque mouvement. Elle porte une robe serrée dont les larges manches découvrent ses poignets couverts de bracelets en argent. Son corps tout entier est drapé dans le turban et la robe noire. Seuls son cou et sa nuque sont visibles, parés d'un lourd collier. Son torse est barré par une chaîne de longue vie, aux motifs finement ciselés, dont chaque anneau pend devant la poitrine légèrement bombée.

Elle est parfaitement consciente que cette toilette attire davantage l'œil que les habits multicolores des autres jeunes filles. Sa parure en argent indique son origine aristocratique. Ses deux pieds nus sont, eux aussi, pleins de grâce et, quand elle se met à danser au son des orgues à bouche, ses bracelets de cheville tintent d'un son cristallin.

Elle vient d'un hameau de montagne des Miao noirs, blanche orchidée aux lèvres rouges comme le camélia de printemps, laissant voir de fines dents nacrées. Son nez plat, enfantin, ses joues rondes, ses yeux rieurs, ses pupilles étincelantes d'un noir de jais, ajoutent à sa splendeur hors du commun.

Inutile pour elle d'aller sur la berge pour attirer un amant. Les jeunes les plus obstinés de chaque village viennent s'incliner devant elle, avec des orgues à bouche deux fois plus hauts qu'un homme, décorés de rubans multicolores qui flottent au vent. Gonflant leurs joues, balançant leurs corps, esquissant des pas de danse, ils attirent les jupes virevoltantes à cent plis. Elle, elle se contente de lever légèrement les pieds et de tourner avec une grâce parfaite. Elle oblige les jeunes gens à s'incliner devant elle, à jouer de l'orgue à perdre haleine jusqu'à ce que des bulles de sang écument de leurs bouches. Elle est si fière de les voir exalter leurs sentiments à son intention.

Elle ne comprend pas ce que l'on appelle la jalousie, elle ne connaît pas la méchanceté des femmes, elle ne comprend pas pourquoi les ensorceleuses mélangent des mille-pattes, des frelons, des serpents venimeux, des fourmis et une mèche de leurs propres cheveux avec du sang et de la salive, les enferment dans une jarre avec les sous-vêtements découpés en petits morceaux de l'homme qui s'est montré ingrat envers elles, et enterrent le tout à trois pieds de profondeur.

Elle sait seulement que d'un côté du fleuve, il y a un garçon et, de l'autre, une jeune fille qui, à l'âge des amours, sont pris de mélancolie. Quand ils se rencontrent sur l'aire où jouent les orgues à bouche, leurs beautés les frappent et les premières pousses de l'amour prennent racine dans leurs cœurs.

Elle sait seulement que, lorsqu'en pleine nuit l'âtre est couvert de cendres, que les vieux ronflent et les enfants parlent dans leurs rêves, elle se lève et ouvre la porte arrière de la maison pour gagner pieds nus le jardin. Un jeune homme vient, coiffé d'un chapeau à la corne en argent. Il passe derrière la haie et siffle doucement. Au matin, le père appelle neuf fois : s'il appelait trop, la mère se mettrait en colère. S'emparant d'un bâton, il pousse la porte de la chambre, mais il n'y a plus personne sur le lit.

Tard dans la nuit, je m'allonge sous un avant-toit, sur la rive. Les étoiles et les reflets sur l'eau se sont éteints. Fleuve et montagne se confondent dans une même obscurité, le vent frais de la nuit s'est levé, des hurlements de loups retentissent. Effrayé, tiré de mes rêves, je dresse l'oreille. C'est en fait le cri désespéré d'un appel à l'amour, terriblement triste, mi-chant mi-hurlement, qui reprend par intermittence.

40

Elle dit que le bonheur, elle ne sait pas ce que c'est, elle dit encore que tout ce qu'elle devait avoir, elle l'a eu, un mari, un fils, une petite famille heureuse aux yeux des autres, un mari ingénieur en électronique, tu sais à quel point cette profession est en vogue de nos jours, il est jeune et plein d'avenir, les gens disent qu'il lui suffira de déposer un brevet pour faire fortune. Et pourtant, elle n'est pas heureuse. Après trois ans d'union, son enthousiasme pour l'amour et le mariage a déjà disparu. Quant à son fils, elle trouve parfois qu'il n'est qu'un fardeau. Elle-même a été très surprise le jour où elle en a pris conscience. Puis elle s'est habituée, elle l'aime quand même, elle aime cette petite chose qui est la seule à pouvoir lui apporter un peu de réconfort. Pourtant, elle ne l'a pas allaité, pour conserver ses formes. Quand, dans son institut, elle ôtait sa robe blanche pour prendre une douche, ses collègues qui avaient eu des enfants l'enviaient terriblement.

Encore une robe blanche, dis-tu.

Elle appartenait à une de ses amies, dit-elle. Une amie qui venait toujours lui parler de sa déprime. Elle dit qu'elle ne pouvait pas passer toute la journée à ne parler que des enfants avec ses collègues et à tricoter des pull-overs pour son fils et son mari à chaque pause. Une femme ne doit pas être l'esclave des siens. Des pull-overs, elle en avait tricoté bien sûr, et justement ses ennuis sont venus d'un pull.

Qu'avait-il, ce pull ?

Elle veut que tu continues de l'écouter, tu ne dois pas l'interrompre, où en étais-je ? demande-t-elle.

Tu parlais de ce pull et des ennuis qu'il avait provoqués.

Non, elle dit qu'elle ne trouvait un peu de calme qu'en écoutant l'orgue et les chants pendant la messe. Parfois, le dimanche, elle allait à l'église, laissant son mari surveiller son fils. Lui aussi devait s'occuper de l'enfant, les charges ne devaient pas reposer sur elle seule. Elle ne croyait pas en Dieu, mais un jour, elle était passée devant une église. A présent, les églises sont ouvertes, on peut y entrer librement. Elle avait écouté un instant et, par la suite, elle y alla dès qu'elle en avait le temps. Elle aimait aussi Bach, c'est vrai, elle écoutait ses requiem, elle exécrait la musique à la mode, elle n'arrivait déjà plus à surmonter ses ennuis, elle te demande si elle ne raconte pas d'une manière trop désordonnée.

Elle dit qu'elle a commencé à prendre des médicaments, des somnifères. Elle a vu le médecin. Il lui a dit qu'elle souffrait de dépression, elle se sentait terriblement fatiguée, elle ne dormait jamais assez, mais si elle ne prenait pas de somnifères, elle n'arrivait pas non plus à dormir. Elle n'était pas frigide, tu ne dois pas te méprendre, avec son mari elle avait connu l'orgasme, il ne l'avait pas laissée insatisfaite, tu ne dois pas t'imaginer cela, il est beaucoup plus jeune que toi, mais il a son travail, c'est un esprit très entreprenant, il est même un peu ambitieux, cela n'a rien de mauvais qu'un homme soit un peu ambitieux. Il s'enfermait souvent la nuit dans son laboratoire, car il avait peur d'être dérangé par son fils à la maison

Elle n'aurait pas dû avoir un enfant si tôt, c'est lui qui l'a voulu, il l'aimait, il voulait qu'elle lui donne un enfant et le problème venait justement de cet enfant.

Voilà ce qui s'était passé, elle avait tricoté un pull-over avec des applications de fleurs, pour son fils, selon un modèle inventé par elle, un pull qu'elle trouvait encore plus joli que ceux que l'on présente dans les expositions de vêtements pour enfants. Grâce à des billets gratuits fournis par leur unité de travail, elle était allée avec un nouveau collègue à une exposition-vente de mode. Ils n'avaient rien à faire ce jour-là, car on réparait les appareils de leur laboratoire. Son collègue l'avait accompagnée, espérant trouver quelque chose pour sa femme, mais en fait, il n'avait rien acheté. En revanche, il avait dit que le pull-over qu'elle avait tricoté pour son fils était bien mieux que les marchandises exposées, qu'elle pourrait vraiment faire de la création de mode. Après cela, elle avait commencé à réfléchir et s'était acheté un manuel de couture. Dans un tissu de coton bleu épais, dont elle ne s'était jamais servi, et un fichu qu'elle ne mettait plus beaucoup, elle avait cousu une robe découvrant les épaules, qu'elle avait portée pour aller au travail. Il l'avait vue avant qu'elle se change et l'avait félicitée, ajoutant qu'elle devrait toujours coudre ses vêtements elle-même. Deux jours plus tard, il l'avait invitée à un défilé de mode.

Et tout avait commencé à propos des mannequins.

Elle veut que tu continues à l'écouter, il a dit que si elle montait sur scène, vêtue de sa robe découvrant les épaules, elle pourrait rivaliser avec ces mannequins, que son corps était particulièrement beau. Mais elle savait très bien qu'elle était trop maigre. Et lui, a rétorqué que les mannequins ne devaient pas avoir des seins trop gros, qu'il leur suffisait d'avoir de longues jambes et une jolie silhouette. Et il a ajouté que sa ligne à elle était particulièrement svelte, surtout lorsqu'elle portait cette robe. Elle dit qu'elle aussi aimait beaucoup enfiler cette robe pour aller au travail, parce qu'elle l'avait faite elle-même, et que, chaque fois qu'elle la mettait, il la détaillait du regard. Une fois, alors qu'elle venait de se changer, il ne l'avait pas quittée des yeux, puis l'avait invitée à dîner.

Elle a refusé, elle devait aller chercher son fils à la crèche, elle ne pouvait pas le déposer chez elle le soir sans s'en occuper. Il lui a demandé si son mari lui interdisait de sortir seule le soir. Non, mais en général, quand elle sortait, elle emmenait son enfant et rentrait tôt parce qu'il devait se coucher. Bien sûr, elle avait déjà laissé son enfant à la garde de son mari, mais ce soir-là, elle ne pouvait pas aller dîner avec lui. Une autre fois, il l'avait invitée à déjeuner chez lui le lendemain à midi, pendant la pause, pour lui faire goûter le plat qu'il réussissait le mieux, les « boulettes des quatre bonheurs ».

Elle avait à nouveau refusé.

Non, elle avait d'abord accepté. Mais il avait ajouté qu'il espérait qu'elle porterait sa robe en coton bleu.

Elle avait accepté ?

Non, et elle avait ajouté qu'elle n'était pas sûre d'y aller. Mais le lendemain, elle était quand même venue au travail avec sa robe. Et à midi, elle était allée chez lui. Elle ne savait pas ce que cette robe avait de particulier, elle n'avait fait que coudre ensemble deux coupons et ce fichu en soie imprimée qui, pris tout seul, était plutôt de mauvais goût. L'ensemble était original. Elle ne pensait pas que sa silhouette avait quoi que ce soit de plaisant, son mari disait d'ailleurs en plaisantant qu'elle était trop plate, qu'elle n'était pas très sexy, était-elle vraiment si belle que cela dès qu'elle passait cette robe ?

Tu dis que le problème n'était pas dans la robe.

Où, alors ? Elle sait ce que tu veux dire.

Tu dis que tu ne sais pas où est le problème, mais de toute façon pas dans la robe.

Il est dans le fait que son mari se fiche pas mal des habits qu'elle porte, il s'en contrefiche ! Elle dit qu'elle ne voulait séduire personne.

Tu te hâtes de nier avoir avancé quoi que ce soit dans ce sens.

Elle dit qu'elle ne dira plus rien. Tu lui demandes si elle ne cherchait pas quelqu'un pour s'épancher. Parler un peu de ses tourments. Des tourments de son amie ? Tu l'incites à continuer.

Elle ne sait pas ce qu'elle préfère raconter.

Parle des « boulettes des quatre bonheurs », le plat dans lequel il excelle.

Elle dit qu'il avait tout préparé à l'avance, sa femme était en mission.

Tu lui fais remarquer qu'à l'origine, elle n'était pas allée chez lui voir sa femme, mais pour manger, elle aurait dû réaliser que, si sa femme n'était pas là, elle devait se méfier.

Elle reconnaît que c'était ça, plus elle se tenait sur ses gardes, plus la tension montait.

Et moins elle était capable de se contrôler ?

Elle n'a pas pu refuser.

Quand il a vu la robe ?

Elle n'a pu que fermer les yeux.

Elle ne voulait pas se voir en train de perdre la raison ?

Oui, c'est ça.

Elle n'a pas voulu voir qu'elle était folle aussi ?

Elle dit qu'elle avait été stupide, qu'elle n'avait pas pensé faire cela, qu'elle savait à cette époque que de toute façon, elle ne l'aimait absolument pas. Son mari était mieux que lui.

Tu dis qu'en réalité elle n'aime personne.

Elle dit qu'elle n'aime que son fils.

Tu dis qu'elle n'aime qu'elle-même.

Peut-être oui, peut-être non. Elle dit qu'après, elle est partie, elle n'a plus voulu le voir seule.

Mais elle l'a vu quand même ?

Oui.

Chez lui ?

Elle dit qu'elle voulait s'expliquer avec lui…

Tu dis que c'est inexplicable.

C'est vrai, non, elle le hait, elle se hait elle-même.

Et la folie t'a reprise ?

N'en parle plus ! Elle est terriblement tourmentée, elle ne sait pas pourquoi, elle doit parler de tout cela, elle voulait seulement que tout finisse vite.

Tu demandes comment elle voulait en finir.

Elle dit qu'elle ne sait pas non plus.

41

Il est mort deux ans avant mon arrivée ici. A cette époque, c'était le dernier prêtre survivant dans la centaine de villages de l'ethnie miao des environs, et depuis plusieurs dizaines d'années, on n'avait plus organisé de grande cérémonie de sacrifice aux ancêtres. Il savait qu'il ne tarderait pas à rejoindre le ciel et que, s'il avait pu vivre jusqu'à un âge aussi avancé, il le devait aux nombreux sacrifices qu'il avait pratiqués ; les esprits n'osaient pas venir le tourmenter pour un rien. Il craignait de ne pouvoir se lever un beau matin et de ne pas passer l'hiver.

La veille du Nouvel An, profitant de ce que ses jambes peuvent encore le porter, il sort de chez lui la table carrée et l'installe devant sa maison, construite en encorbellement au-dessus de la rivière. La berge silencieuse est déserte. Chacun est enfermé chez soi pour réveillonner. A présent, les gens procèdent au sacrifice aux ancêtres comme pour le réveillon : de plus en plus simplement. De génération en génération, les hommes s'affaiblissent irrémédiablement.

Il place sur la table plusieurs bols remplis de vin de riz, de fromage de soja, de gâteau de Nouvel An au riz glutineux, et de tripes de buffle offertes par les voisins. Sous la table, il dépose une gerbe de riz, et, devant, il entasse du charbon de bois. Très las, il s'immobilise un instant pour reprendre son souffle. Puis il gravit les escaliers et retourne dans l'entrée chercher dans l'âtre un morceau de charbon incandescent. Il s'accroupit lentement et se penche pour souffler dessus. La fumée fait monter des larmes dans ses yeux desséchés. Des flammes s'élèvent subitement et il tousse un moment. Sa toux ne s'apaise que lorsqu'il a bu une gorgée de vin offert en sacrifice.

Sur l'autre rive, les dernières lueurs du jour disparaissent sur les sommets montagneux d'un vert profond, le vent du soir commence à chanter sur l'eau. Essoufflé, il s'assied sur le haut banc, face à la table, les pieds posés sur la botte de riz. Il retrouve son calme intérieur et lève la tête pour contempler la sombre chaîne de montagnes, sentant refroidir ses larmes et la goutte qui lui pend au nez.

Autrefois, lorsqu'il pratiquait un sacrifice aux ancêtres, vingt-quatre personnes devaient le seconder. Deux messagers, deux intendants, deux porteurs d'accessoires, deux assistants, deux porteurs de couteaux, deux serveurs de vin, deux serveurs de plats, deux filles-dragons, deux hérauts, des porteurs de riz, un faste immense ! On sacrifiait au minimum trois buffles, neuf au maximum.

Pour le dédommager, le commanditaire du sacrifice devait lui offrir sept fois du riz glutineux : la première fois, sept jarres pour qu'il aille en montagne couper l'arbre-tambour. La deuxième fois, huit jarres pour qu'il transporte les tambours dans la grotte. La troisième fois, neuf jarres pour les rapporter au village. La quatrième fois, dix jarres pour attacher les tambours entre eux. La cinquième fois, onze jarres pour tuer le buffle et l'offrir en sacrifice aux tambours. La sixième fois, douze jarres pour la danse aux tambours. La septième fois, treize jarres pour l'offrande aux tambours. Voilà les règles ancestrales.

Lorsqu'il avait procédé à son dernier sacrifice, le commanditaire avait envoyé vingt-cinq personnes lui porter le riz, les plats et le vin. Quelle allure ! Ces beaux jours, hélas, sont bien finis ! Cette année-là, pour maîtriser le tourbillon du buffle avant la mise à mort, on avait planté sur la place un poteau décoré de cinq couleurs. Le commanditaire avait revêtu des habits neufs et les orgues à bouche et les tambours avaient retenti. Lui-même portait une longue robe pourpre et, sur la tête, un chapeau de velours rouge. Dans le col de son habit était plantée une plume de l'oiseau rock. De la main droite, il agitait des clochettes, dans la main gauche, il tenait un éventail fait d'une grande feuille de bananier. Ah…

Buffle, buffle,
dans l'eau calme, tu es né
sur la grève, tu as grandi
dans les eaux, ta mère tu as suivi
sur les monts, ton père tu as suivi
le tambour de sacrifice à la sauterelle tu as disputé,
le bambou de sacrifice à la mante religieuse tu as disputé
sur trois pentes tu t'es battu,
dans sept anses tu as combattu
la sauterelle tu as vaincu,
la mante religieuse tu as tué,
le bambou tu as coupé,
le gros tambour tu as saisi,
avec le bambou, à ta mère tu as sacrifié,
avec le tambour, à ton père tu as sacrifié.
Buffle, buffle,
tu portes quatre paniers d'argent
et quatre d'or en même temps,
avec ta mère, tu vas
avec ton père, tu vas
dans la grotte, tu entres
la porte du tambour, tu vas fouler,
avec ta mère, les vallées tu surveilles
avec ton père, la porte du hameau tu veilles

pour empêcher de nuire les mauvais esprits,
pour interdire aux démons d'entrer dans la maison des ancêtres,
pour que mille ans ta mère soit tranquille,
pour que cent générations ton père soit serein.

A cet instant, un homme avait attaché une corde au museau du buffle, lié ses cornes avec une lanière d'écorce et l'avait tiré. Le commanditaire s'était livré devant lui à trois génuflexions et neuf prosternations. Tout en chantant d'une voix haut perchée, le maître du sacrifice avait saisi une lance et poursuivi le buffle pour le tuer. Puis, se passant tour à tour la dague, les jeunes descendants étaient allés piquer l'animal au son de la musique et des tambours. Le buffle courait éperdument autour du poteau en perdant son sang. Il avait fini par s'écrouler à bout de souffle. Alors, la foule lui avait tranché la tête et s'était partagé la viande. Sa poitrine restait la propriété du maître du sacrifice. Ces beaux jours sont terminés maintenant !

A présent, ses dents sont toutes tombées et il ne peut manger qu'un peu de bouillie. Ces jours heureux, il les a réellement vécus, mais aujourd'hui, personne ne vient plus le servir. Les jeunes, une fois qu'ils ont de l'argent, apprennent à se fourrer une cigarette dans la bouche, tiennent à la main une boîte électrique qui braille dans tous les sens et portent des lunettes noires qui les font ressembler à des diables. Pensent-ils encore à leurs ancêtres ? Plus il chante, plus il se sent amer.

Il se rappelle qu'il a oublié d'installer le brûle-parfum, mais s'il retourne le chercher dans l'entrée, il devra gravir à nouveau les escaliers de pierre. Il allume tout simplement les bâtonnets d'encens aux charbons de bois incandescents et les plante dans le sable, devant la table. Jadis, sur le sol, il fallait étendre une toile noire de six pieds de longueur, sur laquelle on déposait la gerbe de riz.

Il foule la gerbe et ferme les yeux. Devant lui apparaît un couple de jeunes filles-dragons de seize ans à peine, les plus jolies filles du village, les yeux aussi clairs et limpides que l'eau de la rivière. C'était avant la crue, à présent, dès que tombe une forte pluie, la rivière devient trouble et en plus, à dix lis à la ronde, il est impossible de trouver de gros arbres pour les sacrifices. Il faut au moins douze paires d'arbres d'essences différentes, mais de la même taille. Du chêne comme bois blanc, de l'érable comme bois rouge ; du chêne, on peut extraire l'argent et de l'érable, l'or.

En route ! père tambour en érable,
en route ! mère en bois de chêne
suis le bois d'érable,
suis le bois de chêne,
là où se trouve le roi du temps,
là où se trouvent les ancêtres
quand tu auras accompagné le tambour, arrache le coin,
le maître de sacrifice sort le couteau de son étui
il sort le couteau pour couper le bois,
il arrache le coin pour accompagner le tambour,
dongka dongdong weng,
dongkaka dongweng,
kadong wawengweng,
wengka dongdongka,
..

Des dizaines de haches travaillent toute la nuit. Elles doivent accomplir leur tâche. Les deux jeunes filles aux traits si délicats et à la taille si fine s'élancent enfin.

Les épouses veulent des maris,
les hommes veulent des femmes,
dans les chambres, ils vont faire des enfants,
en secret, ils les fabriquent,
la lignée ne doit pas s'interrompre
la descendance ne doit pas s'éteindre,
sept filles habiles sont nées
neuf braves apparaissent sur terre.

Les deux jeunes filles gardent les yeux fixes. Ses pupilles d'un noir brillant sont tournées vers l'intérieur de lui-même. Il éprouve de nouveau un désir charnel, son énergie revient, et il se met à chanter fort, le visage levé vers le ciel. Le coq pousse son cocorico, le dieu du Tonnerre lance des éclairs, les démons sans tête frappent et sautent sur la peau des tambours, comme une pluie de petits pois, ah ! les hautes coiffures d'argent, les lourdes boucles d'oreilles, la chaleur qui s'élève en volutes du brasero rempli de charbons de bois, il se lave les mains et le visage, la joie emplit son cœur, les dieux sont contents, ils ont déroulé un escalier céleste et le père et la mère sont descendus, les tambours redoublent d'ardeur, le grenier s'ouvre, neuf pots et neuf jarres ne suffisent pas pour contenir le grain raffiné, le feu redouble de violence, les charbons sont incandescents, la richesse est là, l'âme de la Mère ancestrale est enfin venue, c'est l'abondance, neuf seaux fumants de riz blanc, tous viennent faire des boulettes de riz, à vous tambours, à vous tambours ! Les tambours se mettent en marche, les vieux les suivent. Devant, derrière, partout. Le maître des tambours ferme la marche.

Allez vous baigner dans les eaux de la richesse !
Imprégnez-vous des eaux de la prospérité !
Les eaux de la richesse vous donneront un enfant,
dans les eaux de pluie un fils naîtra,
tels les roseaux, les enfants et petits-enfants
tels les petits poissons, les jeunes
se pressent chez le maître tambour
neuf cornes de vin ils boivent
pour le sacrifice ils prennent le riz
le vin ils répandent à terre
priant le dieu du Ciel de l'accepter
priant le dieu de la Terre de le manger
le maître tambour brandit sa hache,

les ancêtres tirent leurs épées
franchissant les générations,
qu'ils soient éternels
sa propre mère on se rappelle
pour creuser une paire de bambous,
pour fabriquer deux tambours...

Il chante à tue-tête jusqu'à épuisement. Sa voix rauque ressemble à une canne de bambou fendu qui gémit dans le vent. Sa gorge est sèche. Il boit quelques gouttes de vin. Il sait que cette fois est la dernière, son âme le quitte déjà en suivant sa voix qui s'échappe dans les airs.

Qui pourrait l'entendre sur le bord de cette rivière sombre et déserte ? Par bonheur, une vieille femme ouvre sa porte pour jeter de l'eau sale et il lui semble percevoir un chant au loin. Elle distingue alors la lueur du feu sur la berge et pense qu'il s'agit d'un Han en train de pêcher. Ils se faufilent partout, ces Han, partout où il y a de l'argent à gagner. Elle referme sa porte, puis réalise soudain que les Han, comme les Miao, réveillonnent ce soir-là, excepté ceux qui n'ont vraiment pas le sou. Peut-être est-ce un mendiant. Elle remplit un bol de restes du repas de fête et descend jusqu'au feu. Bouche bée, elle reconnaît le vieux devant sa table.

Son mari se lève pour fermer la porte ouverte qui laisse le froid s'engouffrer dans la maison, mais il se rappelle que sa femme est sortie porter un bol de nourriture à un mendiant. Il sort lui aussi et reste à son tour muet de stupeur lorsqu'il arrive devant le feu. Puis viennent la fille et le fils de la maison, tout aussi désemparés. Finalement, le fils, qui a fréquenté quelques années l'école du canton, intervient.

— Vous risquez de prendre froid en restant dehors comme ça, dit-il en s'avançant. Je vais vous aider à rentrer chez vous.

Le vieil homme, la goutte au nez, ne lui prête pas attention, il continue à chantonner, les yeux fermés, d'une voix enrouée qui tremble dans sa gorge.

Les portes des autres maisons s'ouvrent les unes après les autres. Des vieilles femmes, des vieillards suivis de leurs enfants, enfin le village tout entier se rassemble sur la berge. Certains retournent chez eux chercher un bol de boulettes de riz glutineux, d'autres apportent un canard, d'autres encore un bol de vin, ainsi qu'un peu de viande de buffle. Enfin, on pose devant lui une demi-tête de porc.

— C'est un crime d'oublier ses ancêtres, bredouille sans cesse le vieil homme.

Emue, une jeune fille court chez elle prendre la couverture qu'elle avait préparée pour son mariage. Elle en recouvre le vieillard et lui essuie le nez avec un mouchoir brodé.

— Rentrez chez vous, vieux père, recommande-t-elle.

— Pauvre homme ! s'exclament les jeunes.

— La mère de l'érable, le père du chêne, si vous avez oublié vos ancêtres, il faudra payer !

Ses paroles tourbillonnent dans sa gorge. Il pleure.

— Vous n'avez bientôt plus de voix, vieux père.

— Rentrez chez vous.

Les jeunes veulent le soutenir.

— Je mourrai ici…

Le vieil homme se débat. Il finit par crier comme un enfant capricieux.

— Laissez-le chanter, dit une vieille femme. C'est son dernier hiver.

Le livre que j'ai en main, *Chansons de sacrifice*, a été compilé et traduit en chinois par un ami miao avec qui j'ai lié connaissance. Si j'ai écrit cette histoire, c'est en manière de remerciement.

42

Un jour de grand beau temps, un ciel sans nuages. L'éclat et la profondeur de la voûte céleste te laissent muet d'admiration. En bas, un village isolé avec ses maisons sur pilotis appuyées à la falaise, tel un essaim d'abeilles accroché à un rocher. C'est un rêve, tu tournes en rond, au pied de la montagne, sans trouver le moindre sentier pour y aller. Tu as l'impression de t'approcher du village, en fait, tu t'en écartes. Ces allers et retours te prennent du temps et tu abandonnes. Tu avances au hasard et le village disparaît derrière les monts. Tu éprouves quand même un vague regret. Et tu ignores où mène le chemin sous tes pieds, même si tu n'as pas de but précis.

Tu marches droit devant toi sur le sentier sinueux. Dans ta vie, tu n'as jamais eu de but précis, les objectifs que tu t'étais fixés se sont modifiés avec le temps, ils n'ont cessé de changer et finalement tu n'en a jamais eu. Si l'on y réfléchit, le but ultime de la vie humaine est sans importance, il est comme un essaim d'abeilles. Le laisser provoque des regrets, mais le prendre entraîne le plus grand désordre chez les insectes, mieux vaut l'abandonner là où il est et l'observer sans y toucher. A cette pensée, tu te sens plus léger, peu importe où tu vas, à la seule condition que le paysage soit beau.

Le sentier longe une forêt d'arbousiers, mais ce n'est pas la saison des fruits. Lorsqu'ils seront mûrs, impossible de savoir où tu seras. Les arbouses attendent-elles les hommes ? Ou bien les hommes attendent-ils les arbouses ? Voilà un problème métaphysique qui peut connaître d'infinies solutions. Jamais les arbouses ne changeront et l'homme restera toujours le même. On peut dire aussi que les arbouses d'une année ne sont pas les mêmes que celles de l'année suivante, et que l'homme d'aujourd'hui n'est pas le même que celui d'hier. La question est de savoir lequel est le vrai, celui d'hier ou celui d'aujourd'hui. Et comment fixer les critères de jugement ? Laisse les métaphysiciens parler de métaphysique et occupe-toi seulement de ton chemin.

Tu ne cesses de grimper, le corps trempé de sueur et soudain tu débouches sur le village. A la vue de son ombre, tu es envahi par une sensation de fraîcheur.

Jamais tu n'aurais pensé qu'au pied des maisons sur pilotis, les longues dalles de pierre seraient occupées par des hommes assis. Tu ne peux te frayer un passage qu'en te faufilant entre leurs jambes. Aucun ne te regarde, ils ont la tête baissée et marmonnent quelque texte sacré, tous ont l'air très affligés. Les dalles de pierre serpentent le long des rues. De chaque côté, les bâtiments en bois penchent en tous sens, appuyés les uns contre les autres, comme pour ne pas tomber. En cas de tremblement de terre ou de glissement de terrain, tout s'écroulerait.

Ces vieillards assis, eux aussi appuyés les uns contre les autres, leur ressemblent. Il suffirait d'en pousser un seul pour que tous tombent comme des dominos. Tu n'oses pas les frôler, craignant de déclencher une catastrophe.

Tu poses tes pas entre leurs jambes avec la plus extrême attention. Des chaussettes en tissu enveloppent leur pieds maigres, comme des griffes de coq. Parmi leurs plaintes, retentissent des grincements, impossible de savoir s'ils sont émis par les bâtiments de bois ou leurs articulations. Leur grand âge les afflige de tremblements et, tandis qu'ils psalmodient en se balançant, leur tête ne cesse de branler.

Tout au long de la rue sinueuse, sans fin, des hommes, vêtus des mêmes habits grisâtres en vieux coton élimé et rapiécé, sont assis sur les dalles de pierre. Aux balustrades des hautes maisons sèchent des draps, des couvertures et des moustiquaires taillés dans une ramie grossière. De ces vieillards plongés dans la douleur se dégage une profonde solennité.

Dans leurs psalmodies revient un son strident qui te transperce comme les griffes d'un chat, il te retient, t'attire, t'oblige à aller de l'avant. Impossible de dire d'où il vient, mais quand tu vois, accrochés devant la porte d'une maison, des chapelets de billets de papier et de la fumée d'encens qui filtre sous les rideaux baissés, tu comprends que l'on pleure un mort.

Tu as de la peine à avancer. Les gens sont de plus en plus serrés, tu ne peux même plus poser tes pieds. Tu crains de briser les os de l'un de ces hommes en le piétinant. Tu dois faire très attention pour choisir un espace libre dans cet enchevêtrement de jambes et de pieds, tu retiens ton souffle et progresses pas à pas.

Aucun ne lève le visage vers toi. Ils portent sur la tête, qui un turban, qui un mouchoir de tissu. Tu ne peux distinguer leurs traits. A cet instant, ils entonnent un chant en chœur ; en écoutant attentivement, tu en saisis les paroles ·

Tous, vous êtes venus,
En un jour, six fois avez couru

En une fois, six lieues avez parcouru,
Aux enfers, répandez le riz,
Et votre tâche aurez accompli.

La voix aiguë qui mène le chant vient d'une vieille femme assise sur un pas de porte en pierre, tout près de toi. Elle se distingue des autres : la tête et les épaules entièrement voilées de noir, elle se frappe le genou d'une main tremblante et balance son corps d'avant en arrière au rythme de la mélodie. Elle a posé près d'elle un bol d'eau fraîche, un tube de bambou rempli de riz, ainsi qu'un tas de feuilles carrées en papier épais, percées de rangées de petits trous. Elle humecte son doigt en le trempant dans le bol puis détache une feuille de papier argent qu'elle lance en l'air.

Je ne sais quand vous êtes venus,
Je ne sais quand vous partirez,
Vous allez tout au bout de la terre,
Là-bas, à l'est,
Doudan ah ! Doudan oh[1] !
Pour tuer un homme, un demi-grain de riz lui suffit,
Pour sauver un homme, une petite pièce lui suffit,
Ceux qui souffrent, il faut les sauver
Rassemblez-vous !

Tu veux la contourner, mais tu as peur de heurter son épaule, elle tomberait, c'est sûr. Tu préfères l'enjamber, mais elle se met à crier d'une voix perçante :

Doudan ah ! Doudan oh !
Ses jambes comme des baguettes,
Sa tête comme un panier à canards,
S'il vient, ça ira vite
S'il vient, on pourra compter,
Qu'il vienne vite,
Dites-lui de ne pas tarder !

---

1. Doudan est le nom d'un démon chez les Miao.

Tout en criant, elle finit par se lever lentement et agite les bras vers toi, ses ongles, comme des griffes de poulet, pointés vers tes yeux. Tu ne sais quelle force te pousse à écarter ses mains, arracher le tissu noir qui recouvre sa tête. Apparaît alors un petit visage desséché, deux orbites sans regard qui s'enfoncent loin dans le crâne, des lèvres écartées ne découvrant qu'une seule dent, arborant un sourire qui n'en est pas un. Elle continue à crier en sautant :

Serpents rouges bariolés rampent partout,
Tigres et léopards sortent,
Les portes des montagnes s'ouvrent en mugissant,
Tous passent la porte en pierre,
Partout ils crient en chœur,
Tous se joignent à ce cri,
Hâtez-vous de sauver cet homme en détresse !

Tu veux te débarrasser d'elle, mais les vieillards secs comme du bois mort se redressent lentement, ils t'entourent et continuent à crier de leur voix chevrotante :

Doudan ah ! Doudan oh !
Vite, ouvrez la porte et priez dans les quatre directions,
L'heure yin appelle l'heure mao,
Priez-le d'aller chez le Père Tonnerre et la Mère Foudre
Montons sur les chevaux,
Utilisons leur argent !

La foule se précipite vers toi, elle crie, les paroles se bloquent dans ta gorge. Tu les repousses, ils tombent un par un sur le sol, légers comme du papier, sans un bruit, et un silence profond s'installe. A cet instant, tu comprends que l'homme allongé derrière le rideau, c'est toi. Tu ne veux pas mourir ainsi, tu veux revenir dans le monde des humains.

43

Une fois quitté le village miao, je chemine sur une route de montagne déserte, de l'aube jusqu'à l'après-midi. Aucun des camions à remorques chargés de bois ou de bambou, aucun des cars long courrier ne s'arrêtent quand je leur fais signe.

Le soleil est face à moi et un vent froid se lève dans le vallon. Sur la grand-route sinueuse, ni village, ni passant, la tristesse me saisit. Atteindrai-je le chef-lieu de district avant le soir ? Si aucun véhicule ne veut me prendre, j'ignore où je passerai la nuit. Je me rappelle soudain que j'ai un appareil photographique dans mon sac à dos. Pourquoi ne pas essayer de me faire passer pour un journaliste ?

J'entends un véhicule approcher. Je me mets carrément au milieu de la route pour lui barrer le passage en brandissant mon appareil. Un camion bâché arrive en cahotant. Il me fonce dessus et ne freine à grand fracas qu'au dernier moment.

— Qui est le fils de pute qui barre la route comme ça ? Tu cherches la mort ou quoi ? lance le chauffeur, la tête hors de la cabine.

C'est un Han, au moins je comprends ce qu'il dit.

Je me précipite vers la porte du camion :

— Excusez-moi, je suis journaliste, je suis venu faire une enquête dans un village miao, je suis très pressé, je dois envoyer un télégramme du chef-lieu de district avant la nuit !

Ce genre d'homme au visage large, aux joues carrées et à la bouche épaisse, est en général facile à convaincre. Il me détaille de la tête aux pieds et fronce le sourcil :

— Mon camion transporte des cochons, pas des hommes, et en plus, il ne va pas au chef-lieu.

Et c'est vrai, j'entends des grognements à l'intérieur.

J'arbore un large sourire :

— Tant que vous ne m'emmenez pas à l'abattoir, ça va.

De mauvaise grâce, il ouvre la porte. Je saute dans la cabine en le remerciant avec empressement.

Il refuse la cigarette que je lui propose. On roule sans un mot. Maintenant que je suis confortablement installé, je n'ai plus besoin de m'expliquer davantage. De temps à autre, il jette un coup d'œil à l'appareil photographique que j'ai suspendu intentionnellement à mon cou. Je sais qu'aux yeux des habitants de cette région, Pékin représente le centre du pouvoir, et qu'un journaliste venu du centre est forcément « quelqu'un », mais aucun cadre du district ne m'accompagne et aucune jeep n'a été envoyée pour me chercher. Comment expliquer cela ? Difficile de dissiper ses soupçons.

Il croit sûrement que je suis un escroc. J'ai entendu dire qu'il en existait réellement. Munis d'un appareil vide, prenant de grands airs, ils vont en montagne prendre des photos chez les paysans, affirmant que leurs tarifs seront peu élevés. Ils jouent ainsi quelque temps, puis vont dépenser à la ville l'argent qu'ils ont escroqué. Cela m'amuse de penser qu'il me prend pour ce genre de personnage. De temps en temps, il faut bien que je me donne un peu de plaisir, sinon ce long voyage serait vraiment trop pénible. Soudain, il me jette un coup d'œil et me demande froidement :

— Vous allez où, finalement ?

— Je rentre au chef-lieu !

— Quel chef-lieu ?

Comme j'ai voyagé dans la voiture du roi des Miao, je n'ai pas retenu le nom des chefs-lieux où je suis passé. Je suis incapable de répondre.

— De toute façon, je vais au centre d'hébergement du comité du district le plus proche ! dis-je.

— Eh bien, descends ici.

Devant nous, un carrefour, désert lui aussi, pas âme qui vive. Je ne comprends pas s'il essaie de m'intimider ou si lui aussi veut faire preuve d'humour.

Le camion ralentit et s'arrête.

— Moi, je tourne, ajoute-t-il.

— Mais vous allez où ?

— A la Compagnie d'achat de porcs sur pieds.

Il se penche pour m'ouvrir la porte. C'est une invitation à descendre. Naturellement, ce n'est plus de l'humour, je ne peux que sauter de la cabine et lui demander :

— On est sortis de la zone miao ?

— Ça fait déjà longtemps, vous n'êtes qu'à une dizaine de kilomètres de la ville, vous y serez avant la nuit, répond-il toujours aussi froidement.

Un claquement de porte, un nuage de poussière, et le camion disparaît dans le lointain.

Je me dis que si j'avais été une femme seule, le chauffeur n'aurait pas été aussi froid envers moi. Je sais par ailleurs que sur ce genre de route, des camionneurs ont abusé de femmes seules, mais en fait, dans ce cas, je ne serais pas monté à la légère dans un camion. On se méfie toujours l'un de l'autre.

Le soleil a disparu et la brume du soir s'étire dans le ciel en écailles de poisson. Devant moi, un long ruban grisâtre. J'ai des courbatures dans les jambes, le dos couvert de sueur, je ne guette plus les voitures, je n'aspire qu'à me reposer au sommet de la côte avant de me remettre en route pour la nuit.

Jamais je n'aurais pensé rencontrer ici un homme comme moi. Il atteint la crête presque en même temps. Les cheveux en bataille, la barbe pas rasée depuis plusieurs jours, il porte aussi un sac. Moi, je l'ai à l'épaule, lui le tient à la main. Il porte un pantalon de travail grisâtre, le genre de pantalon dont sont vêtus les mineurs ou les maçons. Moi, mon jean, je ne l'ai pas lavé depuis des mois que je suis sur la route.

Au premier coup d'œil que je lui lance, je comprends que cette rencontre n'augure rien de bon. Il me détaille de la tête aux pieds, puis son regard se déplace vers mon sac. J'ai l'impression d'être face à un loup. La seule différence est que le loup considère celui qu'il croise comme une proie en elle-même, tandis que l'homme s'intéresse aux biens de sa victime. Je ne peux m'empêcher de le toiser à mon tour. Je fixe aussi son sac. A-t-il une arme dedans ? Si je passe mon chemin, va-t-il m'attaquer par derrière ? Je m'arrête.

Mon sac n'est pas léger, surtout avec mon appareil photo ; brandi, il serait assez lourd pour me servir d'arme. Je le fais glisser de mon épaule à ma main, puis je m'assieds sur le talus. J'en profite pour reprendre ma respiration et m'apprête à lui faire face. Lui aussi reprend son souffle et s'assied sur une pierre, de l'autre côté de la route. Dix pas à peine nous séparent

Manifestement, il est plus fort que moi. Si nous nous battons, je ne serai pas à la hauteur. Mais je sais que dans mon sac il y a le couteau d'électricien que j'emporte toujours en voyage. Il pourrait m'être utile en cas d'attaque. Lui ne semble pas avoir quelque chose d'équivalent S'il se sert d'un couteau plus petit, il n'est pas sûr qu'il ait le dessus. J'aurais encore la solution de prendre la fuite, mais cela ne ferait qu'attirer ses soupçons, lui laisser croire que j'ai sur moi quelque argent et que je suis faible. Cela pourrait l'inciter à m'attaquer. A son regard, je devine que la route est aussi déserte derrière moi que derrière lui. Je dois lui montrer que je suis sur mes gardes et que je n'ai pas peur de lui.

J'allume une cigarette et prends l'allure du repos. Lui aussi sort une cigarette de la poche arrière de son pantalon. Nous évitons de nous regarder en face, mais nous nous épions du coin de l'œil.

S'il n'est pas sûr que je porte quelque chose de précieux sur moi, il n'y aura pas de combat. Dans mon sac, je n'ai qu'un vieux magnétophone portable presque inaudible, que j'aurais dû jeter depuis longtemps si j'avais eu de l'argent pour en acheter un autre. Je n'ai en fait comme objet de valeur que cet appareil photo japonais aux fonctions assez complètes, mais qui ne vaut quand même pas la peine de perdre la vie. Je possède aussi une centaine de yuans en liquide. Il vaudrait encore moins la peine de verser son sang pour si peu. J'envoie une bouffée de fumée vers mes chaussures grisâtres. Maintenant que je suis assis, mon tee-shirt trempé me colle à la peau, j'ai le dos glacé et j'entends mugir le vent sur les hauteurs.

Il arbore une moue dédaigneuse, découvrant ses incisives. J'ai peut-être la même expression. Je montre peut-être aussi les dents, sans doute avec le même visage de bandit. Si j'ouvrais la bouche, j'éructerais les mêmes mots orduriers, je pourrais devenir violent, prendre un couteau pour le transpercer et me sauver sur-le-champ. Est-il dans le même état d'esprit que moi, malgré le petit air qu'il prend en serrant son mégot de ses deux mains, prêt aussi à se protéger ?

Impossible pour lui de découvrir que la seule chose qui ait de la valeur sur moi, ce sont mes chaussures. Je les ai achetées spécialement pour ce long voyage, mais la pluie, la boue et l'eau des rivières les ont déformées. Elles sont sales, difficile de reconnaître un voyageur grâce à elles. Je tire un grand coup sur ma cigarette, puis l'écrase par terre. Aussitôt il jette son mégot d'une chiquenaude, comme pour me répondre. Mépris de sa part, mais aussi défense.

Nous nous relevons ensemble, sans chercher à nous éviter, nous avançons vers le milieu de la route et passons l'un à côté de l'autre en nous frôlant l'épaule. En fin de compte, nous ne sommes pas des loups, plutôt deux chiens sauvages qui s'éloignent après s'être flairés.

Devant moi, une grande descente. Je détale à toute vitesse jusqu'au replat. Quand je me retourne, le ruban grisâtre qui monte vers la crête montagneuse déserte me semble encore plus solitaire dans le crépuscule.

44

Elle dit qu'elle a vieilli, quand elle fait sa toilette le matin devant la glace, elle voit ses rides que les crèmes et les poudres n'arrivent pas à effacer. Le miroir lui signifie clairement qu'elle a gaspillé le plus bel âge de sa vie. Chaque matin au réveil, elle est abattue, amorphe. Si elle ne devait pas aller au travail, elle refuserait de se lever, elle refuserait de voir des gens. Une fois qu'elle y est, elle est bien obligée d'avoir des contacts avec les autres, et alors, elle commence à parler et à rire, elle s'oublie, elle se réconcilie un peu avec elle-même.

Tu dis que tu comprends.

Non, tu ne peux pas comprendre, elle dit que tu ne peux pas comprendre l'abattement d'une femme qui découvre qu'à cet âge, elle n'a encore connu personne qui l'aime vraiment. Ce n'est que le soir venu qu'elle éprouve un peu de colère. Elle voudrait que toutes ses soirées soient prises, avoir un but de sortie ou des visites, elle ne peut supporter la solitude. Elle veut se hâter de vivre, comprends-tu ce sentiment d'urgence ? Non, tu ne le comprends pas.

Elle dit qu'elle n'a vraiment la sensation de vivre encore que lorsqu'elle va danser, quand son partenaire la touche et qu'elle ferme les yeux. Elle sait qu'aucun homme ne pourra plus l'aimer, elle ne supporte plus d'être détaillée du regard, elle a peur des rides au coin de ses yeux, de son teint chaque jour plus défait. Elle sait que vous les hommes, quand vous avez besoin d'une femme, vous vous répandez en paroles mielleuses et, une fois satisfaits, vous partez à la recherche d'une nouvelle conquête. Quand vous en avez trouvé une jeune et jolie, aussitôt vous recommencez vos simagrées. Que dure pourtant la jeunesse d'une femme ? Voilà quel est leur sort. Tu ne lui adresses des paroles de réconfort que la nuit, au lit, quand tu ne peux voir ses rides, quand elle te donne du plaisir, quand tu l'écoutes raconter ! Elle dit qu'elle sait que tu vas te débarrasser d'elle, tout n'est que prétexte, tu attends une occasion pour la laisser, tu ne dois pas parler.

Rassure-toi, elle dit qu'elle n'est pas ce genre de femme qui s'accroche aux hommes et ne les lâche plus, elle est encore capable de s'en trouver un autre, elle sait très bien se débrouiller toute seule pour se consoler. Elle sait ce que tu vas dire, il ne faut pas lui parler d'occupation, quand viendra le jour où elle n'aura plus d'hommes, elle saura bien se trouver ce que l'on appelle un dérivatif. Mais elle ne risque pas de s'occuper des affaires des autres, de servir d'entremetteuse ou d'écouter quelqu'un épancher ses souffrances. Elle ne risque pas non plus de devenir nonne, ne fais pas semblant de rire, les temples regorgent aujourd'hui de jeunes filles qui font semblant d'être des bonzesses, à l'attention des étrangers. Ces nonnes qu'on recrute de nos jours ont toutes une vie de famille. Elle peut réfléchir, elle peut avoir un enfant naturel, un bâtard, écoute ce qu'elle te dit !

Serais-tu capable de lui donner un enfant ? La laisserais-tu le mettre au monde ? Elle veut une pousse de toi, lui donnerais-tu ? Tu n'oses pas, tu as peur, rassure-toi, elle ne dira pas que c'est ton enfant, il n'aura pas de père, ce sera le fruit de la vie dissolue de sa mère, il ne saura jamais qui est son père, toi, elle te connaît par cœur, tu es juste capable d'abuser des jeunes filles, mais peuvent-elles vraiment comprendre l'amour ? Vraiment t'aimer ? S'occuper de toi comme une vraie épouse ? Chez une femme, il n'y a pas que le sexe, une femme, ce n'est pas un simple outil qui vous permet d'épancher votre désir sexuel. Une femme en bonne santé a bien sûr besoin de sexe, mais ce n'est pas suffisant, elle a aussi besoin d'être une épouse, d'avoir une vie de famille. Toutes celles que tu trouveras voudront se reposer sur toi, les femmes ont besoin de s'appuyer sur les hommes, que faire alors dans ton cas ? Il n'est pas sûr que les femmes puissent t'aimer comme elle le fait, comme une mère aime son petit ; sur sa poitrine, tu n'es qu'un enfant pitoyable. Tu es insatiable, mais tu ne dois pas croire que tu es fort, tu vieilliras vite, tu ne seras bientôt plus rien. Va t'amuser avec les filles, mais tu finiras par revenir vers elle, tu seras encore à elle, tant qu'elle te supportera, elle sera indulgente envers tes faiblesses, où pourrais-tu trouver une femme comme elle ?

Elle est vidée déjà, elle dit qu'elle ne ressent plus rien, que sa jouissance est épuisée, elle n'a qu'un corps creux, comme si elle était tombée dans un gouffre profond, elle ne regrette rien, sa vie est passée maintenant, c'est ainsi, elle a aimé aussi, et elle a été aimée, le reste est comme un bol de thé insipide, il faut le jeter, toujours la même solitude, plus d'élan et s'il en reste un peu, juste pour répondre aux obligations, c'est toi qui l'as coupé, comme les tronçons sanglants d'un serpent, ton comportement est cruel, elle n'a rien à regretter, c'est sa faute à elle, qui l'a fait naître femme ? Elle ne risque plus de courir dans la rue en pleine nuit comme une folle et de pleurer bêtement sous un lampadaire. Elle ne risque plus de courir sous la pluie, criant comme une hystérique, obligeant les voitures à freiner au dernier moment, le corps couvert de sueur froide, elle n'aura plus peur de la mort au sommet d'une falaise escarpée, elle a déjà sombré malgré elle, tel un filet troué que personne ne pourra plus remonter, les jours qui lui restent sont incolores, elle flottera dans le vent jusqu'au moment où elle coulera tout au fond et mourra sagement, elle n'est pas comme toi qui as si peur de la mort, elle n'est pas aussi faible que vous, avant cela, son cœur sera déjà mort, les souffrances qu'endurent les femmes sont plus fortes que celles des hommes, depuis le premier jour où elle a été prise, sa chair et son cœur sont flétris, que veux-tu de plus ?

Si tu veux la laisser, laisse-la ! Tu ne dois pas lui dire de paroles mielleuses ! Cela ne la console pas, ce n'est pas elle qui refuse l'amour, elle veut te nuire, les femmes sont encore plus méchantes que les hommes parce qu'elles ont subi plus de blessures ! Seule reste la patience, comment pourrait-elle se venger ? Lorsque les femmes veulent le faire... Elle dit qu'elle ne veut pas se venger de toi, elle ne veut que te supporter, elle peut tout endurer, elle n'est pas comme vous qui criez à la moindre souffrance, les femmes sont plus sensibles que les hommes. Elle ne regrette pas du tout d'être une femme, les femmes ont leur amour-propre de femme, sans aller jusqu'à la fierté, elle ne le regrette pas, si elle devait se réincarner dans un autre monde, elle voudrait être une femme, et elle voudrait encore subir les difficultés que subissent les femmes, et elle voudrait encore ressentir la souffrance du premier accouchement, la joie d'être mère pour la première fois, la douceur après la déchirure, la jouissance lors du premier émoi de vierge, l'excitation constante à son comble, le regard inquiet, le contact avec le regard affolé des hommes, avec la douleur de l'écartèlement qui arrache des larmes, elle veut tout connaître une nouvelle fois, si elle devait revenir au monde, souviens-toi bien d'elle, rappelle-toi l'amour qu'elle t'a donné, elle sait que tu ne l'aimes déjà plus, elle va partir et ce sera tout.

Elle dit qu'elle veut partir seule dans le désert, là où les nuages noirs et la route se rejoignent, tout au bout, c'est là qu'elle veut aller, à cette extrémité sans limites. La route s'étire sans fin et s'élève là où ciel et terre se rejoignent, ses pas n'auront qu'à la conduire sur cette route déserte à l'ombre des nuages. Lorsqu'elle arrivera au bout de la route infinie, celle-ci se poursuivra encore et elle ne cessera d'avancer, le cœur vide. Elle a bien eu l'idée de mourir, de mettre fin à ses jours, mais pour se suicider, il faut encore un peu d'enthousiasme et même cet enthousiasme, elle ne l'a plus. Quand un homme met fin à sa vie, c'est toujours pour quelqu'un ou pour quelque chose, elle, à présent, elle est arrivée au moment où elle ne le ferait ni pour quelqu'un ni pour quelque chose, et elle n'a plus la force de mettre fin à elle-même, toutes les humiliations et les souffrances, elle les a subies, à présent son cœur est naturellement insensible.

45

Elle demande :

— Tu vas partir ?

— Le car n'est-il pas à sept heures ?

— Si, il reste encore un peu de temps.

Je range mon sac à dos : je plie mes habits sales et les fourre dedans. A l'origine, je pensais me reposer deux jours de plus dans ce chef-lieu, laver mes vêtements et récupérer un peu. Je sais qu'elle est debout derrière moi. Je ne lève pas la tête, je crains de ne pas supporter son regard. Si je ne pars pas, je me ferai sans doute encore plus de reproches.

Dans la chambre vide, un lit à une place et une petite table près de la fenêtre. Toutes mes affaires sont étalées sur le lit. Je viens de sa chambre où j'ai passé la nuit, allongé contre elle, à regarder la fenêtre blanchâtre.

Je suis arrivé en car dans ce chef-lieu deux jours plus tôt, je venais de la montagne. C'était le soir, et je l'ai rencontrée dans l'unique rue du bourg, là où donne la fenêtre. Les boutiques avaient fermé leurs devantures, la rue était presque déserte. Elle marchait devant moi et je l'ai rattrapée pour lui demander où se trouvait le Centre culturel. Je lui ai posé la question à tout hasard, cherchant un lieu pour passer la nuit. Elle a tourné la tête. Elle n'était pas vraiment jolie, mais son teint clair était très attirant et ses lèvres rouges épaisses bien marquées.

Elle a dit que je n'avais qu'à la suivre, puis m'a demandé qui je cherchais au Centre culturel. Je lui ai dit que cela m'était égal, mais que, bien sûr, le mieux serait que je voie le directeur. « Pourquoi ? » J'ai expliqué que j'étais à la recherche de documents. « Quels documents ? Pour quoi faire ? » Puis elle m'a demandé d'où je venais. Je lui ai dit que j'avais des papiers prouvant mon identité.

— Je peux les voir ? Elle a froncé les sourcils, comme si elle s'apprêtait à mener un interrogatoire.

J'ai sorti de la poche de ma chemise ma carte de membre de l'Association des écrivains avec sa couverture en plastique bleu. Je savais que mon nom figurait sur des documents internes. Depuis les organes du Comité central jusqu'aux divers échelons de base, les responsables du Parti, de l'Etat et des services culturels devaient le connaître. Je savais aussi que partout vivaient des gens qui adoraient écrire des rapports à leurs supérieurs en se conformant à l'esprit des documents officiels. Des amis qui avaient connu cette expérience avant moi m'avaient prévenu que je devrais éviter ces gens en province, pour ne pas m'attirer d'ennuis. Mais la manière dont j'avais pu pénétrer dans le village miao prouvait que cette carte offrait aussi parfois quelques facilités. Et là, mon interlocutrice était une jeune fille qui ne risquait guère de prêter attention à ma personne.

De fait, elle m'a dévisagé pour vérifier l'authenticité de la photo de ma carte.

— Vous êtes écrivain ? a-t-elle demandé en relâchant ses sourcils.

— Plutôt un chercheur d'hommes sauvages, dis-je en plaisantant.

— Je suis justement du Centre culturel.

C'était inattendu.

— Comment vous appelez-vous, s'il vous plaît ? lui ai-je demandé.

Elle a dit que son nom n'était pas important, qu'elle avait lu mes œuvres et qu'elle les aimait beaucoup. Le Centre culturel n'avait qu'une seule chambre d'hôte pour les cadres des villages alentour qui venaient en ville. C'était moins cher et plus propre que l'hôtel. A cette heure-là, les bureaux étaient fermés, mais elle pouvait me conduire directement au domicile du directeur.

Elle commençait à s'occuper de moi.

— Le directeur est totalement ignare.

Puis elle a ajouté :

— Mais c'est quelqu'un de très bien.

Le directeur, un homme âgé, petit et gros, a voulu d'abord voir ma carte. Il l'a examinée avec la plus extrême attention. Le sceau apposé sur la photo ne pouvait bien sûr pas être faux. Il a ensuite longuement réfléchi, puis son visage s'est illuminé d'un large sourire et il m'a rendu ma carte.

— D'habitude, quand on nous envoie des écrivains ou des journalistes, ils sont reçus par le bureau du comité du district et son département de la propagande. A défaut, c'est le directeur du bureau des affaires culturelles qui intervient.

Je savais, bien sûr, que le poste de directeur du Centre culturel du district était une véritable sinécure. Etre nommé à ce poste revenait à être envoyé en maison de retraite. Même s'il avait lu des documents à mon sujet, il ne pouvait pas avoir une mémoire assez bonne pour s'en souvenir. Quelle chance de rencontrer un vieil homme aussi gentil et ignare.

— Je ne suis qu'un petit écrivain, me suis-je hâté d'affirmer, inutile de déranger tout le monde.

— Ici, a-t-il continué, nous ne faisons qu'organiser des activités populaires de vulgarisation culturelle. Par exemple, nous allons dans les campagnes recueillir les chants folkloriques…

— C'est cela qui me passionne le plus, dis-je en lui coupant la parole, j'ai justement l'intention de recueillir des matériaux dans ce domaine.

— La chambre d'hôte à l'étage n'est-elle pas libre ?

Le regard pétillant d'intelligence, la jeune fille guettait le moment pour intervenir.

— Nos conditions d'hébergement ne sont pas bonnes, répondit-il, nous n'avons pas de cantine, il vous faudra prendre vos repas dans la rue.

— C'est encore mieux pour moi, puisque je voulais me rendre dans les villages alentour.

— Alors, il faudra vous contenter de ce qu'il y a.

Il était plein d'égards envers moi

Et c'est ainsi que je me suis installé. Elle m'a conduit à l'étage du Centre culturel, à la chambre d'hôte au sommet de l'escalier. J'y ai déposé mon sac, et elle m'a précisé que sa chambre se trouvait au bout du couloir. Elle m'invitait à venir m'y asseoir un moment.

Dans la petite pièce flottait un parfum de poudre et de crèmes de beauté. Près de la fenêtre, sur une étagère, un petit miroir rond, des pots et des flacons. A présent, même les jeunes filles de ces bourgades utilisent des produits de beauté. Les murs étaient couverts d'affiches de cinéma, sans doute les stars qu'elle vénérait. Il y avait aussi, découpée dans un magazine, la photo d'une danseuse hindoue, pieds nus, vêtue d'une robe de gaze transparente. Sous la moustiquaire, sur les couvertures bien rangées, trônait un petit panda en peluche noir et blanc. Encore une mode d'aujourd'hui. Le seul objet d'artisanat local était un seau d'eau finement ouvragé, laqué de vermillon, posé dans un coin. Je venais de parcourir les hautes montagnes pendant plusieurs mois, j'avais vécu avec les cadres et les paysans des villages, dormi sur des nattes de paille, parlé grossièrement, bu des alcools à m'arracher la gorge. Cette petite pièce claire au parfum de poudre et de crèmes m'a immédiatement plongé dans une ivresse totale.

— Je suis sûrement couvert de puces, dis-je en matière d'excuse.

Elle a ri sur un ton de reproche :

— Prenez donc un bain, il y a encore de l'eau dans les bouteilles thermos, je l'ai montée à midi. Vous trouverez tout ce qu'il vous faut ici.

— Je suis vraiment gêné, je vais aller dans ma chambre, puis-je vous emprunter votre cuvette ?

— Qu'est-ce que ça peut faire ? Il y a de l'eau fraîche dans le seau.

Tout en parlant, elle a sorti de sous le lit un baquet en bois verni rouge et préparé du savon et une serviette.

— Ne vous inquiétez pas, je vais aller au bureau lire un peu. A côté, c'est la salle de conservation des objets anciens, plus loin le bureau, et tout au bout, c'est votre chambre.

— Qu'y a-t-il comme vestiges ici ?

Il faut bien que je trouve quelque chose à dire.

— Je ne sais pas trop. Vous voulez les voir ? J'ai la clef.

— Bien sûr, formidable !

Elle m'a expliqué qu'au sous-sol, se trouvait une salle de lecture de livres et de journaux, ainsi qu'une salle de récréation culturelle où l'on répétait de petits spectacles. Elle m'y emmènerait un peu plus tard.

Une fois lavé, je sentais sur mon corps le même parfum que le sien. Elle est ensuite revenue me préparer une tasse de thé. J'étais bien chez elle, je n'avais plus envie d'aller voir les objets anciens.

Je l'ai interrogée sur son travail. Elle était diplômée de l'Institut pédagogique local où elle avait appris la musique et la danse. Mais la vieille femme qui gardait la bibliothèque du Centre culturel était tombée malade et elle la remplaçait pour surveiller la salle de lecture. Cela faisait bientôt un an qu'elle travaillait ici. Elle a dit aussi qu'elle allait avoir vingt et un ans.

— Vous pouvez chanter des chansons du pays ?

— Je n'oserais pas.

— Y a-t-il encore de vieux chanteurs ?

— Bien entendu. Dans un petit bourg, à quarante lis, il y en a un qui en connaît beaucoup.

— Je pourrais le voir ?

— Il habite aux Six Boutiques, l'un de nos villages à chansons. Par le car, vous pouvez faire l'aller-retour dans la journée.

Mais elle a ajouté que malheureusement elle ne pourrait pas m'accompagner. Le directeur ne le voudrait sans doute pas, car on ne trouverait personne pour la remplacer ; un dimanche, ç'aurait été possible. Cependant, elle pourrait donner un coup de fil, c'était justement son pays natal, elle pourrait téléphoner à la mairie où elle connaissait tout le monde pour que l'on recommande au chanteur de m'accueillir. Le car de retour étant à quatre heures, elle m'invitait à manger chez elle quand je rentrerais. De toute façon, il faudrait qu'elle se fasse à manger.

Ensuite elle m'a raconté que dans ce bourg vivait une couturière, la sœur d'une de ses camarades d'école, une femme particulièrement belle, d'une beauté rare, la peau très blanche, comme une statue de jade.

— Vous irez la voir, je vous garantis que...

— Vous me garantissez quoi ?

Elle a dit qu'elle disait cela pour s'amuser. Cette jeune femme vivait de la boutique de confection qu'elle avait ouverte dans une ruelle de Six Boutiques. On pouvait la voir depuis la rue, mais tout le monde disait qu'elle avait la lèpre.

— C'est tragique, personne n'ose l'épouser, a-t-elle dit.

— Si vraiment elle avait la lèpre, elle serait hospitalisée

— Les gens disent ça pour la déshonorer, mais moi, je n'y crois pas.

— Elle pourrait aller à l'hôpital se faire examiner et obtenir un certificat médical, ai-je suggéré.

— Ceux qui ont des vues sur elle entretiennent la rumeur, les gens sont méchants. A quoi servirait un certificat ?

Elle a raconté ensuite qu'une de ses sœurs, avec laquelle elle s'entendait très bien, avait épousé un employé de la perception. Il la battait tellement que son corps était couvert de bleus.

J'ai demandé pourquoi.

— Parce que la nuit de noces, son mari a découvert qu'elle n'était pas vierge ! Les gens ici sont très rustres, très cruels, pas comme chez vous en ville.

— Avez-vous déjà aimé quelqu'un ?

Je ne me suis pas gêné pour lui poser la question.

— Il y a eu un camarade de classe. J'étais très bien avec lui et, après notre diplôme, nous avons continué à nous écrire, mais récemment, il s'est marié, je n'ai pas compris dans quelles circonstances. Bien sûr, je n'avais pas une relation régulière avec lui, nous avions des sentiments l'un pour l'autre, mais nous ne nous étions pas vraiment parlé. Quand j'ai reçu la lettre m'annonçant son mariage, j'ai pleuré. Vous n'aimez pas écouter ce genre d'histoire ?

— Ah non, ai-je dit, c'est difficile d'écrire ça dans un roman.

— Je ne vous ai pas demandé de le faire. Mais pourquoi pas, puisque vous écrivez ?

— Si j'en ai envie.

— La pauvre ! a-t-elle soupiré.

Je ne savais pas si elle soupirait pour la couturière de la petite bourgade ou pour sa sœur.

— C'est vrai.

J'étais bien obligé de faire preuve de compassion.

— Combien de jours comptez-vous rester ?

— Un ou deux. Je vais me reposer un peu et puis je m'en irai.

— Vous voulez encore visiter beaucoup d'endroits ?

— Oui, il reste encore pas mal de lieux où je ne suis pas allé.

— Et où moi, de toute ma vie, je ne pourrai jamais aller.

— Vous n'avez jamais l'occasion de partir en mission ? Vous pouvez aussi demander un congé et voyager seule.

— Je voudrais visiter Shanghai et Pékin. Si je vais vous voir, vous me reconnaîtrez ?

— Pourquoi pas ?

— Vous m'aurez oubliée depuis longtemps.

— Vous êtes trop dure avec moi.

— Je dis la vérité, vous être très connu, non ?

— Dans mon métier, on a des contacts avec beaucoup de monde, mais les gens qui vous aiment sont très rares.

— Vous les écrivains, vous savez vraiment parler. Ne pouvez-vous pas rester quelques jours de plus ? Il n'y a pas qu'à Six Boutiques que l'on sache chanter des chansons populaires.

— Si, bien sûr, je peux.

Je me sentais pris dans les filets de la tendresse de petite fille qu'elle déployait vers moi. J'ai eu l'impression qu'elle ne se sentait pas très bien.

— Vous êtes fatiguée ?

— Un peu.

J'ai réalisé qu'il fallait la laisser et je l'ai interrogée sur l'heure de départ du car du lendemain pour Six Boutiques.

Jamais je n'aurais pensé que dès le lendemain, sur ses instructions, je partirais une journée entière, sans même avoir fait la grasse matinée, ni lavé mes vêtements sales. Et en plus, que je passerais mon temps à attendre le soir pour la revoir.

Quand je suis revenu, le repas était déjà prêt. Le réchaud à alcool était allumé et une soupe mijotait sur le feu. A la vue de tous les plats qu'elle avait préparés, j'ai proposé d'aller acheter de l'alcool.

— J'en ai.

— Vous buvez de l'alcool ?

— Juste un petit peu.

J'ai déballé de la viande salée et de l'oie grillée enveloppée dans des feuilles de lotus achetées dans une petite boutique, en face de la gare routière. Dans ce chef-lieu de district, on a gardé l'habitude d'envelopper la viande de cette manière. Je me rappelais que, quand j'étais petit, dans les restaurants, on pratiquait ainsi et cela donnait à la viande une odeur particulière. Le parquet qui grinçait à chaque pas, l'atmosphère d'isolement créée par la moustiquaire et le petit seau en bois soigneusement laqué de vermillon, tout cela me ramenait à mon enfance.

— Vous avez vu le vieux chanteur ? a-t-elle demandé en me versant un verre d'alcool de bonne qualité.

— Oui, je l'ai vu.

— A-t-il chanté ?

— Oui, il a chanté.

— A-t-il chanté aussi ses chansons un peu spéciales ?

— Lesquelles ?

— Il ne vous les a pas fait écouter ? Ah oui, devant un étranger, il n'a pas osé.

— Vous voulez parler de chansons d'amour très crues ?

Elle a ri, gênée.

— Il ne les chante pas devant les femmes, a-t-elle expliqué.

— Ça dépend. Je sais que, s'il est avec des gens qu'il connaît, il les chante d'autant plus volontiers s'il y a des femmes. Mais pas devant les petites filles.

— Avez-vous recueilli des matériaux utiles ? Elle détournait la conversation. Après votre départ, j'ai tout de suite passé un coup de fil du bureau à la mairie du bourg pour leur demander de prévenir le vieux chanteur qu'un écrivain de Pékin allait spécialement venir lui rendre visite. Comment ? On ne l'avait pas prévenu ?

— Il était parti faire des affaires, j'ai vu sa femme.

— Vous y êtes donc allé pour rien, s'est-elle écriée.

— Non, je n'y suis pas allé pour rien. Je suis allé m'asseoir un long moment dans une maison de thé où j'ai appris pas mal de choses. Je n'aurais pas cru qu'il existe encore de tels établissements. Au rez-de-chaussée comme à l'étage, elle était pleine à craquer de paysans qui venaient au marché.

— Je vais rarement dans ce genre d'endroit.

— C'est très intéressant. On y parle affaires, on bavarde, c'est très animé. J'ai discuté de tout avec eux, c'est la vie, ça aussi.

— Les écrivains sont des êtres étranges.

— J'ai rencontré des hommes de tous acabits. L'un d'eux m'a même demandé si j'avais les moyens d'acheter un véhicule pour lui. Quel genre, je lui ai demandé ? Une Jiefang ou un camion de deux tonnes cinq ?

Elle a ri avec moi.

— Certains sont vraiment riches. L'un d'eux ne parlait que d'affaires dépassant les dix mille yuans. J'ai rencontré aussi un éleveur d'insectes. Il en avait plusieurs dizaines de jarres remplies. Il allait vendre plus de dix mille mille-pattes à cinq fen minimum pièce…

— Ne me parlez pas de mille-pattes, j'en ai une peur bleue !

— Entendu, parlons d'autre chose.

J'ai dit que j'avais traîné toute la journée dans une maison de thé. En fait, j'aurais pu prendre un car à midi pour rentrer un peu plus tôt laver mes habits sales, mais j'ai eu peur qu'elle ne soit déçue. J'ai préféré rentrer le soir, à l'heure qu'elle avait fixée. J'étais allé faire un tour dans les villages environnants, mais je ne lui en ai pas parlé.

— J'ai essayé de faire des affaires, ai-je dit sans réfléchir.

— Ça a marché ?

— Non, je n'ai fait que bavarder, je ne connais personne pour faire des affaires et je n'en ai pas la capacité.

Elle m'a invité à boire .

— Buvez donc, ça vous remontera.

— En temps normal, vous buvez aussi de l'alcool blanc ?

— Non, cet alcool, je l'ai acheté parce qu'un ancien camarade de classe est passé me voir il y a quelques mois. Ici, quand on a un invité, on lui offre à boire.

— A la vôtre, alors !

Sans hésiter, elle a trinqué et vidé son verre d'un trait.

Dehors, un crépitement.

— Il pleut ?

Elle est allée voir à la fenêtre :

— Heureusement que vous êtes rentré, sinon vous vous seriez trempé.

— Comme ça, c'est parfait. Cette petite chambre et la pluie qui tombe dehors.

Elle a ri doucement, son visage a rougi. La pluie crépitait sur le toit de sa maison ou sur les tuiles de la maison voisine.

— Pourquoi ne dites-vous rien ?

— J'écoute la pluie.

Puis elle a ajouté :

— Et si je fermais la fenêtre ?

— Oui, bien sûr, on serait encore mieux.

La fenêtre fermée, je me suis senti soudain plus proche d'elle, grâce à cette pluie merveilleuse. Quand elle est revenue vers la table, elle a effleuré mon bras. Je l'ai prise par la taille et attirée contre moi. Son corps était docile, tiède et souple.

— Est-ce que tu m'aimes vraiment ? a-t-elle chuchoté.

— J'ai pensé à toi toute la journée.

C'était tout ce que je pouvais dire et c'était la vérité.

Elle a alors tourné le visage et j'ai trouvé ses lèvres qu'elle a relâchées et ouvertes l'espace d'un instant, puis je l'ai renversée sur le lit. Elle s'est esquivée avec la vivacité d'un poisson échoué sur le bord d'une rivière. Je ne pouvais plus me contenir, mais elle m'implorait d'éteindre la lampe et de descendre la moustiquaire.

— Ne me regarde pas, ne regarde pas...

Elle me suppliait à l'oreille dans le noir.

— Je n'y vois plus rien du tout ! ai-je dit en cherchant à tâtons son corps qui ne cessait de remuer.

Soudain elle s'est relevée et a saisi mon poignet. Elle a conduit ma main doucement sous la chemise que j'avais ouverte, puis l'a posée sur son soutien-gorge tendu. Elle s'est raidie et n'a plus dit mot. Elle avait attendu comme moi cette chaleur et ces caresses soudaines. L'alcool, la pluie, l'obscurité, la moustiquaire, lui donnaient un sentiment de sécurité. Elle n'avait plus honte, elle a lâché ma main et m'a laissé la déshabiller entièrement. J'ai embrassé son cou, la pointe de ses seins, et ses membres humides s'écartaient doucement. Je l'ai prévenue en balbutiant :

— Je vais te prendre…

— Non, tu ne dois pas. Elle a poussé un soupir.

Aussitôt, je me suis couché sur elle.

— Je vais te prendre !

Je ne sais pas pourquoi je voulais la prévenir, était-ce pour rechercher une excitation, pour atténuer ma responsabilité ?

— Je suis encore vierge…

J'ai entendu qu'elle pleurait.

J'ai hésité un peu :

— Tu risques de le regretter ?

— Tu ne pourras pas m'épouser. Elle était très lucide, et c'est cela qui la faisait pleurer.

Le malheur était que je ne pouvais pas la détromper, je savais que j'avais seulement besoin d'une femme ; en plein cafard, je voulais jouir simplement d'elle, je ne pouvais pas assumer une plus grande responsabilité à son égard. Je me suis allongé à côté d'elle, très désappointé, et je lui ai demandé, sans cesser de l'embrasser :

— Tu tiens à cela ?

Elle a fait non de la tête en silence.

— Tu n'as pas peur que ton mari te batte s'il s'en aperçoit le jour de ton mariage ?

Son corps a tressailli.

— Tu consens à payer un prix aussi élevé pour moi ?

J'ai caressé ses lèvres qu'elle était en train de mordre, elle a fait plusieurs fois oui de la tête, éveillant ma pitié. J'ai pris sa tête entre mes mains et embrassé son visage, son cou et ses joues mouillés. Elle pleurait en silence.

Je ne pouvais pas être aussi cruel envers elle, l'obliger à payer un tel prix pour satisfaire mon désir d'un instant. Pourtant, je ne pouvais me retenir de l'aimer, je savais qu'il ne s'agissait pas du grand amour, mais qu'est-ce que le grand amour ? Son corps était frais et sensible, j'étais rempli de désir pour elle, j'avais fait ce qu'il fallait, mais ne pouvais franchir la dernière limite. Et elle, elle attendait, lucide, habile, me laissant tout faire. Il n'y avait rien de plus excitant. Je me souviendrai des moindres tressaillements de chaque partie de son corps et je ferai en sorte que sa chair et son esprit ne m'oublient jamais. Elle continuait à trembler et à pleurer, mouillant son corps de larmes. Je me demande si ce n'était pas encore plus cruel. Elle ne s'est apaisée que lorsque les premières lueurs du matin ont filtré par la moustiquaire à demi baissée.

Appuyé sur le bord du lit, je contemplais son corps blanc, allongé paisiblement, totalement découvert.

— Tu ne m'aimes pas ?

Je n'ai pas répondu, je ne pouvais pas répondre.

Elle s'est ensuite levée et s'est appuyée à la fenêtre. Sa silhouette et son visage incliné me brisaient le cœur.

— Pourquoi ne me prends-tu pas ?

L'angoisse pointait dans sa voix, elle continuait à se faire souffrir.

Que pouvais-je dire encore ?

— Tu as eu beaucoup d'expériences, bien sûr.

— Non ! Je me suis redressé, mû par une pulsion inutile.

— N'approche pas !

Elle m'a arrêté avec fureur et s'est habillée.

De la rue montait déjà le brouhaha des pas et des voix des passants, sans doute les paysans qui se rendaient au marché.

— Je ne risque pas de te retenir, a-t-elle dit en se coiffant, face à son miroir.

J'avais envie de lui dire que j'avais eu peur qu'elle se fasse battre, que plus tard elle ne soit pas heureuse, que si jamais elle était tombée enceinte, je savais ce que penseraient les gens, dans un petit bourg comme celui-ci, d'une femme non mariée se faisant avorter, je voulais lui dire :

— Je...

— Ne dis rien, écoute-moi. Je sais ce qui te préoccupe, je trouverai très rapidement un homme avec lequel je me marierai, je ne t'en voudrai pas.

Elle a poussé un profond soupir.

— Je pense que...

— Non ! Ne bouge pas, c'est trop tard.

— Je dois partir aujourd'hui, ai-je dit.

— Je sais que je ne pars pas avec toi, mais tu es quelqu'un de bon.

Etait-ce bien nécessaire ?

— Ce n'est pas le corps des femmes qui te préoccupe le plus.

J'avais envie de lui dire que c'était faux.

— Non ! Ne dis rien.

A ce moment-là j'aurais dû parler, mais je n'ai rien dit.

Elle s'est coiffée soigneusement, m'a versé de l'eau pour me laver et s'est assise sur une chaise en attendant que j'aie fini. Il faisait grand jour maintenant.

Je suis revenu dans ma chambre ranger mes affaires. Au bout d'un moment, elle est entrée. Je savais qu'elle était derrière moi, mais je ne me suis retourné qu'après avoir fini de remplir mon sac.

Avant de sortir, je l'ai serrée dans mes bras, elle a écarté son visage et fermé les yeux. J'aurais voulu l'embrasser encore une fois, mais elle s'est dégagée.

Pour aller jusqu'à la gare, le chemin était long. Le matin, c'était un défilé incessant de passants qui circulaient dans le plus grand désordre. Elle se tenait à distance de moi et marchait très vite, comme si on ne se connaissait pas.

Elle m'a accompagné jusqu'à la gare routière. Là, elle a rencontré des gens qu'elle connaissait. Elle les saluait et parlait avec chacun d'eux. Elle avait l'air parfaitement naturelle et détendue. Elle évitait seulement de me regarder, et je n'osais pas croiser ses yeux. J'entendais qu'elle me présentait, disant que j'étais écrivain, que j'étais venu recueillir des chants populaires. Juste au moment où le car se mettait en marche, j'ai revu son regard. Je n'ai pu supporter sa clarté, je n'ai pu supporter la pureté de son désir.

46

Elle dit qu'elle te déteste !

Pourquoi ? Tu fixes le couteau qu'elle a dans la main.

Elle dit que tu as ruiné sa vie.

Tu dis qu'elle n'est pas encore très âgée.

Mais tu as saccagé ses plus belles années, elle dit que c'est toi, toi !

Tu dis qu'elle peut recommencer une nouvelle vie.

Toi, oui, tu le peux, elle dit que c'est trop tard pour elle.

Tu ne comprends pas pourquoi c'est trop tard.

Parce que je suis une femme.

C'est la même chose pour les hommes et les femmes.

Tu parles ! Elle rit froidement.

Tu la vois brandir son couteau et tu te lèves.

Elle ne peut pas te laisser t'en tirer à si bon compte, elle dit qu'elle veut te tuer !

Quand on tue, on doit le payer de sa vie, dis-tu en te déplaçant tout en la fixant avec angoisse.

Cette vie ne vaut plus la peine d'être vécue, dit-elle.

Tu lui demandes si auparavant c'était pour toi qu'elle vivait. Tu veux apaiser un peu l'atmosphère.

Ça ne vaut la peine de vivre pour personne ! Elle pointe le couteau vers toi.

Pose ce couteau ! Tu la mets en garde.

Tu as peur de mourir ? Elle rit encore froidement.

Tout le monde a peur de la mort, tu es prêt à avouer que tu as peur de la mort pour qu'elle pose son couteau.

Elle, elle n'a pas peur, elle dit qu'arrivée à ce point, elle ne craint plus rien !

Tu n'oses pas l'irriter davantage, mais tu dois conserver tes talents de beau parleur pour qu'elle ne décèle pas ta frayeur.

Mourir de cette façon ne vaut pas la peine, tu dis qu'il en existe une meilleure : mourir de sa belle mort

Tu n'y arriveras pas, dit-elle en faisant scintiller la lame du couteau.

Tu t'écartes encore un peu et tu la regardes de côté.

Soudain elle éclate de rire.

Tu lui demandes si elle est folle.

C'est toi qui m'as poussée à la folie.

Poussée à quoi ? Tu dis que vous ne pouvez plus vivre ensemble, que vous n'avez qu'à vous séparer. Vous étiez ensemble par consentement mutuel, vous vous séparerez de même. Tu t'efforces de conserver le plus grand calme.

C'est facile à dire.

Il n'y a qu'à aller au tribunal.

Non.

On se sépare, alors.

Elle dit que tu ne peux pas t'en tirer à si bon compte, elle brandit son couteau et s'approche de toi.

Tu t'assieds face à elle.

Elle aussi s'est levée, torse nu, les seins pendants, le regard plein de colère, au comble de l'excitation.

Tu ne peux supporter ses crises d'hystérie, tu ne peux supporter ses caprices. Tu es résolu à la quitter, mais pour éviter de l'exciter davantage, le mieux est d'essayer de parler d'autre chose.

Tu veux fuir ?

Fuir quoi ?

Fuir la mort ! Elle se moque de toi, fait tourner son couteau en se balançant à la manière d'un boucher, mais elle manque d'expérience et seuls les bouts de ses seins tremblent.

Tu dis que tu me détestes ! Ces mots ont fini par glisser entre tes dents serrées.

Tu me détestes depuis longtemps, mais pourquoi ne me l'as-tu pas dit plus tôt ? Elle se met à crier, elle a été touchée, son corps est pris de tremblements.

Cela n'avait pas encore atteint un tel degré, tu dis que tu n'aurais pas cru qu'elle deviendrait aussi écœurante, tu dis que tu la hais du fond du cœur, tu lui jettes les mots les plus perfides.

Tu aurais dû le dire plus tôt, tu aurais dû le dire plus tôt, elle baisse son couteau en pleurant.

Tu dis que c'est son attitude qui t'a complètement écœuré ! Tu es décidé à la blesser au plus profond d'elle-même.

Elle jette le couteau en poussant un cri. Tu aurais dû dire ça plus tôt, c'est trop tard maintenant, c'est trop tard, pourquoi ne l'as-tu pas dit plus tôt ? Pourquoi ne l'as-tu pas dit plus tôt ? Elle hurle de manière hystérique et tambourine des poings sur le sol.

Tu voudrais la consoler, mais tes efforts et ta résolution seraient vains, tout risquerait de reprendre comme avant et tu aurais encore plus de mal à t'en débarrasser.

Elle sanglote bruyamment, elle se roule nue sur le sol, sans s'occuper du couteau posé à côté d'elle.

Tu te penches et tends la main pour le récupérer, mais elle s'empare de la lame. Tu tentes de lui ouvrir la main, mais elle la serre encore plus.

Tu vas te couper ! Tu lui cries dans les oreilles en lui tordant le bras jusqu'à ce qu'elle ouvre les doigts. Le sang vermillon coule de sa paume. Tu serres son poignet en appuyant de toutes tes forces sur son pouls. De l'autre main, elle reprend le couteau. Tu la lâches pour lui envoyer une gifle. Assommée, elle le laisse tomber.

Elle te regarde, stupide, elle ressemble soudain à une enfant, ses yeux sont pleins de détresse et elle pleure sans bruit.

Tu ne peux t'empêcher d'éprouver un peu de pitié pour elle, tu prends sa main blessée et tu suces le sang qui coule. Elle t'attire vers elle en pleurant, tu voudrais te dégager, mais elle te serre de plus en plus fort dans ses bras et finit par te prendre contre sa poitrine.

Que fais-tu ? Tu es dans une colère noire.

Elle veut que tu fasses l'amour avec elle, elle le veut ! Elle dit qu'elle veut seulement faire l'amour avec toi !

Tu te dégages à grand-peine en haletant et tu lui dis que tu n'es pas une bête !

Si, justement ! Tu es un animal ! Elle crie sauvagement, dans ses pupilles brûle un feu étrange.

Tout en essayant de la réconforter, tu la supplies d'arrêter, de se calmer.

Elle marmonne et dit en reniflant qu'elle t'aime, que ses caprices viennent de cet amour, qu'elle a peur que tu la quittes.

Tu dis que tu ne peux pas te plier aux caprices d'une femme, que tu ne peux pas vivre dans cette ombre, elle t'étouffe, tu ne peux pas devenir l'esclave de qui que ce soit, tu ne te soumets à la pression d'aucune puissance, quels que soient les procédés employés, tu ne te soumettras à personne, tu ne seras l'esclave d'aucune femme.

Elle dit qu'elle te donnera la liberté à la condition que tu l'aimes, que tu ne la quittes pas, que tu restes avec elle, que tu continues à la satisfaire, que tu veuilles encore d'elle, elle s'entortille autour de ton corps, elle t'embrasse frénétiquement, elle couvre ton corps et ton visage de salive, elle ne forme plus qu'une boule avec toi, elle a gagné, tu ne peux plus résister, tu retombes dans le désir charnel, tu ne peux t'y soustraire.

47

J'avance sur un sentier de montagne sombre et désert. A mi-chemin, la pluie se met à tomber, d'abord doucement et c'est plutôt agréable de la sentir sur mon visage, puis de plus en plus fort, me contraignant à courir, les cheveux et les habits trempés. Je grimpe à la hâte vers une grotte que j'aperçois au-dessus du chemin. Du bois y est soigneusement empilé. Le plafond, assez haut, est incliné dans un angle. Un rayon de lumière pénètre dans la grotte. J'y suis monté par des marches de pierre grossièrement taillées. Un âtre fait de pierres empilées supporte une marmite. Le rai de lumière passe par une fente du rocher au-dessus du foyer.

Je me retourne. Derrière moi, est assis un homme, qui lit sur un châssis de bois garni d'une literie. Je suis surpris, mais n'ose le déranger. Je me contente de regarder la pluie grisâtre à travers les fentes des rochers. Il pleut trop fort, je ne peux vraiment pas repartir.

— Ne vous inquiétez pas, reposez-vous ici.

C'est lui qui a parlé le premier, en posant son livre.

Ses longs cheveux tombent sur ses épaules, il est vêtu d'une veste et d'un pantalon gris trop larges. Il doit avoir une trentaine d'années.

— Vous êtes un ermite ?

— Pas encore, je coupe du bois pour le temple taoïste, répond-il.

Sur son lit est ouvert un numéro de la revue *le Mensuel du roman*

— Vous vous intéressez aussi à ça ?

— Je trompe le temps, répond-il évasivement. Vous êtes trempé, essuyez-vous un peu.

Il puise une cuvette d'eau chaude dans la marmite et me tend une serviette.

Je le remercie et me mets carrément torse nu. Je me sens beaucoup mieux après m'être lavé.

— Quel endroit agréable ! dis-je en m'asseyant sur un billot de bois face à lui. Vous habitez dans cette grotte ?

Il m'explique qu'il est originaire d'un village au pied des montagnes, mais qu'il déteste tout le monde, que ce soient son frère et sa belle-sœur, ses voisins et les cadres du village.

— Ils ne pensent qu'à l'argent. Dans les rapports entre les gens, seuls comptent les gains et les pertes, dit-il. J'ai coupé toute relation avec eux.

— Vous gagnez votre vie en abattant du bois pour le monastère ?

— Je suis parti de chez moi depuis presque un an, mais ils ne m'ont toujours pas accueilli.

— Pourquoi ?

— Le vieux révérend veut voir si je suis honnête et persévérant.

— Et il vous accueillera ensuite ?

— Oui.

Il croyait donc en son honnêteté.

— Ce n'est pas trop déprimant de vivre dans cette grotte tout seul pendant si longtemps ? demandé-je en jetant à nouveau un coup d'œil à la revue littéraire.

— Je suis plus au calme et à mon aise qu'au village, répond-il tranquillement, sans avoir l'air de trouver que je le dérange. Et chaque jour, j'ai mes leçons, ajoute-t-il.

— Quel genre de leçons, s'il vous plaît ?

De sous sa couverture, il sort un exemplaire lithographié des *Leçons quotidiennes taoïstes*.

— Comme ces deux derniers jours, je n'ai pas pu couper de bois, je n'ai fait que lire des romans, explique-t-il ensuite, en voyant mon regard posé sur la revue ouverte sur le lit.

— Est-ce que ces romans vous gênent pour étudier vos leçons ?

Je veux satisfaire ma curiosité jusqu'au bout.

— Hé, on n'y raconte que des histoires vulgaires entre hommes et femmes, dit-il en riant. Il m'explique qu'il a terminé l'enseignement secondaire et qu'il a étudié la littérature. A ses moments perdus, il lit un peu.

— En réalité, c'est la même chose que dans la vie.

Je n'ose pas lui demander s'il a été marié ni me renseigner sur ses secrets de moine. La pluie crépite au-dehors, mais cette monotonie est agréable.

Je ne dois pas le déranger davantage, je reste assis près de lui sans bouger. Nous demeurons un long moment ainsi, faisant le vide dans notre esprit, plongés dans la musique de la pluie.

Je ne sais quand elle a cessé. Quand j'en prends conscience, je me lève pour partir et me confonds en remerciements.

— Inutile de me remercier, tout n'est que le fruit de la destinée.

C'était dans les monts Qingcheng.

Plus tard, devant une pagode en pierre, sur un îlot au milieu de la rivière Ou, je rencontre encore un bonze, le crâne rasé, vêtu d'une longue robe vermillon. Il joint les mains devant un stoupa de Bouddha, s'agenouille et se prosterne front contre terre. Les passants font cercle autour de lui. Sans se presser, une fois fini ses prières, il quitte sa robe de culte, la fourre dans un sac en skaï noir, s'empare d'un parapluie au manche recourbé qui lui sert de canne et s'éloigne. Je le suis un moment, et, quand nous avons dépassé la foule des badauds, lui demande :

— Maître, s'il vous plaît, puis-je vous offrir une tasse de thé ? Je voudrais vous poser quelques questions sur le dharma.

Il accepte non sans avoir poussé un long soupir.

Le visage émacié, mais plein de vitalité, il ne semble pas avoir plus de cinquante ans. Les jambes du pantalon retroussées, il avance d'un pas leste. Je dois accélérer pour le rattraper :

— Maître, à vous voir, on dirait que vous partez pour un long voyage.

— Je vais d'abord au Jiangxi rendre visite à quelques vieux bonzes, puis j'irai encore dans beaucoup d'autres lieux.

— Moi aussi, je veux m'isoler du monde, mais je ne suis pas aussi opiniâtre et sincère que vous, car vous avez dans le cœur un objectif sacré.

J'ai besoin de trouver les mots justes pour le toucher.

— En fait, le vrai voyageur ne doit avoir aucun objectif. Dans ce cas, il sera le voyageur suprême.

— Etes-vous originaire de cette région, maître ? Allez-vous quitter définitivement votre pays natal pour effectuer ce voyage ?

— La famille de celui qui entre en religion est partout, je n'ai pas vraiment de pays natal.

Il me laisse muet. Je l'invite à boire le thé dans un parc. Je choisis un endroit calme, à l'écart, pour l'inviter à s'asseoir. Je lui demande son nom de religion, puis nous échangeons nos nom et prénom. Je garde le silence.

C'est lui qui reprend la parole le premier :

— Interrogez-moi sur tout ce que vous voulez, celui qui est entré en religion peut tout dire.

Je vais donc droit au but :

— Je voudrais savoir pourquoi vous vous êtes fait bonze. Si rien ne vous empêche de me le dire.

Il rit doucement et aspire une gorgée de thé après avoir soufflé légèrement pour écarter les feuilles flottant à la surface du bol, puis il me fixe :

— Vous n'êtes pas un voyageur ordinaire, avez-vous une tâche à accomplir ?

— Non, bien sûr, je n'ai aucune enquête à réaliser, et quand je vous vois aussi alerte, je vous admire. Je n'ai pas de but précis, mais je n'arrive pas à abandonner.

— Abandonner quoi ? demande-t-il avec le même sourire.

— Le monde des hommes.

Et nous éclatons de rire tous les deux.

— Il suffit de le décider, dit-il franchement.

— C'est vrai en fait, dis-je en acquiesçant de la tête, mais je voudrais savoir comment vous vous y êtes pris.

Sans se dérober, il me raconte alors toute son histoire.

Il me dit comment, à seize ans, alors qu'il étudiait encore au collège, il avait participé une année entière à la révolution comme maquisard dans les montagnes. A dix-sept ans, il était rentré en ville en suivant l'armée régulière. Là, il avait pris en main la gestion d'une banque et aurait pu devenir un dirigeant. Pourtant, il n'avait cessé de réclamer de faire des études de médecine. Son diplôme obtenu, il avait été nommé cadre au bureau d'hygiène municipal, mais il persistait à vouloir devenir médecin.

Plus tard, il s'était heurté au secrétaire du Parti de son hôpital, avait été exclu du Parti, taxé de « droitier » et envoyé à la campagne cultiver la terre. Il avait fini par devenir médecin pendant quelques années, quand un hôpital avait été fondé dans sa commune populaire. Entre-temps, il s'était marié avec une fille de la campagne dont il avait eu trois enfants. Qui aurait dit qu'il allait croire en Dieu ? A la nouvelle qu'un cardinal envoyé par le Vatican était en visite à Canton, il avait fait le voyage spécialement pour apprendre auprès de lui la véritable signification de la religion catholique. Résultat : non seulement il n'avait pas rencontré le cardinal, mais en plus il avait été soupçonné de vouloir entrer en contact avec l'étranger, et ce soupçon était devenu un chef d'accusation contre lui. Chassé de son poste à l'hôpital de la commune, il avait continué à étudier seul la médecine chinoise et à gagner sa vie en se mêlant aux vagabonds et aux charlatans. Un beau jour, il avait soudain réalisé que le catholicisme occidental était inaccessible et qu'il valait donc mieux retourner aux traditions ancestrales et renoncer carrément à sa famille. A partir de ce jour, il s'était fait bonze. Il conclut son récit d'un grand éclat de rire.

— Est-ce que vous pensez encore à votre famille ?

— Ils peuvent subvenir à leurs besoins.

— Vous ne vous faites vraiment aucun souci pour eux ?

— Les disciples de Bouddha n'éprouvent ni inquiétude ni haine.

— Est-ce qu'ils vous haïssent ?

Il dit qu'il ne veut pas le savoir. Il était au temple depuis de nombreuses années quand son fils aîné était venu le voir pour l'informer qu'il avait été totalement réhabilité. S'il rentrait, il pourrait jouir d'un traitement de vieux cadre révolutionnaire, il pourrait reprendre son travail et, enfin, il percevrait une grosse somme, correspondant aux salaires dus depuis de nombreuses années. Il dit qu'il ne voulait pas un sou, qu'ils n'avaient qu'à se partager cet argent. Puisque c'était une relation de cause à effet, ils ne devaient pas être victimes de la même injustice que lui. Par la suite, son fils n'est pas revenu et sa famille a totalement perdu sa trace.

— A présent, vous ne vivez que des aumônes le long des routes ?

Il m'explique que les hommes sont devenus mauvais, que les aumônes rapportent moins que la mendicité. Il vit surtout en exerçant la médecine, mais pour cela, il se met en habit civil afin de ne pas nuire à l'image de sa religion.

— Est-ce que l'on tolère ce genre d'arrangement parmi les disciples du bouddhisme ?

— Le Bouddha vit dans les cœurs.

Je suis persuadé qu'il est parvenu à se débarrasser de tous ses tourments intérieurs, il a l'air totalement en paix. Il va partir loin, il s'en réjouit.

Je lui demande comment il se logera en chemin. Il dit que dans les temples, il lui suffit de montrer son attestation de bonze pour être reçu. Mais actuellement, les conditions sont mauvaises un peu partout, les bonzes ne sont pas nombreux, tous travaillent pour se nourrir et on ne lui permet pas de rester très longtemps, car personne ne fait des offrandes aux temples. Seuls les grands temples reçoivent quelques subsides du gouvernement, presque insignifiants. Naturellement, il ne tient pas à accroître la charge des autres bonzes. Il dit qu'il a l'âme d'un voyageur, qu'il est déjà allé sur de nombreuses montagnes célèbres. Il se sent en parfaite santé, capable de parcourir encore dix mille lis.

— Est-ce que je pourrais voir ce certificat ?

J'ai l'impression qu'il me serait encore plus utile que ma carte d'écrivain.

— Il n'a rien de secret, les disciples de Bouddha n'entretiennent pas le mystère, ils s'ouvrent à tous.

Il sort de sa poitrine une grande feuille de papier pliée sur laquelle est imprimé un Bouddha Tathâgata, assis en méditation sur un trône en fleur de lotus, la tête haute, marqué d'un énorme sceau vermillon. Figure aussi le nom de religion du maître qui lui a rasé la tête et qui l'a ordonné prêtre. Sont notées enfin ses études en religion et son grade. Maître de la loi, il peut donc expliquer les soutras et présider des cérémonies.

— Un jour, je partirai peut-être avec vous, dis-je en plaisantant à moitié.

— C'est la destinée, répond-il avec beaucoup de sincérité. Puis il se lève, joint les deux mains et me salue.

Il marche très vite. Je le suis un moment, mais il se perd rapidement dans la foule des passants. Je comprends que je n'ai pas encore rompu avec mes racines terrestres.

Plus tard, devant le temple Guoqing au pied des monts Tiantai, devant la pagode de reliques datant des Sui, alors que j'examine une inscription lapidaire, j'entends sans le vouloir une conversation.

— Tu devrais rentrer avec moi, dit une voix masculine de l'autre côté du mur de brique.

— Non, va-t'en, répond une autre voix d'homme, mais plus claire.

— Si tu ne le fais pas pour moi, pense à ta mère.

— Dis-lui juste que je me porte très bien.

— C'est elle qui a voulu que je vienne, elle est malade.

— De quoi ?

— Elle se plaint toujours de maux d'estomac.

Le fils ne dit plus rien.

— Ta mère m'a dit de t'apporter une paire de chaussures.

— J'en ai déjà.

— Ce sont les chaussures de sport dont tu avais toujours rêvé pour jouer au basket.

— Elles sont très chères ! Pourquoi les avoir achetées ?

— Essaie-les.

— Je ne joue plus au basket, ici, je ne pourrai pas les mettre, remporte-les. Personne ne porte ce genre de chaussures ici.

C'est le matin, les oiseaux chantent dans la forêt. Au milieu des pépiements des moineaux, une grive siffle un chant enjôleur, mais elle est cachée par les feuilles serrées des ginkgos, on ne peut voir sur quelle branche elle est perchée. Puis, des pies arrivent en jacassant. Derrière la pagode de brique, c'est le silence. Croyant que les hommes sont partis, je fais le tour. Je découvre alors un jeune homme, la tête levée, en train d'écouter les oiseaux chanter ; il a le crâne rasé, mais n'a pas encore reçu la tonsure. Il porte une courte chemise de moine ; gracieux, le visage rose, il n'a pas le teint jaunâtre des bonzes qui ont fait abstinence pendant longtemps. Son père a l'allure d'un paysan, il est aussi plein de vigueur, il tient encore à la main les chaussures de basket neuves à semelle blanche, rayées de bandes rouges et bleues, qu'il vient de sortir de leur boîte. Je suppose que c'est un père qui voudrait forcer son fils à se marier. Ce jeune homme se fera-t-il bonze ?

48

Tu as envie de lui raconter une anecdote datant de la dynastie des Jin. L'histoire d'une nonne qui vint réclamer l'aumône à la porte d'un grand général connu pour son arrogance. Selon la coutume, on l'annonça à l'intendant qui la gratifia d'une ligature de mille sapèques. La nonne refusa, elle voulait voir son bienfaiteur. L'intendant ne put que transmettre sa requête à l'intendant en chef qui, pour s'en débarrasser, ordonna à son serviteur de lui porter un lingot d'argent. Qui eût dit que la nonne refuserait encore, réclamerait de voir le général en personne, affirmant que celui-ci étant en danger, elle était venue exprès prier pour lui. L'intendant en chef ne put qu'en référer et le général ordonna qu'on la lui amène.

Lorsqu'il vit son visage très fin et serein malgré la poussière qui le recouvrait, le général pensa qu'elle n'avait rien d'un escroc ou d'une femme se livrant à des pratiques magiques, et il s'enquit de ce qu'elle désirait. La nonne avança, salua mains jointes, puis recula et affirma qu'elle avait depuis longtemps entendu dire que le général était plein de générosité et de clémence. Elle était venue de loin tout spécialement dans ce lieu pratiquer sept fois sept jours l'abstinence pour l'âme de sa mère défunte. En même temps, elle implorerait le Bodhisattva pour qu'il fasse descendre le bonheur sur le général et le protège des catastrophes. Finalement, le général ordonna à l'intendant d'installer une chambre dans la cour intérieure et à son serviteur de préparer une table à encens dans la grande salle.

A partir de ce jour, les coups frappés sur les poissons de bois retentirent du matin au soir dans la résidence. Le temps passait, le général se sentait de plus en plus apaisé et son respect envers la nonne ne cessait de croître. Pourtant, chaque après-midi, elle passait une heure à prendre un bain. Le général s'étonnait : elle était chauve et n'avait donc pas à se coiffer et à se parer comme une femme ordinaire. Pourquoi ce bain, simple cérémonie pour se purifier le cœur avant de changer l'encens, durait-il si longtemps ? D'autant qu'à ce moment-là, on entendait sans cesse couler l'eau. S'en versait-elle sans arrêt ? La curiosité commençait à l'envahir.

Un jour, il s'engagea dans la cour intérieure. Les poissons de bois s'étaient tus. Un instant plus tard, il entendit le bruit de l'eau. Il savait que la nonne allait brûler l'encens et se rendit dans la grande salle pour l'attendre. Le bruit de l'eau était de plus en plus fort et résonnait de manière ininterrompue. Des soupçons naquirent en lui et il descendit les marches. La porte de la chambre de la nonne était entrebâillée. Il s'avança carrément pour regarder à l'intérieur et la découvrit, le visage tourné vers l'entrée, le teint rose et les dents blanches, les joues poudrées et la nuque comme du jade, l'épaule lisse et les fesses rondes, véritable figurine de jade. Il s'écarta à la hâte et revint dans la grande salle, pour reprendre ses esprits.

Le bruit de l'eau retentissait encore dans la chambre, l'attirant malgré lui. Il suivit le couloir à pas de loup et revint devant la chambre. Retenant son souffle, il colla son œil à la fente de la porte et entrevit dix doigts très fins qui s'ouvraient pour masser deux seins pleins, blancs comme neige, embellis par deux boutons de fleurs prêts à éclore. La peau humide se soulevait légèrement et une fine ligne se dessinait du nombril au pubis. Le général en tomba à genoux de surprise, incapable de se relever.

Puis il vit deux mains blanches sortir des ciseaux de la cuvette, refermer les deux lames et les planter avec force dans le ventre. Le sang frais, rouge foncé, jaillit sous le nombril. Terrifié, il n'osait bouger et ferma les yeux.

Un instant plus tard, le bruit de l'eau reprit. Il rouvrit les yeux et, fasciné, vit la nonne au crâne chauve qui baignait dans le sang, mais ses mains ne cessaient de s'agiter pour sortir ses viscères et les placer dans la cuvette !

Issu d'une vieille famille de généraux, cet homme avait vécu d'innombrables batailles. Il ne s'évanouit pas. Il prit une large bouffée d'air frais et, fronçant les sourcils, décida de tirer les choses au clair. A cet instant, la nonne ne présentait pas la moindre trace de sang sur son visage. Les yeux fermés, les cils clos, les lèvres bleuâtres, elle tremblait légèrement. Elle semblait gémir, mais aucun son n'était perceptible. Seul le bruit de l'eau continuait à retentir.

De ses deux mains ensanglantées, elle se saisit de ses intestins qu'elle massa du bout des doigts, lava minutieusement, puis elle passa un long moment à les disposer sur ses avant-bras. Lorsqu'elle eut fini de les laver, elle arrangea ses entrailles, les souleva et les replaça dans son ventre. A l'aide d'une louche pleine d'eau, elle se lava successivement les bras, la poitrine, les plis de l'aine, les pieds et même les orteils, comme si de rien n'était. Le général se leva à la hâte, remonta dans la grande salle et l'attendit debout.

Un instant plus tard, la porte s'ouvrit et la nonne apparut, portant son chapelet. Elle était tout habillée, elle avança jusqu'à l'autel où l'encens venait de s'éteindre dans le brûle-parfum. Au-dessus du bâtonnet, un filet de fumée agonisait. Elle alla le changer tranquillement.

Comme s'il se réveillait péniblement d'un rêve, incapable de se retenir, il questionna la nonne. Celle-ci répondit sans changer de voix : Seigneur, si vous prétendez au trône, votre sort sera tel que ce que vous venez de voir. Et dès lors, le général qui, en fait, fomentait un complot pour s'emparer du trône, en fut fort désappointé et n'osa pas s'écarter de la voie juste, conservant sa réputation de ministre général intègre. A l'origine, cette histoire avait donc une signification politique.

Tu dis qu'en en changeant la conclusion, on peut en faire un sermon moralisateur, mettant en garde le genre humain contre la cupidité et la luxure.

Cette histoire peut aussi constituer un enseignement religieux qui pousse les hommes à se convertir au bouddhisme.

Elle peut également être considérée comme une philosophie de l'existence, enseignant à l'homme de bien qu'il doit chaque jour procéder à trois examens de conscience, ou montrer que la vie humaine n'est faite que de souffrance, ou bien que les souffrances de la vie ne dépendent que de soi, ou encore on peut en déduire de nombreuses autres théories subtiles et raffinées. Tout dépend de l'explication finale qu'en donne le conteur.

En outre, le héros de cette histoire, le grand général, possède un nom et un prénom qui peuvent être vérifiés dans les livres d'histoire et les documents anciens. Tu n'es pas historien et tu n'as pas d'ambition politique. Tu as encore moins l'intention d'être un maître du dao, de prêcher ou de te poser en modèle. Ce que tu aimes, c'est cette histoire en elle-même, dans sa pureté parfaite. En fait aucune explication n'a d'incidence directe sur elle. Tu te contentes de la raconter une fois de plus par le seul truchement de la langue.

49

Dans une vieille rue du bourg, devant un petit bazar, il a installé les deux planches de son étal de calligraphie. Des sentences parallèles porte-bonheur tracées sur du papier paraffiné rouge y sont accrochées. « Dragons et phénix amènent le bonheur, un mariage frappe à la porte », « Trouver le bonheur dehors, prendre l'argent sur le sol », « Un commerce florissant sur les quatre mers, une richesse prospère sur les trois fleuves ». Ce sont de ces vieilles sentences qui avaient été remplacées par des citations et des slogans révolutionnaires. Deux autres disent : « Quand on rencontre un homme, un sourire vaut trois parts de bonheur », « Malheur involontaire disparaît de lui-même ». Je ne sais si c'est lui qui les a composées ou s'il les a héritées des ancêtres. Il écrit dans un style fleuri : l'ossature des caractères est assez réussie, on dirait un peu des talismans taoïstes.

Assez âgé, il est assis derrière son étal, vêtu d'une veste de style ancien à deux pans croisés, et coiffé, sur le sommet du crâne, d'une vieille casquette militaire aux couleurs passées qui lui donne un air comique. Sur son étal, je vois aussi une boussole des huit trigrammes qui fait office de presse-papiers. Je m'approche pour engager la conversation.

— Alors, ça marche, le commerce ?

— Ça va.

— Combien coûte un jeu de deux sentences ?

— Il y en a à deux yuans ou trois yuans, ça dépend du nombre de caractères.

— Et juste pour le caractère « bonheur » ?

— Un yuan

— Pour un seul caractère ?

— Oui, mais je le fais devant vous.

— Et pour un talisman qui éloigne catastrophes et malheurs ?

— Ça, ce n est pas facile à écrire, dit-il en levant la tête vers moi.

— Pourquoi ?

— Vous êtes cadre, vous savez bien pourquoi.

— Je ne suis pas cadre.

— Mais vous mangez bien à la marmite de l'Etat, affirme-t-il de manière catégorique.

— Vieil homme, dis-je en m'approchant, vous ne seriez pas un moine taoïste ?

— Ça fait longtemps que je n'exerce plus.

— Je m'en doute, mais je voudrais savoir si vous connaissez encore les rites taoïstes.

— Bien sûr, mais le gouvernement interdit les superstitions.

— Personne ne vous demande de vous livrer à des superstitions. Je recueille les musiques qui accompagnent les prières, pouvez-vous m'en chanter ? L'Association taoïste des monts Qingcheng a maintenant repris officiellement ses activités ; de quoi avez-vous peur ?

— C'est un grand temple, mais nous autres, les pratiquants taoïstes de village, on ne nous laisse pas exercer.

Je suis encore plus intéressé :

— C'est justement un pratiquant comme vous que je recherche. Pourriez-vous me chanter un ou deux couplets ? Par exemple, les prières pour les enterrements ou la prière pour chasser les malheurs et faire fuir les fantômes.

Il chante deux vers et s'arrête aussitôt :

— Ce n'est pas bon de provoquer ainsi les diables et les dieux, il faut d'abord les implorer et brûler l'encens.

Pendant qu'il chante, plusieurs personnes se sont approchées et l'une d'elles l'apostrophe, déclenchant un éclat de rire général :

— Hé, le vieux, chante-nous quelque chose d'un peu leste !

— Je vais vous chanter un chant montagnard, déclare alors le vieillard comme pour s'encourager lui-même.

— Vas-y, vas-y ! crie la foule.

Soudain le vieillard entonne d'une voix haut perchée :

Petite sœur en montagne ramasse le thé,
Dans la plaine ton fiancé les joncs a coupé,
Les canards mandarins des deux côtés se sont envolés,
Un couple, bientôt, formeront petite sœur et son fiancé.

Dans la foule, on l'acclame, puis certains l'encouragent avec force :

— Chante une chanson leste !

— Vas-y, le vieux !

Le vieillard agite la main en direction de la foule :

— Impossible, impossible, si je le fais, ce sera une grave faute.

— Ce n'est pas si grave de chanter une chanson !

— Ne t'en fais pas, le vieux, chante !

La foule crie, la petite rue est noire de monde, les vélos qui ne peuvent plus passer font résonner leur timbre.

— Bon, c'est vous qui l'aurez voulu ! dit le vieillard en se levant, poussé par la foule.

— Chante-nous la chanson du singe au chapeau en peau de pastèque qui entre dans la chambre des femmes !

Tous acclament le choix proposé. Le vieillard s'essuie un peu la bouche et s'apprête à chanter quand soudain, il dit à voix basse :

— La police !

Tout le monde se retourne. Non loin, un policier patrouille, coiffé de sa large casquette blanche ornée d'un ruban rouge.

— Qu'est-ce que ça peut faire ?

— On peut bien plaisanter un peu, non ?

— La police ne s'occupe pas de ce genre de choses !

— Dites ce que vous voulez, mais fichez le camp, vous croyez que mon commerce va marcher comme ça ? lance le vieillard en se rasseyant.

Une fois le policier passé, la foule se disperse à regret Je lui demande :

— Vieil homme, est-ce que je peux vous inviter à venir chanter dans ma chambre ? Quand vous aurez rangé votre étal, je vous emmènerai d'abord manger au restaurant et boire avec moi, d'accord ?

Le vieillard est attiré par ma proposition :

— D'accord, je ferme. Je plie mon étalage, attends que j'aie rangé mes planches.

— Mais je vous fais perdre du temps, dis-je en matière d'excuse.

— Ça ne fait rien, nous sommes amis. Je ne compte pas dessus pour manger. Je viens en ville vendre quelques calligraphies pour me faire un peu d'argent. Si je ne faisais que ça, il y a longtemps que je serais mort de faim.

Je pars en premier commander des plats et de l'alcool dans une gargote au coin de la rue. Un instant plus tard, il arrive, portant deux paniers à la palanche.

Nous bavardons en mangeant. Il m'explique qu'à l'âge de dix ans, son père l'a envoyé dans un monastère taoïste pour aider aux cuisines, conformément aux volontés de son grand-père malade. Il est encore capable de réciter à l'envers, sans accrocher, le manuel que le vieux maître taoïste lui a donné. A la mort de son maître, il a pris en main le monastère et il connaît toutes les cérémonies rituelles. Par la suite, lors de la réforme agraire, il n'a pu rester prêtre et le gouvernement a ordonné qu'il retourne dans son village travailler à la terre. Quand je l'interroge au sujet de la géomancie, la conduite des cinq tonnerres, le piétinement de la Grande Ourse, la palpation des os du visage, il connaît tout. Je suis ravi. Mais le restaurant est rempli de paysans qui ont fait affaire et gagné de l'argent. Ils jouent à la mourre en braillant, c'est terriblement bruyant. Je lui dis que j'ai un magnétophone dans mon sac et que tout ce qu'il m'explique constitue de précieux documents. Je veux qu'il vienne dans mon hôtel après le repas, il pourra à sa guise réciter et chanter. Il s'essuie la bouche :

— Prenez l'alcool, nous le boirons chez moi. A la maison, j'ai la robe et les accessoires nécessaires.

— Avez-vous aussi le couteau de prêtre qui chasse les fantômes ?

— Bien sûr.

— Et vous avez aussi les tablettes qui permettent de muter les esprits et renvoyer les généraux ?

— J'ai aussi les gongs et les tambours, tout ce qu'il faut pour les cérémonies. Je vais tout vous faire voir.

— D'accord ! dis-je en frappant sur la table. Et je le suis.

— Votre maison est au chef-lieu ?

— Ce n'est pas loin, pas loin. Je vais entreposer ma palanche chez quelqu'un, partez le premier et attendez-moi à la gare routière.

Cinq minutes plus tard, il arrive à grands pas et me presse de grimper dans un car qui s'apprête à partir ! Je monte sans réfléchir. Le car roule sans arrêt et je vois à travers les fenêtres les dernières lueurs du soleil disparaître derrière les montagnes. Lorsqu'il arrive à son terminus, une petite bourgade, nous avons dû parcourir une vingtaine de kilomètres. Le bus repart aussitôt, c'est le dernier de la journée.

La petite bourgade est en fait constituée d'une seule rue de cinquante mètres de long au maximum. J'ignore s'il y a une auberge ici. Il me dit d'attendre un peu et entre dans une maison. Je pense que, si je suis là avec cet homme chaleureux, il doit s'agir d'une rencontre prédestinée. Il ressort de la maison en portant à deux mains une cuvette à demi remplie de fromage de soja et m'invite à le suivre.

A la sortie de la bourgade, sur le chemin de terre, la nuit commence à tomber.

— Vous habitez dans un village proche de la bourgade ?

— Ce n'est pas loin, pas loin, se contente-t-il de répondre.

Bientôt, plus aucune habitation n'est visible et la nuit s'épaissit. Partout, dans les rizières, retentissent les coassements des grenouilles. Je suis un peu inquiet, mais n'ose guère poser de questions. Derrière moi se fait entendre le hoquet du moteur d'un motoculteur. Aussitôt, mon compagnon lui fait de grands signes et court à sa poursuite. Je le rattrape aussi et saute dans la remorque. Nous parcourons encore une dizaine de lis sur ce chemin de terre, secoués comme des petits pois dans une remorque vide. Dans la nuit noire scintille, comme borgne, le phare jaune du motoculteur qui éclaire sur une vingtaine de pas le chemin cabossé. Pas le moindre piéton. Le vieil homme ne cesse de s'entretenir à tue-tête en dialecte local avec le chauffeur, comme s'ils se disputaient, mais je n'arrive pas à saisir une seule de leurs paroles à cause du bruit du moteur. Même s'ils sont en train de décider comment me trucider, je ne peux que m'en remettre au ciel.

Nous finissons par arriver au bout du chemin. Là, se dresse une maison sans lumière : le propriétaire du motoculteur est arrivé chez lui. Quand il ouvre la porte, les deux hommes se partagent quelques morceaux de fromage de soja dans la cuvette. A la suite de mon guide, je m'engage à tâtons sur un sentier qui serpente entre les digues des champs.

— C'est encore loin ?

— Ce n'est pas loin, pas loin, répète-t-il.

Heureusement qu'il marche devant. S'il pose sa cuvette et déploie son kung-fu — car je sais que tous les vieux taoïstes en sont férus —, je n'aurai qu'à me jeter dans une rizière et rouler dans la boue. A présent, des montagnes se reflètent sur les rizières en terrasses, les coassements des grenouilles se font rares. Je cherche comment reprendre la conversation. Je l'interroge d'abord sur la moisson, puis sur les difficultés qu'il rencontre. Il dit qu'on ne peut pas s'enrichir si l'on dépend entièrement de la terre. Cette année, il a dépensé trois mille yuans pour transformer en étang quelques ares de rizière. Je lui demande s'il élève des tortues, car en ville actuellement c'est la mode d'en manger. On dit que c'est anticancérigène et qu'en plus cela fortifie. Elles se vendent très chères. Il dit qu'il a mis des alevins et que les tortues les auraient tous mangés. Maintenant, il a de l'argent, mais le bois reste difficile à acheter. Il a six garçons, mais seul l'aîné est marié, les autres attendent de se construire une maison pour quitter la famille. Je me sens plus rassuré et contemple les étoiles, jouissant du spectacle de la nuit.

Dans l'ombre de la montagne, devant nous, brille la lueur d'un feu. Nous sommes arrivés.

— J'avais bien dit que ce n'était pas loin.

Evidemment, les habitants de la campagne ont leur propre notion des distances.

A plus de dix heures du soir, j'arrive donc dans un petit village de montagne. Dans l'entrée de sa maison brûle de l'encens en l'honneur de nombreuses statues de bois ou de pierre plus ou moins cassées. Elles ont dû être récupérées dans le temple lorsqu'il a été détruit pendant la lutte contre les « quatre vieilleries[1] », il y a plus d'une dizaine d'années. A présent, il peut les exposer publiquement et des talismans sont collés sur les poutres du toit. Les fils sortent, le plus grand a dix-huit ans, le plus jeune onze. Seul l'aîné n'est pas là. Sa femme est toute petite et sa vieille mère de quatre-vingts ans est encore toute guillerette. Sa femme et ses fils s'empressent auprès de moi, je suis un hôte de marque à leurs yeux. Non seulement on va me chercher de l'eau pour me rincer le visage, mais on veut me laver les pieds et me faire enfiler les chaussures de toile du maître de maison. Enfin, on met du thé à infuser pour moi.

Un instant plus tard, les fils apportent gongs, tambours et cymbales, un petit et un gros gong sont accrochés sur un cadre de bois. Aussitôt la musique s'élève et le vieil homme descend de l'étage d'un pas lent et majestueux. Il a totalement changé d'allure, il est vêtu d'une vieille robe violette de moine taoïste, rapiécée et décorée de poissons yin et yang et de figures des huit trigrammes. Il allume en

1. Pendant la Révolution culturelle, les quatre vieilleries désignaient les vieilles coutumes, habitudes, pensées et traditions.

personne un bâtonnet d'encens et s'incline profondément devant la niche des divinités. Les villageois de tous âges, réveillés par le gong et le tambour, se pressent à l'extérieur sur le pas de la porte. La scène se transforme en une séance rituelle animée. Il ne m'a pas menti.

Il élève d'abord à deux mains un bol d'eau pure en marmonnant, puis il répand d'une chiquenaude de l'eau aux quatre coins de la pièce. Lorsque l'eau asperge les pieds des gens pressés sur le pas de la porte, s'élève un grand brouhaha mêlé à des rires. Lui seul ne change pas d'expression, les yeux mi-clos, les coins de la bouche pendants, arborant la solennité de celui qui communique avec les esprits. Cependant la foule rit de plus en plus fort. Soudain, il relève les manches de sa robe et frappe violemment une claquette sur la table, stoppant net les rires. Il se retourne et me demande :

— Je peux chanter le Chant de l'année du grand voyage, le Chant pour la bonne et mauvaise fortune des neuf étoiles, le Chant des descendants, le Chant de la métamorphose, la Formule de présage des quatre désastres, l'Appel des noms magiques des ancêtres, les prières pour le dieu de la Terre, l'Appel à l'âme de la Grande Ourse. Lequel voulez-vous écouter ?

— Eh bien, d'abord l'Appel à l'âme de la Grande Ourse.

— Il est destiné à protéger les jeunes enfants des maladies et des catastrophes. Quel enfant voulez-vous protéger ? Donnez-moi son nom et les date et heure de sa naissance.

— Faisons venir Petit Chien, propose quelqu'un.

— Non, pas moi.

Un petit garçon assis sur le pas de la porte se lève et part se cacher dans la foule. Nouvel éclat de rire général.

— De quoi as-tu peur ? Si le vieux te fait ça, tu n'auras plus de maladie, dit une femme.

Le jeune garçon, réfugié derrière la foule, ne veut sortir pour rien au monde.

Agitant ses manches, le vieillard m'explique :

— Bon, normalement, il faut préparer un bol de riz, faire cuire un œuf de poule, le mettre sur le bol de riz et l'offrir en brûlant de l'encens. L'enfant doit se prosterner devant l'autel et l'on implorera les rois des quatre directions, le Seigneur de l'Etoile de longévité du Sud, les Neuf Seigneurs de l'Etoile polaire, les dieux saints protecteurs du pays, les pères et mères défunts de la famille, les descendants du Génie du Foyer, pour que tous bénissent l'enfant.

Tout en parlant, il lève son couteau de cérémonie, saute en l'air et se met à chanter à tue-tête :

— Ame, âme, reviens vite ! A l'est, l'enfant aux habits bleus, au sud, l'enfant aux habits rouges, à l'ouest, l'enfant aux habits blancs qui te protège, et l'enfant aux habits noirs qui est au nord t'accompagne. Ame perdue, âme qui voyage, ne voyage plus, le chemin est long, rentrer à la maison n'est pas facile. Je prends une mesure de jade pour mesurer le chemin, au cas où tu arriverais dans les ténèbres. Si tu tombes dans les filets célestes, je les couperai avec mes ciseaux. Si tu as faim et soif, si tu es fatiguée, j'ai du riz pour toi. N'écoute pas les chants des oiseaux dans les bois, ne regarde pas les poissons dans les étangs profonds, si mille fois on t'appelle, ne réponds pas, âme, âme, rentre vite à la maison ! Les esprits te protègent, ne cesse d'accumuler les vertus ! Désormais, l'âme *hun* reste intègre, l'âme *bo* se protège [1], le froid et le vent ne peuvent

1. Traditionnellement, les Chinois distinguent chez l'homme l'âme spirituelle, *hun*, de l'âme terrestre et sensitive, *bo*.

pénétrer, l'eau et la terre ne seront pas offensées, les jeunes sont forts, les vieux robustes, on vit cent ans en pleine santé !

Il agite son couteau de cérémonie et décrit un grand cercle dans les airs. Gonflant ses joues, il sonne à pleins poumons dans sa corne. Puis il se tourne vers moi :

— Si je trace encore un talisman, celui qui le portera ne connaîtra que la chance.

Je n'arrive pas à me rendre compte s'il croit lui-même à ses procédés magiques, mais de toute façon, il agite ses mains et ses pieds avec conviction et arbore une expression de grande satisfaction. Organiser cette cérémonie dans sa propre demeure, encouragé par ses fils, respecté par les habitants du village et de plus devant un étranger, le porte bien sûr au comble de l'excitation.

Il enchaîne ensuite imprécation sur imprécation, il appelle ciel et terre, le sens de ses paroles est de plus en plus confus, ses gestes de plus en plus fous. Autour de l'autel, il déploie ses talents en boxe et maniement de l'épée. Ses fils accompagnent ses transformations, en suivant le rythme de ses pas et de sa mélodie à l'aide des gongs et des tambours, dont ils jouent avec une force croissante. Le plus jeune des six surtout, qui frappe sur un tambour : il a carrément relevé ses manches, faisant briller sa peau noire et saillir les muscles de ses épaules. Derrière la porte se massent des spectateurs de plus en plus nombreux. Ceux qui sont au premier rang sont tellement bousculés qu'ils doivent franchir le seuil de la salle et forcer ceux qui sont à l'intérieur à se serrer dans un coin. Certains se sont même assis par terre. A la fin de chaque chant, tout le monde acclame et applaudit à ma suite. Le vieillard est de plus en plus heureux. Il montre tous les mouvements d'arts martiaux qu'il connaît, sans la moindre crainte, il appelle un par un tous les esprits qu'il possède en lui-même, dans un état de mi-ivresse, mi-folie. Il ne s'arrête pour reprendre son souffle que lorsque je retourne la cassette de mon magnétophone. Dans la pièce et au dehors, l'excitation de la foule est à son comble. On rit, on s'interpelle, on bavarde. Même les grands rassemblements de paysans ne doivent pas être aussi animés.

Tout en s'essuyant avec une serviette, il s'adresse aux petites filles devant lui :

— Chantez, vous aussi, pour le professeur.

Les fillettes ricanent entre elles, pépient un moment en se poussant les unes les autres avant de faire sortir de leur groupe une jeune fille du nom de Maomei. Gracieuse, elle n'a que quatorze ou quinze ans, mais elle n'a pas l'air timide du tout. Elle demande en clignant ses grands yeux ronds :

— Chanter quoi ?

— Une chanson de montagnard.

— Je vais chanter « Le mariage des sœurs » !

— Chante plutôt « Fleurs des quatre saisons » !

A côté de la porte, une femme d'âge moyen me recommande :

— Il vaut mieux qu'elle chante « Le mariage des sœurs », c'est une jolie chanson.

La jeune fille me regarde, s'incline, puis détourne les yeux. Sa voix cristalline perce le brouhaha de la foule et s'élève droit dans les airs. Elle me transporte aussitôt dans les montagnes. Le vent, les sources limpides et sombres, les peines qui s'écoulent au fil de l'eau, sont à la fois lointains et clairs. J'imagine les torches de voyageurs dans l'ombre noire de la montagne. Devant mes yeux flotte la vision d'un vieillard, un flambeau de sapin enflammé à la main, qui conduit une jeune fille du même âge que la jeune chanteuse, toute maigre, en habits de couleur. Ils passent devant la porte de l'instituteur de l'école d'un petit village. Je m'étais arrêté dans cette pièce pour me reposer, je n'ai pas su d'où ils venaient, ni où ils allaient, devant eux, une immense montagne aux noires forêts profondes. Ils m'ont jeté un coup d'œil sans s'arrêter, puis ont pénétré dans la forêt. Une étincelle tombée devant la porte a lui encore longtemps. Quand j'ai tourné le regard pour retrouver la trace de la torche, j'ai vu une minuscule flamme danser dans l'obscurité, au-delà des rochers. Elle flottait dans la nuit noire et les étincelles qui en tombaient traçaient en secret le chemin qu'ils suivaient. Puis tout s'est effacé, la petite flamme dansante, les étincelles, comme une chanson, un chant de tristesse pur et lumineux qui flotte dans l'ombre d'une pièce et dans la mèche d'une lampe, pas plus grosse qu'un pois. Ces années-là, j'étais comme eux, pieds nus dans les rizières à travailler la terre, et la nuit tombée, la maison de l'instituteur était le seul refuge où je pouvais bavarder, boire le thé, m'asseoir et me distraire de ma solitude.

La tristesse touche tout le monde, personne ne dit mot. La jeune fille s'est arrêtée de chanter depuis un bon moment, quand une autre, plus âgée, appuyée contre la porte, pousse un profond soupir. Sans doute une jeune fille qui s'apprête à se marier :

— Quelle tristesse !

Puis la foule réclame à nouveau :

— Chante une chanson leste !

— Oncle, chante « Les cinq veilles » !

— Chante « Les dix-huit caresses » !

Ce sont surtout les jeunes qui l'interpellent.

Le vieillard reprend son souffle, ôte sa robe et se lève du banc pour éloigner la jeune chanteuse et les petits enfants assis sur le pas de la porte.

— Allez, les petits, allez vous coucher ! On ne chante plus, allez vous coucher !

Personne ne veut partir. La femme d'âge moyen, debout devant la porte, les appelle alors un par un par leur nom. Le vieil homme tape du pied, comme s'il était fâché, et se met à crier :

— Sortez tous ! On ferme, on ferme, allez dormir !

La femme avance dans la pièce et pousse les petites filles dehors en criant aux garçons :

— Sortez, vous aussi !

Les jeunes tirent la langue et poussent un cri bizarre !

— Yé...

Finalement, deux jeunes filles plus âgées quittent sagement la maison. La foule chasse alors les autres enfants. La femme va fermer la porte et les adultes restés dehors en profitent pour s'engouffrer dans la pièce. Une fois la barre mise, la chaleur monte, ainsi qu'une forte odeur de transpiration. Le vieillard s'éclaircit un peu la voix, crache par terre, cligne de l'œil vers la foule. Il a changé de physionomie. Avec une expression malicieuse, il avance avec la démarche d'un chat. Clignant des yeux vers l'assistance, il chante en contenant sa voix :

L'homme prépare, qu'est-ce qu'il prépare ?
Il prépare son bâton,
La femme prépare, qu'est-ce qu'elle prépare ?
Elle prépare sa rigole.

La foule l'acclame. Le vieillard s'essuie la bouche de la main :

Le bâton est tombé dedans,
Il frétille comme une loche !

Les éclats de rire fusent, les gens sont pliés en deux, certains trépignent.

— Chante-nous encore « Le petit idiot se marie » ! s'élève une voix.

Les jeunes gens poussent un cri : « Tcha ! »

Le vieillard repousse la table et dégage un espace au milieu de la pièce. Il s'accroupit sur le sol, quand soudain on frappe. Mécontent, il demande :

— Qui c'est ?

— Moi, répond de l'extérieur une voix d'homme.

On ouvre la porte et un jeune homme entre, une veste jetée sur les épaules, les cheveux séparés par une raie. On marmonne :

— Le chef du village, le chef du village, le chef du village…

Le vieillard se lève. Le nouveau venu a un petit sourire qu'il réfrène aussitôt lorsque son regard tombe sur le magnétophone posé sur la table, puis se dirige vers moi.

— C'est mon invité.

Le vieil homme se tourne pour me présenter le jeune homme :

— C'est mon fils aîné.

Je tends la main. Il descend la veste de ses épaules et demande sans me serrer la main :

— D'où venez-vous ?

— C'est un professeur de Pékin, explique le vieillard en toute hâte.

Son fils fronce le sourcil :

— Vous avez une lettre officielle ?

— J'ai une attestation, dis-je en sortant ma carte de membre de l'Association des écrivains.

Il l'examine dans tous les sens, puis me la rend.

— Si vous n'avez pas de lettre officielle, ça ne va pas.

— Quelle lettre officielle voulez-vous ?

— Une lettre de la mairie du canton ou bien un tampon de la mairie du district.

— Mais ma carte est tamponnée !

Il reste perplexe, reprend ma carte et va l'examiner attentivement sous la lampe. Il me la rend une nouvelle fois :

— On ne voit pas bien.

— Je suis venu spécialement de Pékin recueillir des chants populaires !

Je ne cède pas, bien sûr, sans trop m'occuper de politesse. Comme je reste ferme, il se tourne vers son père et le gronde sévèrement :

— Papa, tu sais très bien que c'est contraire aux principes !

— C'est un ami avec qui je viens de faire connaissance.

Le père voudrait continuer à s'expliquer, mais devant son fils, chef de village, il manque de courage.

— Rentrez tous vous coucher ! C'est contraire aux principes.

Le fils répète encore cette phrase à l'assistance. Certains se sont déjà esquivés et ses frères ont rangé instruments de musique et ustensiles. Je ne suis pas le seul à être désappointé, le vieillard est vraiment désolé, comme s'il avait reçu une cuvette d'eau froide sur la tête. Toute sa vitalité et son esprit l'ont quitté, ses yeux sont vides, il se recroqueville de manière pitoyable. Je suis obligé de m'expliquer :

— Votre père est un artiste populaire rare, je suis venu spécialement m'instruire auprès de lui. Vos principes sont bons, en principe, mais il existe des principes encore plus grands qui dominent les vôtres…

Pourtant, je serais bien incapable de lui expliquer à ce moment-là quels sont ces grands principes.

— Vous irez demain à la mairie du canton, ils diront si ça va et vous reviendrez avec un tampon.

Il s'adoucit un peu, tire son père dans un coin et lui chuchote encore quelque chose. Enfin, il remonte la veste sur ses épaules et sort.

Une fois tout le monde parti, le vieillard remet la barre à la porte et se dirige vers la cuisine. Un instant plus tard, sa femme fluette rapporte un grand bol de fromage de soja cuit avec de la viande salée et toutes sortes de légumes en saumure. Je refuse de manger, mais le vieillard insiste. A table, personne ne dit mot. Ensuite, il m'installe pour dormir avec lui dans une pièce qui communique avec la soue, à côté de la cuisine. Il est déjà plus d'une heure du matin.

A peine la lampe est-elle éteinte que les moustiques attaquent. Je frappe sans cesse mon visage, ma tête, mes oreilles et mes mains. L'atmosphère est étouffante, il règne dans la pièce une odeur nauséabonde. Le chien de la maison est au comble de l'excitation à cause de ma présence. Il entre et sort, provoquant les grognements incessants des cochons qui remuent continuellement. Sous le lit, quelques poules que l'on a oublié d'enfermer au poulailler sont elles aussi dérangées par le chien. Par moments, elles battent des ailes. J'ai beau être épuisé, je ne parviens pas à dormir. Peu de temps après, un coq sous le lit entonne ses cocoricos, mais le vieillard continue à ronfler. Je ne sais si les moustiques le piquent ou s'ils piquent seulement les inconnus. A moins que mon homme ne perde toute perception dès qu'il sombre dans le sommeil. N'y tenant plus, je me lève carrément, ouvre la porte de la pièce principale et reste assis sur le seuil.

Un vent frais se lève, je ne transpire plus. A travers les contours confus des arbres de la forêt, je ne discerne aucune étoile dans la grisaille de la nuit. Les gens dorment encore profondément dans les maisons éparpillées aux toits de tuiles noires. Jamais je n'aurais imaginé que je pourrais passer une soirée aussi joyeuse dans ce petit village de montagne, d'une dizaine de foyers à peine. La déception d'avoir été interrompu se dissipe quand la fraîcheur me saisit ; ce que l'on appelle ordinairement la vie reste dans l'indicible

50

Elle dit ça suffit, ne raconte plus !

Tu longes avec elle la rive abrupte du fleuve dont les eaux tourbillonnent avec violence. Devant vous s'étale une anse profonde. Quand l'eau y entre, elle décrit un arc de cercle, puis sa surface, parfaitement lisse, devient d'un vert sombre, sans une vague. Le chemin est de plus en plus étroit. Elle ne veut plus avancer avec toi.

Elle dit qu'elle veut rentrer, elle a peur que tu la pousses dans le fleuve.

La colère monte en toi, tu lui demandes si elle est devenue folle.

Elle dit que c'est justement parce qu'elle est avec un démon comme toi qu'elle s'est vidée, que son cœur à présent est aussi sec ; impossible pour elle de ne pas devenir folle. Elle sait très bien que si tu marches encore avec elle le long de ce fleuve, c'est que tu cherches la première occasion pour la pousser à l'eau. Tu veux la noyer pour qu'elle ne laisse aucune trace.

Va au diable ! Tu ne peux te retenir de l'injurier.

Elle dit, tu vois, tu vois, c'est ça que tu penses vraiment, ton cœur est perfide, en fait tu ne l'aimes pas, si tu ne l'aimes pas, tant pis, mais pourquoi vouloir la séduire ? Pourquoi l'attirer devant ces eaux profondes ?

Tu discernes dans son regard une réelle frayeur, tu veux t'approcher pour la rassurer.

Non ! Non ! Elle t'interdit de faire un pas de plus ! Elle te supplie de t'éloigner, de lui laisser la vie. Elle dit qu'à la vue de ce gouffre sans fond, son cœur se glace de frayeur. Elle veut vite rentrer, retrouver sa vie d'autrefois ; elle l'a accusé à tort et elle s'est laissé emmener par un monstre comme toi dans ces confins désertiques. Elle veut retourner près de lui, retrouver sa petite chambre, et cette fois, elle pourra tout lui pardonner, même s'il est toujours violent pendant leurs rapports sexuels. Elle dit que maintenant elle comprend que c'est justement parce qu'il l'aime qu'il est si impulsif, que son désir si abrupt témoigne de sa ferveur, mais elle ne supporte plus ta froideur, il est cent fois plus sincère que toi, tu es cent fois plus hypocrite que lui, en fait, toi, cela fait longtemps que tu es fatigué d'elle, mais tu ne le dis pas, tu la fais souffrir mentalement d'une manière encore plus cruelle que lui la faisait souffrir dans sa chair.

Elle dit qu'elle pense à lui, que chez lui finalement, elle était libre, qu'elle a besoin d'un foyer où elle pourra se réfugier, elle veut seulement devenir une maîtresse de maison, il avait dit qu'il voulait l'épouser, elle a confiance en lui, alors que toi, même ces mots, tu ne les as jamais prononcés. Quand il faisait l'amour avec elle, il lui parlait d'une autre femme, mais c'était seulement pour exciter son envie, tandis que toi, tes paroles ne provoquent en elle que froideur, elle vient de réaliser qu'elle l'aime encore vraiment. Voilà pourquoi elle est si nerveuse, pourquoi elle n'est pas dans son état normal. Si elle est partie, c'est pour le faire souffrir à son tour, mais maintenant ça suffit. Elle s'est assez vengée, peut-être trop même. Quand il le saura, il va devenir fou, c'est sûr, mais il la voudra quand même et saura faire preuve d'indulgence.

Elle dit qu'elle pense à sa famille aussi, que même si sa belle-mère est méchante, elle fait partie des siens. Son père doit être terriblement inquiet, il doit la chercher partout, c'est dangereux à son âge.

Elle pense aussi à ses collègues de travail, même si elles étaient futiles, avares, jalouses les unes des autres, le jour où l'une d'elles s'achetait un vêtement à la mode, jamais elle ne manquait de le faire essayer à ses amies.

Elle pense aussi à ces parties de danse toujours ennuyeuses pour lesquelles on met de nouvelles chaussures et l'on se parfume, avec cette musique et ces spots qui la font vibrer.

Même la salle d'opération avec son odeur de médicaments, sa propreté impeccable, son ordre parfait : chaque flacon y occupe une place précise, on les a toujours sous la main, tout cela lui est tellement familier, tellement proche. Elle doit quitter ce maudit endroit, cette Montagne de l'Ame, ce ne sont que des foutaises !

Elle dit que c'est toi qui as déclaré que l'amour n'était qu'une illusion dont on se sert pour se tromper soi-même. Tu n'as jamais cru qu'il puisse exister un amour véritable, soit c'est l'homme qui possède la femme, soit le contraire. Et ensuite, il faut inventer toutes sortes de jolis contes pour enfants, pour que les esprits faibles puissent s'y réfugier. Ce sont tes propres mots, tu l'as dit puis tu l'as oublié, tu peux nier tout ce que tu as dit, mais l'ombre que tu as laissée dans son cœur, impossible de l'effacer. Elle crie qu'elle ne peut plus te suivre ! Devant cette anse calme, ces eaux profondes et sombres, elle ne peut plus avancer davantage avec toi vers ce gouffre ; si tu fais un seul geste dans sa direction, elle t'agrippera et ne te lâchera plus, elle t'entraînera rejoindre avec elle le roi des enfers !

Elle dit encore qu'elle ne s'accrochera pas, tu devrais lui laisser une issue, elle ne te compromettra pas, tu n'auras pas de fardeau à traîner et tu seras plus léger pour atteindre la Montagne de l'Ame, ou l'enfer. Tu n'as pas besoin de la pousser, elle va partir d'elle-même, partir loin de toi, elle ne te verra plus, elle ne pensera plus à toi, et toi non plus tu ne devras plus penser à elle, tu n'auras pas besoin de t'inquiéter pour elle, elle sera partie d'elle-même, tu n'auras commis aucune faute, tu n'auras pas de regret, aucune responsabilité, et quand elle ne sera plus là, tu n'auras même pas mauvaise conscience. Tu vois, tu ne dis rien parce qu'elle a mis le doigt sur ce qui te fait mal, elle a dévoilé ta pensée, tu n'oses pas te l'avouer, c'est elle qui a tout dit.

Elle dit qu'elle va rentrer, rentrer près de lui, rentrer dans sa petite chambre, rentrer dans sa salle d'opération, rentrer dans sa famille, reprendre des relations avec sa belle-mère. Elle a toujours vécu médiocrement, elle va retrouver la médiocrité, elle sera comme les gens médiocres, elle se mariera avec un homme médiocre comme lui, elle ne désire qu'un nid médiocre, de toute façon, elle ne fera pas un pas de plus avec toi, elle ne peut pas descendre aux enfers avec un démon comme toi !

Elle dit qu'elle a peur de toi, tu la tourmentes, bien sûr elle t'a tourmenté, à présent, elle ne veut plus rien dire, elle ne veut plus rien savoir, elle sait tout maintenant, elle sait déjà trop de choses, ou bien il vaudrait mieux qu'elle ne sache rien, elle veut tout oublier, ce qu'elle n'arrive pas à oublier, il faut qu'elle l'oublie, un jour ou l'autre elle oubliera, le dernier mot qu'elle aura pour toi, ce sera pour te remercier, te remercier pour le bout de chemin que tu as fait avec elle, te remercier parce que tu l'as sauvée de la solitude. Pourtant, elle se sent encore plus seule, et continuer ainsi, cela, elle ne pourra pas le supporter.

Elle a fini par se retourner et partir, tu as fait exprès de ne pas la regarder. Tu sais qu'elle attend que tu tournes la tête, il suffirait que tu lui jettes un coup d'œil pour qu'elle ne parte pas, elle risquerait de t'accrocher du regard jusqu'à ce que les larmes jaillissent. Tu pourrais fléchir et la supplier de rester et ce seraient alors paroles de réconfort et baisers, elle risquerait de s'effondrer dans tes bras, les yeux inondés de larmes, prononçant des paroles embrouillées d'amour, d'enthousiasme et de tristesse, avec ses bras frêles comme des pousses de saule, elle s'enroulerait autour de ta taille et te pousserait à reprendre votre route ensemble.

Tu es résolu à ne pas la regarder et tu continues le long de la digue escarpée du fleuve. Arrivé à un tournant, tu n'y tiens plus et tu te retournes, mais elle a disparu. Tu sens un grand vide dans ton cœur, une sensation de manque mais aussi de délivrance.

Tu t'assieds sur un rocher, comme si tu attendais qu'elle revienne, mais tu sais parfaitement qu'elle est partie pour toujours.

C'est toi qui es cruel, pas elle, tu veux absolument te remémorer ses imprécations et sa méchanceté pour la balayer définitivement de ton cœur, pour qu'elle ne te laisse aucun regret.

Tu l'as rencontrée par hasard, dans ce bourg de Wuyi, tu étais seul, elle avait de la peine.

Tu n'as jamais compris si elle disait la vérité ou des mensonges, ou bien moitié moitié ? Ses inventions et les tiennes se mélangeaient inextricablement.

Elle ne savait rien de toi. C'est seulement parce qu'elle était femme, parce que tu étais homme, parce que sous la vague lumière de cette lampe isolée, à cause de cette chambre sombre sous les combles, à cause de l'odeur de la paille, parce que c'était ce soir-là, comme dans un rêve, dans un endroit inconnu, à cause du froid précoce d'une nuit d'automne, elle avait éveillé en toi tes souvenirs, tes illusions, ses illusions et ton désir.

Et toi, envers elle, tu as agi comme elle.

C'est vrai. tu l'as séduite, mais elle aussi t'a séduit. Entre les astuces des femmes et l'avidité des hommes, à quoi bon chercher à discerner qui porte le plus de responsabilité ?

Et à quoi bon rechercher cette Montagne de l'Ame à présent ? Ce n'est peut-être qu'un stupide rocher où vont les femmes en mal d'enfant. Etait-elle une femme au camélia ? Ou bien était-elle cette jeune fille qui s'était laissé entraîner par des garçons pour aller se baigner ? De toute façon, elle n'était pas tellement jeune et toi tu n'es plus un adolescent, tu te souviens seulement des relations que tu as eues avec elle et, à cet instant, tu découvres que tu ne pourrais pas décrire son visage, tu ne pourrais pas reconnaître sa voix, comme si c'était une expérience déjà vécue ou peut-être tout au plus une illusion ; d'ailleurs où se situe la limite entre souvenir et illusion ? Et comment fixer une limite ? Lequel des deux est le plus sûr et comment en juger ?

N'as-tu pas éveillé en toi de nombreux rêves lointains en rencontrant par hasard cette femme dans un petit bourg, une petite gare routière, sur un embarcadère, dans la rue, au bord de la route ? Et comment retrouver sa trace maintenant ?

51

Sur la rive escarpée du fleuve, le soleil du soir lance ses rayons obliques devant le temple de l'Empereur blanc. Au pied de l'à-pic, les eaux tourbillonnent dans un fracas que l'on entend de loin. Devant moi se dresse la falaise de la porte de Kui, comme tranchée d'un coup de couteau. Si l'on regarde vers le bas en s'appuyant à la rambarde en fer, on distingue une ligne de partage entre l'eau limpide et scintillante de la rivière et l'eau impétueuse et boueuse du Yangzi.

Sur l'autre rive, une femme portant une ombrelle violette passe à flanc de montagne parmi les herbes et les arbustes, sur un chemin invisible qui monte jusqu'au sommet du rocher à pic. Elle avance puis disparaît. Des gens habitent sans doute au sommet.

Les rayons dorés du soleil se cachent derrière la montagne et aussitôt les deux rives du défilé s'assombrissent. Les fanaux rouges qui servent de balises aux bateaux, accrochés au ras de l'eau, s'allument un à un. Un bateau à trois ponts arrive en amont, rempli de voyageurs debout qui admirent le paysage. Le mugissement grave de la sirène résonne longtemps dans la gorge.

On dit que le camp en forme de huit trigrammes que Zhuge Liang[1] avait installé au milieu de l'eau se trouvait à l'intersection du fleuve et de la rivière, au-delà de la porte de Kui. J'ai franchi plusieurs fois cette porte en bateau et tout le monde sur le pont montrait quelque chose du doigt, faisant semblant de le voir, mais je n'ai jamais pu le distinguer, même aujourd'hui, depuis la cité antique de l'Empereur blanc située au bord du fleuve. Liu Bei[2] lui aurait confié ici son fils unique, futur empereur, mais qui peut savoir si les histoires rapportées dans les romans historiques sont réelles ?

Dans le temple de l'Empereur blanc, sur les socles de pierre, les statues des saints ont été remplacées par de nouvelles sculptures en argile colorée, inspirées de drames historiques, dont la plastique donne une impression de scène de théâtre ; ce temple ne ressemble plus à rien.

Je le contourne et passe derrière un hôtel récemment construit. Tout autour, ce ne sont que des montagnes dénudées, parsemées de quelques buissons. A mi-pente, on aperçoit pourtant vaguement les vestiges du mur d'enceinte semi-circulaire d'une cité antique de l'époque des Han. Il doit bien mesurer plusieurs kilomètres. C'est le directeur des affaires culturelles locales qui me l'a montré. Cet archéologue manifeste un enthousiasme sincère pour son travail. Il m'a expliqué qu'il a demandé aux services gouvernementaux concernés une aide financière pour la conservation de ces vestiges ; à mon avis, il vaut mieux les laisser dans cet état de délabrement sauvage. Si l'argent était débloqué, il est probable que l'on reconstruirait des

1. Général et homme d'Etat qui a vécu de 181 à 234 ap. J.-C. Sa sagesse et son talent l'ont rendu très populaire.
2. En 221 ap. J.-C., Liu Bei a fondé la dynastie des Shu Han dans la province du Sichuan, avec Zhuge Liang comme conseiller.

pavillons et des bâtiments bariolés au sommet desquels on ouvrirait un restaurant qui dénaturerait le paysage.

Il m'a montré un couteau de pierre, vieux de plus de quatre mille ans, aussi poli et brillant que du jade. Son manche était percé d'un trou, sans doute pour être attaché à la ceinture. Sur les deux rives du Yangzi, on a déjà découvert de nombreux outils de pierre finement polis et des poteries rouges datant du néolithique tardif. Dans une grotte, au bord du fleuve, on a aussi trouvé des armes de bronze. Il m'explique que peu après la porte de Kui, dans une grotte située dans la falaise et où, dit-on, Zhuge Liang aurait caché son ouvrage sur l'art de la guerre, deux hommes, un muet et un bossu, ont récemment décroché le dernier cercueil suspendu. Il est tombé en poussière. Ils ont récupéré les ossements pour les vendre comme os de dragons à des officines de médecine chinoise qui, les ayant expertisés, ont prévenu la sécurité publique. Les policiers ont fini par retrouver le muet : ils n'ont d'abord obtenu aucun renseignement de sa part, mais, après quelques gifles, il a fini par les conduire sur les lieux, longeant la falaise sur un petit bateau, et il leur a montré ses talents de grimpeur. Sur place, demeuraient quelques fragments de planches, sans doute les restes d'une sépulture des Royaumes combattants. Le cercueil contenait vraisemblablement quelques objets en bronze, mais il a été impossible de savoir ce qu'ils étaient devenus.

Dans la salle d'exposition du centre culturel, on peut voir plusieurs fusaïoles décorées de motifs circulaires noirs ou rouges. Ces dessins, qui ressemblent aux poissons yin et yang, doivent être à peu près de la même époque que ceux que j'ai vus dans les monts Qujia, en aval du fleuve, dans la province du Hubei. Ils étaient vieux de quatre mille ans. Lorsque les fusaïoles tournaient, faisant alterner vide et plein, l'image du faîte suprême taoïste[1] apparaissait. Je vais jusqu'à imaginer qu'il s'agit là de l'apparition la plus ancienne de ce symbole, point de départ des principes philosophiques de l'être, depuis le *Livre des mutations* jusqu'au taoïsme : complémentarité du yin et du yang, interdépendance du bonheur et du malheur. Les premiers concepts de l'humanité sont nés des images, puis ils se sont alliés aux sons et, enfin, langage et sens sont apparus.

A l'origine, un élément étranger a dû tomber par inadvertance, pendant la cuisson, sur une fusaïole en terre. Et c'est une femme tournant le fuseau qui a dû remarquer le motif que le mouvement faisait naître. Et l'homme qui a donné un sens à ce motif a été appelé Fuxi. Mais bien sûr, c'est une femme qui a donné vie et intelligence à Fuxi, et la femme qui a créé l'intelligence de l'homme a été appelée Nügua La première femme et le premier homme qui ont porté un nom, Nügua et Fuxi, symbolisent la prise de conscience de l'union de l'homme et de la femme.

Fuxi, avec son corps de serpent et sa tête d'homme, tel qu'il est figuré sur les briques datant des Han, et tel qu'il apparaît dans les légendes, dans ses relations avec Nügua, incarne les pulsions sexuelles des hommes primitifs. De bêtes sauvages, on les a transformés en monstres, puis on les a élevés au rang d'ancêtres originels, simple incarnation instinctive du désir sexuel et de l'appel à la vie.

A cette époque, l'individu n'existait pas, on ne différenciait pas le « moi » et le « toi ». Le « moi » est apparu tout au début à cause de la peur de la mort ; la chose étrange qui n'est pas « moi » s'est transformée en ce que l'on appelle le « toi ». L'homme était alors encore incapable

---

1. Fondement originel de l'univers, le faîte suprême taoïste est représenté par le dessin du yin et du yang, l'un blanc, l'autre noir, comportant chacun un rond de la couleur opposée

d'avoir peur de lui-même, sa connaissance de soi venait uniquement de l'autre. Seul le fait de prendre ou d'être pris, d'être soumis ou de soumettre, le confirmait dans son existence. La tierce personne qui n'a pas de relation directe avec « moi » et « toi », c'est « il ». Et « il » n'apparaît que progressivement. Plus tard, j'ai découvert qu'il en est de même pour « il » : c'est l'existence d'êtres différents qui a fait reculer la conscience de « moi » et de « toi ». L'homme a oublié progressivement son « moi » dans la lutte pour la vie avec autrui et, plongé de force dans le monde infini, il n'est plus qu'un grain de sable.

Que puis-je faire du reste de ma vie ? C'est la question que je me pose en écoutant dans la nuit calme le son diffus des eaux du fleuve. Aller ramasser au bord de l'eau les poids des filets qu'utilisaient les pêcheurs de Daxi ? J'ai déjà un galet creusé en son milieu à l'aide d'une hache de pierre. C'est un ami qui me l'a donné il y a deux jours, en amont, à Wanxian. Il m'a dit qu'à la saison des basses eaux, on peut en ramasser sur la berge. La vase s'accumule et le lit du fleuve s'élève d'année en année. De plus, on projette de construire un barrage à la sortie des gorges. Quand cette grande digue vaniteuse sera édifiée, la muraille de l'ancienne ville des Han sera submergée par les eaux. Quel sens aura alors la collecte des reliques du passé ?

Je suis toujours à la recherche du sens, mais finalement qu'est-ce que le sens ? Puis-je empêcher les hommes de construire ce barrage monumental tout en détruisant leur propre mémoire ? Je ne peux que faire des recherches sur mon propre « moi », minuscule grain de sable. Je peux seulement écrire un livre sur « moi », sans m'occuper de savoir s'il paraîtra. Et écrire un livre de plus ou de moins, quel sens cela a-t-il ? La culture que l'on aura détruite va-t-elle manquer ? Et l'homme a-t-il tellement besoin de la culture ? Et qu'est-ce que la culture ?

Je me lève dès l'aurore pour prendre un petit bateau à vapeur. Ces chalands enfoncés dans l'eau presque jusqu'au plat-bord descendent rapidement le courant. A midi, nous arrivons au mont Wushan, le mont des Sorcières, là où le roi Huai des Chu a rêvé qu'il s'accouplait avec une déesse. Les femmes que je vois dans les rues du chef-lieu de district n'ont rien d'ensorcelant. En revanche, sur le bateau, un groupe de sept ou huit garçons et filles avec un fort accent pékinois, vêtus de pantalons à pattes d'éléphant, munis de guitares électriques et d'une batterie, parlent, rient, flirtent, l'air totalement désinvolte. Ils gagnent de l'argent en jouant quelques airs à la mode et du disco (à l'époque, le rock était encore interdit) et, comme ils me le confient eux-mêmes, ils font fureur sur les deux rives du Yangzi.

Dans des fragments d'annales enveloppées dans du papier d'emballage, il est noté :

« A l'époque des Tang Yao, le mont Wu a tiré son nom de Wu Xian, Wu Xian était le médecin au vaste savoir-faire de l'empereur Yao, né dans une famille de ministre de haut rang, il est mort comme grand sage, son fief était la montagne à qui il a donné son nom » (*Cf.* Guo Pu : *Elégies des monts Wuxian*).

« A l'époque de Yu Shun, le *Classique de l'empereur Shun* indique le mont Wu appartient aux régions de Jing et de Liang. »

« Sous les Xia, l'empereur Yu divise l'empire en neuf régions et le mont Wu se trouve toujours dans la région de Jing et Liang. »

« Sous les Shang, dans *l'Eloge des Shang, Neuf possessions, neuf encerclements*, il est noté : Les régions auxquelles le mont Wu appartient ne diffèrent pas de l'époque des Xia. »

« Sous les Zhou, Wu est le territoire de Kuizi des Printemps et Automnes du pays de Yong, à la trente-sixième année de l'ère Xigong, les hommes de Chu ont anéanti le territoire de Kui qu'ils ont annexé à Chu, le mont Wu en a donc fait partie. »

« Sous les Royaumes combattants, le pays de Chu comprenait la commanderie de Wu. Dans les *Annales des Royaumes combattants* on lit : Su Qin avertit le roi Wei de Chu en ces termes : Au sud se trouve la commanderie de Wu. Dans le *Kuodizhi*, on dit : La commanderie est à cent lis à l'est de Kui et s'est appelée plus tard le Pays de la commanderie du Sud. »

« Sous les Qin, dans les *Mémoires historiques*, chapitre "Annales des Qin", il est dit : A la trentième année de son règne, le roi Zhao Xiang s'empare de la commanderie de Wu à Chu et la transforme en un district appartenant à la commanderie du Sud. »

« Sous les Han, en raison du passé, on l'appelle le district de Wu et il appartient à la commanderie du Sud. »

« Sous les Han postérieurs, au cours de l'ère Jian'an, il appartient d'abord à la commanderie de Yidou, puis, en l'an 25, Sun Quan le met dans la commanderie de Guling et Sun Xiu de Wu dans la commanderie de Jianping. »

« Sous les Jin, au début, le district de Wu marque la frontière entre les pays de Wu et de Shu et c'est le Duwei de Jianping qui l'administre, puis il est compris dans le district de Beijing. Au cours de la quatrième année de l'ère Xianping, le Duwei est transféré à la commanderie de Jianping et le district de Nanling est créé. »

« Sous les Song, les Qi, les Liang, pas de changement. »

« Sous les Zhou postérieurs, pendant les premières années de l'ère Yuanhe, le district de Wu appartient à la commanderie de Jianping, puis est créé le district de Jiangling. »

« Sous les Sui, au début de l'ère Kaihuang, la commanderie est remplacée par le district du mont Wu appartenant à la commanderie de Badong. »

« Sous les Tang et les Cinq Dynasties, il appartient au canton de Kui. »

« Sous les Yuan, pas de changement. »

« Sous les Ming, appartient au canton de Kui. »

« Sous les Qing, en l'an 9 du règne de Kangxi, Dachang est supprimé et intégré dans le district de Wushan… »

« Une ville en ruine se trouve à cinquante lis au sud. »

…

« Le moine Fuzi, Balle de Blé, de son vrai nom Wenkong, appellation Yuanyuan, originaire de Ji'an dans le Jiangxi, avait établi sa chaumière sur le versant nord des monts Zhidong. Il restait assis en méditation au milieu des montagnes. Au bout de quarante ans, il a obtenu l'éveil, il ne mangeait que de la balle de blé, d'où son surnom. Longtemps plus tard, alors qu'il avait disparu de sa chaumière, les habitants de la montagne d'en face y ont vu briller pendant trois années une lumière. »

..

« La tradition dit que la fille de l'Empereur rouge, Yao Ji, morte en marchant sur l'eau, est enterrée sur l'adret de la montagne ; un temple lui est consacré, les sorciers et les sorcières y font descendre les esprits en dansant. »

...

« Le bourg de Anping se trouve à 90 lis au sud-est du district... (il manque des mots), les bourgs mentionnés ci-dessus sont de nos jours en ruine, depuis que les soldats des Ming les ont incendiés, les maisons des villages sont en ruine, d'autres populations sont venues d'autres provinces et les noms ont changé... »

A présent, ces bourgades existent-elles encore ?

52

Tu sais que je ne fais rien de plus que me parler à moi-même pour distraire ma solitude. Tu sais que ma solitude est sans remède, personne ne peut me soulager, je ne peux avoir recours qu'à moi comme partenaire de mes discussions.

Dans ce long monologue, « tu » est l'objet de mon récit, en fait c'est un moi qui m'écoute attentivement, « tu » n'est que l'ombre de moi.

Pendant que j'écoutais attentivement mon propre « tu », je t'ai fait créer « elle », parce que tu es comme moi, tu ne peux supporter la solitude, tu dois aussi trouver quelqu'un à qui parler.

Tu as donc eu recours à « elle » de la même manière que j'ai eu recours à « tu ».

« Elle » dérive de « tu » et, en retour, confirme mon moi.

« Tu », le partenaire de mes dialogues, tu as converti mon expérience et mon imagination en relations entre « tu » et « elle », sans que l'on puisse distinguer ce qui ressortit de l'imagination ou de l'expérience.

Si moi-même, je ne peux distinguer la part de vécu et la part de rêve dans mes souvenirs et mes impressions, comment pourrais-tu, toi, opérer une distinction entre mon expérience et mon imagination ? Et cette distinction est-elle vraiment nécessaire ? En outre, elle n'a aucun sens réel.

« Elle », créée par ton expérience et ton imagination, s'est transformée en toutes sortes de fantasmes, elle se pavane pour t'attirer, uniquement parce que toi, tu voulais la séduire, tu ne pouvais te résigner à la solitude.

Au cours de mon voyage, les heurs et malheurs de la vie se résumaient à la route ; j'étais plongé dans mon imagination, avec comme écho ton voyage intérieur ; quel est le plus important des deux voyages ? Lequel est le plus réel ? Cette vieille question irritante peut devenir un véritable sujet de discussion ou même de débat, mais de toute façon, elle n'a aucun rapport avec le voyage spirituel dans lequel « je » ou « tu » sont plongés.

Tu es dans ton propre voyage spirituel, tu erres dans le monde entier avec moi en suivant tes pensées, et plus tu vas loin, plus tu te rapproches jusqu'à ce que, inévitablement, il devienne impossible de nous dissocier ; il te faut alors reculer d'un pas et cette distance qui se crée, c'est « lui », et « lui », c'est une silhouette lorsque tu me quittes et t'éloignes.

Que ce soit moi ou mon reflet, on ne distingue pas le visage de « lui », on sait seulement que c'est une silhouette.

« Tu », que j'ai créé, a créé « elle », et son visage reste bien sûr illusoire : à quoi bon vouloir à tout prix le représenter ? « Elle » n'est qu'une image apparue de manière imprécise par association d'idées, flottant confusément dans la mémoire, à quoi bon restituer une image qui change sans cesse ?

Ce que l'on désigne par « elles », pour toi et moi, ce n'est que la réunion des diverses formes de « elle », pas autre chose.

« Eux », ce ne sont aussi que les nombreuses figures de « lui ». L'univers géant où tout peut arriver se trouve en dehors de « tu » et de « je ». Autrement dit, « il » n'est que la projection de ma silhouette, impossible de m'en débarrasser et, puisqu'il en est ainsi, tant pis, à quoi bon ?

Je ne sais si tu l'as remarqué. Lorsque je parle de « je », de « tu », de « elle », de « il », et même de « ils », je ne parle que de moi, de toi, de elle et de lui et même d'elles et d'eux ; je ne parle jamais de « nous ». Je pense que ce « nous », étrange et hypocrite, est vraiment superflu.

« Tu » et « elle » et « il » et même « ils » et « elles », même si ce sont des images chimériques, pour moi ont un contenu plus important que le prétendu « nous ». Si je dis « nous », j'ai aussitôt des doutes, car combien comprend-il de « je » ? Ou bien, combien y a-t-il de reflets opposés à « je », de silhouettes de « tu » et de « je », de « elle », que « il », « tu » et « je » font naître sous forme de fantasmes, ainsi que de « ils » et « elles » qui sont toutes les figures animées de « il » ? Rien n'est plus trompeur que ce « nous ».

Pourtant, je peux dire « vous ». Quand je suis face à plusieurs personnes, que ce soit pour plaire, blâmer, me mettre en colère, aimer, mépriser, je suis dans une position de force, je me trouve plus fort qu'à n'importe quel autre moment. Alors que « nous », quel sens a-t-il ? Hormis une espèce d'affectation à laquelle on ne peut remédier. C'est pourquoi j'évite toujours ce « nous », affecté et hypocrite, qui ne cesse de gonfler. Si un jour j'en arrivais à l'employer, ce serait le signe d'une lâcheté et d'une stérilité incommensurables.

Je me suis établi mon propre système, ou plutôt une logique qui repose sur une sorte de relation de cause à effet. Dans ce monde chaotique, les hommes se sont toujours construit des systèmes, des logiques, des relations de cause à effet pour s'affirmer. Pourquoi ne m'en inventerais-je pas moi-même ? Je peux ainsi me réfugier en eux, m'y établir, en paix avec ma conscience.

Mais mon malheur, c'est que j'ai réveillé le « tu » porteur de malchance. En réalité, « tu » n'est pas malheureux, ton malheur, c'est entièrement moi qui en suis la cause, il vient uniquement de l'amour que je me porte. Ce satané « je » n'aime que lui-même à en mourir.

Je ne sais pas si à l'origine dieu et diable existent, c'est toi qui les as appelés, tu es à la fois l'incarnation de mon bonheur et de mon malheur, quand tu disparaîtras, dieu et diable retourneront au néant en même temps.

Je ne pourrai me débarrasser de moi-même que lorsque je me serais défait de « tu ». Mais si un jour je te rappelle, je ne pourrai plus jamais m'en éloigner. Je me suis alors demandé quel serait le résultat si j'échangeais ma place contre la tienne Autrement dit, je ne serais que ton ombre et toi, tu deviendrais mon corps réel, voilà un jeu amusant. Si, à ma place, tu m'écoutais attentivement, je deviendrais l'incarnation de ton désir, ce serait aussi très plaisant. Toute une philosophie en découlerait et il faudrait reprendre ce récit à son début.

En dernière analyse, la philosophie est aussi un jeu de l'esprit, elle se situe aux confins que les mathématiques et les sciences exactes ne peuvent atteindre, elle fournit des structures et des cadres raffinés de toute nature. Lorsque les structures sont achevées, le jeu s'arrête.

La différence entre le roman et la philosophie vient de ce que le roman est une production de la sensibilité, il plonge dans un mélange de désirs les codes des signaux arbitrairement construits, et, au moment où ce système se dissout et se transforme en cellules, la vie apparaît. On en voit alors la gestation et la naissance, ce qui est encore plus intéressant que les jeux de l'esprit, mais, comme la vie, il ne répond à aucune finalité.

53

Il est midi, il fait plus de quarante degrés. Je me rends dans l'antique cité de Jiangling sur une bicyclette de location. Le goudron de la route, récemment refaite, fond sous le soleil de plein été. Un vent brûlant s'engouffre dans la porte de la vieille ville de Jingzhou, construite à l'époque des Royaumes combattants. Une vieille femme est allongée sur un fauteuil en bambou, derrière un étal de thé. Sans aucune gêne, elle garde ouverte sa courte chemise de lin tout élimée à force d'avoir été lavée, laissant voir deux seins ratatinés comme deux bourses vides en cuir. Elle se repose, les yeux fermés, et me laisse boire une bouteille d'eau gazeuse, brûlante aussi, sans vérifier si l'argent que je lui donne est suffisant. La bave aux lèvres, un chien halète, langue pendante, couché dans l'ombre de la porte.

A l'extérieur de la ville, s'étendent des parcelles de riz pas encore récolté, aux épis mûrs d'un jaune éclatant. Dans les rizières déjà moissonnées, reluit le vert brillant des pousses de riz tardif qui viennent d'être repiquées. Personne sur la route, personne dans les rizières. Les gens sont encore au frais chez eux et il n'y a presque pas de voitures.

Je roule au milieu de la route car, des bords, montent des bouffées de chaleur, comme des flammes. La transpiration m'inonde le dos, je quitte carrément ma chemise avec laquelle je me couvre la tête pour me protéger du soleil. Quand j'accélère l'allure, elle flotte au vent et un air humide me souffle aux oreilles.

Dans les champs s'épanouissent d'énormes fleurs de coton, rouges et jaunes. Le sésame est accroché en longues ligatures de fleurs blanches. Un calme étrange règne sous ce soleil aveuglant ; curieusement, on n'entend ni cigales ni grenouilles.

A force de pédaler, mon short est trempé et me colle aux jambes. Je préfère l'ôter pour rouler plus à l'aise. Je ne peux m'empêcher de penser aux paysans de ma jeunesse, qui pédalaient nus sur les norias, avec le plus grand naturel, leurs bras bronzés appuyés à la barre de la machine. Lorsqu'une femme passait au bord de la rizière, ils entonnaient des chansons grivoises, mais sans mauvaise intention. La femme riait en pinçant les lèvres, et les chanteurs oubliaient un peu leur fatigue. C'est sans doute ainsi qu'est né ce genre de chanson. Cette région est le pays natal des chants scandés que l'on appelle « Gongs et tambours pour l'arrachage de l'herbe », mais à présent, les norias ne sont plus utilisées, les terres sont irriguées par des pompes électriques. Ce spectacle a disparu.

Je sais qu'il ne demeure aucun vestige à l'emplacement de la capitale du pays de Chu, j'y vais sans doute en vain. Pourtant, seulement vingt kilomètres aller-retour m'en séparent et je risque de regretter de ne pas aller m'y recueillir avant de quitter Jiangling. Je dérange dans sa sieste un jeune couple qui garde le site archéologique. Diplômés de l'Université depuis un an à peine, ils ont été affectés ici comme surveillants, pour protéger des ruines qui dorment profondément sous terre, sans même savoir quand elles seront mises au jour. Jeunes mariés, ils ne souffrent pas encore de la solitude et me reçoivent très chaleureusement. L'épouse me verse successivement deux grands bols de thé froid amer, mélangé à des plantes médicinales qui aident à dissiper les excès de chaleur. Le nouveau marié, un jeune gars, me conduit vers un champ où se dressent des monticules de terre. Il me montre des rizières où les moissons ont déjà commencé et un lieu plus élevé, à côté d'une colline, planté de coton et de sésame.

— Après la destruction du pays de Chu par le pays de Qin, la cité de Jinan a été abandonnée, explique le jeune homme ; ici, aucun vestige postérieur à l'époque des Royaumes combattants n'a été retrouvé. En revanche, à l'intérieur de la ville, on a découvert une sépulture. La ville semble dater de l'époque moyenne des Royaumes combattants. Dans les documents historiques, il est dit que la capitale avait déjà été transférée à Ying, c'est-à-dire à Jinan, avant le roi Huai de Chu. Si l'on compte à partir de lui, cela fait plus de quatre cents ans qu'elle était capitale. Bien sûr, certains historiens ont un point de vue différent. Ils pensent que Ying ne se trouve pas ici. Mais si l'on s'appuie sur les données archéologiques, on constate que les paysans ont souvent mis au jour, en labourant, des fragments de poterie et des bronzes de l'époque des Royaumes combattants. Si l'on fouillait, il y aurait certainement des découvertes considérables.

Puis il ajoute en me montrant un point au loin :

— Le général en chef Bo Qi a pris d'assaut Ying, et l'eau du fleuve détourné a noyé la ville. Elle s'ouvrait à l'origine de trois côtés sur l'eau : la rivière Zhu coulait de la porte Sud à la porte Nord en passant par l'est ; de ce côté-là, se trouvaient le tumulus sur lequel nous sommes et un lac qui communiquait avec le Yangzi. A cette époque, le fleuve passait tout près de Jingzhou, mais à présent, il coule deux kilomètres plus bas. Dans la montagne de Ji, en face, ce sont les tombes de l'aristocratie des Chu, et à l'ouest, dans les monts Baling, les tombes des rois, qui toutes ont été pillées.

Au loin s'élèvent doucement quelques collines. Même si elles sont plutôt qualifiées de montagnes dans les documents, rien n'empêche qu'il s'agisse du bon endroit.

— Et ici se dressait la tour surmontant la porte de la ville, m'indique-t-il en désignant du doigt une rizière. Après les inondations du fleuve, la boue s'y est accumulée sur plus de dix mètres de haut.

Et c'est vrai que, hormis quelques levées de terre çà et là entre les rizières, seule cette hauteur émerge du paysage.

— Au sud-est se trouvait le palais, la zone des ateliers était au nord et, au sud-ouest, on a découvert aussi les vestiges d'une fonderie. Au sud, la nappe phréatique est trop haute, la préservation des vestiges est moins bonne.

Je hoche la tête au fil de ses explications et j'imagine à peu près les contours de la ville. Si nous n'étions pas en plein soleil de midi et si les fantômes sortaient à la faveur de la nuit, une extraordinaire animation régnerait ici.

Au bas de la colline, il me signale que nous venons de sortir de la capitale. Le lac de l'époque est aujourd'hui un simple petit étang couvert de feuilles de lotus parmi lesquelles s'ouvrent de vigoureuses fleurs roses. Lorsqu'il fut chassé de la cour, le haut fonctionnaire Qu Yuan a dû passer au pied de cette colline, il a certainement cueilli de ces fleurs pour les porter à la ceinture. Avant que le lac ne devienne ce petit étang, toutes sortes d'herbes odorantes poussaient sur ses rives. Qu Yuan a dû s'en tresser une couronne. Partout, au bord des lacs et des étangs, devaient s'élever des chants qui sont parvenus jusqu'aujourd'hui. S'il n'avait pas été chassé de la cour, peut-être Qu Yuan ne serait-il jamais devenu un grand poète.

Et plus tard, si Tang Xuanzong n'avait pas chassé Li Bai de la cour, il ne serait peut-être jamais devenu un génie de la poésie, et jamais n'aurait existé la légende voulant qu'il soit mort ivre, en tentant de récupérer la lune dans l'eau depuis sa barque. On dit que l'endroit où il s'est noyé se trouve à Caishiji, sur le cours inférieur du Yangzi. A présent, les eaux du fleuve ont reflué loin de ce lieu qui est devenu un banc de sable très pollué. Même la vieille ville de Jingzhou se trouve actuellement au-dessous du lit du fleuve. Une digue d'une dizaine de mètres la protège, sans laquelle elle serait depuis longtemps un palais sous-marin pour les dragons.

Plus tard, je suis retourné au Hunan et j'ai traversé la rivière Miluo où Qu Yuan s'est précipité pour mettre fin à ses jours, mais je ne suis pas allé chercher ses traces sur la rive du lac Dongting, parce que de nombreux écologistes m'ont appris qu'il ne subsiste plus aujourd'hui de ce domaine aquatique qu'un tiers des huit cents lis indiqués sur les cartes. Ils ont prédit que, malheureusement, la rapidité d'assèchement des terres et de la sédimentation provoquera d'ici vingt ans la disparition du plus vaste lac d'eau douce de Chine.

Je ne sais pas si à Lingling, dans ce village où ma mère m'avait emmené enfant pour fuir les avions japonais, les petits chiens se noient encore dans la rivière. Je vois toujours, aujourd'hui, ce chien mort au pelage trempé, jeté sur le sable de la berge. Et ma mère, morte noyée aussi. A l'époque, elle s'était portée volontaire pour subir à la campagne la rééducation idéologique. Un matin, après son tour de garde, elle était allée se laver au bord de la rivière où elle devait se noyer. Elle n'avait pas quarante ans. J'ai vu un carnet de souvenirs de ses dix-sept ans. Elle et ses compagnons, qui participaient au mouvement de salut national, y avaient noté des poèmes pleins d'une fougue juvénile. Ils n'étaient bien sûr pas aussi réussis que ceux de Qu Yuan.

Son frère cadet s'était aussi noyé. Je ne sais s'il s'agissait d'un héroïsme infantile ou de ferveur patriotique, mais, le jour de son admission à l'Ecole de l'air, au comble de l'enthousiasme, il avait invité un groupe de camarades à se baigner dans la rivière Gan. Il avait plongé dans le courant violent depuis un ponton qui s'enfonçait loin dans la rivière, pendant que ses compagnons s'occupaient à se répartir la petite monnaie qu'ils avaient trouvée dans les poches de son pantalon. Quand ils avaient compris qu'un accident était arrivé, ils s'étaient aussitôt dispersés. Il avait cherché sa propre mort, le jour de ses quinze ans. Ma grand-mère en avait pleuré toutes les larmes de son corps.

Son fils aîné, mon oncle, n'était pas aussi patriote, c'était plutôt un dandy, mais il ne fréquentait pas les combats de coqs ou les courses de chien. Il préférait ce qui était *modern* — à l'époque, tout ce qui venait de l'étranger était *modern*, terme que l'on traduit aujourd'hui par « modernisé ». Il portait des costumes à l'occidentale avec une cravate, tous très *modern*, même si les pantalons pattes d'éléphant n'étaient pas encore en vogue. S'amuser à la photographie, c'était aussi être au plus haut point *modern*. Il n'était pas reporter et pourtant il ne cessait de prendre des photos qu'il développait lui-même, notamment des photos de grillons. L'une de ses photos de combat de grillons a été miraculeusement conservée jusqu'aujourd'hui ; on a oublié de la brûler. Lui aussi est mort très jeune, de la typhoïde. D'après ce que ma mère disait, il était en passe de guérir quand il avait avalé goulûment un bol de riz sauté aux œufs qui l'avait achevé. Il voulait être *modern*, mais il ne comprenait rien à la médecine moderne.

Ma grand-mère maternelle était morte après ma mère. Ses enfants étaient morts prématurément, mais elle avait eu plus de chance puisqu'elle leur avait survécu et avait fini ses jours dans un hospice. Bien que n'étant pas un descendant des Chu, j'étais allé, malgré la canicule, me recueillir dans leur capitale antique, j'avais donc encore moins de raison de ne pas aller rechercher les lieux où avait vécu ma grand-mère, elle qui m'avait pris par la main pour m'emmener à la foire du temple acheter une toupie. Sa mort, je l'avais apprise par une tante paternelle, elle aussi morte prématurément. Pourquoi presque tous mes proches sont-ils morts ? Je me demande si c'est moi qui vieillis où si c'est le monde qui est trop vieux.

A présent, je me rappelle que ma grand-mère semblait appartenir à un autre monde. Elle croyait aux puissances de l'au-delà et craignait par-dessus tout les enfers. Elle n'avait qu'un souhait : accumuler les bienfaits pour obtenir des récompenses après la mort. Veuve très jeune, elle possédait des biens légués par mon grand-père, mais elle était toujours entourée par une bande de vauriens qui se faisaient passer pour des dieux ou des démons. Ils tournaient autour d'elle comme des mouches, tous de mèche pour l'inciter à dilapider son héritage. Ils l'avaient persuadée de jeter son argent, de nuit, dans un puits. En réalité, ils y avaient installé un grillage en fer et ils récupéraient les pièces qu'elle lançait. Ils s'en étaient vanté après avoir trop bu. Finalement, elle avait vendu tous ses biens, ne gardant que le titre de propriété foncière des terres qu'elle avait hypothéquées longtemps auparavant, et elle était partie vivre avec sa fille. Par la suite, quand ma mère avait entendu parlé de la réforme agraire, elle s'était hâtée de lui faire vider ses coffres où elle avait retrouvé un papier tout froissé et jauni qu'elle s'était empressée de brûler dans le poêle.

Ma grand-mère avait très mauvais caractère. Quand elle parlait, elle avait toujours l'air de se disputer avec les gens et elle ne s'entendait pas avec ma mère. Elle déclarait souvent que quand elle voudrait rentrer dans son pays natal, elle attendrait que moi, son petit-fils, j'aie grandi et sois reçu premier aux examens pour venir la chercher au volant d'une petite voiture et m'occuper d'elle. Mais pouvait-elle deviner que son petit-fils n'était pas du genre à devenir mandarin, qu'il ne s'assiérait même pas dans un bureau de la capitale et que, plus tard, il serait envoyé à la campagne pour cultiver la terre et subir la rééducation ? C'est à ce moment-là qu'elle est morte, dans un hospice de vieillards. Pendant les années troublées, comme on n'avait aucune nouvelle d'elle, mon frère cadet était allé à sa recherche, sous prétexte de « propager la révolution » afin de bénéficier de la gratuité des transports. Il s'était renseigné dans de nombreux hospices sans pouvoir la trouver. On avait fini par lui demander : « Vous cherchez un hospice ou une maison de retraite ? » « Quelle différence ? » avait-il rétorqué. Et on lui avait répondu avec le plus grand sérieux : « Les vieillards qui vivent dans les maisons de retraite sont des gens sans problèmes sur le plan politique, au passé parfaitement clair ; on ne met dans les hospices que les vieillards qui ont eu des problèmes ou dont le passé n'est pas clair. » Il avait donc téléphoné à un hospice. Sur un ton encore plus sérieux, on lui avait demandé : « Quel lien de parenté avez-vous avec elle ? Pourquoi vous renseignez-vous à son sujet ? » A cette époque, il sortait de l'école et ne trouvait pas de travail. Craignant qu'on lui retire sa carte d'identité de citadin, il s'était dépêché de raccrocher. Pendant les années qui suivirent, les écoles servirent à l'entraînement militaire, les administrations et les usines furent contrôlées par l'armée : les gens apprirent à se tenir sur leurs gardes. Après avoir subi une période de rééducation, ma tante paternelle était rentrée en ville. Elle m'avait alors écrit pour m'informer que, d'après ce qu'elle avait entendu dire. ma grand-mère était morte deux ans plus tôt.

Finalement je m'étais renseigné pour savoir si vraiment ce genre d'hospice avait existé. A dix kilomètres en banlieue, dans un lieu nommé le Village des Fleurs de Pêchers, où j'étais arrivé après plus d'une heure de vélo sous le soleil torride, j'avais fini par trouver une construction dont la plaque indiquait qu'il s'agissait d'un hospice, à côté d'une usine de bois où ne poussait aucun pêcher. A l'intérieur, s'élevaient quelques bâtiments rudimentaires à un étage, mais je n'avais vu aucun vieillard. Peut-être s'étaient-ils réfugiés dans leurs chambres à cause de la chaleur ?

Je passai devant un bureau à la porte grande ouverte où un cadre, vêtu d'un tricot de corps, les pieds sur la table, adossé à une chaise en rotin, était en train de s'intéresser de très près à l'actualité. Je lui demandai si ce lieu avait bien été un hospice. Il posa son journal :

— Ça a encore changé. A présent, il n'y a plus d'hospices, on les appelle des maisons de soins pour vieillards.

Je ne lui demandai pas s'il existait encore des « maisons de retraite », je le priai seulement de voir si figurait dans ses registres le nom de ma grand-mère décédée. Sans faire d'histoires ni me demander mes papiers, il sortit d'un tiroir un registre des morts qu'il feuilleta année par année.

Il finit par s'arrêter sur une page en me demandant le nom de la défunte.

— Une femme ?

— C'est cela, dis-je.

Il tira le registre jusque sous mes yeux pour que je reconnaisse moi-même le nom. C'était bien le nom de ma grand-mère, l'âge correspondait à peu près.

— Déjà plus de dix ans qu'elle est morte, soupira-t-il.

— Oui, dis-je. Puis j'ajoutai : Avez-vous toujours travaillé ici ?

Il acquiesça de la tête. Je lui demandai alors s'il se souvenait de la morte.

— Laissez-moi réfléchir. Il cala sa tête contre le dossier de la chaise. Une dame âgée, petite et maigre ?

J'opinai à mon tour. Pourtant je repensais aux anciennes photos de famille montrant une dame plutôt bien en chair. Bien sûr, c'étaient de très vieilles photos, puisque moi, à cet âge, je jouais à la toupie. Par la suite, elle n'avait jamais dû se faire photographier. Son allure physique, plusieurs dizaines d'années plus tard, avait pu totalement changer, seul le squelette ne pouvait s'être transformé. Ma mère n'étant pas grande, elle ne devait pas être très grande non plus.

— Elle ronchonnait toujours, c'est ça ?

Rares sont les vieilles femmes qui ne ronchonnent pas, mais le plus important, c'était que le nom était exact.

— Vous a-t-elle dit qu'elle avait deux petits-fils ?

— Et vous êtes l'un d'eux ?

— Oui.

— Il me semble bien qu'elle m'en avait parlé, dit-il en hochant la tête.

— Disait-elle qu'un jour on viendrait la chercher ?

— Oui, c'est exact.

— Mais à cette époque, j'étais à la campagne moi aussi.

— Pendant la Révolution culturelle..., expliqua-t-il à ma place, puis il ajouta :

— Oh, elle est morte de mort naturelle.

Je ne lui demandai pas ce qu'il entendrait par mort non naturelle, je le questionnai seulement sur le lieu où elle reposait.

— Elle a été incinérée. Nous procédons toujours à la crémation, non seulement pour les vieillards, mais même pour nous autres.

— Les gens sont tellement nombreux dans les villes, on n'a plus de place pour les enterrer.

Je finis sa phrase à sa place, puis je repris :

— Ses cendres ont-elles été conservées ?

— On s'en est débarrassé. Ici, les cendres des vieillards sans famille, on s'en débarrasse...

— Existe-t-il une fosse commune ?

— Hm..., il réfléchit à la manière de me répondre.

Celui qui devait être blâmé, c'était moi, son petit-fils qui avais manqué de piété filiale, ce n'était pas lui, je ne pouvais que le remercier.

Je ressortis de l'hospice et enfourchai ma bicyclette en pensant que la fosse commune n'aurait aucune valeur archéologique. Mais moi, je pourrais toujours estimer que j'avais honoré la mémoire de ma grand-mère défunte, celle qui m'avait acheté une toupie.

54

Tu es constamment à la recherche de ton enfance, c'est devenu une véritable maladie. Dans tous les lieux où tu as vécu, il te faut retrouver la maison, la cour, la rue qui hantent tes souvenirs.

Tu te souviens que tu as habité à l'étage d'un petit bâtiment isolé devant lequel s'étendait un terrain jonché de décombres. Tu ignores si c'étaient les restes d'un incendie ou d'un bombardement. Entre les murs en ruine, poussait du millet, et parfois, sous les tuiles et les briques cassées, se faufilaient des grillons. L'un d'eux, particulièrement malin, nommé le Noiraud, produisait un son strident quand il agitait ses ailes d'un noir brillant. Un autre, appelé le Jaunet, était de grande taille, bagarreur, avec des ailes parfaitement distinctes. Tu as passé des heures merveilleuses sur cette esplanade couverte de gravats.

Tu te souviens que tu as habité aussi au fond d'une cour profonde dont l'entrée était close par une grand porte noire épaisse, tu devais te mettre sur la pointe des pieds pour atteindre l'anneau de fer servant de heurtoir. Une fois la lourde porte ouverte, tu devais contourner le mur écran encadré par un couple de licornes sculptées dans la pierre, la corne brillante à force d'avoir été usée par les enfants qui la caressaient à chacun de leurs passages. Derrière le mur écran, tu découvrais une cour intérieure humide dont un coin était couvert de mousse. C'est là que l'on jetait les eaux usées et l'endroit était glissant. A cette époque, tu élevais un couple de lapins albinos. L'un avait été mordu dans sa cage en fer par la belette. L'autre avait disparu un peu plus tard. Tu l'avais retrouvé au bout de quelques jours en jouant dans la cour de derrière, le poil souillé, noyé dans le seau à urine. Tu l'avais examiné longtemps et, à partir de ce jour-là, tu te souviens n'avoir plus jamais joué dans cette cour.

Tu te souviens encore avoir habité une cour à la porte en forme de lune, où poussaient des chrysanthèmes jaune d'or et des crêtes-de-coq pourpres ; peut-être était-ce à cause de ces fleurs que les rayons du soleil brillaient tant dans la cour. Au fond, une petite porte donnait sur un escalier en pierre, au pied duquel s'étendaient les eaux d'un lac. Pour la nuit de la mi-automne, les grandes personnes ouvraient cette porte et y installaient une table couverte de gâteaux de lune, de pastèques et de fruits. On y admirait la lune sur le lac, en croquant des graines de pastèque et en buvant du thé. Dans le lointain, les eaux sombres rejoignaient le ciel où brillait l'astre, tout rond. Une autre lune scintillait dans les eaux, démesurément étirée. Un soir, tu es venu seul ici et tu as retiré la barre de la porte. Tu as été aussitôt saisi par les eaux du lac, sombres et calmes. Cette beauté était trop profonde, insupportable pour un petit enfant, tu t'es enfui. Et ensuite, quand tu repassais près de cette porte, tu faisais très attention de ne plus en toucher la barre.

Tu te souviens encore que tu as habité une autre maison, avec un jardin de fleurs, mais tu te rappelles seulement que tu pouvais jouer aux billes dans la pièce pavée de carreaux décorés, située au sous-sol. Ta mère t'interdisait de jouer dans le jardin. A l'époque, tu étais malade et tu passais le plus clair de ton temps allongé ; tu ne pouvais que faire rouler tes billes de toutes les couleurs dans ta chambre. Quand ta mère n'était pas là, tu te mettais debout sur ton lit pour regarder dehors, en t'agrippant à la fenêtre, les pavillons multicolores des paquebots qui claquaient au vent sur le quai.

Tu es revenu dans ces lieux anciens, mais tu n'as plus rien trouvé. La place couverte de gravats, le petit bâtiment, la grande et lourde porte noire avec un anneau de fer, la petite rue tranquille passant devant, tout avait disparu, et même la cour avec son mur écran. A leur place, peut-être, a été ouverte une route goudronnée où circulent des camions aux klaxons stridents, chargés de marchandises, faisant voler la poussière et les papiers de bâtonnets de glace, des cars long courrier aux vitres déglinguées, aux toits couverts de valises et de ballots remplis de toutes sortes de productions locales, de vêtements de confection et d'articles d'usage courant, objets de tous les trafics ; le sol est jonché de graines de pastèques et d'écorces de canne à sucre crachées depuis les fenêtres. Plus de mousse, plus de porte en forme de lune, plus de chrysanthèmes jaune d'or et de crêtes-de-coq pourpres, plus de reflets s'étirant sur les eaux du lac, plus de solitude et de profondeur effrayante, seul un alignement de bâtiments rudimentaires en brique rouge le long d'un passage étroit avec, devant chaque porte, un poêle à charbon. Au bord du fleuve, les claquements des pavillons des bateaux se sont tus. Ce ne sont plus que des entrepôts, des entrepôts, des entrepôts, un dépôt, des entrepôts, un dépôt, des entrepôts, des sacs de ciment en papier fort, des sacs d'engrais en plastique épais, et des hurlements ou des chants perçants, vomis par des haut-parleurs diffusant la radio.

Et tu as erré ainsi, d'une ville à l'autre, d'un chef-lieu de district à un chef-lieu de canton, d'une capitale provinciale à une autre, d'un autre chef-lieu de canton à un autre chef-lieu de district, ainsi de suite, sans fin. Un jour, par hasard, tu as soudain découvert une vieille maison à la porte grande ouverte, dans une petite rue carrément oubliée par la planification urbaine ou que la planification urbaine n'a pas prise en compte ou encore que le plan n'a pas l'intention de prendre en compte ou même qu'il est impossible d'inclure dans le plan. Tu t'es arrêté sur le seuil et tu as contemplé la cour intérieure où séchait le linge sur des tiges de bambou. Tu avais l'impression qu'il te suffirait d'entrer pour retourner dans ton enfance et redonner vie à tes souvenirs flous.

Tu as de plus réalisé que les endroits où tu étais passé te permettaient aussi de retrouver effectivement les traces de ton enfance : l'étang couvert de lentilles d'eau, les auberges du petit bourg, les fenêtres du bâtiment donnant sur la rue, le pont à arches en pierre et les bateaux plats passant dessous, les degrés menant de la porte arrière des maisons au bord de la rivière, un puits tari abandonné ; tout se mélange avec tes souvenirs d'enfance et provoque en toi une nostalgie irrépressible, même s'il ne s'agit en rien d'un lieu où tu as habité. Ces vieilles maisons aux tuiles vertes du bord de mer, par exemple, et ces petites tables carrées installées devant les habitations pour boire du thé et profiter du frais, raniment en toi le mal du pays. Par exemple encore, cette tombe du poète des Tang, Lu Guimeng, peut-être un simple tumulus contenant ses effets personnels, située dans une cour, derrière une vieille école couverte de lierre et de chanvre sauvage, dont tu n'avais jamais entendu parler. A côté, s'étendaient des rizières et poussait un vieil arbre. Le soleil oblique de l'après-midi accroissait ta mélancolie. Il est encore moins nécessaire de parler de ces cours avec une tour des régions d'ethnie yi, fermées, désertes et solitaires, que même en rêve tu n'avais jamais vues, de ces constructions en bois sur pilotis des hameaux miao aperçues de loin à flanc de montagne qui te rappelaient aussi quelque chose. Tu ne peux t'empêcher de te demander si tu n'as pas eu une vie antérieure dont tu conserverais quelques bribes, à moins que ce ne soit l'aboutissement d'une vie future. Ces souvenirs sont peut-être comme l'alcool, ils suivent aussi un processus de distillation et t'enivrent de leur odeur.

Que sont en définitive les souvenirs d'enfance ? Comment peut-on en prouver l'existence ? Mieux vaut les garder en soi, à quoi bon les vérifier ?

Tu réalises soudain que la jeunesse dont tu recherches en vain les traces ne s'est pas forcément déroulée dans un lieu déterminé. N'en est-il pas de même pour ce que l'on appelle le pays natal ? Les fumées bleues qui flottent au-dessus des toits en tuile des petits bourgs, le craquement du feu qui chante dans les fourneaux à bois, les petits insectes presque transparents, jaunes, aux longues pattes fines, les foyers dans les maisons de montagnards et les ruches en bois pendues au mur, fermées avec de la terre, suscitent en toi le mal du pays. Voilà le pays natal que tu vois en rêve.

Bien que tu vives en ville, que tu aies grandi en ville, que tu y aies passé presque toute ta vie, tu n'arrives toujours pas à considérer les villes comme ton pays natal. Peut-être parce qu'elles sont trop gigantesques, tout au plus un coin, une chambre, un instant peuvent-ils réveiller en toi un souvenir. Et c'est seulement dans ces souvenirs que tu peux te protéger sans subir de blessures. En fin de compte, dans ce monde immense, tu n'es qu'une goutte d'eau dans la mer, faible et minuscule.

Tu dois savoir que ce que tu recherches ici-bas est rare, ton avidité est exagérée. Tout ce que tu peux obtenir en définitive, ce sont des souvenirs vagues, indistincts comme tes rêves, jamais des souvenirs qui ont recours aux mots. Quand tu veux les raconter, il ne reste plus que des phrases bien ordonnées, quelques fragments passés au crible des structures du langage

55

J'arrive dans une ville bruyante, inondée de lumière. Et ce sont à nouveau les rues noires de monde, la circulation ininterrompue des voitures, le clignotement des feux tricolores, les myriades de bicyclettes s'écoulant comme un torrent qui a rompu ses vannes, et ce sont les tee-shirts, les enseignes au néon, les publicités affichant de belles femmes.

Je voulais trouver un hôtel correct près de la gare, prendre une douche chaude, manger un bon repas, me réconforter un peu et dormir un bon coup pour dissiper plus de dix jours de fatigue. Mais après avoir parcouru plusieurs rues, j'ai dû me rendre à l'évidence : toutes les chambres individuelles étaient occupées, à croire que tout le monde s'était enrichi après avoir fait affaire. Puisque j'ai décidé de faire des dépenses ce soir et de ne pas dormir à nouveau dans un dortoir imprégné d'odeurs de transpiration ou dans un lit rajouté dans un couloir, dont je serais chassé dès le lever du jour, je préfère encore veiller dans le hall d'un hôtel et attendre que des clients qui prennent un train de nuit libèrent leur chambre. Dans mon ennui, je repense soudain que j'ai sur moi le numéro personnel de l'ami d'un de mes vieux amis de Pékin. Il m'avait dit de ne pas manquer d'aller le voir si je passais dans cette ville. J'essaie à tout hasard. Quelqu'un décroche. Sur un ton très impoli, une voix me dit d'attendre. Dans l'écouteur, j'entends des bruits bizarres, je patiente un long moment : on a dû raccrocher. J'ai toujours peur de téléphoner. D'abord, je n'ai pas de téléphone personnel, et ensuite, je sais que les gens d'un certain rang qui possèdent le téléphone n'hésitent pas à faire dire qu'ils ne sont pas là et à raccrocher carrément quand ils ne veulent pas parler à des inconnus. La plupart de mes amis n'ont pas de téléphone personnel, mais l'ami de cet ami est peut-être cadre. Je n'ai pas de préjugés envers les cadres, je ne suis pas encore misanthrope à ce point, mais je trouve que le téléphone est un instrument qui ne permet pas de transmettre les sentiments et qu'il ne faut l'utiliser qu'en dernière extrémité. L'écouteur grésille toujours. Si je raccroche, il faudra que j'attende dans le hall de cet hôtel, autant continuer à écouter, au moins ça me distrait.

Finalement, une voix peu aimable me répond. Elle me fait répéter mon nom et aussitôt me demande en criant où je suis : il veut tout de suite venir me chercher ! C'est bien l'ami de mon ami, il ne m'a jamais vu, mais se conduit comme si on se connaissait de longue date. J'abandonne l'idée d'habiter à l'hôtel, prends mon sac et m'en vais, après lui avoir demandé quel bus mène chez lui.

Au moment de frapper à sa porte, j'hésite un peu. Le maître de maison ouvre et me débarrasse de mes affaires. Il ne me serre pas la main comme le voudrait la politesse, mais me prend par les épaules pour me faire entrer.

La maison est confortable, avec deux chambres donnant sur le hall d'entrée ; elle est meublée avec goût : fauteuils en rotin, table à thé couverte d'un plateau de verre, bibelots anciens, armoire de style occidental. Aux murs sont accrochées des assiettes en porcelaine décorées, le sol est peint d'un brun-rouge tellement brillant que l'on n'ose y poser le pied. Je contemple d'abord mes chaussures sales, puis je me vois dans la glace, les cheveux en bataille, le visage noir de crasse. Je ne suis pas allé chez le coiffeur depuis plusieurs mois, j'ai de la peine à me reconnaître moi-même. Je suis rempli de honte :

— J'arrive des montagnes, j'ai tout de l'homme sauvage.

— Jamais nous n'aurions eu le plaisir de vous voir sans cette occasion, dit le maître de maison.

Son épouse me serre la main, puis s'empresse de préparer du thé. Leur petite fille de dix ans à peine me salue, appuyée à la porte, et rit en me dévisageant.

Le maître de maison m'explique que par une lettre de son ami de Pékin, il a appris que je faisais un long voyage et qu'il m'attendait depuis longtemps. Puis il me met au courant des nouvelles du monde des arts et lettres et de la politique : un tel a refait surface, un tel est tombé, tel ou tel a encore prononcé tel ou tel discours, tel autre a encore mis l'accent sur les grands principes de base. Un article a même mentionné mon nom. On y écrit que, bien que certaines de mes œuvres soient mauvaises, il ne faut pas abattre leur auteur d'un coup de bâton. J'explique que je n'éprouve plus le moindre intérêt envers ces articles, que ce dont j'ai besoin, c'est de la vie, et que, par exemple, ce qu'il me faudrait maintenant, ce serait un grand bain chaud. Sa femme éclate de rire et s'empresse d'aller mettre de l'eau à chauffer.

Après le bain, le maître de maison me conduit dans la chambre de sa fille, qui tient lieu de bibliothèque. Il me propose de me reposer un peu, il m'appellera dans un moment pour le repas. J'entends sa femme qui s'affaire dans la cuisine.

Allongé sur le lit propret de sa fille, la tête reposant sur un oreiller brodé de chats, je me félicite d'avoir essayé de téléphoner. Finalement, le téléphone, ce n'est pas si mal. Je lui ai demandé s'il était cadre pour avoir accès au téléphone, mais il m'a expliqué qu'en fait il y a un téléphone public au rez-de-chaussée. Le préposé est venu le chercher. Quelques-uns de ses jeunes amis voudront certainement me voir. En été, ici, on se couche très tard. Certains habitent dans des immeubles alentour, d'autres, il peut les appeler par téléphone si j'ai envie de les rencontrer. J'acquiesce aussitôt. J'entends une porte qui s'ouvre, des bruits de pas dans l'escalier et des voix dans la salle de séjour. On parle de toi, de tes œuvres, de tes difficultés, tu serais presque un redresseur de torts, tu t'opposes aux inégalités sociales, tu dis que tu ne peux t'y opposer, tu penses que la distinction entre ce qui est absurde et ce qui ne l'est pas ne s'adresse pas seulement aux cadres, plus on regarde ce monde et l'humanité elle-même, plus on les trouve étranges, tu n'aurais pas cru qu'il puisse exister encore des amis comme ça, qui s'intéressent à toi, qui te fassent sentir que cette vie vaut quand même d'être vécue, ils discutent alors pour savoir comment le lendemain ils pourraient aller chercher des filles pour danser. Pourquoi pas ? Cela, c'est toi qui l'as dit. Ce sont de joyeuses jeunes filles, actrices en herbe, étudiantes fraîches émoulues de l'université, elles décident en se chamaillant d'aller ramasser des champignons dans une forêt de pins, voilà bien sûr une excellente idée, vous n'avez pas peur de vous intoxiquer ? Ne peux-tu pas les goûter en premier ? Et une fois que tu les auras goûtés, tout le monde en mangera, qui a dit que tu étais un héros ? Les héros doivent se sacrifier pour les jeunes filles ! Ils ne veulent jamais céder, tu dis que mourir pour une jeune fille, c'est l'idéal, elles disent qu'elles ne sont pas si cruelles, qu'elles ne sont quand même pas comme la nouvelle Wu Zetian, Jiang Qing, ni comme l'impératrice Ci Xi [1], elles se fichent pas mal que ces vieilles sorcières soient mortes ou vivantes, elles veulent te garder, pour que tu allumes le feu afin de faire cuire les champignons, et tout en parlant, elles vont chercher une cuvette, elles ramassent du bois, et toi, tu te mets à plat ventre pour souffler sur les feuilles et les aiguilles de pin sèches, tes yeux rougissent à cause de la fumée, les flammes commencent à monter, tout le monde crie et danse autour du feu, quelqu'un joue de la guitare, tu fais des roulades dans l'herbe, et tout le monde applaudit et t'acclame, un petit gars fait l'arbre droit et ne cesse d'importuner une fille, exigeant qu'elle fasse la roue, elle dit qu'elle peut danser n'importe quelle danse, mais danser, tout le monde en est capable, ce que l'on veut voir c'est le coup dans lequel elle excelle, elle dit qu'elle est en jupe, eh bien, qu'est-ce que ça peut faire ? Ce n'est pas la jupe que l'on veut regarder, c'est l'exercice physique dans sa grâce. Les jeunes garçons ne la lâchent plus, l'un d'eux dit même qu'elle a été championne ! Les filles la chatouillent et la font rouler dans l'herbe en l'empêchant de reprendre son souffle, tu dis que dans les montagnes, tu as appris la sorcellerie, que tu sais faire mourir les vivants et ressusciter les morts, ils disent que tu te vantes, si vous ne me croyez pas, qui veut essayer ? Ils la désignent, la jeune fille allongée sur le sol ferme les yeux et fait semblant d'être morte, tu coupes un rameau de saule que tu agites, tu roules des yeux blancs, tu marmonnes entre tes dents, tu tournes autour d'elle pour chasser les démons des

1. L'impératrice Wu Zetian a vécu de 624 à 705. Elle a usurpé le pouvoir en 684. Ci Xi a détenu le pouvoir de 1861 à 1908. Jiang Qing était la dernière épouse de Mao Zedong.

quatre directions, les jeunes gens s'agenouillent autour, ils prient les mains jointes, les jeunes filles sont jalouses, elles lui crient de se relever, d'ouvrir les yeux, de regarder tous ces hommes qui lui font la cour ! Tu pousses un grand cri et entre en lice torse nu, tu tires la langue, tu danses en hurlant, tout le monde entame une ronde endiablée autour d'elle et la soulève en sacrifice aux dieux ! En sacrifice aux dieux ! Mettons-la dans la rivière pour l'offrir au génie des eaux ! Elle n'y tient plus et appelle « au secours ! » d'une voix stridente. « Au secours ! » Elle dit qu'elle dansera, elle dansera tout ce qu'on voudra, mais de grâce qu'on ne la mette pas dans la rivière, les garçons lui donnent alors comme gage de faire le grand écart, les deux mains levées, sans bouger, pour la martyriser jusqu'à la folie ! A la folie ! Les filles s'y opposent et les en empêchent, tout le monde roule dans l'herbe et rit à s'en faire mal au ventre, ça va, ça va, raconte-nous, raconter quoi ? Raconte-nous ce que tu as vu pendant ton voyage, tu dis que tu es parti à la recherche de l'homme sauvage, eh bien, tu l'as vu vraiment ? Tu dis que tu as vu un panda, qu'est-ce qu'il y a d'étrange ? Dans les zoos on en voit aussi, tu dis que celui que tu as vu était entré sous la tente à la recherche de nourriture, qu'il a fourré sa tête dans tes couvertures, c'est faux, c'est faux ! Tu dis que tu voulais vraiment aller à Shennongjia parce que tout le monde dit que l'homme sauvage y vit, tu voulais même en capturer un et lui apprendre le langage des hommes sans pour autant le considérer comme un enfant, tu dis que toi-même, tu n'arrives pas à te considérer comme un enfant, tu voudrais seulement retourner dans ton enfance, tu dis que tu en recherches partout les traces, et elles, elles disent aussi que c'est l'enfance qui est le mieux, on en garde de beaux souvenirs, moi non, une voix s'élève, mon enfance n'avait aucun intérêt, je préfère vivre maintenant et regarder les étoiles au-dessus de ma tête, ou bien discuter de tes œuvres, une autre voix, féminine celle-là : ce que tu as écrit a été intégralement publié, ce que tu n'as pas pu publier, en fait, tu ne l'as pas encore écrit, tu n'es vraiment pas quelqu'un de sérieux, tu dis que tu es trop sérieux, c'est pourquoi tu ne veux plus l'être du tout, tu n'es pas heureux du tout. Une autre voix soupire ! La la la la la la, attention, je vais chanter ! Tu es la seule à être belle, tu es la seule à être aussi agressive, vous vous battez, celle qui gagnera sera la plus belle, mais elles ne veulent pas que tu arbitres, tu dis que tout le monde veut te juger, qui t'a rendu célèbre ? Tu reconnais que tu y as un peu pensé, mais que jamais tu n'aurais cru que cela t'amènerait autant d'ennuis. Tout le monde rit, quelqu'un dit : et si on traversait la rivière ? Main dans la main entrons dans la grotte ! Celui qui est en tête pousse un cri étrange, il s'est cogné, déclenchant l'hilarité générale, dans la grotte, il fait un noir d'encre, on doit se courber pour ne pas se cogner, mais on heurte les fesses de celui de devant, le mieux serait de s'embrasser dans cette grotte ! Personne ne voit personne, on ne sait pas qui on embrasse, ce n'est pas amusant, allons plutôt nous baigner et sauter dans l'eau, que personne ne fasse de vacheries aux autres ! A qui ? C'est celui qui le fait qui le sait ! Et si on chantait tous ensemble ? Chantons la chanson du palmier, non, pas toujours celle-ci, plutôt le passeur du dragon, qui passe qui ? Tu es le seul à aimer ton pays, le seul à ennuyer les autres, le seul à m'embêter, ne vous disputez pas, d'accord ? Vénérables amis… je vais me noyer ! Qui est aussi ennuyeux ? Je vais ramasser des champignons dans les eaux noires de la rivière… Quoi ? quoi ? il n'y a rien, on n'arrive rien à ramasser, on ramasse seulement le chagrin, jouons aux cartes, d'accord ? Non, il faut trop réfléchir ? Eh bien, tirons la tortue noire, qui l'a eue ?... J'ai tiré le Roi ! J'ai vraiment de la chance, ceux qui ne la recherchent pas en ont toujours, c'est le destin, hé ! tu crois au destin ? Le destin se moque des hommes, qu'il aille au diable ! Ne parle pas du diable, j'ai peur quand on parle du diable la nuit, tu as marché dans un fleuve profond, n'es-tu pas allé à Fengdu, la cité des démons ? Raconte-nous si cette ville est agréable ? Aujourd'hui, on y a placardé une paire de sentences parallèles destinées à mettre fin aux superstitions. « Ce que tu crois est, ce que tu ne crois pas n'est pas. » Qu'est-ce que c'est que ces sentences ? Seules les sentences parallèles ont-elles le droit d'être de véritables sentences ? Ne peut-il pas y avoir des sentences libres ? Si tu veux tout briser, pourras-tu briser la vérité ? Ne prends pas de grands airs pour effrayer les gens, n'es-tu pas un homme sans dieu, qui ne crains rien ? Tu dis que tu as eu peur, de quoi ? Tu as eu peur de la solitude, tu es un bon garçon et en plus un héros ! Héros ou pas, tu as peur des belles femmes, qu'ont-elles de si effrayant ? Tu as peur d'être envoûté, en voilà une nouvelle ! Hé, chers compatriotes ! Que fais-tu ? Faut-il sauver la patrie ? Tu ne te sauves que toi-même, incorrigible individualiste ! Ton corps se couvre de sueur froide tellement tu as peur, tu voudrais, tu voudrais, tu voudrais retourner parmi eux, mais tu ne trouves plus personne...

56

Elle veut que tu lui lises les lignes de la main. Sa petite main est douce, très jolie, très féminine. Tu ouvres sa paume et joues avec, tu dis qu'elle a un caractère très accommodant, qu'elle est une jeune fille très douce. Elle hoche la tête, elle approuve.

Tu dis que c'est la main de quelqu'un de très affectueux et sentimental, elle éclate de son rire si doux.

En apparence elle est douce, mais en elle-même elle bout, elle est anxieuse, dis-tu. Elle fronce les sourcils. Elle est anxieuse parce qu'elle recherche l'amour passionnément, mais elle a beaucoup de mal à trouver un homme à qui elle pourrait se confier corps et âme. Elle est trop délicate, elle est très rarement satisfaite, voilà ce que dit cette main. Elle fait la moue, elle a un drôle d'air.

Elle n'a pas aimé qu'une seule fois…

Combien de fois ? Elle te fait deviner.

Tu dis qu'elle a commencé toute jeune.

A quel âge ? demande-t-elle.

Tu dis qu'elle est faite pour l'amour, que très tôt, elle a aspiré à l'amour. Elle rit.

Tu l'avertis que dans la vie, le prince charmant n'existe pas, qu'elle ira de déception en déception. Elle évite ton regard.

Tu dis qu'elle sera trompée à chaque fois et qu'elle trompera à chaque fois... Elle te dit de continuer.

Tu dis que les lignes de sa main sont très chaotiques, qu'elles impliquent toujours plusieurs personnes en même temps.

Ah non, proteste-t-elle.

Tu l'empêches de protester, tu dis que quand elle aime un homme, elle pense encore à l'autre, qu'elle prend un nouvel amant avant même d'avoir rompu avec le précédent.

Tu exagères, dit-elle.

Tu dis que parfois elle est consciente, parfois non, tu ne la juges pas, tu dis seulement ce que te montrent les lignes de sa main. Y a-t-il des choses qu'il ne faut pas dire ? Tu regardes ses yeux.

Après un instant d'hésitation, elle dit avec assurance que, bien sûr, on peut tout dire.

Tu dis qu'elle ne sait pas se concentrer en amour. Tu pinces les os de sa main en disant que tu ne lis pas seulement les lignes, mais que tu observes aussi la morphologie. Tu dis qu'il suffit à n'importe quel homme de serrer une petite main aussi fine pour pouvoir l'entraîner.

Essaie donc ! Elle veut retirer sa main, mais tu ne la laisses pas partir.

Elle est vouée à la souffrance, tu parles de sa main.

Pourquoi ?

Elle doit se le demander à elle-même.

Elle dit qu'elle veut seulement se consacrer à l'amour d'un homme.

Tu reconnais qu'elle le veut, le problème est qu'elle n'y arrive pas.

Pourquoi ?

Tu dis qu'elle doit le demander à sa propre main, sa main lui appartient, tu ne peux pas répondre à sa place.

Tu es vraiment malin.

Tu dis que ce n'est pas toi qui es malin, c'est sa main, trop fine, trop menue, trop imprévisible.

Elle soupire et te prie de continuer.

Tu dis que si tu continues, elle risque de se fâcher.

Mais non.

Tu dis qu'elle est déjà en colère.

Elle assure que non.

Tu dis alors qu'elle en est même à ne pas savoir quoi aimer.

Elle ne comprend pas, elle dit qu'elle ne comprend pas de quoi tu parles.

Tu lui demandes de réfléchir un peu.

Elle dit qu'elle réfléchit, mais qu'elle ne comprend toujours pas.

Eh bien, cela signifie qu'elle-même ne sait pas ce qu'elle aime.

Aimer un homme, un homme si remarquable !

Que signifie si remarquable ?

Un homme vers qui son cœur pencherait au premier coup d'œil, un homme à qui elle pourrait aussitôt donner son amour, un homme avec qui elle irait partout, jusqu'au bout du monde.

Tu dis que ce serait une passion romantique fugitive...

C'est justement la passion qu'elle recherche !

On l'abandonne dès qu'on a repris ses esprits.

Elle dit qu'elle la mènera à bout.

Mais quand même, quand ta passion se refroidira, tu verras les choses différemment.

Elle dit que si elle tombe amoureuse, sa passion ne pourra faiblir.

Dans ce cas, cela signifie que tu n'es pas encore tombée amoureuse. Tu la fixes dans les yeux, elle ne peut détourner son regard et elle dit qu'elle ne sait pas.

Elle ne sait pas si finalement elle aime ou non, parce qu'elle s'aime trop elle-même.

Elle te prévient : tu ne dois pas être si mauvais.

Tu dis que tout cela vient de ce qu'elle est trop belle, qu'elle est toujours attentive à l'impression qu'elle donne aux autres.

Continue à parler !

Elle est un peu irritée, tu dis qu'elle ne sait pas qu'en fait, c'est une sorte de disposition naturelle.

Qu'est-ce que tu veux dire ? Elle fronce le sourcil.

Tu veux simplement dire que ses dispositions naturelles sont évidentes, que son drame, c'est justement qu'elle est si attirante que tout le monde tombe amoureux d'elle.

Elle fait non de la tête, elle dit qu'il n'y a rien à faire avec toi.

Tu dis que c'est elle qui a voulu que tu lui lises les lignes de la main et qu'elle voulait que tu lui dises la vérité.

Elle proteste doucement : mais ce que tu dis est un peu exagéré.

La vérité ne peut pas être aussi plaisante, si agréable à entendre, elle est forcément un peu rude, sinon, comment considérer sérieusement son propre destin ? Tu lui demandes si elle veut que tu continues.

Finis vite !

Tu dis qu'elle doit écarter les doigts, tu remues ses doigts en expliquant que c'est pour voir si elle maîtrise son destin ou si c'est le destin qui la maîtrise.

Qui maîtrise qui, alors ? Dis-le moi.

Tu lui dis de serrer à nouveau sa main, tu la tiens fermement et tu la lui soulèves en criant à tout le monde de regarder !

Tous éclatent de rire, elle retire sa main.

Tu dis que malheureusement, ce dont tu parles, c'est de toi et non d'elle. Elle pouffe de rire à son tour.

Tu demandes si d'autres personnes veulent que tu leur lises les lignes de la main. Les jeunes filles gardent le silence. A ce moment, une paume aux doigts très longs se tend vers toi et une petite voix timide te demande : regarde-moi.

Tu dis que tu ne regardes que les lignes de la main, pas les visages.

Elle rectifie : regarde mon destin !

C'est une main pleine de force, tu la palpes.

Dis-moi simplement si je ferai des affaires.

Tu dis, tu dis que cette main a beaucoup de caractère.

Dis-moi simplement si je réussirai en affaires.

Tu ne peux que dire que c'est une main très entreprenante, ce qui ne veut pas dire que ses entreprises réussiront.

Qu'est-ce qu'une entreprise, si elle ne réussit pas ? rétorque-t-elle.

Dire que tu feras des affaires peut être aussi une manière d'encouragement.

Qu'est-ce que tu veux dire ?

Je veux dire que tu n'as pas d'ambition.

Elle pousse un soupir, ses doigts raides se détendent Elle reconnaît qu'elle n'est pas ambitieuse.

Tu dis qu'elle est une jeune fille obstinée, mais qu'elle manque d'ambition, qu'elle ne veut pas dominer les autres.

Oui, c'est ça, elle se mord les lèvres.

Le travail est souvent inséparable de l'ambition ; un homme, si l'on dit qu'il a de l'ambition, ça veut dire qu'il a l'esprit d'entreprise ; l'ambition, c'est la base de l'entreprise, l'ambition, c'est pour se distinguer des autres.

C'est vrai, dit-elle, elle ne veut pas se distinguer des autres.

Tu dis qu'elle pense seulement à s'affirmer elle-même, elle n'est pas jolie, mais son cœur est bon. La réussite d'une entreprise ne peut faire l'économie de la concurrence et comme elle est trop gentille, elle ne pourra vaincre ses adversaires, ni, naturellement, connaître de succès significatif.

Elle dit à voix basse qu'elle le sait.

Mener une entreprise sans qu'elle réussisse forcément, c'est aussi une forme de bonheur, dis-tu.

Mais elle dit qu'elle ne peut estimer que c'est du bonheur.

Une entreprise qui ne réussit pas n'équivaut pas à l'absence de bonheur, affirmes-tu de nouveau.

Quelle sorte de bonheur est-ce, alors ?

Tu veux parler d'un bonheur sentimental.

Elle pousse un petit soupir.

Tu dis qu'un homme l'aime en secret, qu'elle doit y réfléchir soigneusement.

Elle ouvre de grands yeux, elle a l'air tellement attentive que l'assistance éclate de rire. Gênée, elle rit aussi en se cachant le visage dans les mains.

C'est vraiment une joyeuse soirée, les jeunes filles t'entourent et se disputent en tendant leurs mains pour que tu lises leur avenir.

Tu dis que tu n'es pas un diseur de bonne aventure, tu n'es qu'un sorcier.

Un sorcier, c'est effrayant ! Effrayant ! crient les filles.

Non, j'aime les sorciers justement, je les adore ! Une jeune fille te serre dans ses bras et te tend sa main potelée : Regarde un peu, j'aurai de l'argent ou non ? Elle ouvre l'autre main : Je me fiche de l'amour et du travail, tout ce que je veux, c'est un mari plein d'argent.

Une autre jeune fille se moque d'elle : Tu n'as qu'à te chercher un vieux.

Pourquoi forcément un vieux ? lui rétorque la jeune fille aux mains potelées.

Quand il sera mort, tout son argent sera à toi, et tu pourras retrouver ton amoureux. Elle a un humour vraiment caustique.

Et s'il ne meurt pas, ce sera atroce, non ? Ne sois pas si mauvaise ! lui répond la jeune fille aux mains potelées.

Cette main potelée est très appétissante, dis-tu.

Tout le monde applaudit, siffle, crie bravo.

Lis mes lignes de la main, ordonne-t-elle, et que personne n'interrompe !

En disant que ses mains étaient appétissantes, tu étais sérieux, tu voulais dire que ces mains attiraient les hommes et qu'il était difficile pour elle de choisir, elle ne savait pas lequel était le mieux.

L'amour des hommes, c'est bien beau, mais qu'en est-il de l'argent ? demande-t-elle en faisant la moue.

Nouvel éclat de rire.

Celui qui cherche l'amour sans avoir l'argent ne trouve pas l'amour, celui qui cherche l'argent sans en avoir trouve l'amour, voilà le destin, l'avertis-tu avec le plus grand sérieux.

Ce destin est très bien ! s'écrie une jeune fille.

La jeune fille aux mains potelées lève un peu le nez : Sans argent, comment pourrais-je me faire belle ? Si je ne me fais pas belle, personne ne me voudra, non ?

C'est juste ! font les autres jeunes filles en chœur.

Et toi ! Quelle cupidité, tu ne penses qu'à avoir des jeunes filles qui tournent autour de toi. L'une d'elles dit dans ton dos : Et toi, tu as déjà aimé ?

Mais toi, tourné vers cette si joyeuse assistance, tu dis que tu aimes toutes les mains, que tu les veux toutes.

Non, non, tu n'aimes que toi ! Toutes les mains s'agitent en l'air. On crie, on proteste.

57

Quittant le district de Fang, plus au nord, je pénètre dans le district de Shennongjia. C'est actuellement le lieu où l'on parle le plus de l'homme sauvage. Selon les *Annales de la préfecture de Yunyang*[1], dans ces forêts qui s'étendent sur huit cents lis du nord au sud, ce ne sont que « hurlements de tigres en plein jour et cris de singes incessants », preuve de l'isolement du lieu. Je ne suis pas du tout venu pour enquêter sur l'homme sauvage, mais plutôt pour voir si la forêt naturelle existe encore. Ce n'est pas non plus un sentiment de mission qui m'anime cette fois, même s'il n'a pas complètement disparu en moi. Ce sentiment m'oppresse, il m'empêche de vivre naturellement. En fait, puisque je descendais des hauts plateaux du cours supérieur du Yangzi, je ne pouvais pas laisser de côté cette région. Ne pas avoir de but, c'est aussi un but, et le fait de chercher, c'est aussi un objectif, quel que soit l'objet de la recherche. Et la vie elle-même n'a, à l'origine, aucun but, il suffit d'avancer, c'est tout.

Toute la nuit, la pluie tombe à torrents et au petit matin, elle continue en pluie fine. De chaque côté de la

1. La préfecture de Yunyang se trouvait sous les Ming au nord-ouest de l'actuel Hubei.

grande route, aucune forêt digne de ce nom, seulement des ronces et des arbres à kiwis. Dans les rivières et les ruisseaux coule une eau jaunâtre. J'arrive à onze heures du matin au chef-lieu de district et me rends au centre d'accueil du bureau forestier à la recherche d'un véhicule pouvant me conduire en forêt. Je tombe sur une assemblée de cadres de trois niveaux hiérarchiques différents. Je n'arrive pas à savoir de quels degrés hiérarchiques il s'agit, mais ils travaillent tous dans l'exploitation du bois.

A l'heure du repas, un chef de section chargé de l'accueil, apprenant que je suis un écrivain de Pékin, m'invite à me joindre à eux et me fait asseoir à côté du chauffeur qui doit m'emmener l'après-midi même. Il m'invite à trinquer.

— On ne peut pas boire sans un écrivain à sa table ! s'écrie-t-il avec gentillesse et jovialité.

Par bols entiers, l'alcool de riz brûlant coule dans les gosiers et les visages rougissent. Je ne peux les décevoir et je bois avec eux. A la fin du repas, j'ai la tête qui tourne et mon chauffeur ne peut plus conduire.

Les participants à la réunion continuent leurs travaux l'après-midi, mais le chauffeur ouvre pour moi une chambre d'hôte où chacun prend un lit pour dormir jusqu'au soir.

Au souper, on sert les restes de plats et d'alcool. Ivre à nouveau, je ne peux que passer la nuit au centre d'accueil. Le chauffeur vient m'avertir qu'en montagne, les eaux ont inondé les routes, il est incapable de savoir si notre départ sera possible le lendemain. Il est ravi de profiter de l'occasion pour se reposer.

Dans la soirée, le chef de section vient bavarder avec moi. Il veut savoir ce que l'on mange à la capitale. Quels sont les plats servis en premier ? Ceux que l'on sert ensuite ? Il me dit avoir rencontré quelqu'un qui a visité le Palais impérial à Pékin et lui a raconté que l'on tuait cent canards pour préparer un seul plat pour l'impératrice Ci Xi. Est-ce vrai ? Et l'endroit où a habité le président Mao, est-ce qu'on peut le visiter ? Est-ce que j'ai vu son vieux pyjama rapiécé qu'on a montré à la télévision ? J'en profite pour l'interroger sur les histoires qui circulent ici.

Il me raconte qu'avant la libération, le coin était très peu peuplé : une famille de bûcherons à Nanhe, une autre à Douhe. Le bois était évacué par le fleuve. Le volume de bois vendu à l'extérieur n'atteignait pas cent cinquante mètres cubes par an. D'ici à Shennongjia, on ne comptait que trois foyers. Avant 1960, la forêt n'avait guère subi de dommages, ensuite on avait percé une grande route et les choses avaient changé. Aujourd'hui, il fallait livrer cinquante mille mètres cubes de bois par an, la production s'était développée et les gens étaient arrivés en nombre. Autrefois, au premier tonnerre de printemps, des poissons apparaissaient dans les trous d'eau en montagne et l'on barrait le courant avec des bambous pour en remplir de pleins paniers. Aujourd'hui, on ne peut même plus manger de poissons.

Je l'interroge encore sur l'histoire du district. Il quitte ses chaussures et s'assied en tailleur sur le lit :

— Si on veut parler d'histoire, il faut remonter loin ! Tout près d'ici, les archéologues ont trouvé des dents de pithécanthrope.

Voyant que je ne m'intéresse guère aux vieux singes, il se met à parler de l'homme sauvage.

— Si tu le rencontres, il peut te prendre par les épaules et te secouer à te faire tourner la tête, puis il s'en va en poussant un grand éclat de rire.

Je pense qu'il a dû lire cela dans des livres anciens.

— Vous avez vu l'homme sauvage ?

— Il vaut mieux ne pas en avoir vu. Il est plus haut qu'un homme, plus de deux mètres, couvert de poils rouges avec de longs cheveux. Quand on en parle, on n'a pas peur, mais si on le voit en vrai, il est effrayant. Pourtant il ne fait pas de mal pour rien. Si on ne le blesse pas, il peut même pousser des cris indistincts, et s'il voit une femme surtout, il se met à faire un grand sourire.

Tout cela, il l'a entendu dire. Même s'il parlait pendant plusieurs milliers d'années, il ne dirait rien de bien nouveau. Je préfère l'interrompre :

— Parmi les employés et les ouvriers d'ici, certains l'ont-ils vu ?

— Bien sûr. Le président du comité révolutionnaire du bourg de Songbai, un jour qu'il était en jeep avec d'autres personnes, a été arrêté par un homme sauvage qui leur barrait la route. Ils en sont restés ébahis et l'ont vu s'éloigner en se balançant. C'étaient tous des cadres de notre région, nous les connaissons bien.

— S'il s'agissait encore du comité révolutionnaire, il doit y avoir longtemps que ça s'est passé. Est-ce que récemment on l'a vu ?

— Il y en a plein qui viennent enquêter sur l'homme sauvage, plusieurs centaines chaque année, de partout, de l'Académie des sciences de Pékin, des professeurs d'université de Shanghai, des commissaires politiques de l'armée, et l'année dernière, il y en a eu deux qui sont venus de Hong Kong, un commerçant et un sapeur-pompier ; on ne les a pas laissés entrer.

— Certains ont-ils vu l'homme sauvage ?

— Bien sûr ! Celui dont je veux te parler, le commissaire politique de l'équipe de recherches de l'homme sauvage, était un militaire et, dans la même voiture que lui, il y avait deux gardes du corps. C'était aussi une fois où il avait plu toute la nuit. La route était inondée et un épais brouillard s'était levé. Ils sont tombés nez à nez avec l'homme sauvage.

— Ils ne l'ont pas capturé ?

— La lumière des phares n'éclairait qu'à deux ou trois mètres. Le temps qu'ils prennent leurs fusils et descendent de voiture, il s'était enfui

Déçu, je hoche la tête.

— Récemment a aussi été fondée spécialement une Société de recherches sur l'homme sauvage, dirigée personnellement par l'ancien chef du département de la propagande du comité du Parti. Ils possèdent des photos d'empreintes de pas, des cheveux et des poils.

— Ça, je l'ai vu, dis-je, dans une exposition sans doute montée par cette Société. J'ai vu aussi des agrandissements des photos de traces de pas. Ils ont par ailleurs édité un volume de documents qui donne les références sur l'homme sauvage dans les livres anciens, ainsi que des reportages étrangers sur le yéti et des photos de traces de pas géantes. Il présente également des rapports de témoins oculaires.

Je veux lui montrer que j'abonde dans son sens.

— J'ai vu aussi la photo d'un pied d'homme sauvage.

— Comment était-il ? demande-t-il en se penchant vers moi.

— Comme celui d'un panda, il était desséché.

— Alors c'est un faux, dit-il en hochant la tête, le panda, c'est le panda, un pied d'homme sauvage est plus grand que celui d'un panda, à peu près comme celui d'un homme normal. Pourquoi est-ce que je vous ai d'abord parlé des dents de singes d'autrefois ? D'après moi, l'homme sauvage est un pithécanthrope qui n'a pas évolué pour devenir un homme ! Qu'en pensez-vous ?

— Pas sûr, dis-je après avoir poussé un bâillement dû sans doute à l'alcool de riz.

Il se détend, bâille à son tour, fatigué d'avoir passé la journée en réunion et en banquets.

Le lendemain, ils continuent leur réunion. Je suis contraint de me reposer une journée de plus, car, d'après le chauffeur, la route n'a pas été réparée. Je retourne voir le chef de section :

— Je ne veux pas vous déranger dans votre réunion, mais n'y aurait-il pas un vieux cadre qui connaîtrait l'histoire locale ? J'aimerais bavarder avec lui.

Il m'indique un ancien chef de district du temps du Guomindang, libéré des camps de travail :

— Il sait tout, ce vieux. C'est vraiment un intellectuel. Le groupe qui a été nouvellement créé pour compiler les annales du district va souvent le consulter pour qu'il contrôle leurs matériaux de base.

Après m'être renseigné de maison en maison, je finis par le trouver dans une ruelle humide et boueuse.

C'est un vieillard maigre, au regard perçant. Il m'invite à m'asseoir dans la pièce principale de sa demeure et, en toussotant, m'offre du thé et des graines de pastèques. Manifestement, il est très inquiet, il ne comprend pas le motif de ma visite.

Je lui explique que j'ai l'intention d'écrire un roman historique sans aucune relation avec la période actuelle. Je suis venu spécialement le voir pour qu'il me conseille. Soulagé, il cesse de tousser et de s'agiter, allume une cigarette et, le dos droit comme un *i*, s'appuie contre le dossier d'une chaise de bois. Il commence avec assurance :

— Sous les Zhou de l'Ouest, ce lieu faisait partie du pays de Peng et à l'époque des Printemps et Automnes, il appartenait au pays de Chu ; sous les Royaumes combattants, c'est devenu un lieu stratégique que Qin et Chu se disputaient. Dès que la guerre a fait rage, les gens sont tombés comme des mouches. Bien que cela se soit passé il y a bien longtemps, le pays est resté désert après que la population a franchi les passes. Sur une population de trois mille hommes, il n'en est resté que dix pour cent. Enfin, depuis la révolte des Turbans rouges, sous les Yuan les bandits n'ont plus cessé d'infester la région.

Je ne sais pas s'il considère les Turbans rouges comme des bandits.

— Le pouvoir de Li Zicheng à la fin des Ming n'a été anéanti qu'en l'an deux de l'ère Kangxi. La première année de Jiaqing, tout ce lieu était contrôlé par la secte du Lotus blanc. Zhang Xianzhong et l'armée Nian s'en sont emparé aussi. Puis il y a eu l'armée Taiping et, pendant la République, les bandits mandarins, les brigands et les soldats débandés ont été très nombreux.

— Donc, ici, cela a toujours été un repaire de brigands ?

Il rit sans répondre.

— Dès que la paix revenait, la population s'accroissait de nouveaux venus. Il est noté dans les livres d'histoire que le roi Ping de Zhou a recueilli ici des chants folkloriques, ce qui montre qu'ils devaient être florissants plus de sept cents ans avant notre ère.

— C'est trop vieux, dis-je. Pouvez-vous me parler de faits que vous avez vécus vous-même ? Par exemple, quelles sortes de désordres causaient ces bandits à l'époque de la République ?

— Pour les bandits mandarins, je peux prendre un exemple. Une division de deux mille hommes environ s'était mutinée. Ils avaient violé plusieurs centaines de femmes et entraîné avec eux plus de deux cents otages, des adultes et des enfants, pour les échanger contre des fusils, des munitions, du coton et des lampes. Livrée en temps voulu, une tête humaine rapportait à chaque coup dans les mille ou deux mille yuans argent, payables à terme. Une personne était désignée pour apporter l'argent dans un endroit convenu. En cas de retard, même d'une demi-journée, les enfants pris comme otages étaient exécutés. Et parfois, ceux qui payaient la rançon ne recevaient en échange qu'une oreille coupée. Quant aux brigands qui n'étaient pas organisés en bandes, ils se contentaient de piller argent et objets, tuant ceux qui tentaient de leur résister.

— Et des périodes de paix et de prospérité, vous en avez connu ?

— De paix et de prospérité ?... Il hoche la tête, réfléchit un peu. Oui, il y en a eu. A cette époque, j'allais au chef-lieu de district, pour la foire du temple, le troisième jour du troisième mois : on comptait neuf scènes de théâtre avec des poutres peintes et sculptées, une dizaine de troupes qui se succédaient jour et nuit. Après la révolution de 1911, pendant la cinquième année de la République, les écoles du chef-lieu sont devenues mixtes et on y organisait de grandes rencontres sportives, les sportives féminines couraient en short. Après l'an 26 de la République, les habi tudes ont encore changé et, chaque année, du premier jour de l'an au seize du mois, on installait au carrefour des rues plusieurs dizaines de tables de jeu. En une nuit, un grand propriétaire foncier a perdu cent huit temples dédiés aux divinités locales. Imaginez un peu combien cela représente de champs et de forêts ! Des bordels, il y en avait plus de vingt. Ils n'avaient pas d'enseigne, mais c'en étaient bien. On y venait jour et nuit de plusieurs centaines de lis à la ronde. Ensuite, ce fut la lutte entre les trois seigneurs de la guerre, Tchiang Kai-chek, Feng Yuxiang et Yan Xishan, puis la guerre de résistance pendant laquelle les Japonais ont encore tout saccagé. Enfin, ce fut le pouvoir des sociétés secrètes qui a connu son apogée jusqu'à ce que le gouvernement populaire reprenne les choses en main. A l'époque, sur les huit cents personnes du chef-lieu de district, la Bande noire comptait quatre cents adeptes. Son pouvoir s'infiltrait jusqu'aux classes supérieures, les secrétaires du gouvernement du district en faisaient partie, et au niveau inférieur, elle contrôlait aussi les pauvres. Ils se livraient à toutes les exactions : enlever des femmes, voler, vendre les veuves. Les voleurs devaient aussi se prosterner devant Vieux Cinquième. Aux mariages et aux enterrements des riches, se tenaient souvent à la porte des centaines de mendiants envoyés par le chef, Vieux Cinquième. Si on ne leur accordait pas quelques faveurs, même les fusils n'auraient pu les déloger. Les membres de la Bande noire avaient une vingtaine d'années, tandis que ceux de la Bande rouge étaient un peu plus âgés, et c'étaient eux en général qui commandaient les bandits.

— Quels signes de reconnaissance les membres des sociétés secrètes avaient-ils pour communiquer ?

Je commençais à m'intéresser au sujet.

— Chez eux, les membres de la Bande noire se faisaient appeler Li, et à l'extérieur Pan. Quand ils se rencontraient, ils s'appelaient « frères » et disaient en se faisant un signe de la main : « La bouche est près de Pan, les doigts sont près de trois. »

Il fait un cercle avec son pouce et son index et ouvre les trois autres doigts.

— Voilà leur signe de reconnaissance. Ils s'appelaient mutuellement Vieux Cinquième, Vieux Neuvième, et pour les femmes Quatrième Sœur, Septième Sœur. Ceux qui n'étaient pas de la même génération s'appelaient Père et Fils, Maître ou Maîtresse. Ceux de la Bande rouge s'appelaient Seigneur, ceux de la Bande noire Grand Frère. Dans les maisons de thé, il leur suffisait de s'asseoir et de poser sur la table leur chapeau au rebord retourné pour qu'aussitôt on leur offre du thé et des cigarettes.

— Vous-même, vous avez été membre d'une bande ? demandé-je prudemment.

Il aspire une gorgée de thé en riant doucement.

— A cette époque, sans quelques relations, impossible de devenir chef de district.

Puis il ajoute en secouant la tête :

— C'est du passé tout ça.

— Est-ce que vous pensez que pendant la Révolution culturelle, les factions ressemblaient un peu à ça ?

— Ça se passait entre camarades révolutionnaires, on ne peut pas comparer, rétorque-t-il fermement.

Un froid s'installe. Il se lève et recommence à se mettre en quatre pour m'offrir du thé et des graines de pastèque.

— Je n'ai pas été maltraité par le gouvernement. Si je n'avais pas été mis en prison, moi, un criminel, j'aurais dû me présenter devant les mouvements de masse et je n'aurais peut-être pas survécu.

— Les périodes de grande paix sont rares.

— C'est le cas aujourd'hui ! Nous traversons une période où le pays est en paix et le peuple tranquille, non ? me demande-t-il prudemment.

— On a de quoi manger et de l'alcool à boire.

— Quoi demander de plus ?

— C'est vrai.

— Tant que je peux lire, je suis heureux. On ne commence vraiment à connaître son bonheur qu'en voyant les gens se mêler des affaires des autres, dit-il en regardant la cour.

La petite pluie fine s'est remise à tomber.

58

Quand Nügua a fabriqué l'homme, elle a fait son malheur. Les entrailles de Nügua se sont transformées en homme, né dans le sang de la femme, jamais il ne se purifiera.

Il ne faut pas sonder les âmes, il ne faut pas rechercher les causes et les effets, il ne faut pas chercher le sens, tout n'est que chaos.

L'homme ne crie que lorsqu'il ne comprend pas, celui qui a crié n'a rien compris. L'homme est un être difficile qui se crée ses propres tourments.

Ce « moi » au milieu de « tu » n'est qu'un reflet dans le miroir, l'image inversée des fleurs dans l'eau ; si tu n'entres pas dans le miroir, tu n'arriveras pas à repêcher quoi que ce soit et tu ne feras que t'apitoyer sur toi-même en pure perte.

Mieux vaut pour toi continuer à chérir éperdument l'image de tous les êtres animés, te noyer dans l'océan des désirs, les prétendus besoins spirituels ne sont qu'une sorte de masturbation, tu as une mine déconfite.

La sagesse est aussi une sorte de luxe, une sorte de dépense de luxe.

Tu n'as envie que d'exposer les faits en t'aidant d'un langage qui dépasse les relations de cause à effet et la logique. On a déjà raconté tellement de bêtises, rien ne t'empêche d'en raconter encore.

Tu inventes de toute pièce, tu joues avec le langage comme un enfant joue aux cubes. Mais aux cubes, on ne peut construire que des figures fixes, toutes les structures sont sans doute contenues dans les cubes, impossible de faire quelque chose de nouveau, quelle que soit la manière dont on les dispose.

Le langage est comme une boule de pâte dans laquelle passent des phrases. Dès que tu abandonnes les phrases, c'est comme si tu pénétrais dans un bourbier dont tu ne peux plus ressortir.

Dans les ennuis, les tracas, l'homme est seul. Une fois que tu es dedans, tu dois t'en sortir par toi-même, pas de sauveur pour s'occuper de ces vétilles.

Tu rampes dans le langage en traînant tes pensées pesantes. Tu voudrais tirer un fil conducteur pour t'aider à t'en sortir, mais plus tu rampes plus tu es harassé, tu es ligoté par le fil conducteur du langage ; tel un ver à soie qui tisse son fil, tu fabriques un filet autour de toi, qui t'enserre dans des ténèbres de plus en plus profondes. La faible lumière au fond de ton cœur est de plus en plus ténue et, tout au bout du filet, ce n'est que le chaos.

Quand les images sont perdues, l'espace aussi. Quand le son est perdu, le langage aussi. On marmonne sans bruit, on ne sait plus finalement ce que l'on raconte, au cœur même de la conscience subsiste encore un peu de désir, mais si ce reste de désir n'est plus, on accède au nirvana.

Comment trouver enfin un langage pur et limpide, musical, insécable, plus élevé que la mélodie, au-delà des limites fixées par la morphologie et la syntaxe, sans distinction entre l'objet et le sujet, qui dépasse les personnes, se débarrasse de la logique, en constant développement, qui n'ait recours ni aux images, ni aux métaphores, ni aux associations d'idées ou aux symboles ? Un langage qui pourrait entièrement exprimer les souffrances de la vie et la peur de la mort, les peines et les joies, la solitude et le réconfort, la perplexité et l'attente, l'hésitation et la résolution, la faiblesse et le courage, la jalousie et le remords, le calme, l'impatience et la confiance en soi, la générosité et la gêne, la bonté et la haine, la pitié et le découragement, l'indifférence et la paix, la vilenie et la méchanceté, la noblesse et la cruauté, la férocité et la bonté, l'enthousiasme et la froideur, l'impassibilité, la sincérité et l'indécence, la vanité et la cupidité, le dédain et le respect, l'infatuation et le doute, la modestie et l'orgueil, l'obstination et l'indignation, l'affliction et la honte, le doute et l'étonnement, et la lassitude et la décrépitude et le grand éveil, et l'incompréhension perpétuelle et l'incompréhension toujours et encore et le départ à cause de tout cela ?

59

Je suis allongé sur un lit à ressort garni d'un couvre-lit immaculé. Au mur, un papier peint jaune pâle, avec des motifs de fleurs en relief, aux fenêtres, des rideaux blancs brodés au crochet, un tapis rouge foncé sur le sol et, en face, une paire de gros fauteuils protégés par deux grandes serviettes. La chambre est équipée d'une salle d'eau avec baignoire. Si je ne tenais pas à la main un recueil polycopié de chants paysans, *Tambours et gongs pour le sarclage*, j'aurais beaucoup de peine à réaliser que je me trouve dans la région forestière de Shennongjia. Cette maison à étage flambant neuve a été construite pour une équipe de prospection américaine, mais comme elle n'a pu venir pour une raison inconnue, on l'a transformée en centre d'accueil pour les dirigeants qui viennent en tournée d'inspection. Grâce à la sollicitude du chef de section, je jouis d'un traitement de faveur dans la zone forestière. Les frais de séjour me sont comptés au prix le plus bas et à chaque repas on me sert même de la bière, bien qu'en fait je préfère l'alcool de riz. Ce confort et cette propreté m'apportent un apaisement profond et je préfère rester encore quelques jours ici. En y réfléchissant bien, rien ne m'oblige à reprendre la route à la hâte.

J'entends une sorte de crissement. Je pense d'abord à un insecte, mais en inspectant la chambre, je m'aperçois qu'aucun endroit ne peut en abriter un, puisque le plafond et l'abat-jour sont d'une blancheur de lait. Le crissement continue, comme suspendu dans les airs. En prêtant l'oreille, j'ai l'impression qu'il s'agit d'une voix féminine qui tournoie autour de moi et disparaît quand je pose mon livre. Je le reprends et j'entends de nouveau cette voix à mon oreille. Croyant avoir des bourdonnements, je me lève carrément et ouvre la fenêtre.

Devant le bâtiment s'étend une surface de graviers, baignée par le soleil. Il est midi, pas la moindre trace humaine ; peut-être ce son vient-il de moi-même. C'est un rythme difficile à suivre, sur des paroles indistinctes, mais il me semble quand même familier, il ressemble un peu aux chants funèbres des paysannes des régions montagneuses.

Je décide de sortir jeter un coup d'œil. En contrebas du bâtiment coule un ruisseau impétueux, aux eaux bleues illuminées par le soleil. Alentour, les sommets montagneux, même s'ils ne sont pas couverts de forêts, ont quand même une couverture végétale abondante. Au bas de la pente, une piste de terre se dirige vers un petit bourg situé un ou deux lis plus loin. Sur la gauche, au pied des sommets verdoyants, se trouve l'école. Pas un élève sur le terrain de sport, peut-être sont-ils tous en cours. De toute façon, les enseignants de ce village de montagne ne peuvent pas enseigner à leurs élèves des chants funèbres. D'ailleurs, un calme parfait règne ici. On n'entend que le mugissement du vent dans la montagne et le chuchotement du ruisseau. Sur son bord se trouve un abri de travail, mais je ne vois personne à l'extérieur. Le chant s'éteint insensiblement.

Je retourne dans ma chambre et m'installe au bureau, près de la fenêtre, pour recopier mes documents sur les chants folkloriques, mais à cet instant, j'entends le son reprendre comme si, après la douleur, il exprimait à présent une tristesse apaisée, mais incoercible, qui s'épancherait doucement. Je commence à trouver cela vraiment étrange et je voudrais en avoir le cœur net : quelqu'un est-il vraiment en train de chanter ou bien est-ce moi qui déraisonne ? Quand je lève la tête, le son vient de derrière ma nuque et quand je me retourne, il reste comme accroché dans les airs, aussi distinct qu'un fil de la vierge. Pourtant, un fil de toile d'araignée qui flotte dans le vent a une forme , lui n'en a pas, il est insaisissable. Je m'assieds sur l'accoudoir d'un fauteuil en tentant de le suivre. Je découvre enfin qu'il vient du vasistas au-dessus de la porte. Je grimpe sur une chaise pour ouvrir la vitre propre comme un sou neuf : elle donne sur la galerie. Je sors la chaise de la chambre, mais je ne suis toujours pas assez haut pour voir d'où monte le son. Devant la galerie, s'étend une petite cour cimentée exposée en plein soleil, j'y ai tiré un fil de fer pour faire sécher les habits que j'ai lavés le matin même. Evidemment, eux, ils ne savent pas chanter. Plus loin, c'est le mur d'enceinte sous la montagne, et derrière, la pente, barrée par une étendue en friche et des bosquets de ronces. Aucun chemin. Je sors de la galerie et m'avance dans le soleil. Le son est plus distinct, comme s'il venait de la lumière éblouissante, au-dessus des toits. Je cligne des yeux vers le ciel, c'est un son métallique, perçant et net. Mon regard est troublé, mais quand le soleil qui m'aveugle se transforme en un reflet bleu-noir, grâce à la protection de ma main, j'aperçois sur une falaise dénudée, à flanc de montagne, quelques silhouettes minuscules qui s'agitent. Le son métallique vient de là. Je distingue enfin que ce sont des casseurs de pierres. L'un d'eux semble porter un maillot de corps rouge tandis que le torse nu des autres tranche à peine sur la falaise marron-jaune ouverte à l'explosif. Le chant vole dans les rayons du soleil en suivant le vent, parfois très vif, parfois plus atténué.

Il me vient à l'esprit que je peux me servir du zoom de mon appareil photo pour les rapprocher. Effectivement, un homme vêtu d'un maillot de corps rouge manie une masse ; le son, qui ressemble aux chants funèbres des campagnardes, répond au bruit du foret, et l'homme qui tient le foret, bras nus, semble lui faire écho.

Peut-être ont-ils remarqué le reflet du soleil sur l'objectif de l'appareil, car le chant s'est arrêté. Les casseurs de pierre ont cessé leur travail et regardent dans ma direction. Plus aucun bruit de voix, un silence presque inquiétant. Pourtant je suis content. Finalement, cela prouve que ce n'est pas moi qui vais mal et que mon ouïe est normale.

Retourné dans ma chambre, j'ai envie d'écrire quelque chose, mais quoi ? Pourquoi pas les chants des casseurs de pierre ? Mais je n'arrive pas à écrire le moindre mot.

Je me dis que rien ne m'empêche d'aller boire et bavarder avec eux dans la soirée. Cela me distraira. Je pose alors mon stylo et descends dans le bourg.

Dans une petite boutique, j'achète une bouteille d'alcool et des cacahuètes. Je rencontre par hasard sur la route l'ami qui m'a prêté les documents. Il me dit qu'il a encore rassemblé en montagne de nombreux livrets manuscrits de chants folkloriques. Je ne demandais rien de mieux et je l'invite à venir bavarder avec moi. Comme il est occupé pour le moment, il me donne rendez-vous après le dîner.

Le soir, je l'attends jusqu'à dix heures passées. Je suis le seul hôte du centre d'accueil et le silence est oppressant. Je regrette vraiment de ne pas être allé bavarder avec les casseurs de pierre, quand soudain on frappe à la vitre. Je reconnais la voix de mon ami et ouvre la fenêtre. Il m'explique que les préposées de l'étage ont fermé la porte principale à clef. Je le débarrasse de sa lampe-torche et du sac en papier qu'il porte ; il entre par la fenêtre, ce qui me met en joie. J'ouvre aussitôt la bouteille d'alcool et chacun s'en sert plus d'une demi-tasse.

Je suis déjà incapable de me souvenir de son aspect physique. Il me semble qu'il devait être petit et maigre, la taille fine et élancée. Il semblait un peu timide, mais il montrait dans sa manière de parler un enthousiasme que la vie n'avait pas encore détruit. Sa physionomie est sans importance, mais ce qui me réjouit, c'est qu'il me montre son trésor. Il ouvre son sac en papier. Hormis quelques carnets de notes, tout le reste est composé de recueils manuscrits de chants folkloriques qui sont encore chantés de nos jours. Je les feuillette un à un. Quand il voit à quel point je suis content, il me déclare avec fougue :

— Vous n'avez qu'à recopier ceux que vous aimez. Dans ces montagnes, les chants folkloriques abondent depuis fort longtemps. Si l'on trouve un vieux maître de chant, il pourra en chanter des jours et des nuits d'affilée.

Je le questionne alors sur les chants des casseurs de pierre.

— Oh, ce sont des tonalités haut perchées. Ils viennent du côté de Badong. Dans leurs montagnes, tous les arbres ont été coupés. Ils quittent leur pays pour aller casser des pierres.

— Ont-ils aussi des airs et des paroles spécifiques ?

— Il existe plus ou moins des partitions pour les airs, mais pour les paroles, ils improvisent. Ils chantent ce qui leur passe par la tête et la plupart du temps, c'est très grossier.

— Y a-t-il beaucoup de jurons dans leurs chansons ?

— Ces ouvriers, m'explique-t-il en riant, restent longtemps loin de chez eux sans femmes, ils s'épanchent en cassant leurs pierres.

— J'ai écouté leurs mélodies. Comment se fait-il qu'elles semblent aussi tristes et émouvantes ?

— C'est comme ça. Si l'on ne comprend pas les paroles, on croirait qu'il s'agit d'une complainte très agréable à entendre, mais en fait les paroles n'ont aucun intérêt. Regardez plutôt celles-ci.

Il sort un carnet de son sac et me le tend ouvert. Après *Chronique des ténèbres* (Chant introductif), on peut lire :

Par un jour propice, ciel et terre se sont séparés.
La famille respectueuse et la foule des amis nous invitent à chanter et danser.
Arrivés sur l'aire de chant, on entonne le début.
Un deux trois quatre cinq, or bois eau métal et terre.
Difficile à chanter est ma chanson,
Avant d'ouvrir la bouche, déjà on transpire.

Nuit profonde, les hommes sont calmes, lune brillante et étoiles rares.
Nous nous préparons à entonner notre chant.
S'il est long, profonde sera la nuit,
S'il est court, avant le lever du jour s'achèvera,
Si nous chantons un chant ni court ni long,
Nous ne retarderons pas les autres chanteurs.

En premier s'amassent ciel terre et eau,
En deuxième soleil lune et étoiles,
En troisième, dans les cinq directions s'ouvrent les terres,
En quatrième, Mère Tonnerre lance ses éclairs,
En cinquième, Pangu sépare ciel et terre,
En sixième, apparaissent les Trois Souverains et les Cinq Empereurs, les générations successives d'empereurs et de princes feudataires,
En septième, apparaissent lions noirs et éléphants blancs, dragon jaune et phénix,

En huitième, le chien méchant gardien des portes,
En neuvième, génies des monts, des forêts et des eaux,
En dixième tigre, léopard, loup et chacal,
Tenez-vous sur le côté, écartez-vous,
Permettez-nous, les chanteurs, d'entrer dans l'aire de chant !

— Magnifique ! Où les avez-vous trouvés ?

— Je les ai notés il y a deux ans auprès d'un vieux maître de chant, quand j'étais encore instituteur en montagne.

— Cette langue est vraiment magnifique, les paroles coulent droit du cœur, sans la contrainte prosodique des prétendus chants folkloriques en cinq ou sept pieds !

— Vous avez raison, ce sont de véritables chants populaires.

Sa timidité s'est totalement effacée sous l'effet de l'alcool.

— Ils n'ont pas été abîmés par les lettrés ! Ce sont des chants qui partent de l'âme. Comprenez-vous cela ? Vous avez sauvé une culture ! Non seulement les minorités ethniques, mais l'ethnie han elle-même, possèdent encore une véritable culture populaire, qui n'a pas subi la pollution de la morale confucianiste !

Je suis au comble de l'excitation.

— Vous avez encore raison, mais calmez-vous, lisez la suite !

Plein d'allant, il a abandonné cette modestie superficielle des petits fonctionnaires. Il reprend carrément le carnet et se met à déclamer les poèmes, en imitant un maître de chant en pleine action :

Ici, je salue mains jointes,
De quel pays êtes-vous, chanteur ?
Où se trouve votre demeure ?
Pourquoi êtes-vous venu ?
Voilà ma réponse :

De Yangzhou, je suis chanteur
Et de Liuzhou j'arrive,
Je rends visite à mes amis chanteurs
Voilà la raison de ma venue
J'implore votre pardon.

Sur votre épaule que portez-vous ?
Dans votre panier que tenez-vous ?
Si lourde est la charge que votre dos est bossu et votre taille ployée
Montrez-nous, Maître de chant, s'il vous plaît.

Sur mes épaules, un recueil de chants je porte,
A la main, un livre étrange je tiens,
Les avez-vous tous lus ?
Exprès, chez vous je suis venu me renseigner

J'ai l'impression de voir un autre homme, d'écouter une autre voix, d'entendre les gongs et les tambours. Pourtant, à l'extérieur, on ne perçoit que le mugissement du vent et le chuchotement du ruisseau.

Des chants, j'en transporte trois cent soixante charges,
Laquelle choisissez-vous ?
Des chants, j'en ai trente-six mille volumes,
Quel rouleau voulez-vous ?
Je veux dire au Maître de chant que je suis initié,
Le premier rouleau, ce sont les livres des origines,
Le premier volume, ce sont les textes des origines,
Tout de suite j'ai compris,
Le maître de chant est de la partie,
Il peut connaître les faits de l'origine,
Il peut connaître la géographie et l'astronomie de la postérité
Ici, je viens demander
En quelle année, quel mois les chants sont-ils apparus ?
Quel mois, quel jour les chants sont-ils nés ?

J'ai l'impression d'entendre la voix misérable et glaciale d'un vieillard dans l'obscurité, rythmée par les coups de tambour donnés par le vent.

Fuxi, le luth a fabriqué
Nügua, l'orgue à bouche a inventé.
Grâce au yin le langage est né
Grâce au yang le son est né.
La fusion du yin et du yang l'homme a engendré,
Quand l'homme est né, la voix est apparue,
Quand la voix est née, les chants sont apparus,
Quand ils ont été nombreux, des recueils on rassembla.
A l'époque, les livres expurgés par Confucius
Dans un désert ont été perdus,
Le premier volume par le vent jusqu'au ciel a été soufflé
Et c'est alors qu'est né l'amour entre le Bouvier et la Tisserande.
Par le vent, le deuxième volume dans la mer fut poussé,
Pour épancher son âme, le vieux pêcheur l'a récupéré et l'a chanté.
Le troisième volume dans les temples par le vent fut poussé,
Les bonzes bouddhistes et les moines taoïstes, les soutras ont chanté.
Le quatrième volume dans les rues du village est tombé,
Filles et garçons leur amour ont chanté.
Le cinquième volume dans les rizières est tombé,
Les chants des montagnes, les paysans ont entonné.
Le sixième volume, c'est cette « Chronique des ténèbres »,
Pour chanter l'âme des défunts, le maître de chant l'a récupéré.

— Ce n'est que le chant introductif, qu'en est-il de la *Chronique des ténèbres* ? Je lui pose la question en cessant de déambuler dans la chambre.

Il m'explique que cet ouvrage était un recueil de chants funéraires que l'on chantait aux enterrements, il y a longtemps, dans les montagnes. On les chantait trois jours et trois nuits d'affilée sur l'aire, devant la salle des funérailles, avant que le cercueil ne soit mis en terre. Mais on ne pouvait pas les chanter à la légère dans d'autres circonstances. Sitôt chantés, il devenait tabou d'en chanter d'autres. Il n'en avait noté qu'une petite partie, sans imaginer que le vieux maître de chant tomberait malade et disparaîtrait.

— Pourquoi ne les avez-vous pas tous notés à l'époque ?

— Le vieillard était très malade. Il était allongé sur un petit lit sous ses couvertures, explique-t-il comme s'il avait commis une erreur. Il a repris son air de grande humilité.

— Est-ce qu'il n'existe personne d'autre capable de chanter ces chants dans les montagnes ?

— Il en reste qui connaissent le début, mais on n'en trouve plus qui les chantent dans leur totalité.

Il connaît encore un vieux maître qui possède un coffre en métal plein de recueils de chants, parmi lesquels figure la *Chronique des ténèbres*. A l'époque où l'on inventoriait les livres anciens, cette *Chronique des ténèbres* avait été considérée comme un exemple typique d'objet de superstition réactionnaire. Le vieillard avait enterré le coffre. Quand il l'avait déterré plusieurs mois plus tard, les livres avaient moisi. Il les avait mis à sécher dans sa cour, mais quelqu'un l'avait dénoncé. On avait envoyé un agent de police pour l'obliger à tout remettre aux officiels. Et peu après, il était mort.

— Où vénère-t-on encore les âmes ? Où trouve-t-on encore des chants que l'on écoute avec une extrême attention, assis dans le calme et même prosterné vers le sol ? On ne vénère plus ce qui doit l'être, on ne vénère que des trucs étranges ! Quelle nation sans âme ! Une nation qui a perdu son âme !

L'indignation m'emporte.

Je comprends que j'ai dû trop boire, en voyant la tête qu'il fait devant mon air tragique.

Au matin, une jeep s'arrête devant le bâtiment. On vient me prévenir que des chefs et cadres de la zone forestière ont convoqué une réunion à mon intention, pour me rendre compte de leurs travaux, ce qui me plonge dans l'embarras. Au chef-lieu de district, j'ai dû, sous l'influence de l'alcool, prononcer quelques paroles qui leur ont fait croire que je suis venu en inspection depuis la capitale. Ils imaginent sans doute que je pourrai transmettre leurs doléances à leurs supérieurs. La voiture est garée à la porte, impossible de me dérober.

Les cadres sont installés depuis longtemps dans la salle de réunion, chacun une tasse de thé devant lui. A peine assis, on me sert aussi de l'eau chaude. C'est exactement comme lorsque j'accompagnais une délégation d'écrivains. L'Association des écrivains organise de temps en temps des visites dans les usines, les casernes, les champs, les mines, les centres de recherche sur l'artisanat populaire, les musées commémoratifs de la révolution, sous prétexte d'aider les écrivains à connaître la vie. Dans ces occasions, il y avait toujours des dirigeants des écrivains ou des écrivains dirigeant les autres écrivains qui prononçaient des discours à la place d'honneur. Les petits écrivains comme moi, qui n'étaient là que pour faire nombre, pouvaient toujours trouver une place loin des regards et attendre dans un coin en buvant le thé, mais sans prononcer un mot. Mais aujourd'hui, la réunion a été convoquée pour moi, je dois absolument réfléchir à ce que je vais dire.

Un cadre responsable fait d'abord un historique de la zone forestière et de son édification. Il explique qu'en 1907, un Anglais nommé Wilson est venu recueillir des échantillons. A l'époque, la région était fermée et il n'avait pu parvenir qu'en bordure de la zone. Ici, avant 1960, c'était une forêt vierge, on ne voyait guère la lumière du soleil et l'on n'entendait que le bruit des ruisseaux. Pendant les années trente, le gouvernement du Guomindang avait prévu d'y abattre des arbres, mais en l'absence de routes, personne n'avait pu y pénétrer.

« En 1960, une carte a été dressée par les services de photogrammétrie aérienne du ministère des Forêts. En tout, 3250 kilomètres carrés de forêts montagneuses.

« L'exploitation a commencé en 1962 par le nord et le sud et, en 1966, une ligne de communication a été ouverte.

« En 1970, une division administrative a été établie, qui comprend actuellement plus de cinquante mille paysans et environ dix mille cadres et ouvriers dans la sylviculture et leurs familles. Aujourd'hui, plus de neuf cent mille mètres cubes de bois sont fournis à l'Etat.

« En 1976, les scientifiques ont lancé un appel pour la protection de Shennongjia.

« En 1980, on a avancé l'idée de créer une réserve naturelle.

« En 1982, le gouvernement provincial a décidé de délimiter une réserve d'un million deux cent mille mus de superficie.

« En 1983, le groupe d'édification de la réserve a expulsé l'équipe de sylviculture de la zone protégée et a défini quatre portes d'accès sur chacun de ses côtés. Puis il a constitué des patrouilles qui ont contrôlé davantage les véhicules que les hommes. L'année dernière, en un mois, on a dénombré trois à quatre cents personnes qui ont déterré des rhizomes de coptide, arraché de l'écorce de jasmin en la prenant pour de l'écorce d'*Eucommia* (utilisée en pharmacopée chinoise), abattu du bois ou chassé clandestinement. Et de plus, certains viennent camper pour rechercher l'homme sauvage.

« Dans le domaine de la recherche scientifique, un petit groupe a replanté quelques hectares en arbres *tong*. La reproduction de l'*Emmenopterys henryi* a réussi, une reproduction asexuée. On cultive aussi des herbes médicinales sauvages comme la perle-sur-tête, le bol-d'eau-des-rives, la tige-pinceau, la fleur-à-sept-feuilles, l'herbe sauve-la-vie (est-ce bien leur nom scientifique ?).

« Il existe aussi un groupe d'enquête sur les animaux sauvages, y compris sur l'homme sauvage. On a répertorié le singe au nez retroussé (*Rhinopithecus roxellanae*), le léopard, l'ours blanc, la civette, le cerf, le mouton noir, le mouflon, le faisan doré, la salamandre géante, ainsi que des animaux encore inconnus comme les ours cochons, les loups à tête d'âne qui mangent les petits cochons, d'après ce que disent les paysans.

« A partir de 1980, les animaux sont revenus ; l'année dernière, on a vu se battre un loup gris et un singe au nez retroussé, on en a entendu crier un autre, et on a vu le roi des singes barrer la route au loup gris. Au mois de mars, on a attrapé sur un arbre un petit singe qui est mort en refusant de s'alimenter. Le souïmanga est un oiseau qui mange le nectar des azalées. Son corps est rouge, une queue telle une orchidée, un bec pointu.

« Problème : tout le monde n'a pas la même compréhension de la protection de la nature. Certains ouvriers sont furieux parce qu'ils ne peuvent obtenir de primes. Si le bois livré est moins abondant, on nous le reproche en haut lieu. Les organismes financiers ne veulent pas nous allouer de l'argent. A l'intérieur de la réserve naturelle, il y a encore quatre mille paysans qui posent problème. Les cadres et les ouvriers de la réserve naturelle sont au nombre de vingt. Ils vivent dans des abris de fortune et ils ne sont pas tranquilles. Aucune installation n'est prévue pour eux. Le problème-clef, c'est que l'on ne nous a pas affecté de crédits, nous avons lancé de nombreux appels… »

Et les cadres se mettent tous à prendre la parole, comme si je pouvais intervenir pour leur obtenir de l'argent. Je préfère cesser de prendre des notes.

Je ne suis pas un dirigeant d'écrivains ou un écrivain dirigeant ses confrères qui peut prendre la parole avec assurance et donner des indications sur-le-champ en prenant en compte l'ensemble du problème, puis faire toute une série de promesses creuses, dire par exemple que cette question, je pourrai en parler à tel ou tel ministre, la signaler à tel ou tel secteur de direction concerné, je lancerai un grand appel, j'alerterai l'opinion publique pour mobiliser le peuple tout entier pour qu'il protège l'environnement naturel de notre nation ! Mais moi, je n'arrive même pas à me protéger moi-même, que pourrais-je faire ? Tout ce que je peux dire, c'est que protéger l'environnement naturel est très important, que cela concerne nos petits-enfants et les générations futures, que le Yangzi est déjà devenu comme le Huanghe, le sable s'y accumule et sur les Trois Gorges, on veut en plus construire un grand barrage ! Mais bien sûr, je ne peux pas dire cela non plus et je préfère poser des questions sur l'homme sauvage.

— Cet homme sauvage, dis-je, on en a parlé dans tout le pays…

Et ils se lancent sur le sujet.

— Et comment ! L'Académie des sciences de Pékin a organisé plusieurs enquêtes. La première en 1967, puis en 1977 et 1980. Chaque fois on est venu enquêter. C'est l'expédition de 1977 qui a été la plus importante : cent dix hommes dans l'équipe de prospection, pour la plupart des militaires, sans compter les cadres et ouvriers que nous avons nous-mêmes envoyés. Il y avait même le commissaire politique d'une division….

Et ils reprennent leurs discours.

Quelle sorte de langage dois-je trouver pour parler à cœur ouvert avec eux ? Pour leur demander comment se passe leur vie ici. A coup sûr, ils vont encore parler de l'approvisionnement matériel, du prix des articles d'usage courant, de leurs salaires, alors que mes propres finances sont au plus bas. En plus, est-ce vraiment un endroit pour bavarder ? Je ne peux pas leur dire non plus que le monde où nous vivons est de plus en plus difficile à comprendre, que les actes humains sont de plus en plus étranges, que les hommes ne savent même pas ce qu'ils veulent, tout en désirant trouver l'homme sauvage. Mais de quoi parler, si ce n'est de l'homme sauvage ?

Ils disent que l'an dernier, un instituteur l'a vu. C'était à la même saison, au mois de juin ou juillet, il n'a pas osé en parler. Il ne s'en est confié qu'à son meilleur ami en lui recommandant de ne rien ébruiter. C'est vrai, il y a peu de temps, un écrivain a publié *la Triste Histoire de l'homme sauvage de Shennong* dans une revue du Hunan, *Dongting*. La revue est arrivée jusqu'ici, ils l'ont tous lue. C'est de là qu'est parti le mouvement de recherche de l'homme sauvage qui s'est étendu déjà jusqu'au Hunan, Jiangxi, Zhejiang, Fujian, Sichuan, Guizhou, Anhui... (Il ne manque que Shanghai !) On en a parlé partout ! Au Guangxi, on a réellement capturé un petit homme sauvage — on les appelle là-bas les diables des montagnes —, mais les paysans pensent qu'ils portent malheur et ils l'ont relâché. (Quel dommage !) Puis il y a aussi ceux qui ont mangé de la chair d'homme sauvage. Vas-y, ça n'a pas d'importance, bon, d'ailleurs, eux, l'équipe d'enquête, ils ont déjà fait des vérifications et ils ont des documents écrits. Ils affirment qu'en 1971, une vingtaine de personnes, dont Zhang Renguan et Wang Liangcan, presque tous des ouvriers de notre réserve, ont mangé à la cantine de la ferme de Yangriwan le mollet et le pied d'un homme sauvage ! La plante du pied mesurait environ quarante centimètres de long, le gros orteil était épais de cinq centimètres et long de dix, le pied lui-même faisait vingt centimètres d'épaisseur et pesait quinze kilos — tous ces documents sont dûment attestés. Chacun en avait mangé un plein bol. C'était un paysan de Banshui qui l'avait tué au fusil et en avait vendu une jambe à la cantine de Yangriwan. En 1975, sur la route menant de la commune populaire Qiaoshang à la brigade Yusai, Zeng Xianguo a reçu une gifle d'un homme sauvage au poil roux, de plus de deux mètres de haut. Il est resté un long moment évanoui à terre et n'a plus parlé pendant trois ou quatre jours après son retour à son domicile. Voilà les rapports qu'ils avaient établis, à partir de témoignages oraux, en utilisant la méthode statistique de dissection comparative. Zhao Kuidian n'avait-il pas vu un homme sauvage en train de manger des mûres en plein jour. En quelle année ? 1977 ou 1978 ? C'était quelques jours avant l'arrivée de la deuxième équipe d'enquête de l'Académie des sciences. Tout ça, bien sûr, on n'est pas obligé d'y croire. D'ailleurs, dans leur équipe d'enquête, deux points de vue s'opposaient. Mais si l'on écoute ce que disent les paysans, l'homme sauvage serait extrêmement pervers. Ils disent qu'il poursuit les femmes, va s'amuser avec des petites filles, qu'il fait des bêtises, ou bien qu'il peut parler, qu'il n'a pas la même voix selon qu'il est content ou en colère.

— Parmi vous qui assistez à cette réunion, y en a-t-il un seul qui ait vu de ses propres yeux l'homme sauvage ? demandé-je.

Ils rient tous en me regardant. J'ignore si cela signifie qu'ils l'ont vu, ou le contraire.

Plus tard, un cadre m'accompagne dans la zone centrale de la réserve naturelle qui a été exploitée. Son sommet est totalement dénudé. Deux ans durant, à partir de 1971, les forêts ont été abattues par un régiment motorisé de l'armée. On disait que le bois était destiné à la défense nationale. Ce n'est qu'à deux mille neuf cents mètres d'altitude que l'on peut voir une prairie aussi belle. Des vagues d'herbe vert tendre ondulent dans le brouillard et la pluie. Au milieu, se dressent des bosquets de bambous-flèches tout ronds. Je reste longtemps debout dans le froid, contemplant cette parcelle de nature vierge.

Zhuangzi a bien dit, il y a plus de deux mille ans, que le bois utile meurt sous la hache quand le bois inutile connaît une grande prospérité. A présent l'homme est encore plus cupide qu'autrefois. La théorie de l'évolution de Huxley peut être mise en doute.

Pourtant j'ai vu aussi en montagne un ourson dans l'abri à bois d'une famille. Il avait une corde autour du cou et ressemblait à un petit chien jaune. Il ne cessait d'escalader le tas de bois en couinant, incapable encore de se défendre en mordant. Le maître de maison m'a dit qu'il l'avait récupéré dans la montagne. Je ne lui ai pas demandé s'il avait tué ses parents. Je trouve seulement cet ourson adorable. Quand il voit que je suis très séduit par lui, il me propose de l'emporter pour vingt yuans. Je ne compte pas apprendre des numéros de cirque, et comment pourrais-je continuer mon voyage avec lui ? Je préfère garder ma liberté.

J'ai vu encore sécher à la porte d'une maison une peau de léopard servant de matelas, déjà rongée par les vers. Les tigres bien sûr ont disparu depuis plus de dix ans.

J'ai vu aussi un spécimen de singe au nez retroussé, sans doute celui qui avait été capturé dans un arbre et qui était mort en refusant de s'alimenter. C'est tout ce que peut faire un animal sauvage qui perd la liberté et qui refuse d'être apprivoisé, mais il lui faut beaucoup de volonté, les hommes n'en ont pas toujours autant.

Et c'est aussi devant l'entrée du bureau de cette réserve naturelle que j'ai vu un slogan flambant neuf proclamant : « Acclamons chaleureusement la fondation du Comité du mouvement des personnes âgées ! » J'ai cru qu'un nouveau mouvement politique allait être lancé et j'interrogeai en toute hâte le cadre qui collait ce slogan. Il m'a expliqué que l'ordre était venu d'en haut de l'afficher, mais que cela ne les concernait pas. Seuls les vieux cadres révolutionnaires ayant atteint la soixantaine pourraient toucher, au minimum, une allocation pour activités sportives de cent yuans, mais ici le cadre le plus âgé n'avait que cinquante-cinq ans, il ne recevrait qu'un carnet commémoratif comme lot de consolation. Plus tard, j'ai rencontré un jeune journaliste qui m'a raconté que le responsable de ce comité de personnes âgées n'était autre que l'ancien secrétaire du comité du Parti de la zone. Pour célébrer la création de ce comité, il avait exigé du gouvernement local une somme d'un million de yuans. Ce jeune journaliste avait l'intention de rédiger un rapport et de l'envoyer directement à la commission de discipline du Comité central du Parti. Il m'a demandé si j'avais un moyen de le faire parvenir. Je comprenais son indignation, mais je lui conseillai de l'envoyer par la poste, c'était plus sûr que de me le confier.

Et enfin, ici, j'ai aussi vu une jeune fille exquise. Elle avait quelques taches de rousseur sur le nez et portait une chemise en coton à manches courtes et au col échancré, une sorte de tee-shirt différent des vêtements portés par les montagnards. Effectivement, elle était originaire du village natal de Qu Yuan, Zigui, situé au sud, au bord du Yangzi. Diplômée du secondaire, elle était venue ici chez son cousin, pensant trouver un travail dans la réserve naturelle. Elle expliquait que la mairie de son district les avait déjà avertis que les travaux de construction du grand barrage des Trois Gorges allaient commencer, et que le chef-lieu allait être englouti. Tout le monde avait rempli les formulaires d'inscription pour l'évacuation de la population qui était mobilisée pour trouver de nouveaux moyens d'existence. Après, je suis arrivé à Yichang en suivant la rivière Xiang, vers le sud, là où naissent les plus belles femmes. Je suis passé près de la résidence aux toits recourbés de tuiles noires de la belle Wang Shaojun de l'Antiquité, à flanc de colline et au bord du fleuve. Un auteur amateur de Yichang m'a appris que sa ville serait le chef-lieu de la nouvelle province des Trois Gorges et que le candidat à la présidence de la future Association des écrivains des Trois Gorges était déjà choisi : c'était un poète primé dont j'avais déjà entendu parler, même si je ne l'appréciais guère.

Cela fait longtemps que je n'ai plus la fibre poétique et que je n'écris plus de poèmes. Je me demande si nous sommes encore dans une époque de poésie. Tout ce qui doit être chanté et crié l'a déjà été, le reste a été composé et imprimé avec de lourds caractères de plomb, et on appelle cela le signifiant. Eh bien, d'après les images d'hommes sauvages que j'ai vues, établies à partir des déductions scientifiques tirées des descriptions orales émanant de témoins oculaires et publiées par l'Association d'enquête sur l'homme sauvage, cet homme aux épaules tombantes, à la taille courbée, aux jambes entravées, les cheveux longs avec un éternel sourire, voilà bien un signifiant. Et le spectacle étrange que j'ai vu, ma dernière nuit, sur l'esplanade des Poissons de Bois à Shennongjia, dans la zone de protection naturelle de la forêt vierge, peut-il être considéré comme un poème ?

La lune brille sur l'esplanade vide ; à l'ombre de la montagne immense, se dressent deux longues perches de bambou. Y sont accrochées deux lampes à pétrole qui diffusent une lumière blanche et un rideau a été tendu entre elles. Une troupe de cirque se produit sur la place, accompagnée par une trompette cabossée quelque peu détonante et une grosse caisse au son triste, rongée par l'humidité. Près de deux cents personnes sont là : tous les adultes et les enfants de ce petit village de montagne, y compris les cadres et les ouvriers de la zone naturelle accompagnés de leurs familles, y compris aussi la jeune fille svelte aux taches de rousseur, originaire du village natal de Qu Yuan, vêtue de son maillot échancré appelé tee-shirt selon la prononciation anglaise. Ils sont massés en arc de cercle sur trois rangs. Au centre, les spectateurs sont assis sur des tabourets qu'ils ont apportés de chez eux, derrière, ils sont debout, et ceux encore plus loin, tendent le cou pour essayer de voir entre les têtes.

Le programme se compose de numéros de *qigong* consistant à briser des briques. Une brique, deux briques, trois briques qui se cassent en deux, sous le coup de la paume de la main. Un homme serre sa ceinture, avale des boules de métal et les recrache dans une gerbe de gouttes de salive. Une grosse fille grimpe aux mâts de bambou auxquels elle suspend des crochets dorés. Elle crache du feu. « C'est truqué, c'est truqué », murmurent les femmes dans l'assistance, suivies des enfants. Le chef de la troupe s'écrie :

— Bon, voila un tour véritable !

Il s'empare d'une lance et demande à celui qui avalait des boules en métal d'en appuyer la pointe sur sa poitrine, puis sur sa gorge, jusqu'à ce que la lance se plie comme un arc. Sur le front de ce gaillard au crâne chauve, des veines bleues saillent. Les applaudissements fusent, le public est enfin conquis.

Sur la place, l'atmosphère commence à se détendre un peu, l'écho de la trompette flotte dans la montagne, le tambour est moins triste, les gens s'échauffent. La lune apparaît entre les nuages, la lumière des lampes à pétrole semble plus vive. La grosse femme très robuste porte un bol plein d'eau sur sa tête et, une tige de bambou dans chaque main, fait tourner des assiettes. Ensuite, elle fait pivoter sa taille ronde et remercie l'assistance en sautillant sur la pointe des pieds, comme le font les danseurs à la télévision. Les gens applaudissent aussi. Le chef de troupe est beau parleur, ses plaisanteries sont de plus en plus nombreuses et les tours le sont de moins en moins. L'atmosphère se réchauffe, la gaieté gagne l'assistance.

Le dernier numéro est un numéro de contorsion. Une jeune fille vêtue de rouge qui, jusque-là, passait les accessoires, saute sur une table carrée sur laquelle trois tabourets forment une pyramide. Elle se détache sur l'ombre des montagnes, corps rouge vif illuminé par la lumière blanche des lampes. Dans les cieux, le disque plein de la lune, sombre un instant plus tôt, est devenu orange.

Elle fait d'abord la figure du faisan debout, en serrant doucement une jambe dans ses bras et en relevant haut la tête. On applaudit. Puis elle écarte carrément les jambes à l'horizontale et s'assied sur un tabouret, sans le faire bouger d'un pouce. On l'acclame. Enfin, elle écarte encore les jambes et se cambre en arrière, faisant saillir son pubis. On retient son souffle. Sa tête réapparaît lentement entre ses cuisses, comme un monstre. La fillette serre entre ses jambes sa tête où pend une longue natte. Elle écarquille deux grands yeux ronds et noirs, pleins de tristesse, comme si elle contemplait un monde inconnu. Puis elle prend dans ses deux mains son petit visage enfantin. On dirait une étrange araignée rouge à forme humaine, qui scrute la foule. Les gens, qui s'apprêtaient à applaudir, suspendent leur geste. Elle s'appuie sur les mains, soulève les jambes et se met à tourner sur une seule main ; à travers son habit rouge se dessinent très distinctement les pointes de ses seins. On entend la respiration des spectateurs et une odeur de transpiration s'élève. Un enfant qui allait parler en est empêché par une petite gifle que lui administre la femme qui le porte dans ses bras. La jeune fille en rouge serre les dents, son ventre s'élève et s'abaisse doucement, son visage brille d'humidité. Elle se contorsionne jusqu'à en perdre figure humaine, sous ce clair de lune, dans l'ombre profonde de ces montagnes. Seuls, ses lèvres fines et ses yeux noirs brillants expriment sa souffrance. Et cette souffrance attise encore le désir cruel des hommes.

Cette nuit-là, les gens sont terriblement excités, comme si du sang de coq coulait dans leurs veines. Bien qu'il soit déjà très tard, les maisons restent presque toutes éclairées, et à l'intérieur résonnent longtemps des éclats de voix et le bruit d'objets que l'on heurte. Pour moi aussi, impossible de trouver le sommeil, mes pas me conduisent sur la place vide à présent. Les lampes à pétrole ont été décrochées et seule persiste la clarté de la lune, limpide comme de l'eau. Je n'arrive pas à croire qu'à l'ombre de ces montagnes, solennelle et profonde, on ait joué un spectacle où la figure humaine était à ce point déformée, je me demande si ce n'était pas un songe.

60

— Ne pense pas à autre chose quand tu danses.

Tu viens de faire sa connaissance, c'est ta première danse avec elle. Et elle te dit cela

— Qu'y a-t-il ? demandes-tu.

— La danse, c'est la danse, ne fais pas exprès de prendre cet air grave.

Tu éclates de rire.

— Un peu de sérieux, serre-moi.

— D'accord.

Elle pouffe de rire.

— De quoi ris-tu ?

— Tu ne peux pas me serrer un peu plus ?

— Mais si, bien sûr.

Tu la serres. Tu sens sa poitrine souple et tu respires le doux parfum qui monte de la peau de son large décolleté. Dans la pièce, la lumière est très sombre, un parapluie noir a été mis devant la lampe posée dans un coin. Le visage des couples en train de danser se fond dans l'ombre. Un magnétophone diffuse une musique douce.

— Comme ça, c'est très bien, dit-elle à voix basse.

Ta respiration soulève sur ses tempes ses fins cheveux qui viennent caresser tes joues.

— Tu es très attirante.

— Qu'est-ce que ça veut dire ?

— Je t'aime bien, même si ce n'est pas le grand amour.

— C'est mieux comme ça ; le grand amour, c'est trop compliqué.

Tu dis que tu éprouves la même chose.

— Tous les deux, nous sommes de la même espèce, dit-elle en riant, un peu émue.

— On est faits l'un pour l'autre.

— Je ne risque pas de me marier avec toi.

— Pourquoi voudrais-tu ?

— Et pourtant je vais me marier.

— Quand ?

— L'année prochaine peut-être.

— C'est trop tôt

— Même l'année prochaine, ce ne sera pas avec toi.

— Inutile de le préciser, je le sais. Le problème, c'est avec qui ?

— Avec un homme, de toute façon.

— N'importe lequel ?

— Pas forcément. Mais de toute façon, il faudra que j'en passe par là.

— Et après, tu divorceras ?

— Peut-être.

— Et à ce moment-là, j'aurai de nouveau la chance de danser avec toi.

— Mais je ne me marierai pas avec toi.

— Pourquoi le faut-il absolument ?

— Toi, tu sens très bien les choses.

Elle paraît sincère.

Tu la remercies.

Par la fenêtre, on distingue des milliers de lumières qui clignotent : lampes des immeubles en forme de cubes et phares des voitures qui circulent en un flot incessant. Un couple de danseurs décrit un cercle dans la petite pièce et te heurte dans le dos. Tu t'arrêtes pour retenir ta partenaire.

— Ne crois pas que je vais te féliciter parce que tu danses bien.

Elle en profite pour revenir à l'attaque.

— Je ne danse pas pour m'exhiber.

— Pourquoi alors ? Pour t'approcher des femmes ?

— Il y a des moyens d'être encore plus proche.

— Tu n'es pas indulgent.

— Parce que tu ne me lâches jamais.

— D'accord, je ne dis plus rien.

Elle se blottit contre toi, tu fermes les yeux. Danser avec elle est vraiment un plaisir.

Tu la revois, une nuit de plein automne où souffle un vent du nord-ouest glacial. Tu luttes contre le vent à vélo. Sur la route, les feuilles mortes et les papiers sales tourbillonnent. Tu as soudain eu envie d'aller voir un de tes amis, un peintre, et tu pourras attendre chez lui que le vent faiblisse. Tu tournes dans une ruelle éclairée par des lampadaires jaunâtres et aperçois une silhouette isolée, la tête rentrée dans les épaules ; tu te sens d'un coup un peu triste.

Dans la cour d'un noir d'encre, là où il demeure, seule une lueur luit à la fenêtre. Tu frappes à la porte. Une voix sourde te répond. Il t'ouvre et te dit de prendre garde à la marche, dans l'obscurité. La chambre est éclairée par une bougie qui scintille dans une noix de coco sciée.

— Pas mal. Tu apprécies la douceur du lieu. Que fais-tu ?

— Rien, répond-il.

Il fait chaud dans la pièce. Il n'est vêtu que d'un pull-over ample, les cheveux en bataille. En hiver, un poêle est installé, équipé d'une cheminée.

— Tu es malade ?

— Non.

Tu perçois un mouvement près de la bougie. Les ressorts du vieux canapé grincent et tu découvres alors une femme.

— Tu as une invitée, dis-tu pour t'excuser.

— Ça ne fait rien. Assieds-toi. Il me désigne le canapé.

Et là, tu la reconnais enfin. Elle te tend paresseusement la main, une main faible et douce. Ses longs cheveux pendent devant ses yeux. Elle souffle sur une mèche pour les dégager. Tu plaisantes :

— Si j'ai bonne mémoire, tu n'avais pas les cheveux aussi longs autrefois.

— Parfois je les attache, parfois je les laisse flotter. Simplement, tu ne l'avais pas remarqué.

Elle rit en faisant la moue.

— Vous vous connaissez ? demande ton ami le peintre.

— Nous avons dansé ensemble chez un ami.

— Ça, par contre, tu t'en souviens, dit-elle sur un ton un peu ironique.

— Quand on a dansé avec quelqu'un, peut-on l'oublier ? Toi aussi tu t'y mets.

Il va attiser le feu. Les flammes rouge sombre se reflètent sur le plafond.

— Qu'est-ce que tu bois ?

Tu dis que tu ne fais que passer, que tu vas juste t'asseoir une minute et t'en aller.

— Je n'ai rien de spécial à faire, dit-il.

— Ça ne fait rien… dit-elle aussi, tout bas.

Puis ils se taisent.

— Continuez à bavarder, je suis juste venu me réchauffer, j'étais transi. Dès que le vent se sera un peu calmé, je m'en irai.

— Non, tu tombes à point, dit-elle, puis elle se tait.

— Il vaudrait mieux dire que je tombe comme un cheveu sur la soupe.

Tu ferais mieux de te lever, mais ton ami t'appuie sur l'épaule avant que tu aies eu le temps de bouger.

— Puisque tu es là, nous pouvons changer de conversation. Nous avons fini de parler de ce dont nous devions parler.

— Bavardez, bavardez, je vous écoute.

Elle se recroqueville sur le canapé. Je ne distingue que le contour blanc de son visage. Son nez et sa bouche sont très délicats.

Jamais tu n'aurais pensé que, longtemps plus tard, elle retrouverait ton adresse. Tu as ouvert la porte et demandé :

— Comment sais-tu que j'habite ici ?

— Tu ne m'invites pas à entrer ?

— Au contraire, entre, entre.

Tu la fais entrer en lui demandant si c'est ton ami peintre qui lui a donné ton adresse. Tu l'as toujours vue dans l'obscurité, tu n'es pas tout à fait sûr de la reconnaître.

— C'est peut-être lui, peut-être un autre. Ton adresse est secrète ?

Tu dis que tu ne pensais pas qu'elle finirait par venir te voir, que tu en es très honoré.

— Tu as oublié que c'est toi qui m'as invitée

— C'est bien possible.

— Et l'adresse, c'est toi-même qui me l'as donnée, tù as tout oublié ?

— C'est sûrement ça, dis-tu, bref, je suis content que tu sois là.

— Quand un modèle vient chez soi, comment ne pas se réjouir ?

— Tu es modèle ?

Tu ne caches pas ta stupéfaction.

— Je l'ai été, et même modèle nu.

Tu dis que tu regrettes de ne pas être peintre, mais que tu fais de la photo en amateur.

— Les gens qui viennent ici restent toujours debout ? demande-t-elle.

Tu désignes la pièce à la hâte :

— Ici, tu es comme chez toi, fais ce que tu veux. En regardant cette pièce, tu verras tout de suite que le maître des lieux n'obéit à aucune règle.

Elle s'assied sur le coin de ton bureau et jette un coup d'œil circulaire.

— On voit qu'il y a besoin d'une femme ici.

— Si tu veux, mais à condition de ne pas devenir le maître du maître de ces lieux, parce que la propriété de cette pièce ne lui appartient pas.

Chaque fois que tu la rencontres, tu te disputes avec elle, tu ne veux jamais t'avouer perdant devant elle.

— Merci, dit-elle en prenant le thé que tu lui as préparé. Puis elle ajoute en souriant : Sois un peu sérieux.

Elle te tient tête. Tu n'as que le temps de répliquer :

— Bon, d'accord.

Tu remplis à ton tour ta tasse et tu t'assieds sur le fauteuil, face au bureau. Là, tu te sens plus à l'aise et tu te tournes vers elle.

— On peut discuter. Parler un peu. Es-tu vraiment modèle ? Je pose la question de manière anodine.

— Plus maintenant. Je l'ai été pour un peintre, autrefois.

Ce qu'elle dit est vrai. Tu devrais éviter ce sujet.

— Es-tu vraiment modèle ? Je parle de ton métier, tu as bien un travail, non ?

— Est-ce que cette question est très importante ? demande-t-elle en riant. Elle est maligne, elle veut toujours te tenir tête.

— Pas forcément, mais je te pose la question pour savoir de quoi parler avec toi, pour pouvoir parler de choses qui nous intéressent, toi et moi.

— Je suis médecin, dit-elle en hochant la tête.

Avant que tu aies eu le temps de réaliser ce qu'elle a dit, elle demande :

— Je peux fumer ?

— Bien sûr, je fume aussi.

Tu pousses aussitôt vers elle les cigarettes et le cendrier. Elle allume une cigarette dont elle avale une longue bouffée.

— Ça ne se voit pas, dis-tu en cherchant à comprendre le motif de sa venue.

— C'est pourquoi j'ai dit que mon métier n'avait guère d'importance. Crois-tu que je dise la vérité quand je dis que j'ai été modèle ?

Elle recrache doucement la fumée en levant la tête.

Et quand tu dis que tu es médecin, est-ce la vérité ? Mais cette phrase, tu ne l'as pas prononcée.

— Tu crois que les modèles sont toutes des femmes légères ? demande-t-elle.

— Pas forcément. Modèle, c'est aussi un métier très sérieux. Dénuder son corps, je parle des modèles nus, cela n'a rien de mal. Tout ce qui est naturel est beau. Offrir de la beauté naturelle, c'est de la générosité, pas de la légèreté. D'ailleurs, un corps humain est encore plus beau que n'importe quelle œuvre d'art. L'art, à côté de la nature, est blafard et indigent. Seuls les fous considèrent que l'art est supérieur à la nature.

Tu parles avec la plus grande conviction.

— Et pourquoi fais-tu de l'art ? demande-t-elle.

Tu dis que tu n'y arrives pas, tu ne fais qu'écrire, écrire ce que tu as envie de dire, comme ça te vient.

— Mais l'écriture, c'est aussi un art.

Tu penses résolument que l'écriture n'est qu'une technique.

— Il suffit d'acquérir une technique ; par exemple, toi, la technique chirurgicale, même si je ne sais pas si tu es généraliste ou chirurgien, ça ne fait rien, la technique suffit. Tout le monde peut écrire, de la même manière que tout le monde peut apprendre à opérer.

Elle rit à gorge déployée.

Ensuite, tu dis que tu ne penses pas que l'art soit sacré, l'art n'est qu'une manière de vivre. Les gens ont des manières de vivre différentes, l'art ne peut pas tout remplacer.

— Tu es vraiment intelligent, dit-elle.

— Et toi, tu n'es pas bête non plus, dis-tu.

— Certains sont bêtes pourtant.

— Qui ?

— Les peintres, ils ne savent que regarder avec leurs yeux.

— Les peintres ont leur propre mode de perception ; par rapport aux écrivains, ils privilégient la vue.

— La vue permet-elle de comprendre la valeur intérieure d'un individu ?

— Apparemment non, mais le problème est de savoir ce que l'on appelle la valeur. Cela dépend des gens, chacun a sa propre manière de voir les choses. Une valeur différente n'est intéressante que pour des gens qui ont le même système de valeurs. Je ne veux pas te faire des compliments sur ta beauté, je ne sais pas si ta beauté est intérieure aussi, mais ce que je peux dire, c'est que c'est très agréable de parler avec toi. Est-ce que l'homme n'est pas toujours à la recherche de quelque chose d'agréable dans la vie ? Seuls les idiots recherchent ce qui n'est pas gai.

— Moi aussi, je suis très heureuse avec toi.

En parlant, elle prend machinalement une clef sur la table et joue avec. Tu as l'impression qu'elle n'est pas heureuse du tout. Tu te mets alors à parler avec elle de cette clef.

— De quelle clef ? demande-t-elle.

— Cette clef qui est dans ta main.

— Eh bien, qu'a-t-elle ?

Tu dis que tu l'avais perdue.

— Elle est là, non ? Et elle montre la clef qu'elle a dans la main.

Tu dis que tu croyais l'avoir perdue, mais qu'elle est en fait dans sa main.

Elle repose la clef sur la table et se lève soudain en disant qu'elle doit partir.

— Quelque chose d'urgent ?

— Oui, j'ai à faire, dit-elle. Puis elle ajoute : Je suis mariée.

— Félicitations.

Tu es un peu désemparé.

— Je reviendrai.

C'est pour te consoler.

— Quand reviendras-tu ?

— Quand je serai contente. Je ne viendrai pas quand je serai triste pour éviter de te passer ma tristesse, mais il ne faudra pas non plus que je sois trop contente…

— Comme tu veux, je comprends.

Tu dis encore que tu voudrais être sûr qu'elle reviendra.

— Je reviendrai parler avec toi de la clef que tu as perdue !

D'un mouvement de tête, elle rejette ses cheveux sur ses épaules, elle rit avec malice et dévale les escaliers.

61

Mon vieux camarade de classe, que je n'ai pas revu depuis plus de dix ans, me montre la photo qu'il a sortie d'un tiroir. On le voit en compagnie d'une personne dont on ne peut déterminer ni l'âge ni le sexe. Il dit que c'est une femme. Ils sont dans un potager, devant un vieux temple en ruine. Il me demande si je connais le roman *La Femme-chevalier du fleuve*.

Je m'en souviens évidemment : un roman de cape et d'épée en plusieurs volumes qu'un camarade cachait chez lui et qu'il avait apporté à l'école primaire quand j'étais lycéen. Ces romans étaient formellement interdits. De vieux livres comme *les Treize Chevaliers et les sept épées*, *Chronique des chevaliers des monts Emei*, *les Treize Sœurs*, si l'on était ami avec leur propriétaire, on pouvait les emporter chez soi, sinon il fallait y jeter un coup d'œil pendant la classe, le livre coincé dans le tiroir du bureau.

Je me souviens aussi que, encore plus jeune, j'avais possédé une série de bandes dessinées tirées de *la Femme-chevalier du fleuve*. Malheureusement, j'en avais perdu certaines en jouant aux billes et j'étais resté inconsolable.

Je me souviens aussi que ce livre, ou *les Treize Sœurs*, ou telle autre « femme-chevalier », avait eu une influence sur l'éveil de ma sexualité, dont j'ignorais tout à l'époque. Ce devait être une série de bandes dessinées qui venaient de chez un vieux bouquiniste. Sur une page figurait une fleur de pêcher emportée par un vent violent, et dessous, on expliquait que par une triste nuit de tempête il était arrivé ceci ou cela. Le sens caché en était que la « femme-chevalier » avait été capturée par un voyou qui, bien sûr, maîtrisait aussi les arts martiaux. A la page suivante, la « femme-chevalier » levait haut les mains pour saluer le maître de Wulin et s'entraînait à réaliser le tour magique des épées volantes, puis, ne pensant qu'à assouvir sa vengeance, elle retrouvait son ennemi et lui immobilisait la tête de la pointe de son épée. Mais soudain, prise d'un incompréhensible sentiment de pitié, elle se contentait de lui couper un bras en lui laissant la vie sauve.

— Crois-tu qu'il existe encore des femmes-chevaliers ? me demande mon vieux camarade de classe.

— C'en est une sur cette photo ?

Je ne comprends pas s'il veut plaisanter.

Sur la photo, mon camarade, avec sa taille imposante, ses lunettes, son uniforme de travail de géologue, son air simple et honnête, me fait toujours penser au rat de bibliothèque nommé Pierre dans *Guerre et Paix* de Tolstoï. Quand j'ai lu ce roman, mon ami était encore très maigre, mais son visage tout rond, respirant la bonté, avec des lunettes toujours accrochées sur le bout du nez, ressemblait un peu à des portraits de Pierre dans un recueil des œuvres de Tolstoï, illustré par un peintre russe. Sur la photo, la « femme-chevalier » qui lui arrive à mi-épaule, habillée comme une paysanne d'une large veste aux deux pans parallèles, avec des chaussures militaires en caoutchouc qui dépassent du bas de son pantalon, arborant une paire de petits yeux sur un visage asexué, les cheveux coupés à ras des oreilles à la manière des femmes cadres de la campagne, seule indication sur son sexe, la « femme-chevalier » ne ressemble en rien à celles qui se battaient au corps à corps avec moi dans les romans de cape et d'épée, les estampes et les bandes dessinées, avec l'air martial que leur donnait leur taille serrée dans une large ceinture.

— Ne la mésestime pas, elle est très forte en arts martiaux, elle tue quelqu'un aussi facilement qu'elle arrache une herbe.

Il parle sérieusement.

Sur la voie venant de l'est de Zhuzhou, le train était un peu en retard. Il s'était arrêté dans une petite gare, sans doute pour laisser passer un express. Le nom de la gare m'a aussitôt rappelé mon camarade de classe qui travaillait ici, dans une équipe de prospection géologique, et dont je n'avais plus de nouvelles depuis plus de dix ans. L'année dernière, le rédacteur en chef d'une revue m'avait cependant fait parvenir le manuscrit d'un texte qu'il avait envoyé, et le nom du lieu mentionné sur l'enveloppe était justement celui que je lisais sur le quai. Je n'avais pas son adresse sur moi, mais j'ai pensé que, dans un district aussi petit, il ne devait pas y avoir plusieurs équipes de prospection géologique. Je n'aurais aucune difficulté à me renseigner. Je suis alors immédiatement descendu du train. C'était un bon ami d'enfance. Les bonnes choses sont rares dans ce bas monde. Existe-t-il plus grand bonheur que de rendre visite à l'improviste à un bon ami ?

Arrivant de Changsha, j'avais changé de train à Zhuzhou. A l'origine, je ne pensais pas m'y arrêter, car je n'y avais ni parents ni amis. Il n'y avait là ni folklore ni antiquité à prospecter, et j'avais erré toute une journée dans la ville et sur les bords de la Xiang. Plus tard seulement, j'ai réalisé que je n'avais rien fait d'autre que rechercher des impressions, somme toute sans intérêt.

J'étais parti de Pékin en transportant ma literie, tel un réfugié, pour gagner la région de montagne où j'avais fui quand j'étais enfant et les lieux où j'étais allé me faire « rééduquer » dans une Ecole de cadres du 7 Mai, douze ou treize ans plus tôt. A cette époque, les relations entre collègues d'un même organisme, sans cesse agitées par les mouvements politiques, étaient terriblement tendues. Tout le monde criait des slogans, défendant jusqu'à la mort sa propre faction, craignant sans cesse d'être abattu par ses adversaires. Personne n'aurait imaginé qu'une nouvelle « directive suprême » ordonnerait que les représentants de l'armée viennent cantonner dans les organismes culturels et que tout le monde, quelle que soit sa faction, devrait partir à la campagne.

Je suis un réfugié depuis ma naissance. Ma mère disait qu'elle avait accouché en plein bombardement. Les vitres de la salle d'accouchement de l'hôpital étaient protégées par des bandes de papier, pour se prémunir contre le souffle des bombes. Par bonheur, elle avait échappé aux bombes et j'étais venu au monde sain et sauf. Pourtant, je ne savais pas pleurer. J'ai poussé mon premier cri seulement quand le docteur accoucheur m'eut donné une fessée. Voilà sans doute ce qui m'a prédestiné à fuir ma vie durant. Je m'y suis habitué et j'ai appris à trouver un peu de plaisir dans les espaces vides entre ces périodes de désordre. Alors que tout le monde restait sur le quai, assis sur sa literie à attendre, j'ai confié mes bagages à quelqu'un et, comme un chien perdu, j'ai erré dans les rues de la ville. J'ai même fini par rencontrer dans une gargote un adversaire obstiné de ma faction. A cette époque, la viande de porc était rationnée, chacun recevait un ticket pour une livre de viande par mois. Je pensais que lui aussi en voulait. Dans cette gargote, on trouvait effectivement au menu un plat de viande de chien au piment, dont chacun a commandé une portion. Partageant le même sort, assis à la même table, sans mot dire, chacun commandait de l'alcool à qui mieux mieux. On a bu et mangé ensemble de la viande de chien, comme si la lutte des classes impitoyable n'existait plus, comme si personne n'était plus l'ennemi de personne. Mais bien sûr, ni moi ni lui, aucun n'a abordé les sujets politiques. En fait, à cette table, il y avait tellement de choses dont on pouvait parler, que ce soit de la vieille rue, du papier de riz à odeur de paille que l'on pouvait acheter ici, des tissus locaux confectionnés à la main que l'on pouvait acquérir sans tickets de coton, du thé vendu aussi sans tickets, enfin, des cacahuètes aux cinq épices totalement introuvables à Pékin. Lui et moi en avions acheté et les sortions de nos sacs pour les grignoter avec l'alcool. Et ce sont ces petits souvenirs insignifiants qui m'ont poussé à m'arrêter là toute une journée, quand j'ai changé de train de Changsha à Zhuzhou. Dans ce cas, je n'avais aucune raison de ne pas aller voir mon bon ami d'enfance ; pourquoi ne pas lui procurer cette joie inattendue ?

Je retiens une couchette dans un hôtel près de la petite gare et j'y dépose mon sac à dos. Si jamais je ne trouve pas mon ami, je pourrai toujours piquer un somme à l'hôtel, en attendant de prendre le premier train du matin.

Dans une petite boutique de nuit, je mange un bol de bouillie de riz aux haricots mungo qui dissipe un peu ma fatigue. Je vais me renseigner auprès d'un cadre qui prend le frais, allongé sur un fauteuil devant la perception, pour savoir s'il existe ici une équipe de prospection géologique. Il se relève aussitôt et m'affirme que oui, à deux lis d'ici, dit-il dans un premier temps, non, trois lis, tout au plus cinq lis. Au bout de cette rue, là où il n'y a plus de lampadaire, on tourne dans une ruelle, on traverse des rizières, puis une petite rivière, sur un pont. De l'autre côté, pas très loin, il y a quelques maisons à étages de style moderne, complètement isolées, elles abritent l'équipe de prospection géologique.

A la sortie du bourg, le ciel est parsemé d'une multitude d'étoiles qui illuminent la nuit d'été. Partout retentissent les coassements des grenouilles. Je marche dans des flaques d'eau, mais je n'y prête pas attention, ne pensant qu'à retrouver mon ami. Et vers minuit, je finis par frapper à sa porte dans l'obscurité.

— Toi alors ! s'exclame-t-il, fou de joie. Il est de forte corpulence et de taille imposante. Vêtu d'un short, torse nu, il m'assène des coups de l'éventail en jonc qu'il tient à la main, ce qui me fait un peu d'air. C'est encore une habitude entre camarades de se frapper sur l'épaule. A l'époque, j'étais le cadet de la classe et mes camarades m'appelaient « petit diable ». Aujourd'hui, évidemment, je suis un « vieux diable ».

— D'où tu sors ?

— De sous terre !

Moi aussi, je suis fou de joie.

— Apporte de l'alcool, ou plutôt non, de la pastèque, il fait trop chaud, dit-il à sa femme.

C'est une femme robuste qui respire l'honnêteté. Elle doit être d'ici. Elle se contente de rire, sans dire un mot. Manifestement, en fondant une famille, il n'a pas perdu sa gentillesse d'autrefois.

Il me demande si j'ai reçu le manuscrit qu'il m'a envoyé et m'explique qu'il a lu les œuvres que j'ai publiées ces dernières années. Pensant qu'il devait bien s'agir de moi, il avait adressé son manuscrit à la rédaction d'une revue qui avait publié l'un de mes articles, en demandant qu'on me le transmette.

Il m'explique qu'il a écrit cette chose-là parce que ses mains le démangeaient, qu'il ne pouvait plus se retenir. Un ballon d'essai en quelque sorte.

Que pouvais-je lui dire ? Son roman racontait l'histoire d'un enfant de la campagne dont le grand-père était un vieux propriétaire foncier. A l'école, il était mal vu par ses camarades et, chaque jour, il entendait le professeur expliquer qu'il fallait se démarquer clairement des ennemis de classe. Pensant que, finalement, tous ses malheurs venaient de ce vieillard malade qui n'arrivait pas à mourir, il avait mis dans son infusion une fleur sauvage vénéneuse, celle que l'on doit retirer lorsque l'on coupe de l'herbe à cochons. Au petit matin, à l'heure où les haut-parleurs diffusaient *l'Orient est rouge* pour appeler les paysans au travail, le petit garçon avait trouvé son grand-père mort, allongé sur le sol, la bouche remplie d'un sang noir. Il décrivait l'état d'esprit de cet enfant qui regardait ce monde incompréhensible avec les yeux d'un petit campagnard. J'avais donné ce manuscrit à un rédacteur de ma connaissance. Il me l'avait rendu sans employer les formules que l'on utilise habituellement dans les milieux littéraires quand on rend un manuscrit. Ce n'était pas le ton officiel, du genre : l'intrigue n'est pas assez travaillée, la conception générale de l'œuvre n'est pas assez élevée, les caractères sont insuffisamment marqués, ou bien l'œuvre n'est pas assez typique, non. il m'a dit simplement que c'était bien écrit, mais que l'auteur allait trop loin et que jamais les autorités ne la lui laisseraient publier. Je n'avais pu que lui préciser que l'auteur travaillait à la campagne comme prospecteur en géologie, qu'il était habitué aux sentiers de montagne et qu'il ne pouvait connaître les limites à ne pas franchir imposées au monde littéraire. Je lui raconte tout cela avec franchise.

— Eh bien, quelles sont ces limites ? demande-t-il d'un air perdu à travers ses lunettes. Il ressemble toujours au rat de bibliothèque nommé Pierre. Récemment, les journaux n'ont-ils pas réaffirmé la liberté de création et la nécessité pour la littérature de décrire la réalité ?

— C'est justement à cause de cette foutue réalité que j'ai eu des ennuis et que je suis ici, lui dis-je.

Il éclate de rire :

— C'est foutu aussi pour l'histoire de cette « femme-chevalier du fleuve ».

Il prend la photo et la range dans un tiroir.

— J'ai fait sa connaissance quand j'ai habité dans ce temple en ruine pour mon travail de prospection. Toute une journée, elle m'a fait part de ses préoccupations. J'en ai rempli un carnet entier. C'est son expérience.

Il sort d'un tiroir un carnet qu'il agite vers moi.

— Il y a largement de quoi écrire un livre, dont le titre, j'y ai déjà pensé, serait *Notes du temple en ruine*.

— Ce n'est pas un titre pour un roman de cape et d'épée.

— Bien sûr que non. Si ça t'intéresse, prends-le et jettes-y un coup d'œil. Ça peut faire la matière d'un roman.

Puis il range le carnet dans le tiroir et dit à sa femme :

— Apporte plutôt de l'alcool, finalement.

— Ne me parle plus d'écrire un roman, dis-je. A présent, je n'arrive plus à publier même mes textes anciens. Dès qu'on voit mon nom, on me renvoie mes manuscrits.

— Toi aussi, tu ferais mieux de t'occuper sagement de ta géologie au lieu d'écrire n'importe quoi, l'interrompt sa femme en apportant l'alcool.

— Alors, qu'est-ce que tu fais maintenant ? Raconte-moi !
Il est plein de sollicitude à mon égard.

— Je vagabonde ici et là pour échapper à la censure. Je suis parti depuis plusieurs mois. Quand la tempête se sera calmée, j'essayerai de rentrer. Si la situation se dégrade, je chercherai un endroit pour prendre la clef des champs. De toute façon, je ne me ferai pas mener au camp de redressement par le travail comme un mouton sage, comme les vieux droitiers des années cinquante.

Et nous éclatons de rire.

— Je vais te raconter une histoire drôle, d'accord ? demande-t-il. J'ai fait partie d'un petit détachement à qui les autorités ont donné l'ordre de rechercher des mines d'or. Qui aurait cru qu'en pleine montagne nous capturerions un homme sauvage ?

— Tu plaisantes. Tu l'as vu de tes propres yeux ?

— Non seulement je l'ai vu, mais nous l'avons capturé ! Nous étions quelques-uns à chercher un raccourci dans la montagne pour rentrer au camp avant la nuit. Sous une crête, une forêt avait été brûlée et plantée en maïs. Dans le champ, tout jaune, on voyait bouger quelque chose, sans doute une bête sauvage. Pour notre sécurité, nous étions armés quand nous allions dans de tels endroits. Nous avons tout de suite pensé que c'était un ours ou un sanglier. Nous n'avions pas trouvé d'or, mais la chance nous souriait quand même, puisque nous allions rapporter de la viande. Quelques-uns ont encerclé l'endroit où l'on voyait bouger, mais la chose avait dû nous entendre, car elle filait en direction de la forêt. Il devait être dans les trois heures de l'après-midi. Le soleil penchait vers l'ouest, mais le vallon était encore parfaitement éclairé. Quand la chose s'est mise à bouger, sa tête est apparue entre les tiges de maïs. Et là, nous avons découvert un homme sauvage avec des cheveux tombant sur les épaules ! Tous les gars l'ont vu. Ils étaient au comble de l'excitation et criaient à tue-tête · « Homme sauvage ! Homme sauvage ! » « Ne le laissez pas partir ! » criait un autre en tirant. Ils travaillaient toute l'année dans les montagnes et avaient rarement l'occasion de tirer. Ils se défoulaient. Transportés d'enthousiasme, ils couraient, criaient, déchargeaient leur arme. Finalement, ils l'ont forcé à sortir. Nu comme un ver, les parties à l'air, il s'est rendu, mains levées, mais il a trébuché et s'est étalé de tout son long sur le sol. Il ne portait qu'une paire de lunettes attachées derrière la tête par une ficelle. Les verres tout ronds étaient usés, comme du verre dépoli.

— C'est une blague ? dis-je

— Tout est vrai ! dit sa femme depuis la chambre. Elle ne dort pas encore.

— Si je dois raconter des blagues à quelqu'un, ce n'est pas à toi Tu es romancier à présent.

— Le vrai romancier, c'est lui, dis-je en m'adressant à sa femme. Il a des dons innés de conteur. A l'époque, dans notre classe, personne ne le surpassait dans ce domaine. Dès qu'il commençait, on restait bouche bée à l'écouter. Dommage que son roman ait été étouffé dans l'œuf avant même d'avoir pu voir le jour.

Je ne pouvais m'empêcher d'avoir un peu pitié de lui.

— Il est comme ça. Il ne parle comme ça que parce que tu es là ; en temps normal, il ne prononce pas la moindre phrase en trop, dit sa femme depuis la chambre.

— Ecoute donc ! dit-il à sa femme.

— Continue ! Il a vraiment excité ma curiosité.

Il boit une gorgée d'alcool pour reprendre de l'énergie.

— Notre petit groupe s'approche, lui ôte ses lunettes et le bouscule un peu du canon des fusils. Ils lui demandent sur un ton sévère : « Si tu es un homme, pourquoi t'enfuis-tu ? » Pris de tremblements, il ne cesse de gémir. L'un des gars le frappe un peu à la tête et le menace : « Si tu continues à jouer les diables, on va te fusiller ! » A ce moment, il éclate en sanglots en disant qu'il s'est enfui d'un camp de rééducation et qu'il n'ose plus y retourner. On lui demande quel crime il a commis. Il dit qu'il est « droitier ». « Mais il y a longtemps que les "droitiers" ont été réhabilités, s'écrient mes compagnons, tu n'es pas rentré ? » Il explique que dans sa famille, on n'a pas osé le garder et qu'il s'est réfugié dans ces montagnes. « Où est ta famille ? » demandent-ils encore. « A Shanghai. » Mes compagnons s'écrient : « Quels fils de salauds, dans ta famille ! Pourquoi ne te gardent-ils pas ? » Il dit qu'ils ont peur d'être compromis. Et tous de s'exclamer : « Qu'est-ce que c'est que ces histoires d'être compromis ? Les "droitiers" ont tous reçu des dédommagements et maintenant tout le monde brûle d'avoir un élément droitier dans sa famille ! » Et ils lui demandent encore : « Est-ce que tu n'es pas dérangé du cerveau ? » Il dit que non, mais qu'il est très myope. Et tout le monde laisse éclater son envie de rire.

Sa femme éclate aussi de rire dans la pièce à côté.

— Il n'y a vraiment que toi pour raconter ce genre d'histoires, dis-je sans pouvoir non plus me retenir de rire. Je n'ai pas été aussi joyeux depuis bien longtemps.

— Il avait été étiqueté comme « élément droitier » en 1957 et envoyé en 1958 dans une ferme de réhabilitation par le travail. En 1960, la famine avait éclaté, il n'y avait plus rien à manger. Couvert d'œdèmes, à deux pas de la mort, il s'était enfui pour rentrer à Shanghai. Il était resté caché deux mois chez les siens, qui avaient tenu à ce qu'il retourne au camp, car à l'époque, les rations de céréales étaient insuffisantes. Comment auraient-ils pu le cacher longtemps chez eux ? Il était donc reparti à l'aventure dans ces hautes montagnes où il vivait depuis plus de vingt ans. A la question de savoir comment il avait survécu, il avait expliqué que la première année, une famille de montagnards l'avait recueilli. Il les aidait à couper du bois et à faire quelques travaux agricoles. Ensuite, il avait entendu dire à la commune populaire un peu plus bas qu'on allait venir enquêter à son sujet et il s'était réfugié plus loin encore. Il avait survécu grâce à cette famille qui l'aidait en cachette en lui apportant des allumettes, un peu de sel et d'huile. Comment il était devenu « droitier » ? Il a expliqué qu'à l'université il faisait ses recherches sur les inscriptions oraculaires sur carapaces de tortues. A l'époque, plein d'une fougue juvénile, il avait prononcé au cours d'une discussion quelques paroles insensées sur la situation du moment. « Lève-toi, suis-nous, va reprendre tes recherches sur les inscriptions oraculaires ! » Mais il a obstinément refusé, en disant qu'il devait moissonner le champ de maïs qui représentait sa réserve de céréales pour l'année, qu'il craignait que les sangliers ne viennent tout piétiner s'il partait. On criait tous : « Laisse-les donc chier tranquille ! » Il voulait aller chercher ses vêtements. « Mais où sont-ils ? » « Dans une grotte, au pied d'une falaise. » Quand il ne faisait pas froid, il ne les portait pas. Quelqu'un lui a donné une veste pour qu'il se l'attache autour de la taille. Puis ils l'ont ramené au camp.

— C'est fini ?

— Oui, dit-il. Mais j'ai imaginé une autre fin, peut-être inexacte.

— Dis-la, pour voir.

— Un jour plus tard, après avoir mangé et bu tout son soûl, il se réveille après un bon sommeil et soudain il éclate bruyamment en sanglots. Impossible de comprendre ce qu'il a. On lui demande. Pleurant à chaudes larmes, il n'arrive à prononcer qu'une phrase au milieu de ses sanglots : « Si j'avais su qu'au monde il existait des gens aussi bons, je n'aurais pas subi pour rien les injustices de ces dernières années ! »

J'ai envie de rire, mais je me retiens.

Dans ses lunettes luit un éclair de ruse amusée.

— Cette conclusion est superflue, dis-je après un instant de réflexion.

— J'ai fait exprès de l'ajouter, reconnaît-il en posant ses lunettes sur la table.

Je découvre que la ruse que je croyais lire dans son regard est plutôt de la tristesse. C'est un autre homme quand il a ses lunettes, avec sa mine joyeuse et simple. Je ne l'avais jamais vu sous cet aspect auparavant.

— Veux-tu t'allonger un instant ? me demande-t-il.

— Je ne suis pas pressé, je n'ai pas sommeil pour l'instant.

Par la fenêtre, on voit déjà les premières lueurs du matin. Dehors, la chaleur d'été s'est dissipée et un petit vent frais s'est levé.

— On peut aussi bien bavarder allongés, dit-il.

Il m'installe un lit en bambou et pour lui-même une chaise longue. Puis il éteint la lumière et s'allonge.

— Tu dois savoir qu'à l'époque, pendant le mouvement, on a enquêté sur moi, et c'est justement l'équipe qui a capturé l'homme sauvage qui m'a arrêté. Ils ont failli me fusiller, la balle a effleuré mon cuir chevelu, ils m'ont manqué, j'ai eu de la chance. A part ça, ce sont de braves types.

— Voilà ce qui est bien dans ton histoire d'homme sauvage. Elle est gaie, alors que les gens sont extrêmement cruels. Tu ne devrais pas tout dire.

— Pour toi c'est un roman, pour moi c'est la vie. En fait, je ne suis jamais arrivé à écrire le roman.

— Dès qu'on parle de poux, tout le monde veut les attraper, si l'on craint d'être soi-même un pou, comment faire ?

— Sauf si tout le monde s'en fout ?

— On a peur d'être pris, c'est ça.

— Mais toi justement, tu ne veux pas t'en mêler, non ?

— Et je finirai par être pris.

— C'est pour ça qu'on va continuer à rouler sa bosse le long des routes ?

— C'est quand même mieux maintenant, non ? Sinon, aurais-je osé venir boire avec toi ? Je serais parti depuis longtemps, tel l'homme sauvage.

— Et moi non plus, je ne te garderai pas chez moi. Ou bien, partons tous les deux comme des hommes sauvages ?

Et il s'assied en riant sur la chaise longue.

— Cette fin, il vaut mieux la laisser tomber, dit-il à son tour après un instant de réflexion.

62

Tu dis qu'il a perdu la clef.

Elle dit qu'elle comprend.

Tu dis qu'il avait très bien vu cette clef posée sur la table, mais qu'elle avait disparu, à peine s'était-il retourné.

Elle dit que oui, c'est ça.

Tu dis que c'était une clef toute simple, sans porte-clés ; à l'origine il y en avait un, c'était un petit chien frisé, un pékinois, en plastique rouge. Une amie le lui avait offert, une amie seulement, pas une petite amie.

Elle dit que c'est clair.

Tu dis qu'ensuite le petit chien s'était cassé, c'était comique, son cou s'était cassé, il ne restait qu'une petite tête rouge ; il avait trouvé ça un peu cruel et l'avait détaché de la clef.

Evidemment ! dit-elle.

Tu dis qu'il pensait avoir posé la clef sur le socle de la lampe de bureau, à côté de quelques punaises ; elles étaient encore là, mais la clef, elle, avait disparu. Il avait déplacé les livres sur la table ; des lettres, en attente d'une hypothétique réponse, étaient là aussi, empilées près de la lampe. L'interrupteur, lui, était recouvert par une enveloppe. Mais la clef restait introuvable.

C'est souvent comme ça, dit-elle.

Il voulait sortir pour aller à un rendez-vous, mais il ne pouvait pas laisser la porte ouverte. S'il l'avait fermée, il n'aurait pu entrer sans clef. Il devait la retrouver. Parmi les livres, papiers, courriers, pièces de monnaie qui couvraient la table, une clef aurait dû se voir facilement.

C'est vrai.

Mais il ne la retrouvait plus. Il s'était mis à quatre pattes sous la table, avait retiré à l'aide d'un balai pas mal de moutons et même un ticket d'autobus. Quand une clef tombe par terre, elle émet toujours un son, or, il n'y avait que quelques livres entassés sur le sol, mais pas de clef. On ne peut confondre une clef et un livre

Bien sûr.

Elle s'était purement, simplement, volatilisée

Et dans les tiroirs ?

Il a fouillé aussi. Il se souvenait qu'il avait ouvert les tiroirs. Il avait l'habitude d'y ranger la clef, à droite, une vieille habitude. Le tiroir était rempli de toutes sortes de documents : des lettres, des manuscrits, des plaques d'immatriculation de vélos, des attestations de soins gratuits, des cartes d'approvisionnement en gaz. Quelques médailles aussi, un étui à stylo, un couteau mongol et une petite épée en émail cloisonné, autant de pauvres objets sans valeur, seulement porteurs de quelques souvenirs.

Tout le monde en possède, ils sont précieux aux yeux de leurs propriétaires.

Les souvenirs ne sont pas forcément tous précieux.

C'est vrai.

C'est même parfois une délivrance de les oublier. Un bouton par exemple, que l'on n'utilisera plus jamais ; le vêtement sur lequel était cousu ce bouton en verre bleu foncé est depuis longtemps devenu un balai à franges, mais le bouton n'a pas été jeté.

Bon, et ensuite ?

Ensuite, il a tiré tous les tiroirs et en a retourné le contenu.

Elle ne pouvait pas y être.

Il le savait, mais il a tout retourné.

Bien sûr. Et ses poches, il les a fouillées ?

Il les a toutes fouillées. Les poches avant et les poches arrière de son pantalon, qu'il a dû palper au moins cinq ou six fois, les poches de sa veste posée sur le lit aussi. Il a fouillé les poches de tous ses vêtements sortis, pas celles des vêtements rangés dans sa valise.

Et ensuite...

Ensuite, il a étalé par terre tout ce qui se trouvait sur la table, il a remis un peu d'ordre dans les revues posées sur l'étagère à la tête du lit, il a même ouvert les armoires à livres, il a secoué les couvertures, le matelas, regardé sous le lit, ah ! oui, dans les chaussures aussi, parce qu'un jour une pièce de cinq fens était tombée dans ses chaussures et il ne s'en était aperçu qu'en sortant, car il était gêné pour marcher.

Mais ses chaussures, il ne les avait pas aux pieds ?

Si, mais comme les livres du bureau étaient posés sur le sol, il n'avait plus la place de marcher et il ne pouvait pas piétiner les livres avec ses chaussures. Il s'était carrément déchaussé et s'était mis à fouiller accroupi.

Le pauvre !

Et cette clef toute simple, sans porte-clés, avait disparu dans la chambre. Il ne pouvait plus sortir et contemplait, impuissant, cette pièce sens dessus dessous. Dix minutes plus tôt, sa vie était encore en ordre. Il ne pouvait pas dire que sa chambre était parfaitement propre et rangée, elle ne l'était jamais vraiment, mais elle était en tout cas toujours agréable à regarder. Il avait sa manière de vivre, il savait où il avait posé chacun de ses objets et il trouvait sa chambre très confortable. En bref, il avait des habitudes qui lui procuraient une sensation de confort.

C'est ça.

Mais là, ce n'était pas ça. Tout était posé n'importe où, n'importe où !

Il ne fallait pas s'énerver, il fallait bien réfléchir.

Tu dis qu'il s'était fait un sang d'encre, qu'il n'avait plus d'endroit où dormir, plus d'endroit où s'asseoir, plus d'endroit même où se tenir debout, sa vie était devenue un véritable dépotoir. Il pouvait seulement s'agenouiller sur ses tas de livres. Comment ne pas s'énerver ? Il ne pouvait s'en prendre qu'à lui-même. Ce n'était pas la faute des autres, c'était lui qui avait perdu la clef de sa porte, c'était lui qui avait mis un désordre pareil. Aucun moyen de se dégager de ce désordre, de ce gâchis. Et il ne pouvait sortir, malgré ses obligations !

Oui.

Il ne voulait plus regarder ce spectacle, plus rester dans cette chambre.

Et il avait un rendez-vous, non ?

Rendez-vous ou pas, c'est vrai, il devait sortir, mais il avait déjà une heure de retard pour son rendez-vous. On ne peut attendre une heure sans rien faire. De plus, il ne se rappelait plus très bien où était ce rendez-vous, ni même avec qui il avait été fixé.

Avec une amie sans doute, dit-elle à voix basse.

Peut-être oui, peut-être non. Il dit qu'il ne se souvient vraiment plus. Mais il devait partir, il ne pouvait plus supporter ce capharnaüm.

Il a laissé la porte ouverte, alors ?

Il n'a pu que sortir, sans fermer à clef. Une fois en bas de l'escalier, dans la rue, les passants allaient et venaient comme d'habitude, le flot des voitures s'écoulait sans fin, sans que l'on sache ce qui les pressait autant. Il est descendu et a commencé à marcher sur le trottoir. Personne ne savait qu'il avait perdu sa clef, personne ne savait que sa porte était restée ouverte, personne ne risquait d'aller chez lui et de voler ses affaires. Seuls ses amis proches pouvaient s'y rendre, mais quand ils verraient qu'il n'y avait pas la place de poser les pieds, ils s'assiéraient sur les piles de livres et l'attendraient en les feuilletant. Puis, ils se lasseraient et partiraient. Inutile de s'occuper d'eux. Pourtant, il se faisait du souci pour sa chambre, même si rien ne valait la peine d'y être volé, à part quelques livres, des vêtements ou des chaussures très ordinaires. Ses meilleures chaussures, il les portait justement sur lui. Il y avait en plus des tas de manuscrits dont il s'était lassé avant de les terminer. En réalisant cela, il a commencé à se sentir joyeux et a cessé de penser à cette foutue clef égarée et à la porte de sa chambre. Il s'est alors promené au hasard des rues. D'ordinaire, il était toujours pressé, affairé, il se démenait sans cesse pour lui-même ou pour untel ou pour telle affaire. Là, il n'agissait plus pour personne et ne s'était jamais senti aussi léger. Il a ralenti le pas, chose qu'il faisait très difficilement en temps normal, et a avancé d'abord la jambe gauche, sans se presser de lever la droite ; ce n'était pas facile à faire. Il ne savait plus marcher tranquillement, il ne savait plus se promener. En promenade, on foule le sol de toute la plante des pieds, parfaitement détendu.

Il éprouvait une sensation étrange en marchant ainsi et les passants paraissaient l'avoir remarqué ; ils avaient dû repérer qu'il avait quelque chose d'anormal. A la dérobée, il a observé les gens qui arrivaient face à lui, mais il s'est aperçu que leurs yeux perçants n'étaient tournés en fait que vers eux-mêmes. Parfois, bien sûr, ils jetaient un coup d'œil aux vitrines des magasins en se demandant si les prix étaient avantageux. Aussitôt, il a réalisé qu'il était le seul dans cette rue à regarder les autres, mais que personne ne le remarquait. Enfin, il était le seul à marcher à la manière d'un plantigrade, en foulant le sol de toute la plante de ses pieds. Les autres marchaient sur les talons, lésant par contrecoup, jour après jour, année après année, leurs nerfs encéphaliques. Leurs ennuis, leur anxiété, c'étaient eux-mêmes qui se les créaient, n'est-ce pas ?

Oui.

Plus il marchait dans cette rue animée et bruyante, plus il se sentait seul. Il chancelait comme un somnambule. Le grondement des voitures ne cessait pas, et sous les feux des lampes multicolores, serré et bousculé par une foule qui se pressait sur les trottoirs, il savait qu'il ne parviendrait jamais à ralentir le pas selon son désir. Si tu avais dominé la scène, si tu l'avais contemplé depuis la fenêtre d'un immeuble, en bordure de la rue, il t'aurait fait penser à un bouchon de liège tourbillonnant malgré lui dans un caniveau après la pluie, au milieu des feuilles mortes, des mégots de cigarettes, des papiers d'eskimos glacés, des assiettes en plastique usagées d'un magasin de restauration rapide et de toutes sortes de papiers de bonbons.

Je l'ai vu.

Qu'as-tu vu ?

Ce bouchon flottant au milieu du flot humain.

Eh bien, c'était lui.

C'était donc toi.

Ce n'était pas moi, c'était une situation donnée.

Je comprends. Continue à parler.

Parler de quoi ?

Parle de ce bouchon.

Un bouchon perdu ?

Qui l'aurait perdu ?

Il s'était perdu lui-même. Ses souvenirs lui échappaient. Il réfléchissait de toutes ses forces, tentant de se rappeler quelles relations il entretenait avec qui, pourquoi il était dans cette rue. Il la connaissait sûrement parfaitement, avec cet horrible grand magasin gris, perpétuellement en travaux d'agrandissement, comme s'il était complexé par sa taille. Seule la petite boutique de thé de style ancien, face à lui, n'avait pas encore été rénovée. Plus loin, le magasin de chaussures et, en face, une papeterie et une caisse d'épargne, dans lesquels il était déjà entré. Il lui semblait avoir eu à faire avec cette caisse d'épargne, il avait dû y déposer et y retirer de l'argent, mais c'était très longtemps auparavant. Il lui semblait avoir eu une femme dont il s'était séparé par la suite, mais il ne pensait plus à elle, il ne voulait plus y penser.

Il l'avait aimée pourtant.

Il lui semblait l'avoir aimée, c'était flou aussi. En tout cas, il pensait avoir eu des relations avec une femme.

Et pas avec une seule.

Il lui semblait, oui. Dans sa vie, il avait dû se produire quelques merveilleux événements, mais c'était tellement lointain, seules quelques vagues impressions lui restaient, comme un cliché sous-exposé qui ne laisse apparaître que les contours, quel que soit le temps qu'il a passé dans le révélateur.

Pourtant une jeune fille a bien dû l'émouvoir, lui laisser en souvenir quelques détails.

Seules ses lèvres fines, bien dessinées, rouge vif lorsqu'elles disaient non, lui revenaient en mémoire. Et quand elle disait non, son corps devait lui obéir.

Et encore ?

Elle avait voulu qu'il éteigne la lampe, elle avait dit qu'elle craignait la lumière...

Elle ne l'avait pas dit.

Elle l'avait dit.

Bon, ne nous occupons pas de savoir si elle l'avait dit, ensuite, a-t-il fini par retrouver cette clef ?

Il s'est souvenu soudain qu'il n'était pas obligé d'aller à ce rendez-vous. Là-bas, tout le monde allait bavarder de choses et d'autres, de gens qu'ils connaissaient, d'untel qui avait divorcé et d'untel qui était bien avec telle autre, de tel livre, telle pièce ou tel film qui venaient de sortir. Et plus tard, ces nouveaux livres et films, ces nouvelles pièces lui paraîtraient toujours aussi insipides. Ou bien encore, ils parleraient de tel ou tel grand ponte qui avait prononcé tel ou tel discours novateur qui se révélerait en fait avoir déjà été prononcé un nombre incalculable de fois. Toujours les mêmes rengaines. S'il y allait, c'était seulement parce qu'il ne supportait plus la solitude, mais ensuite, il devrait rentrer dans sa chambre en désordre.

La porte de sa chambre était ouverte ?

Oui, il a poussé la porte et il s'est arrêté devant les livres et les revues qui jonchaient le sol. Il a vu alors sa clef sans porte-clés qui gisait sur le bord de l'étagère, près de la fenêtre. Elle était cachée par l'enveloppe d'une lettre en attente, posée sur le socle de la lampe de bureau. Et, enjambant les tas de livres, il s'est fondu dans la chambre.

63

J'avais l'intention de me rendre sur les monts Longhu pour visiter ce paradis taoïste, mais quand le train a traversé Guixi, j'ai hésité à descendre. Le couloir du wagon étouffant était bondé et, pour gagner la sortie, il fallait se glisser entre les voyageurs. Il faudrait transpirer plusieurs minutes pour y parvenir. J'avais eu la chance de trouver une place près d'une fenêtre, au centre du wagon, et sur la tablette face à moi, une tasse de thé fort infusait. J'hésitais encore quand le train s'est ébranlé et a quitté lentement la gare.

Les secousses ont repris leur rythme régulier et sur la tablette, les couvercles des tasses se sont remis à tinter. Un vent presque frais me souffle au visage. J'ai sommeil, mais ne parviens pas à dormir. Les trains qui parcourent ce pays sont bondés, de jour comme de nuit. Dans la moindre gare, on se presse pour monter, on se presse pour descendre. Les gens se hâtent, sans que l'on sache pourquoi. Je ne peux m'empêcher de transformer le vers de Li Bai : « Voyager est plus difficile que de monter aux cieux[1]. »

1. Li Bai (701-762) a écrit un poème célèbre, *Dure est la route de Shu*, dont le deuxième vers : « Plus dure est la route de Shu, que la montée jusqu'au ciel azuré » montre à quel point il est difficile de voyager dans la province du Sichuan (l'antique pays de Shu) en raison de ses particularités géographiques. (Traduction de Tchang Fou-jouei, *Anthologie de la poésie chinoise classique*, Gallimard, 1962.)

Seuls les etrangers munis de devises et les soi-disant dirigeants qui voyagent aux frais de l'Etat dans les wagons-couchettes de première classe peuvent goûter un peu au plaisir du voyage. Moi, je dois calculer combien de temps je vais pouvoir continuer ce périple avec le peu d'argent qui me reste. Depuis longtemps, mes économies se sont volatilisées et je vis à crédit. Le généreux rédacteur d'une maison d'édition m'a fait l'avance de quelques centaines de yuans de droits d'auteur pour un livre dont je ne sais même pas s'il sera publié un jour. Je ne sais pas non plus si je l'écrirai, mais j'ai déjà dépensé la moitié de l'avance. C'est presque un cadeau en fait, car personne ne peut savoir de quoi demain sera fait. Bref, j'évite autant que faire se peut d'habiter à l'hôtel et je recherche des endroits où loger gratuitement, sinon le moins cher possible. Malgré cela, j'ai raté l'occasion d'aller à Guixi alors qu'une jeune fille m'avait proposé d'y être hébergé par sa famille.

Je l'avais rencontrée pendant que j'attendais le bateau à un embarcadère. Avec ses deux petites nattes, ses joues vermeilles, son entrain et ses yeux vifs, elle semblait conserver une curiosité intacte envers ce monde chaotique. A ma question sur sa destination, elle avait répondu qu'elle allait à Huangshi. Qu'y avait-il d'intéressant à voir dans cette ville couverte de poussière grise, à l'atmosphère totalement saturée par les noires fumées des aciéries ? Elle allait voir sa tante. Et moi, j'allais où ? Elle m'avait retourné ma question. J'avais expliqué que je n'avais pas de but précis, que j'allais ici ou là. Elle avait écarquillé tout grand ses yeux et m'avait demandé quel métier je faisais. « Spéculateur », avais-je dit. Elle avait étouffé un rire. Elle ne me croyait pas. Je l'avais questionnée à nouveau :

— Ai-je l'air d'un escroc ?

Elle avait fait non de la tête.

— Pas du tout.

— A ton avis, j'ai l'air de quoi ?

— Je ne sais pas, mais pas d'un escroc en tout cas.

— Bon, dans ce cas, je suis un vagabond.

— Les vagabonds ne sont pas forcément mauvais.

Elle avait une certaine conviction dans la voix. J'avais abondé dans son sens :

— Les vagabonds sont des gens très bien en général. Ce sont souvent les gens sérieux qui sont des escrocs.

Elle n'avait pu s'empêcher de rire comme si quelqu'un la chatouillait, c'était une fille vraiment joyeuse.

Elle m'avait dit qu'elle aussi aurait aimé voyager, mais que ses parents ne voulaient pas. Ils l'avaient seulement autorisée à se rendre chez sa tante. Ils l'avaient prévenue que, dès qu'elle serait diplômée, elle devrait aussitôt travailler, que c'étaient ses dernières vacances d'été, qu'elle devait bien en profiter. Je compatis. Elle avait poussé un soupir :

— En fait, je voudrais beaucoup aller à Pékin. Malheureusement je ne connais personne là-bas et mes parents ne veulent pas que j'y aille seule. Vous êtes Pékinois ?

— Ce n'est pas parce que je parle le pékinois que je suis de Pékin. Bien que j'y vive, j'y trouve la vie étouffante.

— Tiens, pourquoi ça ? Elle était effarée.

— Les gens sont trop nombreux, on y vit trop serré. Au moindre moment d'inattention, tu as quelqu'un qui te marche sur les talons.

Elle avait fait la moue. Je lui avais posé encore une question :

— Où habites-tu ?

— A Guixi.

— C'est là que se trouvent les monts Longhu ?

— Ce n'est en fait qu'une montagne déserte, le temple a été détruit depuis longtemps.

Je lui avais dit que je voulais justement visiter cette montagne, que plus les endroits étaient déserts, plus j'avais envie d'y aller.

— Pour pouvoir escroquer les gens ? avait-elle demandé avec espièglerie.

Je n'avais pu que lui répondre en riant :

— Je veux devenir ermite taoïste.

— Il n'y aura personne pour vous recevoir. Les moines d'autrefois sont partis ou sont morts. Vous ne pourrez y loger. Pourtant, le paysage est superbe là-bas. Ce n'est qu'à vingt lis du chef-lieu de district, on peut y aller à pied, j'y suis déjà allée me promener avec des amis. Si vous voulez vraiment vous y rendre, vous pourrez habiter chez moi, mes parents sont très accueillants.

Elle avait l'air sérieuse.

— Mais tu devais aller à Huangshi d'abord et tes parents ne me connaissent pas.

— Je rentrerai dans une dizaine de jours. N'allez-vous pas continuer à vagabonder ?

Pendant que nous bavardions, le bac avait accosté.

Par la fenêtre du train, je vois surgir de loin en loin à l'horizon des montagnes grisâtres. Les monts Longhu doivent être derrière. Ces montagnes, ce sont sans doute les Falaises des Immortelles. Un directeur de musée, rencontré dans mon périple, m'en avait montré des photos. Dans des grottes creusées à flanc de falaise, au-dessus du fleuve, on avait découvert des cercueils suspendus. C'était une nécropole de l'antique pays de Yue, datant de l'époque des Royaumes combattants. Les fouilleurs avaient retrouvé un tambour plat laqué de noir et un luth en bois à treize cordes comme l'attestaient les trous sur son manche, long de presque deux mètres. Mais, même si j'étais allé dans les monts Longhu, je n'aurais pas entendu les battements de tambours des pêcheurs, ni les accords clairs et amples du luth.

Les Falaises des Immortelles s'éloignent peu à peu jusqu'à disparaître totalement. A la descente du bateau, quand nous nous étions séparés, nous avions échangé nos nom et adresse.

Je bois une tasse de thé. J'éprouve un amer regret. Peut-être viendra-t-elle me voir un jour, mais ce n'est pas sûr. Cette rencontre fortuite m'a procuré une certaine joie. Je suis incapable de faire la cour à une jeune fille aussi candide, en fait je suis sans doute incapable d'aimer vraiment une femme. L'amour, c'est trop lourd, je veux vivre avec légèreté et gaieté, sans avoir à assumer de responsabilités. Le mariage et toutes les tracasseries et rancœurs qui s'ensuivent sont trop épuisants. Je deviens de plus en plus distant, personne ne pourra plus provoquer mon enthousiasme. Je suis déjà vieux, et il ne me reste de goût que pour quelque chose qui ressemble à de la curiosité, sans toutefois chercher à obtenir un résultat qui est parfaitement prévisible et, de toute façon, trop pesant. Je préfère errer de-ci de-là, sans laisser de trace. Dans ce monde immense, il y a tellement de gens, tellement de destinations, je n'ai aucun lieu où m'enraciner, installer un petit nid pour vivre tranquillement, rencontrer toujours les mêmes voisins, leur dire les mêmes choses, bonjour, bonsoir, et replonger dans les minuscules imbroglios de la vie quotidienne. Avant même de commencer, je suis déjà dégoûté. Je le sais, je ne peux plus donner le bonheur.

J'ai aussi rencontré une jeune nonne taoïste. De son joli visage grave d'une délicate pâleur, de son corps droit drapé d'une large robe, émanait une fraîcheur empreinte d'une grande pureté. Elle m'a installé dans une chambre d'hôte, dans une aile du temple ; le vieux parquet laissait percer sa couleur d'origine et les veines du bois. La chambre était d'une propreté parfaite et les couvertures disposées sur le lit exhalaient une odeur de linge fraîchement lavé et empesé. C'est ainsi que je me suis installé dans le temple Shangqing.

Chaque matin, elle m'apportait une cuvette d'eau chaude pour ma toilette, puis elle me faisait infuser une tasse de thé vert en bavardant avec moi. Sa voix était aussi douce que le thé frais, elle parlait et riait avec grâce et naturel. Après son diplôme du secondaire, elle s'était d'elle-même portée candidate au noviciat, mais je n'osais pas lui demander pourquoi elle avait quitté sa famille.

Dans ce monastère taoïste, une dizaine de jeunes novices, garçons ou filles, avaient été recrutés, tous d'un niveau d'éducation de deuxième cycle du secondaire au moins. Le supérieur était un homme grand, à la voix claire et au pas assuré, âgé de plus de quatre-vingts ans. Il s'était démené sans compter pendant plusieurs années pour négocier avec le gouvernement local et les organismes à différents niveaux, avait réuni plusieurs vieux ermites taoïstes perdus dans les montagnes pour parvenir à obtenir la restauration du monastère des monts Qingcheng. Tous, jeunes et vieux, parlaient avec moi en toute liberté et, comme disait la nonne : « Tout le monde vous aime ici », mais elle disait bien « tout le monde », pas « je ».

Elle m'a dit que je pouvais rester aussi longtemps que je le désirais. Elle m'a dit aussi que Zhang Daqian[1] avait vécu ici longtemps. J'avais vu une sculpture de lui représentant Laozi dans le temple dédié à l'Empereur Jaune, à Fuxi et à Shennong, bâti à côté du temple Shangqing. Par la suite, j'ai appris que Fan Changsheng des Jin et Du Tingguang des Tang avaient vécu ici en ermite et y avaient composé

1. Célèbre peintre contemporain.

leurs œuvres[1]. Je ne suis pas un ermite et je désire encore manger à la table des humains. Je ne peux pas dire que je suis resté uniquement parce que j'aimais le naturel et la gravité de cette femme, je dirai simplement que j'aimais la paix de ce monastère.

Quand je sortais de ma chambre, j'entrais dans la grande salle au style ancien meublée de tables en bois de *nanmu*[2], de fauteuils à accoudoirs et de tables à thé. Sur les murs pendaient des calligraphies, et les inscriptions horizontales au sommet des colonnes étaient en fait d'anciennes gravures qui avaient été conservées. Elle m'avait précisé que je pourrais lire et écrire ici, et lorsque je serais fatigué, je pourrais aller me promener dans la petite cour carrée derrière le temple. Là poussaient de vieux cyprès parmi les herbes vert foncé et, sur les rocailles de l'étang, courait une mousse vert pâle. Le matin et le soir, à travers les treillages sculptés des fenêtres, j'entendais les rires et les bavardages des nonnes. Ici, ce n'était pas le climat étouffant de rigueur et d'interdit des monastères bouddhistes, il régnait plutôt une atmosphère de sérénité et une odeur d'encens.

J'aimais aussi le calme et la solennité de la cour intérieure du temple à l'heure du crépuscule, quand les derniers promeneurs s'étaient dispersés. J'allais m'asseoir seul sur le seuil en pierre, au milieu de la grande porte du temple, pour contempler la mosaïque d'un grand coq en porcelaine étendue sous mes yeux. Dans la salle de cérémonies, des sentences parallèles décoraient les quatre piliers centraux. Celles de l'extérieur disaient :

« De la Voie naquit un, d'un deux, et de deux trois, trois engendrant dix mille », « L'Homme suit les voies de

---

1. Poètes taoïstes célèbres de l'antiquité.

2. Le *Machilus nanmu* est un arbre dont le bois est utilisé en menuiserie et en charpente.

la Terre, la Terre suit les voies du Ciel, le Ciel suit les voies de la Voie, et la Voie suit ses propres voies[1]. »

C'était exactement la phrase qu'avait prononcée le vieux botaniste quand j'étais dans la forêt vierge.

Celles de l'intérieur disaient :

« Regardant sans voir, écoutant sans entendre, vide et sérénité tu atteindras. Là sont les trois cieux : ciel de jade, ciel suprême et ciel extrême.

« Saisissant le début, trouvant la clef, tout est clair et trois lois découvriras : loi céleste, loi terrestre, loi humaine. »

Le vieux supérieur m'a expliqué le sens de ces phrases :

— Le Dao, c'est l'origine des dix mille êtres, c'est aussi la loi qui régit les dix mille êtres. Le subjectif et l'objectif se respectent mutuellement et se fondent en un. L'origine, c'est l'être dans le non-être et le non-être dans l'être, si les deux s'unissent, c'est l'*a priori*, c'est-à-dire que le ciel et l'homme s'unissent, et le point de vue de l'homme et du cosmos atteignent l'unification. Les taoïstes ont la pureté comme principe fondamental, le non-agir comme substance, la nature comme usage, la longévité comme vérité, mais la longévité nécessite l'absence de moi. Voilà quels sont en gros les principes du taoïsme.

Pendant qu'il me parlait, garçons et filles ont fait cercle autour de nous. Une jeune nonne a même posé son bras sur l'épaule d'un garçon, l'esprit concentré, pleine d'innocence. J'ignore si je serais capable d'atteindre cet état d'effacement du moi, de paix et d'absence de désir.

Un soir, après le repas, jeunes et vieux, garçons et filles, se sont réunis dans la cour du temple pour concourir à faire résonner, en soufflant à l'intérieur, une grenouille en céramique plus grosse qu'un chien. Certains y parvenaient,

1. Traduction du *Daodejing* par François Houang et Pierre Leyris. Voir Laotzeu, *La Voie et sa vertu*, éditions du Seuil, 1979.

d'autres non. L'atmosphère fut animée pendant un bon moment, puis ils se dispersèrent pour leurs obligations du soir. Je demeurai seul, assis sur le seuil de la porte, fixant le toit du temple dépourvu de toute décoration massive et effrayante de dragons, serpents, tortues ou poissons.

Les toits recourbés aux lignes pures se détachaient sur le ciel. Derrière, les arbres s'élançaient dans la forêt, se balançant silencieusement dans le vent du soir. En un instant, un silence total s'était installé. Pourtant, on avait la sensation d'entendre encore un sifflement clair venu d'on ne sait où. Il se prolongeait tranquillement, puis disparaissait doucement. Le murmure du ruisseau qui passait sous le pont de pierre, à la porte du temple, et le murmure du vent du soir semblèrent alors, l'espace d'un instant, s'écouler de mon propre cœur.

64

Quand elle revient les cheveux coupés, cette fois tu t'en aperçois.

— Pourquoi t'es-tu coupé les cheveux ?

— Je romps avec le passé.

— Tu as réussi ?

— De toute façon, il le faut. Je fais comme si j'avais rompu.

Tu ris.

— Qu'est-ce qui te fait rire ? Puis elle ajoute d une voix douce : Je regrette un peu, tu te rappelles mes beaux cheveux ?

— C'est très bien ainsi. Tu es plus libre. Tu n'as plus a souffler pour écarter ta frange. C'était embêtant.

C'est elle qui rit cette fois.

— Cesse de me parler de mes cheveux, parlons d'autre chose, d'accord ?

— De quoi ?

— De tes clefs. Tu ne les as pas perdues ?

— Je les ai retrouvées. J'aurais pu aussi bien dire qu'elles étaient perdues, qu'il était inutile de les chercher.

— Quand on a rompu, on a rompu.

— Tu parles de tes cheveux ? Moi, de mes clefs.

— Je parle de mes souvenirs. Toi et moi, nous sommes de la même espèce.

Elle pince les lèvres.

— Mais il manque toujours un petit rien pour se retrouver.

— Qu'appelles-tu un petit rien ?

— Je n'ose pas dire que ça vient de toi, mais j'affirme que nous nous croisons toujours.

— Mais je suis bien venue cette fois, non ?

— Tu vas peut-être repartir aussitôt.

— Et peut-être vais-je rester.

— Alors c'est très bien, bien sûr.

Pourtant, tu te sens embarrassé.

— Toi, tu ne sais qu'en parler, sans le faire.

— Faire quoi ?

— L'amour, pardi ! Je sais de quoi tu as besoin.

— D'amour ?

— D'une femme. Tu as besoin d'une femme, dit-elle avec franchise.

— Eh bien, et toi ? Tu la fixes dans les yeux.

— C'est pareil, j'ai besoin d'un homme.

Dans son regard passe une lueur de défi.

— Un seul, j'ai peur que ça ne te suffise pas.

Tu hésites un peu.

— Eh bien, disons que j'ai besoin des hommes.

Elle est encore plus directe que toi.

— C'est plus juste ainsi.

Tu es soulagé.

— Quand un homme et une femme sont ensemble…

— Le monde n'existe plus…

— … Seul le désir demeure.

Elle prolonge ta phrase.

— Je suis d'accord avec toi. C'est une parole qui vient

du fond du cœur. Eh bien, à présent, un homme et une femme sont ensemble...

— Alors, viens, dit-elle. Tire le store.

— Tu préfères l'obscurité ?

— On peut s'oublier.

— N'as-tu pas tout oublié déjà ? Tu as encore peur de toi-même ?

— Tu me dégoûtes, toi. Tu penses, mais tu n'oses pas le faire. Laisse-moi t'aider.

Elle se met devant toi et te caresse les cheveux. Tu enfouis la tête dans sa poitrine et murmure :

— Je vais baisser le store.

— Pas la peine.

Elle se secoue, baisse la tête et ouvre la fermeture à glissière de son jean. Tu vois un tourbillon dans la chair blanche et fine serrée par la bordure du slip. Tu y colles ton visage et embrasse son tendre pubis. Elle presse ta main :

— Ne sois pas si impatient.

— Tu te débrouilles toute seule ?

— Oui, n'est-ce pas plus excitant ?

Elle retire sa blouse par-dessus sa tête, qu'elle agite par habitude puisque ce n'est plus nécessaire avec ses cheveux courts. Elle se tient debout devant toi, au milieu de ses vêtements épars, nue, sa touffe de duvet, aussi noire que ses cheveux, qui brille d'un vif éclat. Il ne lui reste que son soutien-gorge bien plein. Elle tend les deux mains dans son dos et s'adresse à toi sur un ton de reproche en fronçant le sourcil :

— Même ça, tu ne sais pas le faire ?

Troublé, tu n'as pas compris sur le coup.

— Sois un peu prévenant !

Tu te lèves aussitôt, passes derrière elle et dégrafes son soutien-gorge.

— C'est bien. A toi, maintenant.

Elle pousse un soupir de soulagement et vient s'asseoir dans le fauteuil face à toi, sans cesser de te fixer, un vague sourire aux lèvres.

— Diablesse !

Tu repousses avec colère les vêtements que tu viens de quitter.

— Non, déesse, rectifie-t-elle.

Entièrement nue, elle a l'air tellement imposante, immobile, attendant que tu t'approches. Enfin, elle ferme les yeux et te laisse embrasser tout son corps. Tu veux murmurer quelque chose.

— Non, ne dis rien.

Elle te serre très fort et, sans un bruit, tu te fonds en elle.

Une demi-heure ou peut-être une heure plus tard, elle se lève du lit et demande :

— Tu as du café ?

— Sur l'étagère.

Elle remplit une grande tasse dans laquelle elle remue une cuillère, s'assied sur le bord du lit et avale une gorgée en t'observant.

— N'est-ce pas délicieux ? dit-elle.

Tu n'as rien à dire. Elle boit en se délectant, comme si rien ne s'était passé.

— Quelle femme étrange tu fais. Tu contemples le halo de ses seins épanouis.

— Je n'ai rien d'étrange, tout cela est très naturel. Tu as besoin de l'amour d'une femme.

— Ne me parle pas de femme et d'amour. Tu es comme ça avec tout le monde ?

— Il suffit que j'aime quelqu'un et que j'en aie envie.

Son ton neutre t'a mis en fureur. Tu as envie de la blesser, mais tu dis simplement :

— Quelle putain !

— Ce n'est pas ça que tu veux ? C'est plus difficile pour toi que pour une femme. Si elle s'en fiche, pourquoi hésiterait-elle à jouir de la situation ? Qu'as-tu encore à dire ?

Elle pose sa tasse, tourne vers toi ses grosses pointes de sein brunes et dit sur un ton compatissant :

— Mon pauvre grand enfant, tu n'as pas envie de recommencer ?

— Pourquoi pas ?

Tu t'avances vers elle.

— Tu dois être satisfait de toute façon, dit-elle.

Tu veux acquiescer de la tête au lieu de répondre, mais tu ressens une agréable envie de dormir.

— Que vas-tu me dire ? Elle t'implore à l'oreille.

— Dire quoi ?

— N'importe quoi.

— Parler des clefs ?

— Si tu as encore de quoi parler.

— On peut dire de ces clefs...

— Je t'écoute.

— Elles sont perdues, voilà.

— Ça, tu l'as déjà dit.

— Finalement, il est sorti dans la rue...

— Dans la rue, c'était comment ?

— La rue était pleine de gens pressés.

— Continue !

— Il est un peu surpris.

— De quoi ?

— Il ne comprend pas pourquoi les gens sont si occupés.

— Ils aiment avoir l'air occupé.

— Est-ce une obligation ?

— S'ils ne s'occupaient pas, ils ne pourraient s'empêcher d'être un peu inquiets.

— C'est vrai. Ils ont tous sur le visage une expression étrange, comme s'ils avaient des soucis.

— Beaucoup de gravité aussi.

— Ils entrent gravement dans les magasins, en sortent gravement, prennent gravement une paire de pantoufles, sortent gravement un peu de monnaie, achètent gravement un bâtonnet de glace...

— Qu'ils sucent gravement...

— Ne parle pas de glace.

— C'est toi qui as commencé.

— Ne m'interromps pas, où en étais-je ?

— Ils sortent de la monnaie, devant un petit étalage chicanent sur les prix, gravement, que font-ils encore gravement ? Qu'y a-t-il de grave encore ?

— Ils pissent face à l'urinoir.

— Et ensuite ?

— Les magasins ont tous fermé.

— Les gens rentrent en hâte chez eux.

— Mais lui, il n'est pas pressé d'aller quelque part, il semble avoir un lieu où rentrer, ce que l'on appelle communément un foyer. Pour obtenir ce logement, il a dû se battre avec les responsables des logements.

— De toute façon, il a cette chambre.

— Mais il ne retrouve plus ses clefs.

— La porte n'est-elle pas restée ouverte ?

— La question est de savoir s'il doit absolument rentrer.

— Ne peut-il pas passer la nuit où il veut ?

— Comme un clochard ? Comme un courant d'air qui flotterait à sa guise dans la nuit de cette ville ?

— Il sauterait dans un train au hasard et irait là où irait le train !

— Il n'avait jamais pensé qu'il irait là où le guiderait son bon plaisir, toujours plus loin.

— Cherche une femme, n'importe laquelle et aime-la avec fougue !

— Désespérément, jusqu'à épuisement.

— Jusqu'à la mort, cela vaudra la peine.

— C'est ça, le vent du soir arrive de partout, il est debout sur une place vide, il entend un son, triste et désolé, il ne parvient pas à distinguer si c'est le bruit du vent ou bien le bruit de son cœur, soudain il a l'impression d'avoir perdu toute responsabilité, il se sent délivré, il est enfin libre, cette liberté ne vient que de lui-même, il peut tout reprendre depuis le commencement, comme un nouveau-né tout nu qui est tombé dans sa baignoire, il s'appuie sur ses jambes et pleure naturellement, pour que le monde entende sa propre voix, il veut pleurer tout son saoul, mais il s'aperçoit qu'il n'a plus qu'un corps et il n'arrive plus à crier, il contemple alors son propre corps qui ne sait où aller, debout au milieu d'une place vide, il doit faire un signe, lui frapper l'épaule, lui dire une plaisanterie, mais il sait qu'à ce moment, il suffirait qu'on le heurte pour qu'il meure de frayeur,

— Comme un somnambule, son âme l'a quitté.

— Il comprend enfin que sa souffrance vient de son corps.

— As-tu l'intention de le réveiller ?

— Tu crains qu'il ne le supporte pas. Quand tu étais petit, tu as entendu dire que si l'on versait de l'eau froide sur la tête d'un somnambule, il risquait de mourir, tu hésites à avancer la main, tu gardes la main levée, tu hésites encore, mais tu n'oses lui effleurer l'épaule.

— Pourquoi ne le réveilles-tu pas doucement ?

— Tu es derrière lui, tu suis son corps, on dirait qu'il veut encore aller quelque part.

— Rentre-t-il chez lui ? Dans sa chambre ?

— Tu n'en es pas sûr, tu te contentes de le suivre, tu traverses une avenue, entres dans une ruelle, puis en ressors, puis arrives encore sur une avenue, entres dans une autre ruelle, en ressors.

— Il est revenu dans la même avenue !

— Il va bientôt faire jour.

— Eh bien, encore une fois.

65

Depuis longtemps je suis fatigué des luttes insensées qui déchirent ce bas monde. A chaque discussion, chaque polémique, chaque débat, je me retrouve en pleine ligne de mire, je suis jugé, sermonné, condamné. Dans l'attente du verdict, j'espère en vain que quelque bon génie capable d'inverser le cours des choses interviendra dans un élan de générosité pour me sortir de ce mauvais pas. Mais quand il finit par se montrer, il tourne sa veste ou détourne carrément le regard.

Les gens adorent se prendre pour mon maître, mon dirigeant, mon juge, mon médecin, mon conseiller, mon arbitre, mon aîné, mon confesseur, mon critique attitré, mon directeur de conscience, mon chef, jamais ils ne se soucient de savoir si j'ai réellement besoin d'eux, ils veulent tous être mon sauveur, mon homme de main (ceux qui me donnent des coups, pas ceux qui se battent pour moi), mes nouveaux père et mère puisque ceux-ci sont morts, ou même, ils veulent carrément se substituer à ma patrie alors que je ne sais même pas ce que c'est, ni même si j'en ai une. En revanche, mes amis, mes défenseurs, tous ceux qui prennent mon parti se trouvent dans la même situation que moi ; voilà mon destin.

D'ailleurs, je ne peux pas non plus jouer le rôle du héros tragique qui a échoué dans sa résistance au destin, quoique je garde un grand respect pour ceux qui n'ont jamais eu peur de la défaite, comme Xingtian, le héros de légende, qui a ramassé sa tête coupée et continué à se battre. Et pourtant, je ne pourrais que les regarder de loin et leur adresser mes condoléances silencieuses.

Je suis également incapable de vivre en ermite. Je ne sais pourquoi j'ai quitté précipitamment le temple Shangqing ; était-ce parce que je ne supportais plus ce « non-agir » dans la sérénité ? Etait-ce parce que je n'avais pas la patience de lire les planches gravées des milliers de volumes du *Canon taoïste* dans une édition Ming qui, heureusement, n'avait pas été brûlée grâce à l'intervention de quelques vieux moines ? Etait-ce parce que j'avais la paresse de me renseigner sur la vie de ces vieillards qui avaient connu mille difficultés ? Avais-je peur aussi de sonder les secrets intérieurs de ces jeunes nonnes ? Etait-ce pour ne pas ruiner complètement mes propres dispositions mentales ? Finalement, je ne suis qu'un simple esthète.

Sur la route du Tibet, à plus de quatre mille mètres d'altitude, je me suis réchauffé auprès d'une équipe de cantonniers. Ils vivaient dans une maison en pierre, à l'intérieur complètement noirci par la fumée. Alentour, ce n'étaient que de hautes montagnes blanches couvertes de neige et de glace. Sur la route est arrivé un car dont est descendu un groupe très animé, certains portant un sac à dos, d'autres de petits marteaux de fer, d'autres des classeurs remplis de spécimens : des étudiants en stage d'enquête. Ils ont passé la tête par la fenêtre de la pièce noire et enfumée, mais seule est entrée une jeune fille portant un petit parapluie rouge. Dehors, des flocons de neige flottaient.

Croyant sans doute que j'étais un cantonnier, elle m'a demandé de l'eau. J'ai puisé pour elle une louche dans la marmite noire de suie suspendue au-dessus du foyer. Elle a poussé un cri. Elle s'était brûlé la bouche en buvant. Je me suis excusé. S'approchant des flammes, elle m'a demandé :

— Vous n'êtes pas d'ici, vous ?

Son visage serré dans son fichu était rougi par le froid. Depuis que j'étais dans ces montagnes, je n'avais encore jamais vu une jeune fille d'une beauté aussi resplendissante. J'ai voulu la taquiner un peu :

— Vous croyez que les montagnards sont incapables de s'excuser ?

Elle est devenue encore plus rouge.

— Vous êtes aussi en stage ? a-t-elle demandé.

J'étais gêné de lui dire que j'aurais pu être son professeur.

— Je suis venu faire des photos

— Vous êtes photographe ?

— Si vous voulez.

— Nous, nous venons récolter des échantillons. Ici, le paysage est vraiment magnifique ! s'est-elle exclamée.

— C'est bien vrai.

En fin de compte, je suis vraiment un esthète. Impossible de ne pas être ému à la vue d'une jeune fille aussi belle.

— Est-ce que je peux vous prendre en photo ?

— Avec mon parapluie ouvert ? a-t-elle aussitôt répliqué en faisant tourner son petit parapluie rouge.

— Mais ma pellicule est en noir et blanc.

Je ne lui ai pas expliqué qu'en fait j'avais de la pellicule de professionnel.

— Ça ne fait rien, les vrais photographes d'art utilisent toujours de la pellicule noir et blanc

Elle avait l'air de s'y connaître.

Elle est sortie avec moi. Des petits flocons de neige voltigeaient dans les airs. Elle se protégeait du vent avec son parapluie rouge vif.

Bien qu'on fût déjà au mois de mai, la neige de ce versant n'avait pas encore complètement fondu. Dans les plaques qui persistaient, poussaient partout les petites fleurs pourpres de la fritillaire, et parfois, des touffes d'orpins rouges ; sous les rochers dénudés, des plants d'armoise étalaient leurs tiges vertes duveteuses où s'épanouissaient de vigoureuses fleurs jaunes.

— Mettez-vous là, ai-je ordonné.

A l'arrière-plan, les montagnes enneigées qui avaient étincelé au matin n'étaient plus que des silhouettes dans la grisaille formée par les fins flocons

— C'est bien, comme ça ?

Elle penchait la tête, prenait des pauses. Le vent redoublait de violence et l'empêchait de tenir droit son parapluie.

Elle était encore mieux ainsi, à essayer de résister au vent.

Devant nous coulait un ruisselet pris par la glace. Sur le bord, d'énormes boutons d'or s'épanouissaient dans une extraordinaire luxuriance.

J'ai crié en désignant le ruisseau :

— Allons là-bas !

Elle courait en disputant au vent son parapluie. J'ai zoomé. Au contact de sa respiration, les flocons se transformaient en buée. Sur son foulard et ses cheveux, scintillaient des gouttes d'eau. Je lui ai fait signe.

— C'est fini ? a-t-elle crié dans le vent.

De fines perles d'eau brillaient sur ses sourcils. Là, elle était parfaite. Malheureusement ma pellicule était finie.

— Pourrez-vous m'envoyer ces photos ? a-t-elle demandé pleine d'espoir.

— Oui, si vous me laissez votre adresse.

Elle s'est engouffrée dans le car et m'a tendu par la fenêtre une page déchirée de son carnet sur laquelle elle avait noté son nom et le numéro de sa rue à Chengdu. Elle m'a crié que je serais le bienvenu et salué de la main.

Plus tard, de passage à Chengdu, je suis allé dans cette rue. Je me souvenais du numéro, mais je ne me suis pas arrêté. Et je ne lui ai jamais envoyé ses photos. Quand j'eus fait développer toutes mes pellicules, je n'ai fait tirer que très peu de clichés, seulement ceux qui pouvaient avoir une certaine utilité pour moi. Je ne sais si un jour je les ferai agrandir et j'ignore si cette jeune fille serait toujours aussi troublante sur le papier.

Sur le Huanggang, pic principal des monts Wuyi, j'ai photographié, à la limite des pâturages, un superbe mélèze isolé dans une forêt de conifères. A mi-hauteur, le tronc se divisait en deux branches presque horizontales, tel un faucon géant qui écarte les ailes pour prendre son envol. Au milieu des ailes, une branche faisait penser à une tête d'oiseau penchée, le regard fixé vers le bas.

La nature est étrange. Elle peut aussi bien générer beauté que laideur. Au sud de la zone de protection de la nature de ces mêmes monts Wuyi, j'ai vu un torreya de Chine immense et décrépit, totalement creux, dans lequel pouvaient nicher les serpents pythons. Du tronc d'un noir métallique s'élançaient en biais quelques branches sur lesquelles tremblaient de petites feuilles vert foncé. Au coucher du soleil, quand le vallon était enveloppé dans l'ombre du soir, il se dressait au milieu de la vague de bambous vert tendre encore éclairée. Ses rameaux cassés, noirs et pourris, se déployaient en tous sens comme des démons néfastes. Cette photo, je l'ai développée et, chaque fois que je la vois, elle me plonge dans la plus grande tristesse, je ne peux pas la regarder longtemps. J'ai réalisé qu'elle remuait en moi les aspects les plus sombres de mon âme, ceux qui m'effrayent moi-même. Et, de toute façon, que ce soit devant la beauté ou la laideur, je ne peux que reculer.

Dans les monts Wudang, j'ai vu sans doute le dernier vieux maître taoïste de la secte du Un Véritable, une sorte de réincarnation de la laideur. Je m'étais renseigné à son sujet au lieu-dit le Vieux Camp. Au-delà d'un mur protégeant des stèles dédiées à un empereur Ming et détruites par les guerres, vivait dans une masure délabrée une vieille nonne taoïste. Je l'ai questionnée sur la période faste où le temple était encore riche et nous en sommes venus à parler de la doctrine taoïste. Elle m'a appris qu'il ne restait qu'un seul vieux maître de la secte du Un Véritable, il avait plus de quatre-vingts ans et ne descendait jamais des montagnes. Toute l'année, il demeurait au temple au Toit d'or et personne ne pouvait le faire bouger.

Dès le petit matin, je suis parti par le premier train pour Nanya et je suis monté par un chemin à flanc de montagne vers le Toit d'or, où je suis arrivé à midi passé. Au sommet, le temps était couvert et froid, il n'y avait aucun promeneur. J'ai circulé dans un labyrinthe de couloirs déserts. Les issues étaient fermées, seule une lourde porte cloutée était entrebâillée. J'ai dû utiliser toutes mes forces pour la pousser. Près d'un brasero, un vieillard aux cheveux et à la barbe hirsutes s'est levé. Très grand et fort, le visage noir, un air terrible, il m'a interrogé brutalement :

— Qu'est-ce que vous faites ici ?

— Pardonnez-moi, êtes-vous le maître des lieux ? ai-je demandé le plus poliment possible.

— Ici, il n'y a pas de maître !

— Je sais que ce monastère n'a pas encore repris ses activités, mais seriez-vous l'ancien moine supérieur de ces lieux ?

— Ici, il n'y a pas de moine supérieur !

— Dans ce cas, pardonnez-moi, êtes-vous un moine taoïste ?

— Qu'est-ce que ça peut faire, si je suis moine ?

Il fronçait ses sourcils poivre et sel en broussaille.

— Pardonnez-moi, vous êtes de la secte du Un Véritable, n'est-ce pas ? J'ai entendu dire qu'il n'y avait qu'ici, dans ce temple, qu'il restait un…

— Je me fiche des sectes !

Sans attendre que j'aie fini, il m'a mis dehors en repoussant la porte.

— Je suis journaliste, me suis-je hâté d'expliquer. A présent, le gouvernement a dit qu'il fallait appliquer une nouvelle politique envers les affaires religieuses, est-ce que je peux vous aider à faire connaître votre situation ?

— Je me fiche des journalistes !

Et il a claqué la porte.

J'ai réalisé ensuite que près du foyer étaient assises aussi une vieille femme et une jeune fille, peut-être sa famille. Je savais que les moines taoïstes de la secte du Un Véritable pouvaient prendre femme, élever des enfants et même pratiquer l'art de la chambre à coucher. Je ne pouvais m'empêcher de le soupçonner méchamment. Avec ses deux grands yeux écarquillés sous ses épais sourcils en bataille, sa voix rude et sonore, il devait être féru des arts de combat. Rien d'étonnant si personne n'avait osé entrer en contact avec lui depuis longtemps. Je n'obtiendrais sans doute rien de plus en frappant une nouvelle fois à sa porte. Par un étroit sentier protégé par une chaîne, longeant la falaise, je suis monté plus haut que le temple au Toit d'or construit entièrement en cuivre jaune.

Mélangé à la pluie fine, le vent mugissait. Quand je suis redescendu, une femme d'âge mûr, aux mains larges et aux grands pieds, se prosternait mains jointes, face au temple fermé. Elle était habillée comme une paysanne, mais son attitude trahissait sa nature de femme habituée à vagabonder. Je me suis écarté et j'ai fait semblant d'admirer le paysage, appuyé à la balustrade en fer fixée entre les colonnes. Le vent hurlant courbait les petits pins accrochés dans les interstices des rochers. Des nuages effleuraient le sentier, découvrant par endroits la mer de forêt sombre qui s'étendait dans la vallée.

Je me suis retourné pour jeter un coup d'œil. Elle se tenait debout derrière moi, jambes écartées, les yeux clos, sans la moindre expression. Ces gens avaient leur propre monde, un monde qui m'était fermé, dans lequel jamais je ne pourrais pénétrer. Ils avaient leur propre mode d'existence et de défense, à l'écart de la société. Moi, je ne pouvais que retourner vivre tant bien que mal dans ce que les gens considèrent comme la vie normale, je n'avais pas d'autre issue, là sans doute était mon drame.

Je suis redescendu par le sentier jusqu'à un replat où un restaurant était resté ouvert. Aucun client à l'intérieur, seuls quelques serveurs en blouse blanche étaient en train de manger. Je ne suis pas entré.

A flanc de montagne, une grosse cloche de bronze de la taille d'un homme était renversée sur le sol. Je la frappai de la main, mais aucun son n'en sortit. Il devait y avoir un temple ici, mais à présent, à perte de vue, ce n'étaient que des herbes folles courbées par le vent. J'ai dévalé la pente jusqu'à ce que j'aperçoive un sentier empierré très escarpé qui menait au pied de la montagne.

Impossible de ralentir le pas. Entraîné par mon élan, je suis arrivé en une dizaine de minutes dans un vallon profond et calme. Les arbres dressés de chaque côté des marches de pierre cachaient le ciel. Le bruit du vent s'estompait et je sentais à peine sur mon visage la bruine qui venait sans doute des nuages accrochés au sommet des montagnes. La forêt était de plus en plus épaisse. Je ne savais si c'était celle que j'apercevais dans la brume depuis le temple au Toit d'or, je ne me souvenais pas non plus avoir emprunté ce chemin à la montée. Quand j'ai vu, en me retournant, les degrés de pierre innombrables, je n'ai pas eu le courage de gravir à nouveau ces marches pour retrouver mon chemin. Autant continuer à descendre.

Les dalles de pierre étaient de plus en plus abîmées, rien à voir avec le sentier de l'aller, mieux entretenu. Réalisant que j'étais passé sur l'envers de la montagne, je me suis laissé descendre au rythme de mes pas. Lorsque son heure est venue, sans doute l'homme laisse-t-il ainsi son âme descendre vers les enfers sans retenir sa course

Au début, j'étais encore hésitant, je me retournais par moments, mais ensuite, fasciné par le spectacle des enfers, j'ai cessé de réfléchir. De chaque côté du sentier, les sommets arrondis des piliers de pierre avaient l'air de têtes chauves. Les profondeurs du vallon semblaient plus humides encore, les piliers penchaient en tous sens, les rochers rongés par l'érosion ressemblaient à des têtes de mort posées sur les deux rangées de piliers. J'ai eu peur que le vieux moine taoïste, à cause de l'impureté de mon cœur, ne m'ait jeté un sort pour m'égarer. La frayeur est montée en moi subitement, une frayeur panique déréglant mes sens.

Le brouillard en volutes m'a pris dans ses rets, la forêt s'obscurcissait. A présent, les marches et les piliers de pierre humides ressemblaient à des cadavres. J'avançais au milieu d'ossements blanchâtres. Mes pieds n'obéissaient plus à mon cerveau et m'entraînaient irrésistiblement vers les abîmes de la mort. La sueur coulait le long de mon dos.

Je devais absolument me contrôler et quitter en toute hâte cette montagne Sans m'occuper des buissons couvrant le sous-bois, je profitai d'un tournant du sentier afin de m'y précipiter et m'agripper à un tronc d'arbre pour freiner ma course. Mes mains et mon visage brûlaient, il me semblait que le sang coulait sur mes joues. Levant la tête, j'ai vu sur une branche un œil tout rond qui me fixait. Je regardai autour de moi, partout les branches ouvraient de grands yeux et m'observaient froidement.

Je devais me calmer, ce n'était après tout qu'une forêt d'arbres à laque. Les montagnards qui avaient récolté le laque avaient laissé des entailles sur les troncs des arbres. Ils poussaient dans cet état, créant ce paysage infernal. Je pourrais dire aussi qu'il ne s'agissait que d'une illusion due à ma peur intérieure ; mon âme noire m'épiait, ces yeux multiples, c'était en fait moi-même qui m'observais. J'ai toujours eu l'impression d'être continuellement espionné, ce qui a sans cesse gêné mes mouvements. En réalité, il s'agit seulement de la peur que j'ai de moi-même.

Je suis retourné sur le sentier. La bruine a repris. Les marches de pierre étaient détrempées. Je n'ai plus rien regardé et je suis descendu à l'aveuglette.

66

Une fois passée la première peur de la mort, une fois dissipée ton angoisse et calmée ton agitation, tu restes dans une espèce d'hébétude. Perdu dans la forêt vierge, tu erres sous des arbres morts, dénudés, prêts à tomber. Tu tournes longtemps autour de ce trident étrange qui semble te désigner le ciel sombre, n'osant pas t'éloigner de cet unique point de repère, dernier signal dont tu te souviens.

Mais tu ne veux pas rester échoué sur ce trident comme un poisson hors de l'eau ; mieux vaut abandonner les dernières attaches qui te relient au monde plutôt que t'acharner à rassembler tes souvenirs. Tu peux te perdre davantage, mais tu veux conserver une dernière chance de survie. C'est parfaitement compréhensible.

A l'orée de la forêt, tu arrives au bord d'un ravin et tu te trouves devant un nouveau dilemme : soit retourner sur tes pas dans la forêt profonde, soit plonger dans le ravin. Sur l'ubac de la montagne, s'étale un pâturage parsemé de taches foncées, dessinées par l'ombre des arbres. Çà et là se détachent des rochers dénudés sombres et escarpés. Tu ne sais pourquoi tu te sens attiré par le filet d'eau qui jaillit au fond du ravin, mais tu ne réfléchis plus et dévales la pente à grandes enjambées d'abord, puis en courant.

Tu es en train d'abandonner ce monde rempli de tracasseries. Même s'il garde encore un peu de chaleur, tes souvenirs lointains t'entravent toujours. Tu pousses un hurlement instinctif et tu t'élances vers le fleuve infernal de l'Oubli. Tu hurles, tu cours, un rugissement de joie bestiale jaillit de tes poumons. En venant au monde, tu as poussé un grand cri, sans aucune entrave, mais plus tard tu as été jugulé par toutes sortes de règles, de rites et de principes d'éducation. Tu as enfin le bonheur de crier librement. Curieusement, tu n'entends pas ta voix. Les bras écartés, hurlant, haletant, ahanant, tu cours, sans percevoir aucun son.

Tu distingues toujours la source impétueuse sans savoir d'où elle vient ni où elle va. Tu as l'impression de flotter dans l'air, de te fondre dans le brouillard, tu ne pèses plus rien, tu éprouves un détachement comme tu n'en as jamais connu. Pourtant, au fond de toi, persiste une peur diffuse, sans cause apparente, peut-être de la tristesse.

Tu as l'impression de planer, de te fendre en deux, de perdre forme humaine pour te fondre dans le paysage ; parfaitement serein, flottant au milieu du profond ravin, tu écartes sans cesse de ton chemin les branches qui se referment derrière toi. Dévaler tout droit la montagne est épuisant. Tu as besoin de te calmer.

Harassé, tu t'arrêtes pour reprendre ton souffle. Tu entends le murmure de la rivière. Tu en es proche, car tu entends couler son eau claire. Des gouttes en jaillissent, scintillantes comme du mercure. La rivière se tait ; tu ne perçois plus que le crissement des innombrables petits cailloux qu'elle remue. Jamais tu n'as entendu aussi distinctement le son d'un cours d'eau. Plus tu l'écoutes, plus tu devines ses reflets qui luisent dans l'ombre.

Tu as l'impression d'avancer sur l'eau, car tu foules déjà des herbes aquatiques. Tu t'enfonces au milieu de la rivière de l'Oubli ; tels les soucis de la vie quotidienne, les herbes t'enlacent. Ton désespoir t'abandonne alors totalement et tu avances à tâtons sur le bord de l'eau. Tu foules les galets que tu enserres de tes doigts de pied. C'est comme si tu marchais en rêve au milieu du fleuve noir des enfers ; une lumière bleu sombre brille là où jaillissent les gouttes d'eau. Tu es surpris, mais ta surprise cache une joie diffuse.

Ensuite, une lourde respiration parvient à tes oreilles. Tu crois que ce bruit vient de la rivière, mais peu à peu, tu distingues des femmes qui se noient. Elles pleurent, gémissent, passent une à une près de toi, les cheveux défaits, le visage cireux et blême. Dans les trous, entre les racines des arbres noyées dans les eaux, résonnent les coups lugubres des vagues. Le corps d'une jeune fille suicidée descend le courant, cheveux épars. La rivière coule au milieu de la forêt d'un noir d'encre qui forme un écran impénétrable devant le ciel et le soleil ; les femmes noyées te frôlent en soupirant, tu ne penses pas du tout à leur venir en aide, tu ne veux même pas te sauver toi-même.

Tu voyages au Royaume des Morts, ta vie n'est plus entre tes mains, tu continues à respirer uniquement à cause d'un moment de frayeur, ta vie est suspendue entre l'avant et l'après de cette frayeur. Si tu glissais, si les cailloux que tu agrippes de tes doigts de pied roulaient, si ton pas ne pesait pas sur le fond de l'eau, tu sombrerais dans la rivière infernale, comme ces cadavres soupirant qui filent au gré du courant. Il n'y a pas davantage de sens, n'y prête pas attention, avance et c'est tout. Seuls demeurent le filet tranquille de la rivière, l'eau noire comme la mort, les feuilles des branches qui frôlent la surface de l'eau, le courant qui s'écoule en longues draperies comme des peaux de loups morts, au milieu de la rivière de l'Oubli.

Tu n'es guère différent du loup, tu as causé assez de fléaux, tu seras mis à mort par les autres loups, sans raison. Dans la rivière de l'Oubli, tout le monde est à égalité, la fin des hommes et des loups, c'est toujours la mort.

Cette découverte provoque en toi une certaine joie, une joie qui te donne envie de crier, mais ta gorge n'émet aucun son, le seul bruit que tu entendes, ce sont les coups sourds de l'eau sur les racines des arbres.

D'où viennent ces trous ? Les eaux sont sans limites, elles ne sont pas profondes, mais s'étendent à l'infini. La mer des souffrances est sans limites aussi, et toi, tu flottes dans une mer infinie.

Tu distingues l'ombre d'êtres humains qui entonnent des chants funèbres, des chants pas vraiment tristes, ils semblent même teintés d'humour ; la vie est gaie, la mort aussi ; en fait, ce sont seulement tes souvenirs. Dans les images qui te reviennent du plus profond de la mémoire, y en a-t-il une seule d'un groupe en train de psalmodier des prières ? Si tu écoutes de plus près, ces chants semblent monter de sous la mousse, cette mousse épaisse et moelleuse qui s'enfonce sous tes pas. Tu la soulèves pour regarder dessous. Des vers grouillants s'enfuient en tous sens. Une étrange nausée monte en toi. Tu comprends que ce sont les vers qui dévorent les cadavres en décomposition. Toi aussi, ton corps sera dévoré tôt ou tard. Voilà qui ne te réjouit guère.

67

Avec deux amis, je me suis promené trois jours dans ce pays d'eau. Au gré de mon humeur, j'ai marché des dizaines de lis, j'ai fait du stop, j'ai pris le bateau. Mon arrivée dans cette ville n'est le fait que du pur hasard.

Mon nouvel ami est avocat. Il connaît parfaitement les milieux officiels, les conditions de vie et les mœurs de cette région. Il était avec sa compagne, une jeune femme au doux accent de Suzhou. Je ne pouvais trouver meilleurs guides. A leurs yeux, un vagabond comme moi était un lettré célèbre. M'accompagner, prétendaient-ils, était une merveilleuse distraction. Ils avaient, chacun de son côté, des obligations familiales, mais comme mon ami se plaisait à le répéter : « A l'origine, l'homme est libre comme l'oiseau, pourquoi ne pas rechercher un peu de plaisir ? »

Il n'était avocat que depuis deux ans. Quand on avait rétabli cette profession totalement délaissée, il avait réussi l'examen pour devenir avocat et avait démissionné de son travail, animé d'une seule envie : ouvrir son propre cabinet. Il aimait expliquer que cette profession était comme celle des écrivains, une profession libre, permettant de défendre qui on voulait tout en gardant son quant-à-soi. Il ne pouvait malheureusement rien pour moi, mais disait qu'un jour ou l'autre, quand le système législatif se serait amélioré, il faudrait absolument que je vienne le voir si j'avais affaire avec la justice. Je lui ai dit qu'en fait, je n'avais rien à voir avec la justice parce que premièrement, je n'avais aucun problème d'argent, deuxièmement, je n'avais jamais touché au moindre cheveu de quiconque, troisièmement, je n'avais jamais diffamé qui que ce fût, quatrièmement, jamais volé ni commis d'escroquerie, cinquièmement, jamais fait aucun trafic de drogue et enfin, sixièmement, je n'avais jamais violé de femme. De mon côté, je n'ai aucun procès à intenter, mais si l'on m'en impose un, je suis sûr de perdre. Il a agité la main : il le savait, bien sûr, il avait dit cela comme ça, en passant.

— Il ne faut pas faire des promesses dans le vide, a dit son amie.

Il l'a regardée en plissant les yeux, puis s'est tourné vers moi :

— Tu ne trouves pas qu'elle est vraiment jolie ?

— Ne l'écoute pas, m'a-t-elle dit, il dit ça de toutes ses amies...

— Et c'est faux si je dis que tu es jolie ?

Elle a fait semblant de lever la main sur lui pour le battre.

Ils m'ont invité à dîner dans un restaurant qui donnait sur la rue. A la fin du repas, il était dix heures passées, quatre jeunes gens sont entrés, l'un a commandé un grand bol d'alcool blanc et des plats à couvrir toute la table. Ils avaient l'air de vouloir boire jusqu'au milieu de la nuit.

Dans la rue, brillaient les lumières des petits restaurants et des boutiques encore ouverts. La bourgade avait retrouvé son animation d'autrefois. En cette fin de journée, le plus urgent pour nous était de trouver un hôtel propre pour nous laver, mettre à infuser une pleine théière pour dissiper la fatigue, nous détendre et bavarder encore, assis dans un fauteuil ou allongés sur un lit.

Le premier jour, nous nous sommes promenés dans un vieux village qui conservait des demeures de la dynastie des Ming ; nous avons admiré la scène d'un vieux théâtre, déniché un antique temple dont nous avons photographié l'arche, nous avons déchiffré de vieilles stèles, rendu visite à de vénérables vieillards. Nous sommes aussi entrés dans des temples récemment construits ou rénovés par des villages qui s'étaient cotisés, où l'on nous a tiré les cartes. Et le soir, nous avons dormi dans une maison neuve, en bordure d'un village. Le propriétaire, un vieux soldat démobilisé, nous avait invités. Après le repas, il nous a tenu compagnie en nous racontant ses actions héroïques lors de la répression d'une armée de bandits, mais aussi des histoires de brigands vivant autrefois dans cette région. Enfin, voyant notre fatigue, il nous a installés sur un plancher brut garni de paille de riz fraîche, et donné quelques couvertures en nous recommandant de prendre garde au feu si nous allumions la lampe à pétrole. Nous ne risquions pas de l'allumer puisqu'il l'avait redescendue au rez-de-chaussée. Mes deux compagnons ont continué à bavarder un moment dans le noir, mais j'ai rapidement sombré dans le sommeil.

La nuit suivante, la tête dans les étoiles, nous sommes arrivés dans une bourgade où nous avons frappé à la porte d'une auberge. Un vieillard était de garde, il n'y avait aucun client. Les portes des chambres étaient ouvertes et nous en avons choisi chacun une. Mon ami l'avocat est venu ensuite dans la mienne pour bavarder, puis sa compagne a déclaré à son tour qu'elle avait peur toute seule. Elle s'est glissée dans les couvertures du lit vide et nous a écouté parler.

Il connaissait toute une série d'histoires extraordinaires, bien différentes de celles du soldat en retraite. Son travail d'avocat lui avait permis de lire toutes sortes d'archives, de dépositions ou de notes. Il avait même eu des contacts directs avec des criminels et les décrivait de manière très vivante, surtout ceux qui avaient été mêlés à des affaires de crimes sexuels. Son amie, blottie comme un chat dans les couvertures, demandait sans cesse : « C'est vrai ? »

— Bien sûr que c'est vrai ! J'ai moi-même interrogé beaucoup de coupables. Il y a deux ans, quand on a mené une campagne contre les vagabonds soupçonnés de crimes, on en a arrêté huit cents dans le même district. La plupart n'étaient que des amoureux éconduits qui n'auraient pas dû encourir grand chose. Ceux qui étaient passibles de la peine de mort étaient moins nombreux encore. Plusieurs dizaines pourtant ont été fusillés sur ordre venu d'en haut, ce qui a plongé dans l'embarras certains cadres de la sécurité publique plus conscients que les autres.

— Est-ce que tu as plaidé pour eux ? ai-je demandé.

— A quoi cela aurait-il servi ? Cette lutte contre la criminalité était l'enjeu d'un mouvement politique, il était impossible de l'endiguer.

Il s'est assis sur le lit, une cigarette aux lèvres.

— Raconte l'histoire des gens qui dansaient nus, lui a suggéré son amie.

— Dans une banlieue se trouvait un silo désaffecté, du fait que les champs ont été rendus aux paysans et que les gens stockent chez eux leurs réserves de grain. Chaque samedi, dès la tombée de la nuit, une bande de garçons du bourg s'y rendaient pour danser, avec un magnétophone et une jeune fille sur la selle de leur vélo ou de leur moto. La porte était gardée, l'entrée interdite aux paysans du coin. Placées très haut, les fenêtres ne laissaient pas voir l'intérieur. Poussé par la curiosité, un villageois avait fini par grimper sur une échelle, mais il faisait trop noir pour voir quoi que ce soit. On n'entendait que la musique. Il avait quand même alerté la police qui avait fait une descente et arrêté plus d'une centaine de jeunes gens, dont la plupart n'avaient guère plus de vingt ans, des fils de cadres locaux, de jeunes ouvriers, de jeunes commerçants et vendeurs, de jeunes désœuvrés. Des lycéens aussi, encore adolescents. Un certain nombre avaient été condamnés, certains à des peines de rééducation par le travail, d'autres avaient été fusillés.

— Ils dansaient vraiment nus ?

— Certains dansaient, mais la plupart se livraient à de simples attouchements. Bien sûr, d'autres faisaient aussi l'amour. Une jeune fille, de vingt ans à peine, a déclaré qu'elle avait été prise par plus de deux cents hommes, de quoi devenir folle.

— Comment était-elle sûre du nombre ? a-t-elle encore demandé.

— Elle a expliqué que, totalement hébétée, elle n'avait plus fait que compter. Je l'ai vue, j'ai discuté avec elle.

— Et tu ne lui as pas demandé pourquoi elle en était arrivée là ? ai-je questionné à mon tour.

— Elle a déclaré qu'elle avait d'abord été poussée par la curiosité. Avant d'aller à cette partie, elle n'avait aucune expérience sexuelle, mais, dès que la vanne avait été ouverte, impossible de la refermer, c'étaient ses propres paroles.

— C'était sûrement la vérité, dit-elle, blottie dans les couvertures.

— Comment était-elle ? ai-je demandé.

— Tu n'aurais pas cru à la voir : très normale, un physique même assez commun, aucune expression, rien d'une aguicheuse, le crâne rasé, impossible de voir ses formes avec son costume de prisonnière, mais elle était petite, un visage tout rond. C'est vrai qu'elle parlait sans aucune gêne et répondait à toutes les questions sans jamais se décontenancer.

— Bien sûr…, a-t-elle dit à voix basse.

— Ensuite, elle a été exécutée.

Nous avons gardé le silence un bon moment avant que je demande encore :

— Pour quel chef d'accusation ?

— Le chef d'accusation ? Il semblait se poser la question à lui-même. Ce devait être « incitation à la débauche », car elle n'y était pas allée seule, elle y avait emmené d'autres jeunes filles. Bien sûr, les autres avaient subi le même sort qu'elle.

— La question est de savoir si elle-même avait tenté de séduire et de pousser au viol autrui ? ai-je dit.

— Il n'y a pas eu viol à proprement parler. J'ai lu les aveux. Les incitations au viol, c'est très difficile à prouver.

— Dans ces circonstances… il n'est pas facile de faire la part des choses, a-t-elle ajouté.

— Et le mobile alors ? Quelle était son intention envers les jeunes filles qu'elle avait emmenées ? Ce sont peut-être les garçons qui ont voulu qu'elle fasse cela ou bien certains lui ont donné de l'argent pour le faire.

— Ça, je le lui ai demandé. Elle a déclaré qu'elle ne l'avait fait qu'avec des garçons qu'elle connaissait, qu'elle avait mangé, bu et s'était amusée avec eux, que personne ne lui avait donné d'argent, qu'elle-même avait un travail, qu'elle était éduquée et qu'elle travaillait dans une pharmacie ou un dispensaire où elle s'occupait des médicaments…

Elle a lancé :

— Cela n'a rien à voir avec l'éducation Ce n'était pas une prostituée, elle était simplement malade mentalement.

— Quel genre de maladie ? ai-je demandé.

— Quelle question pour un écrivain ! Elle s'est sentie dégradée et a voulu que les filles s'avilissent aussi à ses côtés.

— Je ne comprends toujours pas.

— En fait, tu as très bien compris, a-t-elle rétorqué. Tout le monde connaît le désir sexuel, mais comme elle était très malheureuse sans doute parce qu'elle aimait un homme qui ne le lui rendait pas, elle voulait se venger. Et elle s'est d'abord vengée contre son propre corps...

— Et qu'en penses-tu ? a demandé l'avocat en se tournant vers son amie

— Si je devais tomber aussi bas, je te tuerais d'abord !

— Tu es aussi cruelle que ça ? a-t-il rétorqué.

— Tout le monde a en soi un fond de cruauté, ai-je dit.

— Le problème est de savoir si l'on est passible ou non de la peine de mort, a ajouté l'avocat. Je pense qu'en principe, seuls les trafiquants de drogue et les incendiaires devraient encourir la peine de mort parce qu'ils nuisent à la vie d'autrui.

— Et le viol, ce n'est pas un crime ? Elle s'est redressée.

— Je n'ai pas dit cela, mais je pense que l'incitation à la débauche n'a pas été établie, car ce genre de délit concerne toujours deux personnes.

— Et inciter au viol des jeunes filles, ce n'est pas un crime ?

— Il faut voir ce que l'on entend par jeune fille : ça dépend si elle a moins de dix-huit ans.

— Parce que avant dix-huit ans on n'aurait pas de désir sexuel ?

— La loi doit toujours fixer des limites.

— Je me fous de la loi.

— Mais la loi ne se fout pas de toi.

— En quoi elle me concerne ? Je ne commets pas de crimes, c'est toujours vous les hommes qui commettez des crimes.

Nous éclatons de rire.

— De quoi ris-tu ? Elle s'adressait à lui.

— Tu es pire que la loi, tu contrôles même le rire ? a-t-il dit en se tournant vers elle.

Sans se soucier de n'être vêtue que de ses sous-vêtements, elle s'est étirée et l'a fixé :

— Eh bien, dis-moi franchement, es-tu déjà allé voir des prostituées ? Dis-le moi !

— Non.

— Raconte-lui l'histoire de la soupe aux nouilles ! Qu'il juge un peu.

— Pourquoi, qu'y a-t-il ? Ce n'est jamais qu'un bol de soupe aux nouilles.

— Qui sait ? s'est-elle écriée.

Naturellement, j'avais envie d'en savoir plus

— Qu'est-ce que c'est que cette histoire ?

— Il n'y a pas que l'argent qui intéresse les prostituées, elles ont aussi des sentiments.

— Tu as dit que tu l'avais invitée à prendre un bol de soupe aux nouilles, oui ou non ? l'a-t-elle interrompu.

— Oui, mais nous n'avons pas couché ensemble

Elle a fait la moue.

Il a raconté que c'était la nuit, il tombait une petite pluie fine dans une rue déserte. Il avait vu une femme debout sous un lampadaire et il avait essayé d'attirer son attention. Il ne pensait pas qu'elle ferait un bout de chemin avec lui. Ils étaient arrivés près d'un étal de soupes, abrité par de larges parapluies en toile goudronnée. Elle avait dit qu'elle en voulait, il n'avait pu acheter qu'un bol, n'ayant pas assez d'argent. Il n'avait pas couché avec elle, mais il savait bien qu'elle l'aurait suivi partout où il aurait voulu. Ils s'étaient seulement assis sur des canalisations en ciment posées au bord de la route et ils avaient bavardé là, enlacés.

Elle m'a jeté un coup d'œil :

— Elle était jeune et jolie ?

— Une vingtaine d'années, le nez retroussé.

— Et tu es si sage que ça ?

— J'avais peur qu'elle ne soit pas propre et qu'elle me passe des maladies.

— Ça c'est bien vous, les hommes ! s'est-elle exclamée en se rallongeant.

Il a expliqué qu'il avait vraiment eu pitié d'elle, elle était peu vêtue, ses habits étaient mouillés, il faisait froid sous la pluie.

— Ça, je veux bien le croire, ai-je dit. Les gens ont tous un bon et un mauvais côté. Ils ne seraient pas des êtres humains sans cela.

— C'est au-dessus des lois, a-t-il dit. Mais si la loi considérait le désir sexuel comme un crime, tout le monde serait criminel dans ce cas !

Elle a soupiré doucement.

En sortant du restaurant, nous avons marché jusqu'à un pont de pierre sans trouver d'hôtel. Au bout du pont, sur le bord de la rivière, brillait une petite lampe. Une fois nos yeux habitués à l'obscurité, nous avons découvert une barque, avec une cabine en toile noire, rangée sur le bord du quai.

Deux femmes traversaient le pont, elles sont passées près de nous.

— Regarde, elles font ce boulot ! m'a glissé à l'oreille l'amie de l'avocat en me serrant le bras.

Je me suis retourné, car je n'y avais pas prêté attention, mais je n'ai vu qu'une nuque où brillait une barrette en plastique coloré et un profil. Toutes deux étaient petites et grosses.

Mon ami les a regardées s'éloigner lentement, épaule contre épaule.

— Elles attirent surtout les bateliers.

— Tu en es sûr ? J'étais étonné qu'elles puissent exercer ainsi ouvertement. Je croyais qu'il n'y en avait que près des gares et des ports des villes d'une certaine importance.

— On les reconnaît au premier coup d'œil, a dit son amie.

Les femmes sont perspicaces de naissance.

— Elles ont un langage codé qui leur permet de conclure des marchés dans les villages des environs et, la nuit, elles gagnent ainsi un peu d'argent, m'a-t-il expliqué.

— Elles ont vu que j'étais avec vous, mais si vous aviez été seuls, elles vous auraient sûrement adressé la parole.

— Il y a donc un lieu où elles exercent, elles ne vont pas seulement dans les villages ?

— Elles doivent avoir un bateau dans les environs, mais elles peuvent aussi aller à l'hôtel avec leur client.

— Ce genre de trafic se fait ouvertement dans les hôtels ?

— Elles sont de mèche avec certains. Tu n'en as jamais vu sur ton chemin ?

J'ai repensé alors à cette femme qui voulait se rendre à Pékin pour porter plainte et qui prétendait ne pas avoir d'argent pour acheter son billet. Je lui avais donné un yuan, mais c'était peut-être une prostituée.

— Tu ne fais pas d'enquête sociologique ? On voit de tout aujourd'hui.

Je ne peux que me culpabiliser, expliquer que je suis incapable de faire la moindre enquête, que je ne suis qu'un chien perdu qui erre à gauche et à droite. Ils rient de bon cœur.

— Suivez-moi, je vais vous faire passer un bon moment !

Il avait une nouvelle idée. Il crie en direction de la rivière :

— Hé ! Il y a quelqu'un ?

Et il saute du bord du quai sur la barque à cabine en toile noire.

— Qu'est-ce que vous voulez ? demande à bord une voix étouffée.

— Est-ce que vous pouvez sortir de nuit avec ce bateau ?

— Pour aller où ?

Il bredouille un nom de lieu.

— Combien tu paies ? demande un homme qui sort bras nus de la cabine.

— Tu veux combien ?

Et le marchandage commence.

— Vingt yuans.

— Non, dix.

— Dix-huit.

— Dix.

— Alors quinze.

— Non, dix.

— Pour dix yuans, je n'y vais pas.

Et l'homme retourne dans la cabine On entend murmurer une voix de femme.

Chacun de nous trois s'observe et fait non de la tête. Impossible de nous retenir de rire.

— Vous allez seulement jusqu'au quai de Xiaodangyang ? demande une autre voix, plusieurs bateaux plus loin.

Mon ami nous fait signe de garder le silence et répond d'une voix forte :

— Je n'y vais que pour dix yuans ! Il a l'air ravi.

— Montez sur le bateau devant vous, j'arrive avec le mien.

Mon ami connaît parfaitement les prix. Une veste jetée sur les épaules, apparaît la silhouette d'un homme maniant la gaffe.

— Eh bien, qu'en penses-tu ? Ça nous économise un hôtel. C'est vraiment ce qui s'appelle « dériver sur une barque au clair de lune » ! Dommage qu'il n'y ait pas de clair de lune. En tout cas, pas question de se passer d'alcool.

Nous prions le batelier d'attendre un instant et courons acheter dans la ruelle une bouteille de Daqu, un sachet de fèves bouillies et deux bougies. Nous sautons joyeusement sur le bateau.

Le batelier est un vieillard émacié. Ecartant la toile de la cabine, nous allons à tâtons nous asseoir en tailleur sur le pont. Mon ami veut allumer les bougies avec son briquet.

— N'allumez pas de feu sur le bateau, grommelle le vieillard.

— Et pourquoi ?

J'imagine qu'il y a là quelque tabou.

— Vous risquez de mettre le feu à la toile.

— Pourquoi voulez-vous qu'on mette le feu à votre toile ? demande l'avocat.

La flamme de son briquet est à plusieurs reprises soufflée par le vent. Il écarte un peu la toile.

— On vous remboursera si on y met le feu.

Son amie se glisse entre lui et moi. On est encore mieux. Pendant un instant, nous nous sentons revivre.

— Eteignez ça ! Lâchant sa gaffe, le vieillard entre sous la toile.

— Tant pis si on ne les allume pas, dis-je, on est encore mieux dans la nuit noire.

L'avocat ouvre alors la bouteille, écarte les jambes et installe sur la natte qui recouvre le pont le gros paquet de fèves bouillies. Nos visages sont face à face, nos pieds calés les uns contre les autres. Nous nous passons la bouteille d'alcool. Appuyée contre lui, elle tend parfois la main pour la saisir et boire un coup. Dans le méandre du fleuve, on n'entend que le clapotis des vagues et la gaffe qui frappe l'eau.

— Le gars de tout à l'heure, il a manqué une affaire.

— Pour cinq yuans de plus, il aurait accepté. Ce n'est pas grand-chose.

— Juste un bol de soupe aux nouilles chaudes !

Nous devenons écœurants.

— Depuis l'Antiquité, ce village aquatique est un lieu de plaisir. Qui pourrait l'interdire ? Ici, les garçons et les filles sont tous très volages, mais on ne peut quand même pas les exterminer ! C'est comme ça, dit-il dans l'obscurité.

Le ciel sombre se déchire un instant et laisse filtrer la clarté des étoiles, puis il s'obscurcit de nouveau. A l'arrière du bateau, résonnent les glouglous que provoque la godille dans l'eau et le doux son des vagues qui cognent contre la barque. Un vent froid rafraîchit l'air et s'engouffre par la toile qui a été écartée. Nous abaissons un rideau coupe-vent fait de sacs en plastique.

La fatigue nous assaille, tous les trois blottis au milieu de la cabine étroite du bateau. L'avocat et moi, recroquevillés de chaque côté, et elle, qui se serre entre nous deux. Les femmes sont ainsi, elles ont besoin de chaleur.

Dans la pénombre, je devine les rizières qui s'étendent derrière les digues et, au-delà, les marécages couverts de roseaux. Après maints tours et détours, nous arrivons sur une voie d'eau qui traverse des touffes de roseaux serrés, on pourrait nous tuer, nous noyer sans laisser de trace. En fait, nous sommes trois contre un et, même s'il y a une femme parmi nous, nous n'avons, face à nous, qu'un vieillard, on peut dormir tranquille. Elle s'est tournée déjà et je touche son dos de mon talon. Elle blottit ses fesses contre ma cuisse, mais personne n'y fait attention.

Le mois d'octobre, dans ces pays d'eau, c'est la saison des récoltes, on voit partout trembler des seins et briller des regards humides. Son corps est attirant, il donne envie de se rapprocher d'elle et de la caresser. Blottie contre la poitrine de mon ami, elle sent certainement la chaleur de mon corps. Elle tend la main pour la poser sur ma jambe, comme si elle voulait me réconforter un peu, soit par frivolité, soit par gentillesse. On entend alors un rugissement, plutôt une plainte profonde, qui vient de l'arrière du bateau. On a d'abord envie de protester, mais on ne peut s'empêcher d'écouter. Une complainte déchirante flotte dans la nuit, au fil du vent, à la surface de l'eau. Le vieillard chante, il chante tranquillement, complètement absorbé, ménageant sa voix qui sort du tréfonds de sa poitrine ; c'est une plainte longtemps contenue qui se libérerait soudain. D'abord les paroles restent indistinctes puis, peu à peu, on parvient à les saisir sans toutefois les comprendre entièrement, à cause du dialecte qu'il emploie, teinté d'un fort accent paysan. Quelque chose comme : « Toi, sœurette de dix-sept ans, jeune fille de dix-huit ans... le sort de ton beau-frère tu as suivi... partout... partout... pas pareil... la petite servante... avec l'éclat... » Une fois perdu le fil, on ne comprend plus rien.

Je leur demande en leur touchant la main :

— Vous entendez ? Qu'est-ce qu'il chante ?

Leurs corps remuent, ils ne dorment pas.

L'avocat replie ses jambes, s'assied et crie au batelier :

— Hé, le Vieux, qu'est-ce que tu chantes là ?

Dans un claquement d'ailes, un oiseau effrayé s'envole au-dessus de la cabine en hululant. J'écarte un peu la toile, le bateau s'approche du bord. Dans les creux de la digue dépassent des touffes noirâtres, peut-être des haricots de soja. Le vieillard ne chante plus, un vent frais s'est levé qui chasse mon sommeil. Je m'adresse à lui poliment :

— Vieil homme, ce que vous chantez, c'est comme une ballade, non ?

Il ne dit plus rien, occupé à manier la godille. Le bateau avance rapidement.

— Reposez-vous et buvez avec nous. Ensuite, chantez-nous quelque chose !

L'avocat s'est rapproché de lui.

Le vieil homme garde le silence et continue à manier sa godille.

— Ne vous pressez pas, venez boire un coup et vous réchauffer, je vous donnerai deux billets de plus pour que vous nous chantiez quelque chose, d'accord ?

Comme une pierre qui tombe dans l'eau, les mots de l'avocat ne rencontrent aucun écho. Que le batelier soit gêné ou furieux, le bateau continue à glisser sur l'eau. Et seul nous berce le bruit des tourbillons formés par la godille et des vaguelettes qui frappent doucement le bord de la barque.

— Dormons, chuchote l'amie de l'avocat.

Nous nous rallongeons, un peu déçus. La cabine paraît plus étroite avec nos trois corps allongés, serrés les uns contre les autres. Je sens la chaleur de son corps. Désir ou tendresse, elle a pris ma main et les choses en restent là, personne ne veut gâcher le trouble mystérieux de cette

nuit. Entre l'avocat et elle, pas un bruit. Dès que j'ai senti la douceur et la chaleur de son corps, j'ai tenté de réprimer l'émotion qui me gagnait, mais mon désir contenu s'est accru et la nuit a retrouvé son trouble mystérieux.

Longtemps plus tard, la complainte retentit de nouveau dans l'obscurité, complainte d'une âme en peine errant dans la nuit, harassée, inassouvie. Des cendres incandescentes luisent un instant dans le noir. Seules demeurent la chaleur des corps et la souplesse des contacts, mes doigts se sont mêlés aux siens, mais aucun de nous n'a proféré un son, personne n'ose troubler le silence, chacun retient sa respiration et écoute les hurlements de la tempête qui souffle dans ses veines. La voix usée du vieillard résonne par intermittence, elle chante les seins parfumés d'une femme, les jambes affriolantes d'une autre, mais aucun vers n'est compréhensible en entier, on n'en saisit que des bribes, il chante de manière confuse, seuls sont perceptibles le souffle et le toucher, les vers se succèdent, aucun n'est répété du début à la fin, mais ils sont presque tous pareils, fleurs et pistils, rougissent les visages, ne le fais pas, racines, racines de lotus, jupes de gaze flottant au vent, taille fine, le goût amer des kakis, non point amer mais âpre, dans les vagues mille paires d'yeux, dans le ciel les libellules, non, non, on ne peut s'y fier…

Manifestement, il sonde au plus profond de sa mémoire pour trouver les sentiments qui donneront sa force d'expression à son langage, son langage n'a pas un sens clair, il ne transmet que des sensations intuitives, il attise le désir, et s'écoule dans son chant, comme une complainte, comme un soupir. Au bout d'un long moment, il s'arrête, la main qui tenait la mienne se relâche enfin. Personne ne bouge plus.

Le vieillard tousse, la barque tangue un peu. Je m'assieds pour regarder par la toile. La surface de l'eau a blanchi, la barque traverse une bourgade. Les maisons se serrent sur la rive, sous la lumière des lampadaires les portes sont soigneusement closes, les fenêtres sont éteintes. A l'arrière, le vieillard ne cesse de tousser, la barque tangue de plus en plus fort, on l'entend qui pisse dans l'eau

68

Toi, tu continues à gravir les montagnes. Et chaque fois que tu t'approches du sommet, exténué, tu penses que c'est la dernière fois. Arrivé au but, quand ton excitation s'est un peu calmée, tu restes insatisfait. Plus ta fatigue s'efface, plus ton insatisfaction grandit, tu contemples la chaîne de montagnes qui ondule à perte de vue et le désir d'escalader te reprend. Celles que tu as déjà gravies ne présentent plus aucun intérêt, mais tu restes persuadé que derrière elles se cachent d'autres curiosités dont tu ignores encore l'existence. Mais quand tu parviens au sommet, tu ne découvres aucune de ces merveilles, tu ne rencontres que le vent solitaire.

Au fil des jours, tu t'adaptes à ta solitude, gravir les montagnes est devenu une sorte de maladie chronique. Tu sais parfaitement que tu ne trouveras rien, tu n'es poussé que par ton aveuglement et tu ne cesses de grimper. Dans ce processus, bien sûr, tu as besoin de quelques consolations et tu te berces de tes chimères, tu te crées tes propres légendes.

Tu racontes que sous un escarpement tu as aperçu une grotte, presque entièrement obturée par des roches empilées. Tu as cru que c'était la maison du Vieux Shi, un saint dont parlent les légendes montagnardes de l'ethnie qiang.

Tu racontes qu'il était assis sur une planche de lit vermoulue qui est tombée en poussière dès que tu l'as touchée. Les débris étaient humides à cause de l'atmosphère confinée de la grotte. Devant l'entrée coulait un ruisseau et, partout où l'on posait le pied, la mousse avait tout recouvert.

Son corps était appuyé contre la paroi, son visage aux profondes orbites, sec comme une brindille de bois mort, était tourné vers toi. Son fusil ensorcelé pendait à une branche d'arbre piquée dans une fente de la paroi, au-dessus de sa tête. Il n'avait qu'à tendre la main pour s'emparer de son arme qui ne portait aucune trace de rouille. Elle était encore couverte de traînées noires de graisse d'ours. Le vieillard t'a demandé :

— Qu'est-ce que tu viens foutre ici ?

— Je viens vous voir.

Tu t'efforçais de paraître poli, malgré la terreur qui t'étreignait. Il n'avait rien d'un vieillard capricieux. Toutes tes simagrées étaient inutiles. Tu savais parfaitement qu'il pouvait te tuer avec son fusil s'il s'emportait ; c'était toi qui devais essayer de l'intimider. Face à ses deux orbites creuses, tu n'osais même pas lever les yeux, de peur qu'il s'imagine que tu lorgnais son fusil.

— Pour quoi faire ?

Tu ne pouvais pas dire pourquoi tu étais venu.

— Ça fait longtemps que personne n'est venu me voir, a-t-il grommelé d'une voix qui semblait sortir d'une grotte. La passerelle qui mène ici est complètement pourrie, non ?

Tu lui as expliqué que tu étais monté par le fond du ravin, là où coule la rivière Ming.

— Vous m'avez tous oublié ?

— Non, ai-je dit avec empressement, les montagnards vous connaissent, vous le Vieux Shi. Ils parlent de vous à la veillée, mais ils n'osent pas venir vous voir.

Tu voudrais lui dire que toi, c'est plus la curiosité que le courage qui t'a poussé à venir en les entendant parler de lui, mais ce n'est pas facile de lui expliquer cela. Puisque tu as trouvé là une preuve de la véracité d'une légende, maintenant que tu l'as vu, tu dois en profiter.

— On est loin des monts Kunlun ici ?

Pourquoi l'as-tu interrogé au sujet des monts Kunlun ? Ce sont les montagnes des ancêtres où vit la Reine Mère d'Occident. Elle est représentée sur les briques peintes retrouvées dans les tombes des Han sous la forme d'un personnage à tête de tigre, corps humain et queue de léopard. Et les lourdes briques des Han sont bien réelles.

— Ha, si tu avances tout droit, tu arriveras aux monts Kunlun.

Il a dit ça comme s'il indiquait les toilettes ou une salle de cinéma. Tu t'es armé de courage pour demander encore :

— Mais tout droit, c'est encore loin ?

— Tout droit…

En attendant qu'il poursuive, tu as jeté un coup d'œil à ses orbites creuses. Sa bouche édentée s'est ouverte deux fois, puis s'est refermée. Impossible de savoir s'il a dit quelque chose, ou s'il s'apprêtait seulement à parler.

Tu aurais voulu t'enfuir en passant près de lui, mais craignant qu'il ne s'emporte, tu as préféré le fixer et te donner un air de parfaite humilité, comme si tu écoutais ses enseignements. Mais il ne t'a rien appris, il en était sans doute incapable. Tu as senti que les muscles de ton visage étaient trop tendus dans cette immobilité, tu as relâché les deux coins de ta bouche et pris un air plus enjoué. Mais tu n'as toujours vu aucune réaction de sa part. Alors, tu as bougé un pied pour déplacer ton centre de gravité et tu as avancé insensiblement. Tu t'es rapproché de ses profondes orbites, ses pupilles restaient fixes, comme si elles étaient fausses, peut-être n'était-ce qu'une momie.

Les cadavres parfaitement conservés des tombes Chu de Jiangling ou de Mawangdui étaient sans doute dans la même position que lui.

Tu t'es approché pas à pas sans oser le toucher, craignant de le faire tomber au moindre geste. Tu as tendu la main pour t'emparer du fusil de chasse couvert de traces de graisse d'ours, pendu derrière lui. Mais quand tu as touché le canon du fusil, il est tombé en poussière. Tu as battu en retraite en toute hâte, sans plus t'occuper de savoir si tu irais chez la Reine Mère d'Occident.

Au-dessus de ta tête, un coup de tonnerre a retenti, le ciel manifestait sa colère ! Les soldats et généraux célestes frappaient avec des maillets en os de bêtes sauvages le gros tambour fait de peau de buffle venant de la mer d'Orient.

Neuf mille neuf cent quatre-vingt-dix-neuf chauves-souris blanches voletaient dans la grotte en poussant des cris stridents, réveillant les esprits de la montagne. D'énormes blocs de pierre se sont détachés des sommets, entraînant un immense éboulement telle une armée de cavaliers dévalant les pentes dans un nuage de poussière.

Ah, ah ! D'un coup, dans le ciel, sont apparus neuf soleils ! Les hommes avec leurs cinq côtes, les femmes avec leurs dix-sept nerfs se sont mis à frapper les instruments à percussion et pincer les instruments à cordes sans cesser de chanter, crier, gémir et hurler.

Ton âme t'a alors quitté et tu n'as plus vu que d'innombrables crapauds, bouche bée, tournés vers les cieux, comme une foule de petits hommes décapités, les mains tendues vers le ciel et criant avec le plus grand désespoir : Rendez-moi ma tête ! Rendez-moi ma tête !

Rendez-moi ma tête ! Rendez-nous nos têtes ! Rendez-nous nos têtes ! Rendez-nous nos têtes ! Nos têtes rendez-nous ! Nos têtes rendez-nous ! Nos têtes rendez-nous ! Nos têtes rendez-nous ! Rendez-nous nos têtes ! Rendez-nous nos têtes ! Nous rendez-nous têtes ! Têtes rendez-nous nous ! Têtes rendez-nous nous ! Venez rendre nos têtes !... Je rends tête moi...

69

Des coups répétés de cloche et de tambour me tirent de mon sommeil. Je ne me rappelle plus où je suis. Dans le noir complet, je finis par reconnaître une fenêtre avec, me semble-t-il, de très fins croisillons. Pour vérifier si je rêve encore, je m'efforce de soulever mes paupières lourdes. J'aperçois enfin la lumière fluorescente de ma montre. Il est trois heures. Je réalise que la prière du matin a commencé et que je loge dans un temple. Je me lève d'un coup.

Quand j'arrive dans la cour, le tambour s'est tu. Seule la cloche égrène ses coups distincts. Derrière les arbres, le ciel est sombre, le tintement vient de la salle du Grand Trésor cachée par de hauts murs. A tâtons j'atteins la porte de la galerie qui conduit au réfectoire, mais elle est fermée. Je me dirige vers l'autre extrémité de la galerie, mais mes mains ne discernent qu'un mur en brique. Je suis prisonnier, enfermé dans cette cour close par de hauts murs J'appelle plusieurs fois en vain.

La veille, j'avais insisté pour loger dans le monastère Guoqing. Les moines qui brûlaient de l'encens et distribuaient les offrandes m'avaient regardé comme s'ils doutaient de ma ferveur. J'étais resté obstinément jusqu'à la fermeture des portes. Finalement ils avaient consulté le moine supérieur et m'avaient installé dans cette cour latérale, à l'arrière du temple.

Je ne veux pas rester enfermé, je veux vérifier, sans toutefois enfreindre le rituel bouddhique, si dans ce temple en activité depuis plus de mille ans, on conserve encore le rituel de l'école du Tiantai [1]. Revenu dans la cour, je finis par apercevoir un filet de lumière qui passe par une fente dans un angle. En tâtonnant, je découvre une petite porte que j'ouvre sans en avoir la permission. On voit bien que c'est un temple bouddhique, aucun lieu n'est tabou.

Au-delà du mur écran, une petite pièce de prière éclairée par quelques bougies est envahie par les volutes de fumée d'encens ; devant l'autel pend une pièce de brocart violette brodée d'une inscription en gros caractères : « Subitement, le brûle-parfum est chaud. » On dirait une révélation. Pour prouver que mes intentions sont pures et que je ne suis pas venu épier les secrets des moines, je m'éclaire ostensiblement avec le chandelier. Aux quatre murs sont accrochées des calligraphies anciennes : jamais je n'aurais cru qu'un temple puisse abriter une pièce aussi raffinée, c'est peut-être la salle où vit quotidiennement le Grand Maître du dharma. Je suis un peu honteux d'oser y pénétrer, mais j'ai trop envie de vérifier si l'on y conserve encore les manuscrits des deux bonzes célèbres des Tang, Han Shan et Shi De [2]. Je pose le chandelier et je quitte la pièce en direction de la cloche.

---

1. Fondée au VIe siècle de notre ère au Zhejiang sur le mont Tiantai, l'école du même nom est l'une des plus importantes du bouddhisme chinois.

2. Han Shan est le surnom d'un ermite bouddhiste qui vécut retiré sur le mont Tiantai au début du VIIe siècle, et Shi De était un moine bouddhiste, grand ami de Han Shan.

Me voilà dans une autre cour, bordée de cellules où scintillent aussi des bougies, sans doute les chambres des bonzes. Soudain, un moine vêtu d'une longue robe noire passe derrière moi. D'abord surpris, je comprends qu'il me montre le chemin. A sa suite je parcours de nombreuses galeries. Tout à coup, il disparaît. Embarrassé, je recherche un endroit mieux éclairé. Je m'apprête à franchir le seuil d'une porte quand, levant la tête, je découvre un Gardien de Bouddha, haut de quatre ou cinq mètres, brandissant dans ma direction son pilon de diamant, les yeux écarquillés de colère. Je suis glacé de frayeur.

Rapidement, je m'éloigne et continue d'avancer à tâtons dans un couloir. Par une porte ronde où filtre une petite lumière, j'aboutis par hasard dans l'immense cour devant la salle du Grand Trésor. Un dragon bleu veille à chaque angle de son toit aux deux pans relevés vers le ciel ; en plein centre brille un miroir rond. Dans l'immensité de la nuit qui précède l'aube, au milieu des vieux cyprès, cette apparition a quelque chose de magique.

Sur la haute terrasse, derrière l'énorme brûle-parfum en bronze, scintillent mille bougies, le son grave de la cloche fait vibrer les airs. Un bonze dans sa longue robe noire pousse un énorme cylindre de bois suspendu qui va frapper la cloche gigantesque sans la faire bouger d'un millimètre : comme si elle ne faisait que réagir du fond d'elle-même, le son sort du sol sous la cloche, remonte jusqu'aux poutres et aux chevrons avant de virevolter hors du temple. Je suis totalement envoûté.

Des moines allument une à une deux rangées de bougies placées devant les dix-huit *luohan* [1], puis installent des bâtonnets d'encens dans les brûle-parfums. Leurs

1. Disciples de Bouddha.

silhouettes se fondent en une masse noirâtre uniforme qui se déplace comme une ombre jusque devant les nattes décorées de motifs différents où chacun prend place.

Le tambour est ensuite battu deux fois, deux roulements qui retournent les tripes. Dressé à gauche du temple, sur un socle plus haut qu'un homme, il dépasse d'une tête le moine qui le frappe, perché sur une marche de la terrasse. Il est le seul à ne pas porter de robe noire, mais une veste, un pantalon et des sandales de chanvre. Il dresse les bras au-dessus de sa tête.

Ta ta.

Peng ! Peng !

Et il recommence.

Ta ta.

Au moment où le dernier son de la cloche se dissipe, le tambour reprend de plus belle, faisant trembler le sol sous les pieds. Au début, on distingue chaque coup, mais le rythme s'accélère et ils ne forment plus qu'un grondement qui fait vibrer le cœur dans la poitrine et le sang dans les veines. Les coups redoublent d'intensité, à vous couper le souffle, puis un rythme mélodique distinct, plus aigu, se superpose aux roulements précédents !

C'est un bonze âgé, au corps émacié, qui frappe le tambour. Il n'utilise pas de maillet. Seule s'agite sa nuque luisante entre ses deux épaules nues. Il se sert aussi bien de ses paumes, de ses doigts, de ses poings, de ses coudes, de ses poignets, de ses genoux et même de ses pieds pour frapper, caresser, effleurer, tapoter, pianoter sur son tambour. On dirait un gecko collé de tout son corps sur la peau de l'instrument.

Dans ce vacarme assourdissant résonne soudain un son de cloche tellement ténu que l'on croit d'abord s'être trompé, comme un fil invisible dans le vent glacé, comme un crissement de grillon en pleine nuit d'automne. Il passe trop vite, il est presque pitoyable, mais il se distingue quand même dans le tumulte, il est tellement clair que l'on ne peut plus douter de son existence. Puis c'est le grelot enjôleur des poissons de bois aux sonorités infinies, mélancoliques, solitaires, claires, perçantes, mêlées ensuite au son vigoureux des pierres sonores. Tout se fond ensuite en une unique et immense symphonie.

Je veux savoir d'où viennent ces coups de cloche. Je finis par découvrir le Vénérable, d'un âge très avancé, dressé dans une robe élimée toute rapiécée, qui tient dans la main gauche une clochette et une fine baguette métallique dans la droite. A peine a-t-il effleuré la cloche de sa baguette que le son s'élève et semble se mêler aux volutes des fumées d'encens. Tel un filet de pêcheur déployé, il enveloppe tout de sa musicalité, et personne ne peut lui échapper. L'excitation et la crainte qui m'étreignaient se sont effacées.

Sur les panneaux accrochés dans la grande salle du temple, on peut lire · « Pays de la sérénité » et « Etres humains à leur aise ». Des tentures descendent du plafond. Assis parmi elles, on perd toute espèce de vanité, on ressent en soi une sorte de bienveillance teintée d'indifférence, les tracas de ce monde de poussière disparaissent en un clin d'œil, le temps semble soudain se figer.

Je ne sais quand la cloche s'est tue. Le Vénérable agite encore sa clochette, tandis que ses lèvres serrées égrènent quelques prières indistinctes, faisant bouger ses joues émaciées et ses sourcils gris. Les bonzes de toutes tailles récitent leurs soutras au rythme des coups de clochette. Un, deux, trois, quatre, cinq, six, sept, huit, neuf, dix... quatre-vingt-dix-neuf bonzes suivent à la queue leu leu le Vénérable et tournent en récitant leurs prières autour du

Bouddha dressé au centre du temple. Je me mêle à eux et, mains jointes, invoque le nom du Bouddha Amithaba. Je perçois encore un autre son très net : c'est une voix qui s'élève au-dessus de la masse sonore au moment où chaque phrase prend fin, il reste un enthousiasme pas encore éteint et une âme toujours torturée.

70

Que dire face à ce paysage de neige de Gong Xian[1] ! Les flocons tombent dans un calme parfait, silence dans le non-silence.

C'est un rêve.

Un pont de bois sur la rivière, une masure isolée près de l'eau, tu distingues la trace de l'homme, mais une impression de profonde solitude domine.

C'est un rêve figé, aux frontières du rêve, une obscurité impalpable, à peine perceptible.

Une encre. Lui qui utilise toujours un pinceau très appuyé, il repousse son inspiration encore plus loin. Il excelle dans ce maniement de l'encre et du pinceau. Le charme de ses peintures vient alors de ce que chaque détail apparaît clairement au regard. C'est un vrai peintre, pas seulement un peintre lettré.

L'élégance simple de ce qu'il est convenu d'appeler « peinture de lettrés » ne s'attache souvent qu'au sens et non à la forme, je ne supporte pas ces rouleaux au style affecté.

Tu parles des peintres grandiloquents qui perdent tout naturel en s'amusant à la composition au pinceau et à

1. Peintre qui a vécu vers 1660-1700.

l'encre. On peut imiter cette technique, mais l'esprit vient de la vie, il est dans les montagnes, les rivières, l'herbe et les arbres. La beauté des paysages de Gong Xian vient de ce naturel indéfinissable et inimitable qui rayonne de ses peintures. On peut imiter Zheng Banqiao [1], pas Gong Xian.

Bada [2] non plus. On peut imiter ses oiseaux aux grands yeux écarquillés par la colère, mais pas l'impression d'immense solitude que dégagent ses canards et ses lotus.

Chez Bada, le meilleur, ce sont les paysages. Ses œuvres exprimant son dégoût du monde et des mœurs sont mineures.

Si l'on se distingue par la haine du monde et de ses mœurs, on risque de tomber dans le conventionnel, on combat la médiocrité par la médiocrité, mieux vaut une médiocrité directe.

Et c'est ainsi que Zheng Banqiao a été gâché par ses contemporains. Ce qui était un détachement chez lui est devenu un simple ornement pour ratés. On a tant abusé de ses traits de bambous qu'ils sont tombés dans la pure convention, une simple manière de régler ses relations sociales chez certains lettrés.

Ce que je supporte le plus mal, c'est la prétendue « stupidité rare ». On serait stupide simplement en pensant l'être, en quoi est-ce difficile ? C'est en fait une manière de paraître intelligent en simulant la bêtise.

C'était un génie misérable, alors que Bada était fou.

Au début, il simulait la folie, puis il est devenu réellement fou. Sa réussite artistique vient de ce qu'il ne jouait pas la folie.

---

1. Zheng Banqiao ou Zheng Xie a vécu de1693 à 1765.

2. Bada Shanren (1625-1705) est connu pour son excentricité et la perfection de ses petits formats de fleurs, insectes, rochers ou poissons.

Ou alors, il ne s'est aperçu de la folie du monde que parce qu'il l'a examiné avec un regard étrange.

Ou alors, ce monde ne pouvant supporter l'équilibre mental, il a perdu l'esprit, puis a sombré dans l'équilibre mental du monde.

A la fin de ses jours, Xu Wei[1] aussi était devenu fou et il a assassiné sa femme.

Ou alors sa femme l'a assassiné.

Cela semble cruel à dire, mais incapable de supporter les mœurs de son temps, il n'a pu que sombrer dans la folie.

Celui qui n'est pas fou, en revanche, c'est Gong Xian, il a dépassé les mœurs de son temps sans chercher à s'y opposer et a su protéger sa nature propre.

Il n'a jamais voulu combattre la bêtise avec ce que l'on appelle l'intelligence, il s'est retiré très loin et s'est enfoncé dans un rêve lucide.

C'était aussi une sorte d'autoprotection. Il savait qu'il ne pourrait s'opposer à ce monde fou.

Il ne s'agissait pas non plus de s'opposer, il ne s'en est jamais occupé et a su garder son entière personnalité.

Ce n'était pas un ermite, il ne s'est pas tourné vers la religion, il n'était ni bouddhiste ni taoïste. Il vivait seulement de son jardin et des cours qu'il dispensait ; avec sa peinture, il n'a jamais cherché à gagner des faveurs, ni envié qui que ce fût, sa peinture appartient tout entière au domaine de l'indicible.

Sa peinture n'a pas besoin de dédicace, car l'essence de sa peinture a déjà reflété ses sentiments profonds.

Toi ou moi, pouvons-nous y parvenir ?

Mais lui, il y est parvenu déjà, avec ce paysage de neige.

Peux-tu certifier que cette peinture soit bien de lui ?

1. Xu Wei, peintre au pinceau débridé et passionné, a vécu de 1529 à 1593.

Est-ce vraiment important ? Si tu penses que c'est de lui, c'est de lui.

Et sinon ?

Alors ce n'est pas de lui.

En d'autres termes, toi, moi, nous ne faisons que croire l'avoir vu.

Donc, c'est bien de lui.

71

Quand j'ai quitté les monts Tiantai, je me suis encore rendu à Shaoxing, réputée pour ses vieux alcools et les célébrités qu'elle a vu naître : hommes politiques, hommes de lettres, grands peintres et même une héroïne révolutionnaire. Aujourd'hui leurs demeures sont des musées commémoratifs. On a même restauré le temple de terre battue où le personnage le plus vil né sous la plume de Lu Xun, Ah Q[1], était censé trouver refuge pour la nuit. Il a été badigeonné de couleurs vives et décoré d'une plaque portant une dédicace tracée par un célèbre calligraphe contemporain. Ah Q n'aurait sans doute jamais pu imaginer qu'il jouirait d'un tel prestige après sa mort, lui qui fut décapité comme un bandit. Je réalise à quel point les petites gens de cette bourgade devaient mener une vie précaire, surtout l'héroïne révolutionnaire Qiu Jin[2] qui avait pris fait et cause pour la grandeur de sa nation.

---

1. Ah Q est le personnage principal de la nouvelle de Lu Xun, *La Véritable Histoire d'Ah Q*, écrite en 1921. Il symbolise l'esprit de résignation que dénonce Lu Xun chez ses compatriotes.
2. Née en 1875, Qiu Jin a été exécutée en 1907 en raison de ses activités révolutionnaires.

Une photo d'elle est accrochée dans son ancienne demeure : une femme de talent issue d'une grande famille, affable et belle, les sourcils gracieux, le regard vif, la mine distinguée. Pourtant, elle a été décapitée en plein jour, après avoir été promenée dans la ville, pieds et poings liés.

Le grand écrivain Lu Xun a passé sa vie à se cacher et à fuir. Heureusement, il a fini par se réfugier dans une concession étrangère, sinon il ne serait pas mort de maladie, mais certainement assassiné. Nulle part on n'est en lieu sûr dans ce pays. Lu Xun a écrit : « Je verse mon sang pour Xuanyuan. » Cette phrase, je l'ai apprise par cœur quand j'étais étudiant, mais à présent, je ne peux m'empêcher de douter de son bien-fondé. Xuanyuan, c'est le nom de l'Empereur Jaune, qui fut, d'après la légende, le premier empereur de ce pays, de cette patrie, de cette nation. Pourquoi faudrait-il absolument répandre son sang pour la gloire de ses ancêtres ? Verser son sang, est-ce vraiment grandiose ? On n'a qu'une tête, pourquoi faudrait-il se la couper pour ce Xuanyuan ?

La sentence de Xu Wei : « Dans le monde, tout corps est faux, l'homme est chargé de le modeler, le vrai visage, c'est moi qui le crée » est encore plus pénétrante. Mais ce corps, bien qu'il soit faux, pourquoi faudrait-il que ce soit la tâche de l'homme de le modeler ? Faux ou non, ne peut-on pas éviter de lui faire porter la responsabilité de le modeler ? De plus, ce vrai visage, qu'il soit vrai ou pas n'a pas d'importance, le problème est de le créer ou non.

Au fond de la petite ruelle, tout est resté en place comme autrefois : sa « bibliothèque couverte de lierre », la petite cour où poussent quelques vieux plants de lierre, le bureau aux fenêtres claires et la table à thé impeccable. Un lieu aussi calme a dû protéger Lu Xun de la folie. Le monde n'a sans doute pas été fait pour les hommes, mais les hommes doivent quand même y vivre. Si l'on veut exister et préserver le « vrai visage » que l'on avait à la naissance, si l'on ne veut ni être tué ni devenir fou, on ne peut que fuir. Je ne resterai pas davantage ici, je pars en toute hâte.

A l'extérieur de la ville se trouve le tombeau de Yu le Grand, dans les monts Guiji, premier souverain d'une dynastie possédant une généalogie fiable depuis le XXIe siècle avant notre ère. C'est ici qu'il a unifié l'empire, rassemblé les princes feudataires et récompensé chacun selon ses mérites.

Je franchis le petit pont de pierre qui enjambe la rivière Ruoye, au pied d'une colline couverte de sapins ; sur la place, devant les vestiges du tombeau de Yu le Grand, sèchent des épis de blé. La moisson tardive a déjà été récoltée. Le soleil d'automne réconfortant me plonge dans un agréable engourdissement.

Une fois passée la porte, dans cette grande cour silencieuse, un sentiment de solitude m'étreint. J'imagine comment ici, il y a sept mille ans, les descendants de l'homme de Hemudu cultivaient le riz, élevaient les cochons et modelaient des personnages en terre cuite, les descendants de l'homme de Liangzhu [1] gravaient sur leurs poteries des signes en creux et des motifs géométriques, les ancêtres des Baiyue [2] au corps tatoué et aux cheveux coupés, avec leurs totems d'oiseaux, étaient passés en revue par Yu le Grand. Le Maître Fangfeng, un géant frustre, vêtu d'un habit de chanvre flottant autour de lui, noué par une lanière de cuir, était arrivé en retard à la cérémonie. Yu le Grand avait aussitôt ordonné à ses gardes de le décapiter.

---

1. Hemudu et Liangzhu sont deux sites néolithiques du Zhejiang.
2. Peuple de l'antiquité installé en Chine.

Il y a deux mille ans, Sima Qian[1] est venu en personne enquêter ici pour écrire ses monumentaux *Mémoires historiques*. Lui aussi avait été puni par l'Empereur et, s'il avait pu garder sa tête, il avait perdu ses parties génitales.

Sur le toit du bâtiment principal, entre deux dragons azurés, un miroir rond reflète la lumière aveuglante du soleil. Dans la salle sombre du temple se dresse une statue récente de Yu le Grand, qui exprime une bienveillance quelque peu convenue. En revanche, les neuf haches placées derrière lui, symboles de son action de pacification des neuf régions, sont plus significatives.

Il est dit dans les *Annales de Shu* : « Yu était originaire du district de Guangrou dans les monts Wen, il est né à Shiniu. » Je viens justement de cette région, actuellement zone de peuplement qiang de Wenchuan. C'est aussi le repaire des pandas. Or, Yu est né du ventre d'un ours, comme l'atteste le *Classique des monts et des mers*.

On dit toujours qu'il a dominé les eaux parce qu'il urait dragué le fleuve Jaune. Je doute aussi de la réalité de ce fait. Je pense qu'il est parti du cours supérieur de la Min (qui, à l'origine, constituait le cours principal du Yangzi, comme l'atteste le *Shuijingzhu*[2]), qu'il a longé le Yangzi, passé les Trois Gorges, qu'au nord il a donné l'assaut aux monts Jishi, au sud au pays de Gonggong, à l'est aux monts Yunyu. Guerroyant tout au long de sa route, il a atteint les rives de la mer Orientale. Au pays de Qingqiu, symbolisé à l'époque par un renard à neuf queues, au pied des monts Azurés devenus plus tard les monts Guiji, il a rencontré une beauté ensorceleuse. Lorsqu'ils ont commencé à s'ébattre, il a pris l'aspect d'un ours. Effrayée, la jeune vierge voulait s'enfuir et le saint

1. Grand historien chinois (145-86 avant J.-C.).
2. Traité de géographie datant des Wei du Nord (386-534).

homme, Yu le Grand, terriblement impatient, sous le coup de l'émotion est monté sur elle en criant : « Ouvre-toi ! » C'est ainsi qu'a commencé la lignée des descendants de l'Empereur. Aux yeux de son épouse, Yu était un ours, dans la bouche des gens du peuple, il est devenu un saint, sous la plume des historiens un empereur, et pour le romancier, il n'est que l'homme qui a le premier tué d'autres êtres humains pour satisfaire sa volonté. Pour ce qui est de la légende sur l'inondation qu'il aurait domptée, rien n'empêche, comme un étranger l'a proposé, qu'il s'agisse d'une réminiscence du liquide amniotique.

Dans le tombeau de Yu le Grand, tout vestige authentique a disparu. Seule subsiste une grande stèle face au temple principal, couverte de quelques inscriptions en forme de têtards qu'aucun spécialiste n'est encore parvenu à déchiffrer. Je l'observe attentivement, je me creuse la cervelle et soudain, c'est l'illumination, je découvre qu'on peut les interpréter de la manière suivante : l'histoire est une énigme

ou alors : l'histoire n'est que mensonge

ou alors : l'histoire n'est que balivernes

ou encore : l'histoire est prophétie

ou encore : l'histoire, c'est un fruit acide

on peut encore lire : l'histoire est solide comme le fer

ou encore : l'histoire n'est qu'une boule de pâte

et même : l'histoire n'est qu'un linceul

et si l'on va plus loin : l'histoire devrait être un médicament sudorifique

et plus loin encore : l'histoire est comme un esprit qui frappe au mur

et de la même manière : des bibelots anciens, voilà l'histoire

et même : l'histoire est la réalisation de la raison

et même encore : l'histoire résulte de l'expérience

et encore même : l'histoire vient des preuves

jusqu'à : l'histoire, c'est comme un ensemble de perles éparses

et aussi jusqu'à : l'histoire est liée par une série de causes

ou : l'histoire est une métaphore

ou : l'histoire est en fait un état mental

et enfin : l'histoire, c'est l'histoire

et : l'histoire n'est rien de tout cela

ainsi que : l'histoire revient à un simple soupir

ah, l'histoire, ah, l'histoire, ah, l'histoire, l'histoire

en fin de compte, peut être déchiffrée comme on veut, et voilà une grande découverte !

72

— Ce n'est pas un roman !

— Qu'est-ce alors ? demande-t-il.

— Un roman doit comporter une histoire complète.

Il dit qu'il raconte aussi des histoires, mais certaines, il les raconte jusqu'au bout, d'autres non.

— Si aucun ordre n'est respecté, l'auteur ne sait plus comment conduire l'intrigue.

— Eh bien, dites-moi comment la conduire, s'il vous plaît.

— Il faut d'abord une introduction, puis un développement, enfin un point culminant et une conclusion. Ce sont les connaissances de base pour écrire un roman.

Il demande s'il existe une manière d'écrire en dehors des normes de base. Pour les histoires, on raconte certaines en commençant par le début, d'autres par la fin, certaines ont un début mais pas de fin, certaines seulement une fin ou une partie impossible à raconter jusqu'au bout, certaines peuvent être racontées, mais ce n'est pas toujours nécessaire, car il n'y a rien d'intéressant à raconter ; et pourtant, toutes sont des histoires.

— Quelle que soit la manière dont vous racontez vos histoires, il faut qu'elles possèdent un personnage principal, non ? Un roman doit en tout cas avoir plusieurs personnages principaux, tandis que chez vous ?…

— « Je », « tu », « elle » et « il » dans mon livre ne sont-ils pas des personnages ? demande-t-il.

— Mais ce ne sont que des pronoms personnels. Utiliser différentes approches de description ne dispense pas de faire le portrait des personnages eux-mêmes. Même si vous considérez ces pronoms personnels comme des personnages, votre livre ne comporte aucune figure nette. Et l'on ne peut pas parler de descriptions non plus.

Il dit qu'il ne peint pas des portraits.

— C'est juste, le roman, ce n'est pas la peinture, c est l'art du langage. Mais croyez-vous que le bavardage de vos personnages entre eux puisse remplacer le fait de les camper solidement ?

Il dit qu'il n'a pas non plus l'intention de camper le caractère de qui que ce soit, il ne sait pas lui-même s'il a un quelconque caractère.

— Quel roman écrivez-vous ? Vous n'avez même pas compris ce qu'est un roman.

Alors il le prie respectueusement de bien vouloir lui fournir une définition du roman.

Finalement le critique affiche une expression de mépris et siffle entre ses dents :

— Encore un moderniste qui tente en vain d'imiter l'Occident.

Il dit que c'est plutôt un roman oriental.

— En Orient, on trouve encore moins vos procédés bizarres : réunir des récits de voyage, recueillir des bribes d'histoires et des notes au fil du pinceau, mélanger de la théorie à l'essai ; on n'invente pas comme ça des fables qui ne ressemblent guère à des fables, on ne recopie pas quelques chants ou romances populaires avec en plus quelques histoires de fantômes créées de bric et de broc, qui n'ont rien à voir avec des mythes pour réunir le tout et l'appeler finalement « roman » !

Il dit que les monographies locales des Royaumes combattants, les évocations d'hommes et de faits remarquables des deux dynasties Han, des Wei, des Jin, des dynasties du Nord et du Sud, les contes merveilleux des Tang, les contes en langue populaire des Song et des Yuan, les romans à épisodes et les essais des Ming et des Qing appartiennent tous au genre romanesque, car, depuis l'Antiquité, sur un espace géographique immense, ils rapportent la langue des rues, les rumeurs des ruelles et notent pêle-mêle tout ce qui est remarquable, sans que personne ne leur ait fixé de standard.

— Vous appartenez en plus à l'école de recherche des racines ?

Il se hâte d'expliquer que ces étiquettes, c'est vous qui les avez collées. S'il écrit des romans, c'est pour ne pas souffrir de la solitude, pour son propre plaisir. Il n'avait pas pensé qu'il entrerait dans les cercles littéraires, mais à présent, il veut s'en échapper. Il n'espérait pas gagner sa vie en écrivant ce genre de livre ; pour lui, le roman était un luxe loin de toute quête d'un moyen de subsistance.

— Un nihiliste !

Il dit qu'il ne croit en fait en aucun « isme », que s'il se laisse tomber dans le néant, ce n'est pas par nihilisme, et d'ailleurs que le néant, ce n'est pas vraiment la même chose que le vide, c'est exactement comme le « tu » dans son livre, qui est le reflet de la figure du « je », et ce « il » qui constitue la toile de fond devant laquelle évolue ce « tu », l'ombre d'une ombre, même s'il n'a pas d'apparence et n'est encore qu'un pronom personnel.

Le critique s'époussette les manches et s'en va.

Il reste perplexe, il ne comprend pas si dans un roman, le plus important, c'est de raconter une histoire. Ou si c'est la manière de la raconter ? Ou sinon, si c'est l'attitude de l'auteur envers la narration ? Ou bien, si ce n'est pas l'attitude, si c'est la détermination de l'attitude ? Ou bien, si ce n'est pas la détermination de l'attitude, si c'est le point de départ de la détermination de l'attitude ? Ou bien, si ce n'est pas ce point de départ, si c'est le moi du point de départ ? Ou bien, si ce n'est pas le moi, si c'est la perception du moi ? Ou bien, si ce n'est pas la perception du moi, si c'est le processus de la perception ? Ou bien, si ce n'est pas ce processus, si c'est l'acte lui-même ? Ou bien, si ce n'est pas l'acte lui-même, si c'est la possibilité de cet acte ? Ou bien, si ce n'est pas cette possibilité, si c'est le choix de cette possibilité ? Ou bien, si ce n'est pas ce choix, si c'est la nécessité de choisir ou non ? Ou bien, si l'important n'est pas dans cette nécessité, est-il dans le langage ? Ou bien, si ce n'est pas dans le langage lui-même, est-ce dans la saveur du langage ? Et pourtant, il n'a fait que s'enivrer dans l'utilisation du langage pour raconter la femme et l'homme, l'amour, la passion et le sexe, la vie et la mort, l'âme et la joie et la souffrance du corps humain dans sa chair, et l'homme dans les relations politiques et la fuite de l'homme devant la politique et la réalité que l'on ne peut fuir et l'imagination hors du réel et laquelle des deux est la plus vraie et la négation de la négation du but utile qui n'est pas équivalente à la nécessité et l'illogisme de la logique et la prise de distance par rapport à la réflexion rationnelle dépassant le débat sur le contenu et la forme et la forme qui a un sens et le contenu qui n'a pas de sens et qu'est-ce que le sens et la définition du sens et Dieu que tout le monde voudrait être et l'adoration d'idoles athées et l'envie d'être considéré comme un philosophe et l'amour de soi et la frigidité et la folie qui conduit à la paranoïa et les capacités supranormales et la méditation zen la réflexion qui n'arrive pas au zen mais plutôt sur le principe vital du corps que l'on nourrit de la loi que l'on peut dire et celle que l'on ne peut dire ne doit pas être dite est dite quand même au monde et la mode et la révolte contre la mode vulgaire qui est de battre l'enfant à qui l'on ne peut pas apprendre à coups de baguette et donner l'éducation le premier en se remplissant le ventre d'encre et celui qui est près de l'encre est noir et qu'y a-t-il de mal dans le noir et les hommes bons et les hommes mauvais et les ni bons ni mauvais ou plutôt humains bien pires que les loups et les autres pires que l'enfer qui se trouve dans leurs propres cœurs et ce sacré soi-même recherche de l'angoisse sans arrêt et le nirvana ou plutôt tout est fini et tout ce qui est fini par qui et qu'est-ce que être ou ne pas être est-ce le produit de la sémantique qui prolifère tout ce qui n'a pas encore été dit qui n'est pas la même chose que ne rien dire et blablabla qui est inutile pour la discussion des fonctions comme dans la guerre entre hommes et femmes personne ne gagnera et jouer aux échecs en faisant avancer et reculer une pièce ce n'est qu'un jeu pour contrôler les sentiments des êtres humains qui doivent manger et mourir de faim est une petite chose et être déloyal est une grande chose mais il est impossible de juger la vérité que l'on ne peut pas connaître et seule la canne est plus solide que les expériences pour s'appuyer et ceux qui doivent trébucher trébucheront et à bas le roman révolutionnaire de la littérature superstitieuse et la révolution romanesque et la révolution du roman.

Ce chapitre, on peut le lire, on peut ne pas le lire, mais puisque c'est fait, autant le lire.

73

Dans la petite ville où je suis arrivé, au bord de la mer de Chine, une femme d'âge mûr, célibataire, a insisté pour que j'aille manger chez elle. Elle est venue m'inviter chez les gens qui me logeaient, expliquant que le matin, avant de partir au travail, elle avait acheté des fruits de mer, des crabes, des couteaux et du congre bien gras.

— Vous qui venez de si loin, il faut absolument que vous goûtiez les produits frais d'ici ! Même dans les grandes villes, il est difficile d'en acheter.

Elle est pleine d'attention envers moi.

Je peux difficilement me dérober et je propose à mon hôte de m'accompagner. Il connaît très bien cette femme et refuse :

— C'est toi qu'elle a invité. Elle s'ennuie toute seule et elle a quelque chose à te dire.

Manifestement, ils se sont mis d'accord. Je ne peux que la suivre. Elle me déclare en poussant son vélo :

— Il y a un bon bout de chemin à faire. Montez sur le porte-bagages, je vous conduirai.

Dans cette rue pleine de monde, j'ai peur de passer pour un handicapé.

— Ou alors, si vous voulez, je vais conduire et vous me direz par où passer.

Elle s'assied sur le porte-bagages. Le guidon ne cesse de vibrer, j'actionne sans arrêt le timbre pour me faufiler à travers la foule.

Je devrais me réjouir d'être ainsi invité en tête-à-tête avec une femme, mais elle a passé le bel âge : un visage triste au teint cireux, des pommettes saillantes, pas la moindre grâce féminine quand elle monte sur son vélo ou le pousse. Je pédale, complètement abattu, cherchant quelque chose à dire.

Elle m'explique qu'elle travaille comme comptable dans une usine. C'est une femme qui gère de l'argent, ça ne m'étonne pas. Je n'ai jamais eu beaucoup de relations avec ce genre de femmes, mais je sais qu'elles sont très habiles, impossible de leur extorquer un centime de trop. C'est bien sûr une habitude acquise grâce au métier, ce n'est pas un don naturel féminin.

Elle vit dans une vieille cour avec de nombreuses autres familles. Elle a appuyé son vélo délabré sous ses fenêtres, contre le mur.

Un grand cadenas ferme la porte. A l'intérieur, une petite pièce avec un grand lit qui occupe la moitié de l'espace et, dans un coin, une table sur laquelle sont déjà installés de l'alcool et des plats. Sur le sol, des briques empilées supportent deux coffres en bois. Sur l'un d'eux, des affaires de toilette féminines disposées sur une plaque de verre. A la tête du lit, quelques vieilles revues entassées.

Voyant que j'inspecte les lieux, elle s'empresse de s'excuser :

— Pardonnez-moi, c'est dans un désordre inimaginable.

— Il n'y a pas que ça dans la vie.

— Je me débrouille comme je peux, je n'attache guère d'importance à ce genre de choses.

Elle allume la lampe et m'installe devant la table. Puis elle va mettre à chauffer une casserole. Elle finit par s'asseoir face à moi et, après m'avoir versé à boire, déclare, les coudes posés sur la table :

— Je n'aime pas les hommes.

Je hoche la tête.

— Je ne parle pas de vous, je parle des hommes en général, mais vous, vous êtes écrivain.

Je ne sais si je dois approuver.

— J'ai divorcé depuis longtemps et je vis seule.

— Pas facile.

En fait, c'est de la vie que je parle, c'est la même chose pour tout le monde.

— Autrefois, j'avais une amie, nous nous entendions très bien depuis l'école primaire.

Je me dis qu'elle doit être homosexuelle.

— Elle est morte à présent.

Je reste silencieux

— Je vous ai invité pour vous raconter son histoire. Elle était très belle. Si vous voyiez sa photo, vous l'aimeriez certainement. Tout le monde en tombait amoureux. Elle n'était pas d'une beauté ordinaire, un visage tout rond, une petite bouche en cerise, des sourcils comme des feuilles de saule, des yeux vifs en amande. Et son corps ressemblait à celui des beautés classiques décrites dans les romans anciens. Pourquoi est-ce que je vous raconte cela ? C'est parce que je n'ai jamais pu garder une seule de ses photos. Je ne me suis pas méfiée et, à sa mort, sa mère est venue toutes les récupérer. Buvez donc !

Elle boit, elle aussi. On voit au premier coup d'œil qu'elle en a l'habitude. Sur les murs de sa chambre, pas une photo, pas une image, encore moins de ces fleurs ou de ces petits animaux dont raffolent habituellement les femmes. Elle se punit sans doute elle-même et dépense son argent en alcool.

— Je voudrais que vous écriviez un roman sur sa vie, je pourrai tout vous dire sur elle, vous avez du talent et un roman…

— … c'est inventé de toutes pièces, dis-je en riant.

— Je ne veux pas que vous inventiez, même si vous deviez utiliser son vrai nom. Je n'ai pas assez d'argent pour payer un écrivain et des droits d'auteur. Si j'avais de l'argent, peut-être le ferais-je. Ce que je vous demande, c'est un service, je voudrais que vous écriviez sur elle.

Je me redresse un peu pour la remercier de m'avoir reçu :

— Mais, c'est…

— Je ne veux pas vous acheter, si vous trouvez que cette jeune fille a été victime d'une injustice, si vous avez pitié d'elle, écrivez ce livre. C'est dommage que vous ne puissiez pas voir sa photo.

Son regard se perd dans le vague. Cette jeune fille morte reste en elle une lourde charge.

— Depuis mon enfance, je suis laide. C'est pourquoi j'enviais autant les belles jeunes filles et je désirais autant devenir amie avec elles. Je n'étais pas dans la même école, mais je la rencontrais tous les jours, avant et après la classe, sur le chemin de l'école. Son allure n'émouvait pas seulement les hommes, elle touchait aussi les femmes. Je voulais entrer en contact avec elle. Comme elle était toujours seule, un jour, j'ai guetté son passage, je l'ai rattrapée et je lui ai dit que j'avais très envie de lui parler, que j'espérais qu'elle ne trouverait pas cela étrange. Elle m'a dit qu'elle était d'accord et je l'ai accompagnée. Par la suite, je l'attendais toujours près de chez elle pour aller en classe et j'ai fait sa connaissance. Ne vous gênez pas, servez-vous !

Le congre et la soupe sont délicieux.

Tout en savourant ma soupe, je l'écoute me débiter comment elle est entrée dans la famille de son amie, comment sa mère la traitait comme sa propre fille. Souvent, elle ne rentrait pas chez elle et dormait dans le lit de son amie.

— Ne croyez pas qu'il y ait eu quelque chose entre nous. Je n'ai compris ce qui se passe entre hommes et femmes qu'après sa condamnation à dix ans de prison. Nous nous étions brouillées, elle ne voulait pas que je lui rende visite. Alors je me suis mariée. Avec elle, j'entretenais les relations les plus pures qui soient, comme deux jeunes filles peuvent le faire. Vous, vous ne comprenez pas forcément cela. Les hommes aiment les femmes comme des bêtes, pas vous, vous êtes écrivain, mais mangez donc du crabe !

Elle décortique un crabe tout frais, à la forte odeur d'iode, et le pose dans mon bol, accompagné de couteaux bouillis. C'est encore une histoire de guerre entre hommes et femmes, de guerre entre chair et esprit.

— Son père était un officier du Guomindang. Quand l'Armée de libération est descendue vers le sud, sa mère était enceinte d'elle. Elle a reçu un message de son mari lui enjoignant de fuir vers le port, mais le bateau de guerre était déjà parti.

Encore une vieille histoire. J'ai perdu tout intérêt pour cette fille. Je me concentre entièrement sur mon crabe.

— Une nuit, elle m'a prise dans ses bras en pleurant. J'ai sursauté et lui ai demandé ce qu'elle avait. Elle m'a dit qu'elle pensait à son père.

— Elle ne l'avait pourtant jamais vu, non ?

— A l'époque, sa mère avait brûlé toutes les photos où il était en uniforme, mais il restait chez eux leur photo de mariage. Son père portait un costume occidental, très élégant, elle m'avait montré cette photo. J'ai fait tout ce que j'ai pu pour la consoler, je l'adorais. Ensuite je l'ai prise dans mes bras et nous avons pleuré ensemble.

— Ça se comprend.

— Si tout le monde avait pensé comme vous, il n'y aurait pas eu de problème, mais les gens ne la comprenaient pas et la considéraient comme une contre-révolutionnaire. Ils disaient qu'elle voulait renverser le régime et s'enfuir à Taiwan.

— A l'époque, la politique n'était pas la même qu'aujourd'hui où l'on incite les Taiwanais à venir sur le continent visiter leurs parents.

Que pouvais-je dire d'autre ?

— C'était une toute jeune fille qui était déjà au lycée à l'époque, comment aurait-elle pu comprendre cela ? Et elle est allée noter dans son journal intime qu'elle pensait à son père !

— Elle risquait une condamnation si quelqu'un la dénonçait, dis-je. J'avais envie de savoir s'il y avait eu un transfert de son amour pour son père vers un amour homosexuel.

Et elle m'explique comment cette jeune fille, n'ayant pu entrer à l'université en raison de son origine familiale, avait été recrutée par une troupe d'opéra de Pékin. Un beau jour, un rôle féminin de la troupe était tombé malade et on lui avait demandé de la remplacer au pied levé, provoquant la jalousie de l'actrice qui, pendant une tournée, avait découvert son journal et avait fait un rapport à ses supérieurs. De retour en ville, un agent de la Sécurité était allé voir la mère pour lui demander d'inciter sa fille à se dénoncer et à lui remettre son journal intime.

Craignant une fouille, la jeune fille avait fait passer son journal chez son oncle. Interrogée, sa mère avait avoué à la police que sa fille n'avait de relations qu'avec elle et son oncle. Celui-ci avait donc été inquiété et avait révélé où se trouvait le journal. La police était venue la chercher, et elle, prise de panique, avait bien sûr tout avoué. Dans un premier temps, elle avait été isolée au sein de sa troupe, avec interdiction de rentrer chez elle, puis officiellement arrêtée et jetée en prison en tant que contre-révolutionnaire visant à renverser le régime et ayant écrit un journal intime réactionnaire.

— Ce qui signifie qu'en fait tous l'ont dénoncée, y compris sa mère et son oncle, n'est-ce pas ?

Je ne veux plus de ce crabe. J'ai les doigts couverts de frai, mais pas de serviette pour m'essuyer.

— Nous avons tous écrit des dénonciations signées. Même son oncle très âgé avait tellement peur qu'il n'osait plus me voir. Sa mère disait haut et fort que c'était moi qui avais perverti sa fille, que je lui avais transmis cette pensée réactionnaire et elle ne me laissait plus entrer chez elle.

— Comment est-elle morte ?

J'ai hâte de connaître la fin de l'histoire.

— Ecoutez-moi…

On dirait qu'elle veut se disculper. Mais moi, je ne suis pas juge. Et si cette affaire m'était tombée sur la tête à l'époque, je n'aurais sans doute pas été plus lucide. Je me souviens avoir vu, quand j'étais petit, ma mère sortir du fond d'un coffre de ma grand-mère un rouleau de titres de propriétés hypothéquées depuis longtemps et les brûler dans le fourneau. J'avais alors eu la même répugnance devant cette destruction de preuves. Heureusement que personne n'était venu régler cette vieille dette, car si à l'époque on m'avait fait subir un interrogatoire, rien ne dit que je n'aurais pas dénoncé ma grand-mère qui m'avait acheté la toupie et ma mère qui m'avait élevé ; l'époque était ainsi faite !

La nausée ne venait pas seulement de l'odeur iodée du crabe, elle venait de moi-même. Impossible de continuer à manger. Je me contente de boire.

Soudain, elle se met à suffoquer, puis se cache le visage dans ses mains et éclate en sanglots.

Je ne peux pas la consoler avec mes mains pleines de crabe. Je me contente de lui demander :

— Est-ce que je peux m'essuyer à votre serviette de toilette ?

Elle me montre la cuvette remplie d'eau fraîche derrière la porte sur l'étagère. Une fois mes mains lavées, je lui passe la serviette essorée. Elle s'arrête enfin de pleurer. Je hais ce genre d'horribles bonnes femmes, je n'ai aucune pitié pour elle.

Elle était totalement stupide à l'époque, prétend-elle, elle n'avait réalisé qu'une année plus tard ce qu'elle avait fait. Elle était allée se renseigner sur le sort de la jeune fille et lui avait fait passer quelques gourmandises en prison. Condamnée pour dix ans, son amie ne voulait plus la voir. Mais elle lui avait dit qu'elle n'était pas mariée, qu'elle avait décidé d'attendre qu'elle ait purgé sa peine et sorte de prison et qu'alors elles vivraient ensemble. Elle avait un travail, elle pouvait subvenir à ses besoins. La jeune fille avait accepté ses cadeaux.

Elle m'explique combien les jours qu'elle avait passés avec elle avant son emprisonnement étaient les plus heureux de sa vie, comment elles avaient échangé leur journal intime, échangé des paroles affectueuses comme deux sœurs peuvent le faire, et juré qu'elles ne se marieraient jamais et resteraient éternellement ensemble. Qui de leur couple était le mari et qui était la femme ? Le mari, bien sûr, c'était elle. Elles ne cessaient de rire à gorge déployée quand elles étaient au lit, il lui suffisait d'entendre ses rires pour être heureuse. Et moi, je préfère ne penser à elle qu'avec la plus extrême malveillance.

— Comment se fait-il qu'ensuite vous vous soyez mariée ?

— C'est elle qui a changé en premier, dit-elle. Un jour où j'étais allée la voir en prison, son visage était un peu gonflé et elle était très froide avec moi. Etonnée, je l'avais harcelée de questions. A la fin de la visite qui ne durait que vingt minutes, elle m'a dit de me marier et de ne plus revenir. A mes questions, elle a fini par avouer qu'elle avait quelqu'un dans sa vie. Qui ? ai-je demandé. Un criminel ! m'a-t-elle répondu. Ensuite je ne l'ai plus revue. Je lui ai encore écrit de nombreuses lettres, mais elles sont restées sans réponse. J'ai fini par me marier.

J'ai envie de lui dire que c'est elle qui lui a porté tort, que la haine de la mère de l'autre était justifiée. Sans elle, cette jeune fille aurait pu connaître un amour normal, se marier, élever des enfants et ne pas tomber dans cette situation.

— Vous avez des enfants ? lui demandé-je.

— Je n'en veux pas, volontairement.

C'est une femme vraiment mauvaise.

— Au bout d'un an de mariage, nous nous sommes séparés. Et après un an de disputes, nous avons divorcé. Depuis, je vis seule, je déteste les hommes.

— Comment est-elle morte ?

Je détourne la conversation.

— J'ai entendu dire qu'elle avait voulu s'enfuir de prison. Elle a été abattue par un gardien.

Je ne veux plus rien entendre.

J'ai hâte qu'elle ait fini son histoire.

— Et si je réchauffais un peu cette soupe ?

Elle me regarde, inquiète.

— Ce n'est pas la peine.

Elle n'est venue me chercher que pour s'épancher. Son repas m'a donné la nausée.

Elle m'explique encore comment, au prix de mille difficultés, elle était arrivée à retrouver une ancienne codétenue qui lui avait appris que la fille avait échangé des messages avec un condamné et perdu ainsi son droit de visite et de promenade. Elle avait aussi essayé de s'enfuir. On lui a dit qu'à cette époque, elle commençait à perdre la tête, passant son temps à rire ou à pleurer toute seule. Plus tard, elle avait retrouvé ce condamné. Quand elle était arrivée chez lui, il y avait une femme. Etait-ce par indifférence ou par crainte de la jalousie de cette femme, en tout cas, il n'avait pas voulu répondre à ses questions. Elle avait fini par partir, furieuse.

— Est-ce que vous pourrez écrire cela ? me demande-t-elle, tête baissée.

— Je verrai.

Elle veut me raccompagner en vélo, mais je refuse. Sur la route, un petit vent frais souffle de la mer, comme s'il allait pleuvoir. Une fois rentré dans ma chambre, chez les gens qui m'hébergent, toute la nuit, je me vide par le haut et par le bas. Ces fruits de mer ne devaient pas être très frais.

74

Ils m'ont dit que, pendant la nuit, on entendait des sons étranges de cloche et de tambour, qui venaient de la montagne, le long de la mer. C'étaient des moines et des nonnes taoïstes qui se livraient à leurs cérémonies secrètes. Lui et elle m'ont expliqué qu'ils les avaient même rencontrés par hasard et vus de leurs propres yeux. Ils en avaient parlé autour d'eux. Mais si l'on montait en plein jour sur la montagne, il était impossible de trouver ce temple taoïste.

D'après son souvenir, il devait être accroché dans la falaise, en bordure de mer. Non, d'après elle, il se trouvait à flanc de montagne et un chemin taillé dans la paroi escarpée y conduisait.

Et tous deux disaient que c'était un très joli temple, bâti dans une anfractuosité, accessible seulement par ce petit sentier. Il restait totalement invisible, que ce soit des pêcheurs en mer ou des ramasseurs d'herbes médicinales qui parcouraient les montagnes. Ils y étaient allés de nuit en se guidant sur la musique, à tâtons dans le noir. Soudain la lumière d'une torche avait crevé l'obscurité, la porte du temple s'était ouverte et ils avaient été engloutis par les fumées d'encens.

Il avait vu une centaine d'hommes et de femmes, le visage maquillé, vêtus de robes taoïstes, un sabre et une torche dans chaque main, les yeux mi-clos, qui chantaient et dansaient. Ils poussaient des cris et pleuraient. Hommes et femmes s'entremêlaient sans la moindre trace de gêne, dans un état de folie hystérique, trépignant, le visage levé vers le ciel.

Elle a dit qu'elle, elle n'avait pas vu autant de monde, en fait il n'y avait pas d'hommes, toutes les femmes, jeunes et vieilles, étaient maquillées avec splendeur. Leurs joues étaient couvertes de fard rouge vif, leurs lèvres couleur de sang, leurs sourcils rehaussés d'un trait de charbon de bois, et leurs cheveux étaient relevés sur leur tête en un chignon retenu par un ruban rouge piqué d'un chapelet de fleurs de jasmin. Elles portaient des boucles d'oreille. En avaient-elles aux narines ? Elle ne s'en souvenait plus. Elles aussi chantaient et dansaient en agitant leurs manches, en poussant de grands cris dans une atmosphère survoltée.

Tu lui demandes si elle n'a pas rêvé. Elle dit qu'elle était avec une amie. Elles étaient parties se promener en montagne, mais à un croisement de chemins, la nuit tombée les avait empêchées de redescendre. Elles avaient entendu des sons et s'étaient dirigées dans leur direction, tombant ainsi par hasard sur ce temple. Comme rien n'y était tabou, la porte s'était ouverte.

Lui, c'était la même chose, mais il était seul. Il avait l'habitude de marcher de nuit en montagne et n'avait pas peur. Il craignait seulement la méchanceté des hommes ; ces prêtres taoïstes se livraient à leurs cérémonies, ils ne faisaient de mal à personne.

Tous deux disaient qu'ils les avaient vus de leurs propres yeux, qu'ils n'y auraient pas cru s'ils en avaient seulement entendu parler. Ils avaient un niveau d'enseignement supérieur, ils étaient sains d'esprit et ne croyaient pas aux fantômes. Comment savoir s'il s'agissait d'une simple hallucination ?

Et ils ne se connaissaient pas entre eux, ils t'avaient parlé séparément de la même falaise qui bordait la mer. Tu les voyais pour la première fois, mais il te semblait avoir affaire à de vieilles connaissances, ils s'étaient immédiatement confiés à toi, pas de dispute avec eux, pas de défiance, pas d'arrière-pensées, aucune envie de duper quiconque. Ils n'ont jamais voulu t'induire en erreur et, après coup, ils ont essayé en vain de trouver une explication, ils avaient vraiment vécu par eux-mêmes cet événement, ils avaient besoin de se confier.

Ils ont dit que puisque tu étais ici, puisque tout le long de ton chemin tu avais recherché des faits prodigieux, tu devrais y aller faire un tour. Ils auraient aimé t'accompagner, mais ils craignaient de ne rien trouver en y allant dans ce seul but. Ce genre de chose n'apparaît que si on ne la cherche pas. Tu pouvais y croire ou non, mais eux, ils avaient vu de leurs propres yeux, sous la lumière des bougies rouges, leur fatigue s'envoler. Ils pouvaient le jurer tous les deux, si tant est que jurer ait le moindre effet pour te permettre de les croire, ils pouvaient immédiatement te le jurer, mais même s'ils juraient, ils ne pouvaient constater les faits à ta place. Tu ne pouvais douter de leur sincérité.

Et tu as fini par y aller. Tu es monté au sommet de la montagne avant le coucher du soleil. Tu t'es assis pour contempler l'énorme boule rouge vif dont l'éclat diminuait peu à peu. Elle est descendue jusqu'à la surface infinie des flots puis a sombré dans la mer gris-bleu. Ses rayons dans l'eau ressemblaient à des serpents de mer. Il ne restait plus à la surface qu'une sorte de chapeau formant un demi-cercle rouge. Il a encore flotté sur les eaux sombres, puis il a tressailli un peu avant de sombrer. Seule est restée dans le ciel la brume du soir.

Et tu as commencé à redescendre. Très vite, l'obscurité t'a enveloppé. Tu as ramassé une branche pour te servir de canne et tu as avancé pas à pas en frappant les pierres des marches du sentier. Bientôt tu as pénétré dans un ravin sombre, où tu ne voyais plus ni la mer ni le chemin.

Tu étais obligé de te coller à la falaise sur ce sentier envahi par la végétation. Tu craignais de trébucher et de tomber dans le ravin. Tes jambes faiblissaient, tu ne te fiais plus qu'à ton bâton pour trouver ton chemin. Tu ignorais si le prochain pas que tu ferais serait sûr et tu finissais par te demander si l'obscurité de plus en plus épaisse ne venait pas de ton propre cœur. Tu perdais même confiance en ton bâton. Tu as fini par te souvenir que tu avais un briquet dans ta poche et, sans te demander s'il pourrait t'éclairer jusqu'à un chemin plus praticable, tu as pensé qu'il pourrait au moins t'aider un peu. Dans l'obscurité profonde, ton briquet n'a produit qu'une toute petite lueur tremblotante terriblement inquiétante. Tu devais la protéger du vent avec ta main. Au-delà, se dressait un mur noir. Tu te demandais à chaque pas si tu n'allais pas tomber dans le vide. Puis le vent a soufflé la flamme, tu devais avancer pas à pas, tel un aveugle, en frappant le sol devant toi. Ce chemin était vraiment périlleux.

Tu as fini par arriver devant une sorte de grotte d'où filtrait une faible lumière par la fente de la porte. Sans hésitation, tu l'as poussée, mais elle était fermée. En collant ton œil à la fente, à la lumière d'une lampe, tu as vu que c'était un sanctuaire dédié aux « Trois Purs » suprêmes représentés par leurs statues : le Vénérable céleste du Commencement originel, le Vénérable céleste de la vertu du Dao, le Vénérable céleste du trésor de l'Esprit.

— Qu'est-ce que vous faites là ?

Une voix dure t'a soudain interpellé. Tu as sursauté, mais tu t'es senti rassuré d'entendre une voix humaine.

Tu as expliqué que tu étais un promeneur, tu t'étais perdu dans l'obscurité, tu ne savais plus où passer la nuit.

Sans dire un mot, il t'a fait monter un escalier de bois pour entrer dans une pièce éclairée par une lampe à huile. Tu as vu alors qu'il portait une robe taoïste, le bas du pantalon noué aux chevilles. Dans ses orbites profondes brillait un regard perçant. Ce devait être un vieux sage. Tu n'as pas osé lui dire que tu venais épier les secrets de son temple, tu ne cessais de t'excuser de le déranger, puis tu l'as prié de t'héberger pour la nuit, promettant de repartir dès le lever du jour.

En maugréant, il a pris une clef accrochée à une planche du mur et s'est emparé de la lampe. Et toi, tu l'as suivi bien sagement. Vous êtes montés par l'escalier, il a ouvert la porte d'une chambre, puis est reparti sans mot dire.

En allumant ton briquet, tu as découvert un lit de bois, rien d'autre. Tu t'es couché tout habillé et tu t'es mis en boule, sans oser penser à rien. Plus tard, tu as entendu, un étage plus haut, résonner un son de cloche très léger, accompagné d'une psalmodie indistincte prononcée par une voix féminine. Surpris, tu as commencé à croire à cette cérémonie mystérieuse qu'ils t'avaient racontée : elle devait se dérouler à l'étage. Tu avais envie d'aller voir, mais finalement tu n'as pas bougé. Le son te berçait et, dans l'obscurité, la fatigue t'assaillait. Il t'a semblé distinguer la silhouette d'une jeune fille assise en tailleur, les cheveux noués, en train de frapper une cloche de bronze qui résonnait par vagues successives. Il y a eu comme une onde de lumière, tu n'as pu t'empêcher de croire à la prédestination, au destin et au repos de l'âme par la prière...

Le lendemain, il faisait déjà grand jour quand tu t'es levé. Tu as gravi l'escalier jusqu'au dernier étage. La porte était ouverte sur une vaste pièce vide. Ni autel, ni tentures, ni tablettes des ancêtres, ni inscriptions. Seul, au milieu du mur, un immense miroir face à l'ouverture de la grotte, protégée par une simple balustrade de bois. Tu es allé devant ce miroir, mais tu n'y as vu que le ciel bleu. Et tu es resté immobile devant lui sans mot dire.

Pendant la descente, tu as entendu des pleurs vers lesquels tu t'es dirigé. Un enfant tout nu était assis au beau milieu du chemin. Il sanglotait doucement d'une voix éraillée. Manifestement, il pleurait depuis longtemps. Tu t'es penché vers lui :

— Tu es tout seul ?

En te voyant, il a sangloté encore plus fort. Tu l'as relevé en le tirant par ses bras maigres, tu as épousseté la poussière sur ses fesses.

— Où habites-tu ?

Plus tu lui posais de questions, plus ses pleurs redoublaient. Aucun village n'était en vue.

— Où sont tes parents ?

Il faisait non de la tête en te regardant, le visage couvert de larmes.

— Où habites-tu ?

Il continuait à pleurer. Tu as essayé de le menacer :

— Si tu pleures encore, je ne m'occupe plus de toi !

C'était plus efficace, il s'est arrêté aussitôt.

— D'où viens-tu ?

Il n'a rien répondu.

— Tu es tout seul ?

Il continuait de te regarder stupidement. Tu t'es fâché un peu :

— Tu sais parler ou non ?

Et il s'est remis à pleurer. Tu l'as arrêté :

— Ne pleure pas !

Il a ouvert la bouche comme pour pleurer, mais il n'osait plus.

— Si tu recommences, je te donne une fessée !

Il s'est retenu tant bien que mal et tu l'as pris dans tes bras.

— Où veux-tu aller, mon petit ? Dis-le moi !

Il t'a serré le cou, sans aucune gêne.

— Est-ce que tu ne sais pas parler ?

Il s'est essuyé le visage de ses mains pleines de terre et t'a regardé d'un air stupide. Tu ne savais plus quoi faire. C'était peut-être un enfant de paysans des environs, dont les parents ne devaient pas trop s'occuper. C'était vraiment insensé.

Tu l'as porté un bout de chemin, mais aucune maison n'était en vue. Commençant à te fatiguer et ne pouvant pas porter jusqu'en bas de la montagne cet enfant muet, tu t'es remis à lui parler.

— Descends et marche, d'accord ?

Il a fait non de la tête, d'un air pitoyable.

Tu as marché encore un peu ainsi, mais tu ne voyais toujours personne. Aucune fumée ne montait du vallon. Tu t'es demandé si ce n'était pas un enfant que l'on avait volontairement abandonné sur ce sentier. Tu devais le ramener là où tu l'avais trouvé, ses parents finiraient par venir le chercher.

— Descends et marche, mon petit, j'ai mal aux bras.

Tu as caressé un peu ses fesses. En fait il s'était endormi. Il y avait sûrement déjà longtemps qu'il avait été abandonné ici, victime de la méchanceté des adultes Tu as injurié ses parents en toi-même. Pourquoi l'avaient ils mis au monde, s'ils étaient incapables de l'élever !

Tu as examiné son petit visage couvert de traces de larmes. Il dormait profondément. Il te faisait une telle confiance, il ne devait pas recevoir beaucoup d'affection en temps normal. Le soleil qui avait percé à travers les nuages éclairait son visage. Il a cligné des cils, s'est tourné et a enfoui son visage dans ta poitrine.

Un flot de chaleur a jailli du plus profond de ton cœur, tu n'avais plus ressenti une telle tendresse depuis longtemps. Tu découvrais que tu aimais les enfants, que tu aurais dû en avoir. Plus tu le regardais, plus tu trouvais qu'il te ressemblait. Ne lui avais-tu pas donné la vie en recherchant un instant de plaisir ? Puis ne l'avais-tu pas abandonné ? Et tu n'avais plus jamais pensé à lui, en fait c'est toi-même que tu maudissais tout à l'heure quand tu injuriais ses parents !

Tu avais un peu peur, peur qu'il se réveille, peur qu'il sache parler, peur qu'il réalise. Heureusement, il était muet, heureusement, endormi, il n'avait pas réalisé son malheur. Tu devais le laisser endormi sur le sentier, profiter que personne ne l'ait encore découvert pour t'enfuir le plus loin possible.

Tu l'as posé sur le chemin. Il a bougé un peu, s'est mis en boule et s'est caché le visage dans les mains. Il sentait sûrement le froid de la terre, allait certainement se réveiller. Tu as détalé comme un criminel. Il t'a semblé entendre des pleurs derrière toi, mais tu n'as pas osé te retourner.

75

Quand je suis passé à Shanghai, dans le hall de la gare où des queues immenses s'alignaient devant les guichets, j'ai acheté à un particulier un billet pour Pékin par train rapide. Une heure plus tard, j'étais assis dans le compartiment, content de moi. Cette ville immense où s'entassent plus de dix millions d'habitants n'a plus aucun intérêt à mes yeux. Je voulais voir où avait vécu un oncle éloigné, mort bien avant mon père. Aucun des deux n'avait atteint l'âge glorieux de la retraite.

Les tortues et les poissons de la rivière Wusong qui traverse la ville en exhalant ses odeurs putrides sont morts. Je n'arrive pas à comprendre comment les habitants de Shanghai peuvent continuer à vivre ici. Même l'eau courante traitée est jaune et garde une odeur de chlore. Les hommes sont sans doute plus endurants que les poissons et les crevettes.

Autrefois, j'étais allé à l'embouchure du Yangzi. Hormis des cargos qui ne craignent pas la rouille, flottant sur de grandes vagues jaunâtres, on ne voyait que des rives boueuses couvertes de roseaux, sans cesse battues par les vagues. Le limon s'y dépose inexorablement, jusqu'au jour où toute la mer de Chine ne sera plus qu'un immense désert de sable.

Je me souviens que lorsque j'étais petit, l'eau du Yangzi était pure par tous les temps. Sur ses rives, les marchands proposaient du matin au soir d'énormes poissons qu'ils vendaient découpés en morceaux. Mais au cours de ce voyage, je suis passé dans des ports, le long du fleuve, et je n'en ai vu nulle part d'aussi gros. Même les étals de poissonniers sont devenus rares. Je n'en ai vu qu'à Wanxian, à la sortie des Trois Gorges, ville protégée par une digue de trente à quarante mètres de haut. Mais, dans les paniers de bambou, n'étaient exposés que de petits poissons de quelques centimètres, tout juste bons à donner aux chats. Autrefois, j'aimais rester sur le quai au bord du fleuve pour regarder les hommes descendre leurs hameçons depuis les pontons. Au moment où les poissons sortaient de l'eau, je contemplais la lutte vive, haletante, qui s'engageait entre l'homme et l'animal. A présent, plus de dix mille personnes s'occupent de planification dans le seul Bureau d'aménagement du Yangzi et j'ai été reçu par l'un de ses chefs de section, placé sous les ordres de je ne sais quelle division ou département. Lorsque ses supérieurs sont partis, il m'a confié en privé que plus d'une centaine d'espèces de poissons d'eau douce avaient presque totalement disparu.

Et à Wanxian aussi, le bateau avait mouillé pour la nuit. Le second du vapeur était venu bavarder avec moi alors que j'étais en train de contempler les lumières de la ville. Il m'avait raconté comment, réfugié dans sa cabine de pilotage, il avait assisté à un carnage pendant la Révolution culturelle. C'étaient bien sûr des hommes que l'on tuait, pas des poissons. Trois par trois, attachés par les poignets à l'aide d'un fil de fer, ils étaient poussés vers le fleuve par des tirs de mitrailleuses. Dès que l'un d'eux était touché, il entraînait les autres dans l'eau et il les avait vus se débattre tels des poissons pris à l'hameçon, avant de dériver au fil du courant comme des chiens crevés. Ce qui est curieux, c'est que plus on tue les hommes, plus ils sont nombreux, alors que les poissons, plus on en pêche, plus ils deviennent rares. Il vaudrait mieux que ce soit le contraire.

Les hommes et les poissons ont ceci en commun que les grands hommes et les grands poissons ont tous disparu. On voit bien que le monde n'est pas fait pour eux.

J'ai bien peur que mon oncle éloigné n'ait été l'un de ces derniers grands hommes. Je ne parle pas de ces personnes en vue qui se pressent en foule aux cérémonies et banquets officiels. Je parle des grands hommes que je vénère. Et cet oncle avait été victime d'une erreur médicale. Soigné pour une simple pneumonie, on l'avait conduit à la morgue deux heures à peine après l'injection d'une piqûre. J'avais entendu parler de telles affaires, mais jamais je n'aurais pu croire que mon oncle mourrait ainsi. La dernière fois que je l'ai vu, c'était pendant la Révolution culturelle, c'était aussi la première fois qu'il parlait avec un petit jeune comme moi de politique et de littérature. Avant, il se contentait de jouer avec moi. De sa voix grave et haletante, il savait chanter *l'Internationale* en espéranto. Il souffrait de l'asthme depuis longtemps, il disait qu'il avait contracté cette maladie en fumant trop de produits de remplacement du tabac pendant la guerre. Sur les champs de bataille, lorsque le tabac manquait et que l'envie était trop forte, on était capable de fumer de tout, par exemple des feuilles de choux ou de coton séchées. On devait se tirer de toutes les situations.

Il avait aussi toujours un moyen pour amuser les enfants. Un jour, je m'étais disputé avec ma mère et je refusais de manger, laissant refroidir la soupe bouillante aux nouilles et au poulet dont elle m'avait rempli un bol. Deux volontés s'affrontaient. Même petit, j'avais la gravité d'un adulte et, telle une corde tendue sur un arc, je restais inflexible. Au moment où ma mère allait se fâcher et me faire perdre la face, mon oncle m'avait pris par la main et emmené dans la rue acheter une glace.

Il venait de tomber une averse, l'eau de pluie coulait à torrents. Il avait quitté ses bottes de militaire, retroussé ses pantalons et m'avait conduit en pataugeant dans une boutique où je m'étais empiffré de deux glaces énormes. Depuis, je n'ai jamais plus mangé autant de glace à la fois. Quand il m'avait ramené chez moi, ma mère avait ri en le voyant, l'air pitoyable, ses bottes de cuir à la main. Et la guerre froide entre ma mère et moi s'était arrêtée là. Cet oncle avait vraiment les manières d'un grand homme.

Son père était mort en fumant l'opium et en s'adonnant au plaisir des femmes. C'était un capitaliste compradors. A l'époque, il lui avait proposé des milliers de yuans argent pour aller aux Etats-Unis faire ses études et lui avait interdit d'entrer dans les activités clandestines du Parti communiste. Mais il avait catégoriquement refusé et s'était enfui au Jiangxi pour participer au combat de résistance contre le Japon dans la Nouvelle Quatrième Armée.

Il aimait raconter comment, alors que la Nouvelle Quatrième Armée se trouvait dans le Sud-Anhui, il avait acheté à un paysan un petit léopard et l'avait élevé dans une cage cachée sous son lit. Dès la tombée de la nuit, l'instinct de l'animal revenait et il ne cessait de rugir. Quand l'armée était partie, il n'avait pu se résoudre à le tuer et l'avait confié à quelqu'un.

A l'époque, mon père était son principal interlocuteur. Chaque fois qu'il venait le voir, il apportait une bouteille de bon alcool introuvable sur le marché, puis congédiait son garde du corps et le chauffeur qui l'avait amené. Pour moi, c'était un gros paquet de bonbons assortis de Shanghai.

Chaque fois ils bavardaient jusqu'à l'aube, évoquant leur enfance, leur jeunesse, comme je le fais à présent lorsque par hasard je rencontre d'anciens camarades.

Ils parlaient du froid qui régnait dans leur ancienne maison couverte de liserons, ils parlaient de leurs petits malheurs, comme lorsqu'il était rentré de l'école en saignant du nez, tachant le col de sa veste. Effrayé, il avançait en pleurant et les gens de sa rue, tout comme ses parents éloignés, l'avaient regardé passer sans broncher. Seule la vieille marchande de pâté de soja l'avait arrêté, poussé dans la salle où elle moulait les graines de soja, et avait chiffonné un peu de papier de riz pour qu'il se le fourre dans le nez.

Ils parlaient aussi de la vieille demeure à laquelle mon arrière-grand-père fou avait mis le feu et qui avait été sauvée par les membres de notre famille. A côté d'elle vivait une jeune fille qui s'était suicidée par amour. Deux jours avant, on l'avait vue sortir de la boutique de tissu tenant sous le bras une étoffe à fleurs. On croyait qu'elle préparait son mariage, mais deux jours plus tard, elle s'était suicidée en avalant des aiguilles, vêtue de la robe taillée dans le tissu à fleurs.

Enveloppé dans mes couvertures, je les écoutais, fasciné, sans vouloir dormir. Je le voyais fumer cigarette sur cigarette malgré son asthme. Aux moments les plus agités de ses récits, il se mettait à marcher à grands pas dans la pièce. Il disait qu'il ne désirait qu'une chose : démissionner de l'armée pour écrire.

La dernière fois que j'étais allé le voir à Shanghai, il tenait à la main une sorte de vaporisateur dont il se servait quand il toussait trop. Je lui avais demandé s'il avait écrit son livre. Non, heureusement, car sinon il ne serait peut-être plus de ce monde. Ce fut la seule fois qu'il ne me traita pas comme un enfant. Il m'avait mis en garde : l'époque n'était pas bonne pour la littérature, pour la politique non plus. D'après lui, dès qu'on entrait en politique, on ne savait pas où l'on mettait les pieds et l'on risquait de perdre la tête sans même s'en apercevoir. Je lui avais expliqué que je ne pouvais même plus poursuivre mes études à l'université. Eh bien, tu n'as qu'à te faire observateur. Il m'avait dit que lui-même était observateur à présent. Avant la Révolution culturelle, à l'époque où le mouvement contre les opportunistes de droite faisait rage dans les journaux alors que les gens mouraient de faim, il avait été soumis à enquête. Il avait alors commencé à observer en se tenant à l'écart et, depuis ce temps, était resté sous surveillance. Rien d'étonnant si à cette époque mon père avait coupé toute relation avec lui. Mon oncle lui avait seulement fait savoir qu'il était parti en mission dans un coin de l'île de Hainan avec toutes ses affaires militaires. Impossible de deviner si ces paroles cachaient un message secret.

C'est depuis lors que j'ai commencé à observer, dès mon retour, sur la ligne de chemin de fer Pékin-Shanghai : des combattants chargés soi-disant « d'attaquer par le verbe et de défendre par les armes », une pique à la main, un chapeau d'osier tressé sur la tête, un brassard rouge au bras, se tenaient parfaitement alignés sur le quai. Dès que le train s'était arrêté, ils s'étaient précipités à la porte des wagons. A leur vue, un passager qui s'apprêtait à descendre s'était empressé de remonter. Ils s'étaient engouffrés à sa suite. L'homme hurlait des appels au secours, mais personne n'osait bouger. J'ai vu comment on l'a traîné dehors, encerclé sur le quai et frappé. Le train s'est enfin ébranlé et je n'ai jamais su ce qu'il était devenu.

A l'époque, la folie s'était emparée de toutes les villes que l'on traversait. Les constructions humaines, murs, usines, pylônes de lignes à haute tension, châteaux d'eau, étaient toutes couvertes de slogans jurant de protéger jusqu'à la mort, renverser, briser, se battre jusqu'au sang. Les haut-parleurs, dans les compartiments et le long de la voie ferrée, diffusaient des chants de combat dans le vacarme des sifflements des trains. Dans la gare de Mingguang, « Lumière brillante » — Dieu sait comment ce nom avait pu être conservé —, des deux côtés de la voie ferrée se pressaient des colonnes de réfugiés. Le train n'ouvrait plus ses portes et les gens pénétraient par les fenêtres ouvertes, essayant de se tasser dans les compartiments où l'on était déjà serrés comme des sardines. Les occupants tentaient de maintenir les fenêtres fermées de toutes leurs forces. Les réfugiés avaient l'air d'ennemis séparés par une vitre. Cette vitre était étrange, elle semblait déformer les visages, les animer de haine et de colère.

Le train s'était mis en route dans un grand fracas, sous une pluie de cailloux et des tonnerres d'injures, des coups, des bruits de vitres cassées, une véritable scène d'enfer, d'autant que les gens étaient persuadés qu'ils souffraient pour défendre leur bon droit.

Et toujours à cette époque, toujours sur cette ligne de chemin de fer, j'ai vu le corps dénudé d'une jeune femme, sectionné par les roues du train, comme un poisson tranché par un couteau effilé. Le convoi avait fortement tremblé et sifflé, le métal et le verre avaient crissé dans un grand déchirement aigu. On aurait dit un tremblement de terre. Tout était étrange alors. Comme si le ciel et les hommes communiquaient et que la terre devenue folle ne cessait de trembler.

C'est au bout de cent ou deux cents kilomètres que le train s'était subitement arrêté. Les employés, les membres de la sécurité et les passagers étaient descendus des voitures. L'herbe qui poussait sur le ballast était maculée de fragments de chair humaine. Une odeur fétide de sang imprégnait l'air ; le sang humain a une odeur plus forte que le sang des poissons. Sur le remblai de la voie ferrée gisait un corps potelé de femme, sans tête, sans jambes et sans bras. Elle s'était vidée de son sang, son corps était tout blanc, plus lisse qu'un bloc de marbre. Ce corps splendide de jeune femme conservait des traces de vie et éveillait le désir. Un vieil homme parmi les voyageurs était allé chercher un lambeau de tissu accroché à une branche pour en couvrir le bas du corps. Le conducteur du train s'épongeait la sueur avec sa casquette et expliquait désespérément comment il avait actionné son sifflet quand il avait vu la jeune femme marcher au milieu de la voie. Elle ne s'était pas écartée. Il avait ralenti, mais il ne pouvait freiner trop fort en raison des passagers du train et il l'avait vue se faire écraser. Au dernier moment, elle avait fait un écart, mais... Elle avait voulu se suicider, c'est sûr qu'elle recherchait la mort, était-ce une étudiante installée à la campagne ? Etait-ce une paysanne ? Elle n'avait jamais eu d'enfants, c'était sûr. Les passagers discutaient entre eux. Elle ne voulait sans doute pas mourir, sinon pourquoi aurait-elle fait un écart au dernier moment ? Est-ce si facile de mourir ? Il faut être mauvais pour vouloir mourir ! Peut-être était-elle plongée dans ses pensées. Ce n'est pas comme de traverser la route en plein jour, c'est un train qui arrivait sur elle ! A moins qu'elle n'ait été sourde, elle a voulu mourir, mieux vaut mourir que vivre. Celui qui avait dit cette phrase s'était éloigné rapidement.

Je ne fais que me battre pour survivre, non, je ne me bats pas pour quoi que ce soit, je ne fais que me protéger. Je n'ai pas le courage de cette femme, je n'ai pas atteint un tel désespoir, j'aime encore éperdument ce monde, je n'ai pas encore assez vécu.

76

Après une longue errance, dans la solitude, il arrive face à un vieillard appuyé sur une canne, vêtu d'une longue robe. Alors, il lui demande conseil :

— S'il vous plaît, Vieil Homme, où se trouve la Montagne de l'Ame ?

— D'où viens-tu ? rétorque le vieillard.

Il répond qu'il vient de Wuyi.

— Wuyi ? Le vieillard réfléchit un instant. Ah oui, près du fleuve.

Il dit qu'il vient précisément du bord du fleuve, s'est-il trompé de chemin ? Le vieillard fronce les sourcils :

— Le chemin est bon. C'est celui qui l'emprunte qui s'est trompé.

— Vous avez entièrement raison, Vieil Homme.

Mais il veut lui demander si la Montagne de l'Ame se trouve au bord du fleuve.

— Si l'on dit qu'elle est au bord du fleuve, c'est qu'elle est au bord du fleuve, répond le vieillard sur un ton impatient.

Il dit qu'il est justement venu de ce bord-là vers ce bord-ci.

— Plus tu marches plus tu t'éloignes, dit le vieillard, sûr de lui.

— Bon, dois-je faire demi-tour ? demande-t-il à nouveau.

En lui-même il se dit qu'il n'y comprend vraiment rien.

— Ce que j'ai dit est très clair, répond le vieillard froidement.

— Oui, c'est vrai, Vieil Homme, c'est très clair…

Le problème, c'est que lui-même n'y voit pas encore clair.

— Qu'est-ce qui n'est pas clair ? demande le vieillard en le scrutant sous ses épais sourcils.

Il dit qu'il ne comprend toujours pas comment aller à la Montagne de l'Ame.

Les yeux fermés, le vieillard se concentre.

— N'avez-vous pas dit qu'elle était là-bas, au bord du fleuve ?

Il repose la question.

— Mais je suis déjà allé là-bas…

— Oui, elle est là-bas. Il l'interrompt, impatient.

— Et par rapport au bourg de Wuyi ?

— Eh bien, elle est toujours là-bas, au bord du fleuve.

— Mais c'est justement à Wuyi que j'ai rejoint l'autre rive du fleuve, quand vous dites là-bas, au bord du fleuve, vous voulez dire en fait de ce côté-ci du fleuve !

— Vous ne voulez pas aller à la Montagne de l'Ame ?

— Mais si.

— Eh bien, elle est là-bas, au bord du fleuve.

— Vieil homme, c'est de la métaphysique. c'est cela ?

Il reprend sur un ton très sérieux :

— Vous ne m'avez pas demandé le chemin ?

Il dit que si.

— Eh bien, je vous ai renseigné.

Appuyé sur sa canne, le vieillard s'éloigne, pas à pas, sans plus lui prêter attention.

Et il reste seul de ce côté-ci du fleuve, de l'autre côté par rapport à Wuyi. En fait, le problème est de savoir de quel côté est Wuyi. Il ne sait vraiment plus. Seule lui revient en mémoire une comptine vieille de plusieurs milliers d'années :

— Rentrera, rentrera pas, mais là ne reste pas. Au bord du fleuve le vent est froid.

77

Le sens de ce reflet n'est pas clair, une surface d'eau réduite, toutes les feuilles des arbres sont tombées, les branches sont gris-noir, l'arbre le plus près ressemble à un saule, un peu plus loin, les deux arbres proches de l'eau sont sans doute des ormes, en face, de fines tiges de saules, ébouriffées, dont les branches dépouillées se terminent par de petites fourches, on ne sait si la surface de l'eau est gelée, par temps froid, une fine couche de glace la recouvre peut-être, le ciel est nuageux, comme s'il allait pleuvoir, mais il ne pleut pas, rien ne trouble le calme, pas un frémissement à la pointe des branches, pas de vent, tout est figé, comme si tout était mort, seule une petite musique flotte dans l'air, inaccessible, les arbres sont un peu tordus, les deux ormes penchent légèrement, l'un vers la gauche, l'autre vers la droite, le tronc du grand saule s'incline vers la droite, trois branches de la même grosseur partent du tronc vers la gauche, assurant un certain équilibre à l'arbre, ensuite, plus rien ne bouge, comme la surface de l'eau, morte, peinture achevée qui n'est plus soumise à aucun changement, la volonté même de changer a disparu, ni trouble, ni élan, ni désir, la terre, l'eau, les arbres, les branches, à la surface de l'eau des traces marron-noir, pas vraiment des îlots, des bancs de sable, des javeaux, de petites parcelles qui affleurent à la surface dont elles rompent la monotonie presque artificielle, au bord poussent quelques arbustes que l'on ne remarque pas, complètement à droite, ils écartent leurs branches, comme des doigts secs, comparaison peut-être peu adaptée, ils écartent leurs branches, c'est tout, ils n'ont pas l'intention de les replier alors que les doigts peuvent se replier, ils sont sans charme, tout près, sous le saule, une pierre, est-elle là pour permettre aux gens de s'asseoir et de prendre le frais ? Ou pour permettre aux passants de poser leurs pieds dessus pour éviter de mouiller leurs chaussures quand l'eau est grosse ? Aucune de ces raisons n'est peut-être la bonne, peut-être n'est-ce même pas une pierre, peut-être seulement deux mottes de terre, un chemin passe là-bas, ou quelque chose qui s'en rapproche et qui traverse cette surface couverte d'eau. Tout est peut-être inondé quand les eaux sont grosses, au niveau de la première branche du saule, on dirait une digue, sans doute la berge quand l'eau est haute, mais cette digue est percée de brèches, l'eau peut encore déborder, sur la digue on n'est pas forcément en sécurité, un oiseau s'envole au loin et se pose sur les fines branches du saule, il est difficile à repérer si l'on n'a pas suivi son vol du regard, on ne le verra que s'il s'envole, il est plein de vie, en observant bien, on en voit plusieurs, ils sautillent à terre, au pied de l'arbre, ils se posent puis repartent, ils sont plus petits que celui qui s'est posé sur l'arbre, moins noirs aussi, peut-être des moineaux, et celui qui est caché dans l'arbre doit être un merle, s'il ne s'est pas encore envolé, tout dépend si l'on arrive à le distinguer, la question n'est pas de savoir s'il y en a un ou non, s'il y est ou pas, mais si on ne le distingue pas, cela revient au même, sur la rive opposée, quelque chose bouge, de ce côté-là, sur les touffes d'herbes jaunâtres, une charrette, poussée par un homme et tirée par un autre, courbé, c'est une charrette à bras avec des roues en caoutchouc, elle peut porter une demi-tonne de chargement, elle se déplace lentement, pas du tout comme les moineaux, on ne s'aperçoit qu'elle bouge qu'après avoir reconnu qu'il s'agit d'une charrette, tout dépend de l'idée qu'on en a, si l'on pense que là-bas ce doit être un chemin, c'est un chemin, un vrai chemin, même s'il est rempli d'eau après les pluies, il n'est pas submergé par les eaux, on peut encore remonter par le regard le long d'une ligne ininterrompue au-dessus des buissons d'herbes jaunâtres et retrouver la charrette, mais elle est déjà loin, elle est entrée dans les branches de saule, on croit d'abord qu'il s'agit d'un nid d'oiseau puis, une fois que le regard a percé les branches, on s'aperçoit que c'est une charrette qui se déplace un peu, elle est très chargée, des briques ou de la terre, les arbres dans le paysage, les oiseaux, la charrette, ont-ils conscience aussi du sens de leur forme ? Quelle relation y a-t-il entre ce ciel gris, l'eau et son reflet, les arbres, les oiseaux ? Le ciel... gris... une étendue d'eau... les arbres dénudés... pas le moindre vert... des buttes de terre... tout est noir... la charrette... les oiseaux... pousser avec force... ne pas bouger... le déferlement des vagues... les moineaux qui picorent... les rameaux... transparents... faim et soif de la peau... on peut tout... la pluie... la queue d'une poule... des plumes légères... couleur de roses... la nuit sans fin... c'est pas mal... un peu de vent... c'est bien... je te suis reconnaissant... dans la blancheur informe... quelques rubans... roulés... froid... chaud... vent... penche et vacille... spirale... maintenant symphonie... énorme... insecte... sans squelette... dans un gouffre... un bouton... aile noire... ouvrir la nuit... partout c'est... impatient... un feu brillant... des motifs minutieux... des soieries noires... un ver... le noyau de la cellule qui tourne dans le cytoplasme... les yeux nés en premier... il dit que le style... a la capacité de vivre par lui-même... un lobe d'oreille... des traces sans nom... on ne sait quand la neige est tombée, quand elle s'est arrêtée. Une fine couche blanche qui n'a pas eu le temps de s'amasser sur les branches. Les trois branches qui poussent à l'opposé de la direction vers laquelle penche le saule sont devenues noires. Les deux ormes déployés, l'un vers la gauche, l'autre vers la droite, au bout des branches, la blancheur du reflet de l'eau, comme la neige qui tombe sur une plate étendue boueuse, la surface de l'eau a dû geler. Les traces de terre que l'on peut difficilement qualifier d'îles, javeaux ou bancs ne sont plus qu'une ombre noire, impossible de comprendre pourquoi elles forment cette ombre noire si l'on ne sait pas qu'à l'origine c'étaient des surfaces de terre, et même si on le sait, on ne comprend pas pourquoi la neige n'y a pas tenu. Plus loin, les touffes d'herbes sont les mêmes, toujours jaunâtres, plus haut, ce qui apparaît comme un chemin reste indistinct. Au-dessus du petit arbre qui étend ses branches, on repère une ligne courbe, blanche, qui grimpe vers le haut, la charrette semble avoir gravi la pente par là. A ce moment, la charrette a disparu sur la route, plus de passants, sur la neige ils apparaîtraient parfaitement. Les deux rochers, ou les deux mottes de terre ressemblant à des rochers devant le saule, ont disparu, la neige a recouvert ces détails, le chemin que l'on emprunte après la neige se distingue avec autant de netteté que des veines sous la peau. Et c'est ainsi qu'un paysage ordinaire auquel on ne prête guère attention laisse en soi une impression profonde. En moi il fait naître soudain une espèce de désir, j'ai envie d'y entrer, entrer dans ce paysage de neige, ne plus être qu'une silhouette, une silhouette qui bien sûr n'aurait aucun sens, si je n'étais en train de la contempler par la fenêtre. Le ciel sombre, le sol couvert de neige plus brillant encore par contraste avec ce ciel sombre, plus de merles, plus de moineaux, la neige a absorbé toute idée et tout sens.

78

Un village mort, couvert de neige ; à l'arrière, de hautes montagnes silencieuses, enneigées aussi. Les traces noires, ce sont les branches des arbres courbés, les touffes noires, ce sont sans doute les aiguilles de pins, et les ombres ne peuvent être que des rochers qui émergent de la neige ; pas de couleur, on ne sait si c'est la nuit ou le jour, l'obscurité émet une certaine lumière, la neige semble continuer à tomber, effaçant les traces de pas.

Un village de lépreux.

Peut-être.

Et pas d'aboiements de chiens.

Ils sont tous morts.

Appelle.

Inutile, des gens ont vécu ici, il y a un mur en ruine que la neige a recouvert, une neige lourde qui a enfoui leur sommeil.

Ils sont morts en dormant ?

Ç'aurait été mieux, mais j'ai bien peur qu'il y ait eu un massacre, une extermination totale, tout le monde y est passé, ils ont d'abord tué les chiens avec des petits pains farcis à l'arsenic.

Pendant l'agonie, les chiens ne gémissent-ils pas ?

Ils les frappaient avec une palanche, juste sur le museau, un moyen excellent.

Pourquoi ?

C'est le seul moyen de les tuer sur le coup.

Aucun d'eux n'a résisté ?

Ils les ont tués à l'intérieur des maisons, aucun n'a pu fuir.

Les enfants non plus ?

Ils y sont allés à la hache.

Même les femmes n'ont pas été relâchées ?

Quand ils les ont violées et massacrées, ce fut encore plus atroce..

Tais-toi.

Tu as peur ?

Il y avait plus d'une famille dans ce village ?

Une famille de trois frères.

Ils sont morts aussi ?

On a dit qu'ils avaient été soit victimes de la vengeance familiale, soit d'une épidémie, ou bien encore qu'ils faisaient du trafic en cherchant de l'or dans le lit de la rivière.

Ils auraient été tués par des inconnus ?

Ils empêchaient que l'on vienne chercher de l'or sur leur territoire.

Où se trouve le lit de cette rivière ?

Sous nos pieds.

Comment se fait-il qu'on ne le voie pas ?

On ne voit que la vapeur qui s'élève des enfers, ce n'est qu'une impression, c'est en fait un fleuve mort.

Et nous sommes au-dessus de lui ?

Oui. Laisse-moi te conduire.

Où ?

Sur l'autre rive du fleuve, sur l'étendue de neige d'un blanc si pur, au bord du champ, il y a trois arbres, et quand on les dépasse, on arrive face à la montagne, au pied des maisons qui se sont écroulées sous les lourdes couches de neige. Seul ce mur en ruine émerge. Derrière lui on peut encore ramasser des tuiles cassées et des morceaux de bols en céramique noire. Tu ne peux te retenir de les pousser du pied, un oiseau de nuit te fait sursauter en s'envolant d'un vol lourd, tu ne vois plus le ciel, tu vois seulement la neige qui continue à tomber et s'accumuler sur la haie. Derrière cette haie, c'est un jardin de légumes. Tu sais que là, sous la neige, sont plantées la moutarde qui résiste au froid et des courges à la peau ridée comme des vieilles femmes. Tu connais bien ce jardin potager, tu sais où est le passage qui mène au seuil de la porte du fond ; assis là, tu as mangé des petites châtaignes grillées, tu ne sais plus si c'est un rêve de jeunesse ou la jeunesse dont tu rêves, tu as compris que cela demande beaucoup d'énergie, ta respiration est faible à présent, tu dois faire attention, ne pas marcher sur la queue du chat dont les yeux luisent dans le noir, tu sais qu'il te regarde, tu fais semblant de ne pas le voir, tu dois sans un mot traverser la cour intérieure, là-bas est dressée une baguette sur laquelle repose en équilibre un van fait de lanières tressées, elle et toi, vous vous cachiez derrière la porte, une ficelle à la main, pour guetter les moineaux, les grandes personnes jouaient aux cartes dans la maison, ils portaient tous des lunettes rondes à monture de cuivre, les yeux gonflés et exorbités comme ceux des poissons rouges, mais ils ne voyaient rien, ils passaient les cartes une à une devant leurs lunettes, vous vous êtes alors glissés sous la table ; autour de vous, des jambes, un sabot de cheval, et aussi une grosse queue touffue étalée, tu sais qu'il s'agit d'un renard, il ne cesse de remuer et finit par se transformer en une tigresse à la robe rayée, elle est assise sur le grand fauteuil et peut s'élancer sur toi à tout moment, tu ne peux t'éloigner, tu sais que la lutte sera féroce, et elle se jette sur toi !

Qu'y a-t-il ?

Rien, j'ai dû rêver, dans mon rêve, il neigeait dans un village, le ciel dans la nuit était éclairé par la neige, cette nuit était irréelle, l'air était froid, ma tête vide, je rêve toujours à la neige, à l'hiver et aux traces de pas sur la neige en hiver, je pense à toi,

ne me parle pas de ça, je ne veux pas grandir, je pense à mon père, lui seul m'aimait, tu ne penses qu'à coucher avec moi, je ne peux pas faire l'amour sans amour,

je t'aime,

c'est faux, ce n'est qu'une envie passagère,

qu'est-ce que tu racontes ? je t'aime !

oui, se rouler dans la neige, comme des chiens, va de ton côté, je ne veux que moi-même,

le loup te prendra dans sa gueule, te dévorera entièrement et l'ours noir t'emportera dans sa grotte pour faire de toi sa femme !

si tu penses à ça, c'est que tu te préoccupes de moi, que tu te soucies de mes sentiments,

quels sentiments ?

devine, quel idiot, je pense voler…

quoi ?

j'ai vu une fleur dans la nuit,

quelle fleur ?

une fleur de camélia,

je vais aller te la cueillir,

ne l'abîme pas, tu n'as pas à mourir pour moi,

pourquoi mourir ?

rassure-toi, je ne risque pas de vouloir que tu meures pour moi, je suis trop seule, aucun écho ne répond à mes cris, tout reste calme alentour, aucun bruit de source, l'air est si lourd, où se trouve la rivière où ils cherchaient de l'or ?

sous la neige, sous tes pieds,

c'est faux,

c'est une rivière souterraine, ils filtraient la rivière, penchés en avant,

il y a un buisson ?

quoi ?

il n'y a rien,

tu es méchant,

qui t'a dit de poser des questions ? hé ! hé ! on dirait qu'il y a de l'écho, devant, emmène-moi,

si tu veux,

...

j'ai vu, toi et elle, sur la neige, dans la nuit noire, difficiles à distinguer, toi, sur la neige, pieds nus.

Tu n'as pas froid ?

Je ne sais pas ce qu'est le froid.

Et tu marchais comme ça dans la neige avec elle, entourés des forêts, des arbres vert foncé.

Pas d'étoiles ?

Non, pas de lune non plus.

Pas de maisons ?

Non.

Pas de lampes ?

Non, rien, toi et elle, seulement, marchant ensemble, marchant sur la neige, elle portait un foulard, tu étais pieds nus. Tu avais un peu froid, pas trop. Tu ne te voyais pas toi-même, tu sentais seulement que tu étais pieds nus dans la neige, elle était à côté de toi, elle tenait ta main. Tu as serré sa main, tu la conduisais.

Il faut marcher longtemps ?

Oui, c'est très loin, tu n'as pas peur ?

Cette nuit est étrange, bleu-noir, brillante, je n'ai pas peur avec toi.

Tu te sens en sécurité ?

Oui.

Tu n'es pas dans mes bras ?

Oui, je m'appuie sur toi, tu me serres doucement.

Je t'ai embrassée ?

Non.

Tu en avais envie ?

Oui, mais je ne l'ai pas dit clairement, c'était bien comme ça, nous descendions et j'ai vu un chien.

Où ?

Devant moi, il était assis là, j'ai reconnu que c'était un chien, et je t'ai vu éternuer, soufflant un grand jet de vapeur.

Tu as senti la chaleur ?

Non, mais je savais que tu soufflais de l'air chaud, tu as seulement éternué, tu n'as pas parlé.

Tu avais les yeux ouverts ?

Non, je les fermais. Mais j'ai tout vu, je ne pouvais pas ouvrir les yeux, je savais que tù disparaîtrais si je les ouvrais et j'ai continué ainsi et tu as continué à m'enlacer, pas si fort, je ne peux plus respirer, j'ai voulu regarder encore, te retenir, ah, maintenant ils se sont séparés et continuent à avancer.

Toujours dans la neige ?

Oui, la neige retient un peu les pas, mais c'est très confortable, j'ai un peu froid aux pieds, mais j'ai justement besoin de continuer à marcher ainsi.

Vois-tu comment tu es ?

Je n'ai pas besoin de voir, je veux seulement sentir que j'ai un peu froid, que mes pieds sont un peu retenus, je veux sentir la neige, sentir que tu es près de moi, je serai tranquille alors et j'avancerai, mon chéri, as-tu entendu que je t'appelais ?

Oui.

Embrasse-moi, embrasse la paume de ma main, où es-tu, ne pars pas !

Je suis près de toi.

Non, j'invoque ton âme, je t'appelle, viens, ne m'abandonne pas.

Stupide enfant, je ne risque pas.

J'ai peur, peur que tu me quittes, ne me quitte pas, je ne supporte pas la solitude.

N'es-tu pas dans mes bras, maintenant ?

Oui, je sais, je t'en suis reconnaissante, mon chéri.

Dors, dors tranquillement.

Je n'ai pas sommeil, j'ai l'esprit parfaitement clair, je vois la nuit transparente, la forêt bleue, la neige accumulée, pas d'étoiles, pas de lune, tout cela je le vois distinctement, quelle nuit étrange, je voudrais toujours rester avec toi dans cette nuit de neige, ne me quitte pas, ne m'abandonne pas, j'ai envie de pleurer, je ne sais pas pourquoi, ne m'abandonne pas, ne reste pas si loin de moi, n'embrasse pas d'autres femmes !

79

Un ami est venu — c'était aussi l'hiver, il avait neigé — me raconter sa rééducation par le travail. Par la fenêtre il contemple le paysage de neige en plissant les yeux, comme si la réverbération était trop forte, comme s'il s'enfonçait dans ses souvenirs.

Dans la ferme de rééducation par le travail, raconte-t-il, il y avait un signal géodésique, qui devait faire — il lève la tête et par la fenêtre évalue la hauteur d'un bâtiment tout proche —, qui devait faire au moins cinquante ou soixante mètres, en tout cas, il n'était pas moins haut que ce bâtiment. Une nuée de corbeaux volait autour, s'éloignant, se rapprochant, tournant sans cesse en croassant. Le chef de la ferme chargé de surveiller les condamnés à la rééducation était un vieux soldat qui avait participé à la guerre de Corée et s'était illustré par ses faits d'armes. Invalide de guerre, il avait une jambe plus courte que l'autre et marchait en claudiquant. Je ne sais quels ennuis il avait rencontrés, mais il n'avait pas pu monter plus haut que le grade de capitaine et ne cessait de pester d'avoir été envoyé ici pour garder ces criminels.

Par le con de ta mère, qu'est-ce que c'est que cette couille qui m'empêche de dormir ? Il jurait avec son accent du Nord-Jiangsu. Un grand manteau militaire jeté sur les épaules, il tournait autour du signal géodésique.

Monte voir ! il m'ordonne. J'ai dû ôter ma veste ouatée et grimper. A mi-parcours, le vent soufflait fort, mes mollets tremblaient. Jetant un coup d'œil sous moi, j'ai senti que mes jambes flageolantes allaient me lâcher. C'était l'année de la famine. Dans les villages des environs, on mourait de faim. A la ferme, ça allait un peu mieux. Les patates douces et les arachides que nous avions plantées s'entassaient dans les silos. Le capitaine en avait prélevé une partie qu'il n'avait pas livrée à ses supérieurs. La ration fixée pour chacun était garantie et, si certains présentaient des œdèmes, nous arrivions quand même à travailler. Mais j'étais vraiment trop faible pour grimper.

J'ai appelé : Capitaine !

Dis-moi ce qu'il y a au sommet, il crie.

J'ai levé la tête.

On dirait qu'un sac est accroché ! je lui dis.

Des étoiles apparaissent devant mes yeux.

Je n'arrive plus à monter ! je crie.

Alors fais-toi remplacer ! Il enchaînait les grossièretés, même s'il n'était pas mauvais au fond de lui-même.

Je descends.

Trouve-moi le Voleur, il dit.

Le Voleur était aussi un condamné à la rééducation, un petit démon de dix-sept ou dix-huit ans qui avait volé une bourse au passager d'un autobus. On l'avait surnommé le Voleur.

Je l'ai trouvé. Il regarde en haut et hésite. Le capitaine se met en colère.

Est-ce que je t'envoie à la mort ?

Le Voleur dit qu'il a peur de tomber.

Le capitaine ordonne qu'on lui donne une corde, puis il ajoute qu'il lui retiendra trois jours de rations alimentaires s'il ne grimpe pas !

Le Voleur s'attache à la taille et grimpe. En bas, nous transpirons pour lui. Arrivé aux deux tiers, il attache sa corde aux barreaux métalliques. Il arrive au sommet. La nuée de corbeaux continue à tourbillonner autour de lui. Il les chasse de la main, puis un sac de jute vole jusqu'en bas du signal. On va tous voir. Le sac, criblé de trous par les corbeaux, est encore à moitié rempli d'arachides !

Par le con de ta mère ! Le capitaine recommence à jurer.

Rassemblement !

Coup de sifflet. Bien, rassemblement général. Il commence ses remontrances. Puis il demande : Qui a fait ça ? Personne n'ose souffler mot

Il n'a pas pu voler là-haut tout seul, non ? J'ai cru que c'était la chair d'un mort !

On se retient tous de rire.

Si personne ne se dénonce, arrêt général du ravitaillement.

Tout le monde redoute cela. On s'observe. Enfin, chacun réalise que seul le Voleur est capable de grimper sur le signal. Les regards se tournent vers lui. Il baisse la tête, puis, n'y tenant plus, se jette à genoux et avoue avoir volé et caché le sac là-haut. Il prétend qu'il avait peur de mou rir de faim.

Tu t'es servi d'une corde ? demande le capitaine.

Non.

Alors, qu'est-ce que c'est que ces simagrées que tu viens de faire ? Que ce foutu salaud soit privé de nourriture pendant un jour ! déclare le capitaine.

Tout le monde l'acclame.

Le Voleur éclate en sanglots.

Le capitaine s'éloigne clopin-clopant.

Un autre ami est venu me dire qu'il a une affaire extrêmement importante à discuter avec moi.

D'accord, vas-y.

Il dit que c'est long à raconter.

Je lui dis de résumer.

Il me dit que même en résumant, il doit partir du début.

Eh bien, vas-y, je lui dis.

Il me demande si je connais tel garde impérial de tel empereur mandchou dont il m'indique le nom impérial et le nom d'ère, ainsi que le nom et l'appellation de son supérieur. Il est le descendant en ligne directe de la septième génération de ce noble. Je le crois, sans être le moins du monde étonné. Que son ancêtre soit un criminel ou un ministre méritant à la cour n'a guère d'incidence pour lui à notre époque.

Si, déclare-t-il pourtant, cela a une énorme importance. Les bureaux d'antiquités, les musées, les bureaux d'archives, la Commission politique consultative du peuple, les antiquaires, tous sont venus le voir et ne cessent de l'importuner.

Je lui demande s'il possède encore quelque relique précieuse.

Tu es au-dessous de la vérité, dit-il.

Quelque chose d'un prix inestimable ?

Inestimable ou non, il n'en sait rien, car de toute façon, il est impossible de l'évaluer, que ce soit en millions, dizaines de millions ou plusieurs centaines de millions. Il me dit qu'il ne s'agit pas d'une pièce ou deux, mais de bronzes rituels des Shang, de jades, d'épées des Royaumes combattants, sans parler de bibelots rares et précieux des époques passées, de calligraphies, de tableaux et d'inscriptions, de quoi remplir tout un musée Le catalogue de ces objets, publié depuis longtemps, ne compte pas moins de quatre volumes reliés à la manière traditionnelle. On peut le consulter dans une bibliothèque de livres anciens. Ces trésors qui se sont accumulés pendant sept générations, depuis deux cents ans, depuis l'ère Tongzhi, se sont conservés jusqu'à nos jours !

Je dis que je ne trouve pas étonnant qu'ils se soient conservés, mais que je commence à craindre pour sa sécurité.

Il dit qu'il n'a rien à craindre de ce côté, mais qu'il ne peut plus vivre au calme, car sa famille, une grande famille, les descendants de ses grands-parents, de son père, ses oncles et tous ses proches ne cessent de venir le voir et les disputes n'en finissent plus, il en a vraiment marre.

Ils veulent partager ?

Il dit qu'il n'y a rien à partager. Ces dizaines de milliers d'objets précieux, en or, en argent, ces céramiques et toute la fortune familiale ont été incendiés ou ont été volés on ne sait combien de fois, soit par les Taiping, soit par les Japonais ou les différents seigneurs de la guerre. Par la suite, ils ont été recueillis par ses ancêtres qui les ont soit offerts à l'Etat, soit vendus à leur profit. D'autres fois, on les leur a confisqués. A présent, il n'en reste plus un seul.

Et d'où viennent les disputes maintenant ? Je ne comprends pas très bien.

Voilà pourquoi il faut raconter cette histoire en commençant par le début, dit-il, l'air tourmenté. Tu connais le Pavillon au Coffre d'Or et au Paravent de Jade ? Il a l'air de prendre cet exemple au hasard, mais évidemment, c'est le nom réel de son pavillon rempli de trésors. Dans les livres d'histoire, les annales locales, et dans les registres de ses ancêtres, partout le nom de ce pavillon est mentionné. Il est connu aujourd'hui de tous ceux qui travaillent dans le secteur des antiquités de son pays natal, dans le Sud. Il dit que quand l'armée Taiping est entrée dans la ville et l'a incendiée, le pavillon était déjà vide, la plus grande partie de son mobilier avait été transportée *in extremis* dans les propriétés de sa famille. Quant aux trésors répertoriés dans le catalogue, on a toujours dit qu'on les avait secrètement conservés. Son père lui a confié l'année dernière, juste avant sa mort, qu'ils étaient effectivement enterrés dans une ancienne résidence familiale, mais qu'il n'en connaissait pas exactement l'emplacement. Il lui a seulement révélé que ses ancêtres lui avaient transmis un recueil de poèmes écrits à la main, sur lequel était tracé à l'encre noire un plan général de leur ancienne résidence parsemée de terrasses, pavillons, jardins et collines artificielles. Dans le coin supérieur droit était inscrit un poème en quatre vers qui désignait secrètement le lieu où étaient enterrés les trésors. Mais le recueil de poèmes avait été emporté par les gardes rouges lorsqu'ils étaient venus chez lui et il n'en avait pas retrouvé trace après sa réhabilitation. Ces quatre vers, le vieillard était encore capable de les réciter et il lui avait dessiné de mémoire le plan de l'ancienne résidence. Il les a retenus par cœur et s'est lancé, au début de cette année, à la recherche de l'emplacement. Mais à présent, sur les ruines de l'ancienne résidence sont bâtis des immeubles, administratifs ou résidentiels.

Que dire ? je demande. Tout est enterré sous ces immeubles.

Non, dit-il, si les trésors se trouvaient sous ces bâtiments, on les aurait découverts en creusant les fondations, surtout avec ces constructions modernes : il faut installer tellement de canalisations que l'on creuse très profondément. Il était allé se renseigner auprès des agences responsables des travaux, qui n'avaient découvert aucune relique archéologique lors de la construction. Il me dit qu'il a étudié longuement ces quatre vers, qu'il a analysé la configuration du terrain et, qu'à huit ou neuf chances sur dix, il peut attester l'endroit où cela se trouve, à peu près à l'emplacement d'un espace vert entre deux immeubles.

Comment comptes-tu t'y prendre ?

Il dit que c'est de cela qu'il veut discuter avec moi.

Je lui demande si c'est d'argent dont il a besoin.

Il ne me regarde pas, mais contemple par la fenêtre de petits arbres dénudés.

Comment te dire ? Avec seulement mon salaire et celui de ma femme pour élever notre enfant, on a juste de quoi manger, on ne peut pas envisager d'autres dépenses, mais je ne peux pas vendre ainsi mes ancêtres. On me donnera bien sûr une récompense, mais ce sera trois fois rien.

Je dis que cela fera l'objet d'une nouvelle dans la presse : tel descendant de la septième génération de tel ou tel mandarin a fait don d'antiquités à l'Etat et a reçu telle ou telle récompense.

Il rit avec amertume et dit que pour le partage de cette récompense, tous ses parents, proches et lointains, vont venir lui casser les pieds. Ça n'en vaut pas la peine. Il pense plutôt que c'est l'Etat qui va s'enrichir.

Avec toutes les reliques déjà mises au jour, l'Etat est-il devenu plus riche ? je réplique.

Il hoche la tête et dit qu'il a pensé aussi que s'il tombait gravement malade ou mourait dans un accident de voiture, personne ne serait au courant.

Eh bien, transmets ces quatre vers à ton fils.

Il y a pensé, mais si son fils tournait mal et vendait les trésors ?

Ne peux-tu pas veiller sur lui ?

Mon fils est petit encore, il faut le laisser étudier calmement. Il ne faut pas que plus tard, à cause de cette histoire absurde, il en vienne à perdre l'esprit comme moi. Il rejette cette idée catégoriquement.

Eh bien, laisse un peu de travail aux archéologues du futur. Que pouvais-je dire de plus ?

Il réfléchit, se frappe la cuisse de la paume de la main et déclare : Bon, faisons comme tu dis. Qu'ils restent enterrés ! Et il se lève et s'en va.

Un autre ami est venu me voir. Avec son manteau neuf en tissu de laine de bonne qualité, ses chaussures brillantes de cuir noir finement ajourées, il ressemble à un cadre en visite à l'étranger.

Tout en quittant son manteau, il m'explique d'une voix forte qu'il a fait fortune en se lançant dans les affaires ! L'homme d'aujourd'hui n'est plus le même que celui d'hier. Sous son manteau, il porte un costume droit bien taillé et, autour du col raide de sa chemise, est nouée une cravate à fleurs rouges. Il ressemble ainsi au représentant d'une société installée à l'étranger.

Je lui dis qu'il ne craint pas le froid dehors, habillé comme ça.

Il me dit qu'il ne prend plus les bus bondés, mais qu'il est venu en taxi, que cette fois-ci il habite à l'*Hôtel de Pékin* ! Tu ne me crois pas ? Dans ces grands hôtels, il n'y a pas que les étrangers qui ont le droit d'y aller ! Il agite un trousseau de clefs garni d'une boule de cuivre gravée d'une inscription en anglais.

Je l'informe que lorsque l'on quitte un hôtel, on doit remettre sa clef à la réception.

Quand on est habitué à la pauvreté, on conserve toujours sa clef sur soi, dit-il sur un ton moqueur. Puis il contemple ma chambre.

Comment peux-tu encore vivre dans cette seule pièce ? Devine dans combien de pièces j'habite !

Je dis que je ne peux pas deviner.

Trois chambres plus une salle de séjour, à Pékin, ça correspond à un logement de chef de département ou de chef de bureau.

Je regarde ses joues rouges, bien rasées. Il ne ressemble plus à l'homme que j'ai connu en province, maigre et négligé.

Comment se fait-il que tu n'aies pas la télévision en couleur ? demande-t-il.

Je l'informe que je ne regarde pas la télévision.

Même si tu ne la regardes pas, ça décore. Chez moi, j'ai deux postes, un dans le salon, l'autre dans la chambre de ma fille. Ma femme et ma fille regardent chacune un programme différent. Tu ne veux pas t'en acheter un ? Je t'accompagne tout de suite au *Grand Magasin* pour t'en payer un ! C'est vrai. Il me regarde, les yeux écarquillés.

Tu as peur que l'argent te brûle les doigts.

Pour faire du commerce, il faut arroser les cadres. Ils ne mangent que de ce pain-là. Tu ne voudrais pas qu'ils te fixent un plan ou des normes, n'est-ce pas ? Tout le monde fait des cadeaux. Mais toi, tu es mon ami ! Manques-tu d'argent ? Jusqu'à dix mille yuans, tu peux compter sur moi. Pas de problème.

Je le mets en garde : Ne viole pas la loi.

Violer la loi ? Je me contente de faire quelques cadeaux. Ce n'est pas moi qui viole la loi, ce sont les chefs qu'il faudrait arrêter !

Les chefs, on ne peut pas les arrêter.

Pour ça, tu dois être plus au courant que moi, tu habites dans la capitale, tu sais tout ! Mais je te préviens, m'arrêter n'est pas si facile, mes impôts, je les paie, je mange à la table du chef de district et du directeur du bureau du commerce régional. Ce n'est plus l'époque où j'étais instituteur dans une bourgade de banlieue. Pour arriver à me faire muter depuis la campagne où je croupissais, j'ai dû au bas mot dépenser quatre mois de mon salaire, en repas offerts aux responsables du bureau de l'éducation.

Plissant les yeux, il recule d'un pas et courbe la taille pour examiner attentivement une peinture à l'encre de Chine représentant un paysage de neige. Il retient son souffle un instant, se retourne et dit : Ne faisais-tu pas l'éloge de ma calligraphie ? Tu l'appréciais, mais l'exposition que je voulais organiser au centre culturel du district n'a pas été acceptée, alors que le moindre caractère tracé par quelqu'un de haut placé ou de connu fait l'objet d'une exposition et que ces types se retrouvent vice-président ou président honoraire de l'Institut de calligraphie !

Je lui demande s'il continue la calligraphie.

Ça ne nourrit pas son homme. C'est comme toi avec tes livres. A moins de devenir un jour célèbre et que tout le monde te colle aux fesses pour te demander une belle calligraphie. C'est la société qui veut ça, maintenant j'ai compris.

Ça va sans dire.

Mais ça m'énerve !

Alors tu n'as pas encore compris. Je l'interromps pour lui demander s'il a mangé.

Ne t'occupe pas de ça. Dans un instant, j'appellerai un taxi pour t'emmener au restaurant. Celui que tu voudras. Je sais que ton temps est précieux. Je vais d'abord te dire ce que j'ai à te dire : je voudrais que tu m'aides.

T'aider à quoi ? Dis !

M'aider à faire entrer ma fille dans une université réputée.

Je dis que je ne suis pas recteur d'université.

Bien sûr, mais tu dois bien avoir des relations, non ? A présent, j'ai fait fortune, mais aux yeux des gens, je ne suis qu'un spéculateur qui fais du commerce. Je ne veux pas que ma fille connaisse la même vie que moi, je voudrais la faire entrer dans une université connue pour que plus tard elle vive dans les hautes couches de la société.

Et qu'elle se trouve un fils de haut cadre ?

Ça, je ne m'en occupe pas, elle saura elle-même comment faire.

Et si elle ne trouve pas ?

Ne m'interromps pas, tu peux m'aider, oui ou non ?

Il faut voir ses résultats, je ne peux rien faire.

Oui, elle a de bons résultats.

Eh bien, elle n'a qu'à passer l'examen.

Quel arriéré ! Tu crois que tous les enfants de hauts cadres passent leurs examens !

Je n'ai pas enquêté là-dessus.

Tu es écrivain.

Eh bien ?

Tu es la conscience de la société, tu dois parler pour le peuple !

Cesse de plaisanter. C'est toi, le peuple ? Ou bien c'est moi ? Ou bien le prétendu nous ? Je n'écris que pour moi.

Ce que j'aime, c'est que tu dis toujours la vérité.

C'est sûr. Allez, vieux frère, mets ton manteau, allons manger, j'ai faim.

Quelqu'un frappe encore à la porte. L'homme qui ouvre m'est inconnu. Il porte un sac en plastique noir. Je lui dis que je n'achète pas d'œufs, que je sors manger.

Il ne vend pas d'œufs. Il ouvre son sac pour me montrer ce qu'il contient. Il n'y a pas d'arme dedans. Bon, ce n'est pas un bandit en cavale. Gêné, il sort un gros manuscrit et m'explique qu'il est venu me voir pour me demander conseil. Il a écrit un roman et il veut que j'y jette un coup d'œil. Je le fais entrer et l'invite à s'asseoir.

Il décline mon offre, il veut laisser son manuscrit et repasser un autre jour.

Je dis que ce n'est pas la peine, il vaut mieux se dire tout de suite ce que nous avons à dire.

Il fouille à deux mains dans son sac et en retire un paquet de cigarettes. Je lui passe les allumettes, espérant qu'il allumera rapidement sa cigarette et qu'il finira de me dire ce qu'il a à dire.

Il m'explique en balbutiant qu'il a écrit une histoire réelle...

Je l'interromps pour lui préciser que je ne suis pas journaliste et que je ne m'intéresse pas à la réalité.

Bafouillant encore plus, il me dit qu'il sait que la littérature, ce n'est pas la même chose qu'un reportage de presse. Ce qu'il a écrit est bien un roman basé sur des faits et des personnages réels, avec ce qu'il faut de fiction. Il souhaite que je lui dise si ce roman peut être publié.

Je dis que je ne suis pas éditeur.

Il dit qu'il le sait bien, qu'il veut seulement que je le recommande et aussi que je corrige son manuscrit. Si j'accepte, je pourrai même rajouter mon nom, ce serait une sorte de collaboration. Bien sûr, son nom serait mentionné après le mien en couverture.

Je dis que je crains que ce soit encore plus difficile de le publier si l'on ajoute mon nom.

Pourquoi ?

Parce que j'ai beaucoup de mal à publier mes propres œuvres.

Il acquiesce, pour me montrer qu'il a compris.

Craignant qu'il n'ait pourtant pas tout à fait compris, je lui explique que le mieux serait qu'il trouve lui-même un éditeur.

Il se tait, perplexe.

Prévenant, je lui demande . Pouvez-vous reprendre votre manuscrit ?

Pourriez-vous le transmettre à un éditeur ? rétorque-t-il en ouvrant de grands yeux.

Il vaut mieux que vous l'envoyiez directement à une maison d'édition, cela vous évitera sûrement des ennuis. J'arbore un grand sourire.

Il rit aussi, remet son manuscrit dans son sac et bredouille quelques paroles de remerciement.

Non, c'est moi qui le remercie.

On frappe à nouveau, mais je n'ai plus l'intention d'ouvrir.

80

Haletant, pas à pas, bravant mille difficultés, tu avances vers le glacier. La rivière gelée vert émeraude est sombre et transparente. Sous la glace, noires et vertes, semblent serpenter d'immenses veines de jadéite.

Tu glisses sur la surface luisante, le froid paralyse tes joues, les glaçons que tu découvres devant tes yeux chatoient de mille feux. La vapeur qui sort de ta bouche gèle immédiatement sur tes sourcils. Une immense solitude gelée t'entoure.

Le lit de la rivière est bien marqué, le glacier s'est déplacé peu à peu, à une vitesse impossible à calculer, quelques mètres ou quelques dizaines de mètres par an.

Tu remontes le glacier, comme un insecte qui va bientôt s'immobiliser, gelé par le froid.

Devant, dans l'ombre que le soleil ne peut atteindre, se dresse un mur de glace balayé par le vent. Quand il souffle à plus de cent mètres à la seconde, il polit cette muraille entièrement lisse.

Entre ces parois de cristaux de glace, tu restes immobile, incapable de respirer. Une douleur transperce tes poumons, ton cerveau est presque complètement gelé, tu ne peux plus réfléchir, ce blanc complet, n'est-ce pas l'état que tu recherchais ? Un état comme ce monde de glace fait d'images vagues, formées d'ombres impossible à reconnaître qui n'indiquent rien, n'ont aucun sens : la solitude totale.

A chaque pas tu risques de tomber, cela ne fait rien, tu continues en rampant, tes pieds et tes mains sont insensibles depuis longtemps.

Sur la glace, la couche de neige est de plus en plus fine, elle ne s'accroche que dans les coins à l'écart du vent. La neige est solide, sa souplesse en surface est contenue par la coquille dure des cristaux.

A tes pieds, dans le ravin, un aigle tournoie ; autre vie hormis la tienne, tu ne sais si c'est seulement une impression, l'important est que tu aies encore une vision.

Tu montes en parcourant tours et détours, mais, dans ces tours et détours, entre la vie et la mort, tu te débats encore. Tu existes toujours, puisque dans tes veines, le sang coule, ta vie n'a pas cessé.

Dans cet immense silence, il te semble entendre un son cristallin, le son ténu d'une clochette, comme si l'on frappait sur la glace.

Des nuages violets surgissent sur le glacier, ils annoncent la tempête qui tourbillonne au milieu d'eux. Leur bordure déchiquetée en montre la force.

Le son de plus en plus net de la clochette a réveillé ton cœur engourdi. Tu vois une femme assise sur un cheval. La tête de l'animal et la silhouette de la femme se détachent sur l'horizon enneigé. Derrière s'étend un gouffre sombre. Il te semble entendre un chant qu'accompagnent les clochettes du cheval.

De Changdu, la femme est venue
Sur sa tête, une fine tresse, tel un fil de soie,
Aux oreilles, des boucles de turquoise,

Aux mains des bracelets d'argent lançant mille feux,
A la taille, une ceinture multicolore...

Il te semble avoir déjà vu une Tibétaine à cheval qui passait devant le signal géodésique situé à côté de la grand-route, marquant l'altitude cinq mille six cents mètres lorsque tu voyageais dans la Grande Montagne de la Neige. Elle avait ri en tournant la tête vers toi, t'incitant à pénétrer dans le gouffre sombre et à ce moment-là, tu n'avais pu t'empêcher de marcher vers elle...

Mais ce ne sont que des souvenirs, le son de la clochette est en toi-même, comme s'il résonnait sur ton front, la douleur qui déchire tes poumons est insupportable, ton cœur bat comme un fou, ta tête va éclater. Quand le sang se figera dans tes veines, elle explosera, silencieuse. La vie est fragile, mais elle se débat avec force, une obstination instinctive.

Tu ouvres les yeux, la lumière t'éblouit, tu ne vois rien, tu réalises seulement que tu es en train de ramper, le son agaçant de la clochette n'est plus qu'un souvenir lointain, qu'une pensée indistincte, comme un éclat scintillant de glace, ténue, flottant dans les airs, laissant sa marque dans ta rétine, tu t'efforces de reconnaître les couleurs de l'arc-en-ciel, tu trébuches, tu tournoies, tu reviens sur tes pas, tu as perdu la force de te contrôler, tout n'est qu'effort inutile, désir flou, refus de disparaître, trou noir, orbites d'un crâne, tunnel profond, il n'y a rien, mélodie discordante, fission, explosion !

... Une limpidité inconnue, tout est si pur, une légèreté difficile à réaliser, une musique silencieuse qui devient transparente, arrangée, tamisée, épurée, tu tombes, mais tu flottes pendant ta chute, tu es léger, ni vent, ni obstacle, tes sentiments sont profonds, ton corps éprouve une sensation de fraîcheur, tu te concentres pour écouter et tu entends cette musique informe mais qui remplit l'air, le fil de la vierge de tes souvenirs s'est affiné mais il reste parfaitement distinct devant tes yeux, il est fin comme un cheveu, il ressemble aussi à une fente dont les deux extrémités se fondent dans l'obscurité, il perd sa forme et se disperse, devenant un minuscule rai de lumière avant de se transformer en autant de grains de poussière infinis, puis ils t'enveloppent, et la lumière se rassemble dans ces bords de nuages déchiquetés, parfaitement distincts, elle y pénètre, s'y déplace, se transformant en une nébuleuse tel un brouillard, puis elle change encore et se fige pour devenir un soleil rond et sombre qui émet une lueur bleue, un soleil dans le soleil, il vire au violet, puis s'ouvre, son cœur se fige, il tourne au rouge sombre et émet une lumière diffuse pourpre, tu fermes les yeux pour empêcher ses rayons de t'atteindre, mais tu n'y parviens pas, les frémissements et les désirs qui montent de ton cœur, au bord des ténèbres, tu entends la musique, ce son qui prend forme s'amplifie, il s'étire, il te traverse, impossible de savoir où tu es, ce son cristallin et perçant envahit ton corps de partout, une fréquence plus courte s'y mêle dont tu n'arrives pas à saisir le rythme, mais tu en perçois la hauteur, il est relié à un autre son auquel il se mélange, ils se répandent, deviennent une rivière qui disparaît et revient, revient et disparaît, le soleil bleu sombre tourne dans une lune encore plus sombre, tu retiens ton souffle et cesses de penser, tu as perdu ta respiration, tu arrives au bout de ta vie, mais les vagues sonores sont de plus en plus fortes, elles te submergent, te poussent au paroxysme, orgasme purement cérébral, devant tes yeux et dans ton cœur et dans ton corps dont tu ne sais dans quel recoin tu habites, le reflet du soleil dans la lune sombre, dans un vacarme déferlant de plus en plus fort grandit grandit grandit grandit s'agrandit s'agrandit s'agrandit et explose... A nouveau le silence absolu, tu plonges dans une obscurité plus épaisse encore, tu ressens toujours les battements de ton cœur, la douleur physique, la peur devant la mort de ce corps en vie est concrète, ce corps que tu n'arrives pas à abandonner a recouvré sa conscience.

Dans le noir, dans un coin de la pièce, le signal d'intensité du son du magnétophone clignote sans interruption.

81

Par la fenêtre, je vois sur le sol enneigé une minuscule grenouille. Elle cligne un œil et écarquille l'autre. Elle m'observe sans bouger. Je comprends qu'il s'agit de Dieu.

Il se manifeste à moi sous cette forme et regarde si j'ai compris.

Il cligne de l'œil pour me parler. Quand Dieu parle aux hommes, il ne veut pas qu'ils entendent sa voix.

Moi, cela ne m'étonne pas, comme s'il devait en être ainsi, comme si Dieu avait toujours été une grenouille avec un œil tout rond, intelligent, grand ouvert. Quelle miséricorde de sa part de bien vouloir s'occuper d'un homme aussi pitoyable que moi !

Le langage incompréhensible qu'il parle de son autre œil, en clignant la paupière à l'attention des hommes, il me faut le comprendre. Mais cela, ce n'est pas son affaire.

Je peux également estimer que ce clignement de paupière n'a aucun sens, mais son sens réside peut-être justement dans son absence de sens.

Il n'y a pas de miracle, voilà ce que Dieu m'a dit, à moi, éternel insatisfait. Je lui pose la question :

Dans ce cas, y a-t-il encore quelque chose à chercher ?

Tout est calme alentour. La neige tombe en silence. Je suis surpris par ce calme. Un calme de paradis.

Pas de joie. La joie n'existe que par rapport à la tristesse.

Seule tombe la neige.

A cet instant, je ne sais où est mon corps, je ne sais d'où vient ce morceau de terre au paradis. Je scrute les environs.

Je ne sais pas que je ne comprends rien, je crois encore que je comprends tout.

Les choses se passent derrière moi. Il y a toujours un œil étrange. Le mieux, c'est de faire semblant de comprendre.

Faire semblant de comprendre, mais en fait ne rien comprendre.

En réalité, je ne comprends rien, strictement rien.

C'est comme ça.

Eté 1982-septembre 1989
Pékin-Paris

Impression réalisée sur CAMERON par

BUSSIÈRE CAMEDAN IMPRIMERIES

GROUPE CPI

à Saint-Amand-Montrond (Cher)
en mai 2001

N° d'édition : 487. — N° d'impression : 012456/4.
Dépôt légal : mars 2001.

Imprimé en France